道家文化研究

第五輯

陳鼓應主編

文史哲出版社印行

國家圖書館出版品預行編目資料

道家文化研究 / 陳鼓應主編. -- 校訂一版. -- 臺
北市: 文史哲, 民 89
　　面　；　公分
　　ISBN 957-549-300-1 (一套：精裝) ISBN 957-549-
301-x (第一輯)ISBN 957-549-302-8 (第二輯)ISBN
957-549-303-6(第三輯)ISBN 957-549-304-4 (第四
輯)ISBN 957-549-305-2 (第五輯) ISBN 957-549-
306-0 (第六輯) ISBN 957-549-307-9 (第七輯) ISBN
957-549-308-7 (第八輯) ISBN 957-549-309-5 (第九
輯) ISBN 957-549-310-9 (第十輯) ISBN 957-549-
311-7 (第十一輯) ISBN 957-549-312-5 (第十二輯)

1.道家 - 論文-講詞等　2. 道教 - 論文-講詞等
121.307　　　　　　　　　　　　　　89011271

道家文化研究 第五輯

主編者：陳　　　　鼓　　　　應
出版者：文　史　哲　出　版　社
登記證字號：行政院新聞局版臺業字五三三七號
發 行 人：彭　　　　正　　　　雄
發 行 所：文　史　哲　出　版　社
印 刷 者：文　史　哲　出　版　社
　　　　臺北市羅斯福路一段七十二巷四號
　　　　郵政劃撥帳號：一六一八○一七五
　　　　電話 886-2-23511028・傳眞 886-2-23965656

精裝全十二冊售價新台幣　　　　　元

中華民國八十九年八月校訂一版

《道家文化研究》在臺重版序言

　　八十年代以來，在中國大陸陸續創辦了一些學術性的刊物，如《管子學刊》、《孔子研究》等，對推動儒家、管子思想及稷下學的研究，起了積極的作用。在此之前，1979年創刊的《中國哲學》，它是以書代刊的形式出版，給我留下深刻的印象，為此我和一些研究道家的學者曾多次商議想辦一個專門討論道家思想的專刊，這想法終於得到香港道教學院院長侯寶垣先生和副院長羅智光先生的大力支持。於是，《道家文化研究》第一輯很快就於1992年面世了。

　　時光荏苒，轉眼之間，《道家文化研究》已經出版了十八輯，辦刊的過程是艱辛的，但每一輯的出版也都帶來收穫的愉快。特別是它能夠穫得海內外學術界的廣泛關注與好評。

　　眾所周知，《道家文化研究》一直是在大陸印行的。這對於臺灣感興趣的讀者帶來諸多不便。兩年多前，我剛回臺大的時候，就感到了這個問題，也就有了在臺灣重新印行它的念頭。當然，我也知道，這並不是很容易做到的。因為，任何一個出版公司若要出版它，大半是要賠錢的。所以，我非常感謝我的老朋友——文史哲出版社的彭正雄社長，願意幫忙印行《道家文化研究》一到十二輯，目前僅印三百部提供專業學者研究之需。同時，我也要借此機會，向上海古籍出版社和北京三聯書店表示感謝，由於他們的慷慨，得以使本刊在臺重印。

陳　鼓　應

1999年8月

《道家文化研究》臺灣版出版開言

　　《道家文化研究》是道家及道教研究的專業研究性刊物，在知名道家專家陳鼓應教授多年努力耕耘下，今天它已經是國際同行不可或缺的學術園地。世界學人只要想用中文發表有關這個領域的研究成果，莫不努力爭取在這個學術園地刊出。試看《道家文化研究》出版至今共十餘輯，作者群就已經遍佈世界各地了，除了海峽兩岸外，更包括韓國、日本、新加坡、澳洲、加拿大、美國及歐洲等地。而且其中更包括張岱年、柳存仁、王叔岷、湯一介、李學勤、朱伯崑、金谷治、余敦康、許抗生、蒙培元、李豐楙、劉笑敢、陳鼓應等等知名學者。

　　可惜，從前受限於現實情況，海峽兩岸資訊交流不易，臺灣地區的學者專家，並不容易取得這一份刊物的。而且《道家文化研究》從創刊號到今天，已經出版了十八本了，好些早已銷售一空；特別是期數較早的，更是一冊難求。有鑒於此，本社認爲需要重印整套《道家文化研究》，以饗讀者。

　　也許關心我們的讀者會替本社擔心成本效益問題，但我們的老客戶都知道本社成立近三十年，始終沒有只以營利爲唯一的宗旨。雖然我們還不至於像莊子所說的「舉世而譽之而不加勸，舉世而非之而不加沮」，但是，正如同許多讀者一般，我們欣賞這樣高水準的學術雜誌，我們更希望能讓更多人分享到這許許多多知名學人的學術成就。當然學術性專業期刊的銷路，本身就很有限，所以本社也將限量發售，只印三百套，供有興趣的專家學人們選購，當然更希望學校機關及圖書館能夠購備，以便更多讀者可以讀到這份雜誌。這樣，我們的辛勞就不會白費。

　　最後，我們得感謝陳鼓應教授的信賴，更感謝上海古籍出版社及北京三聯書店的慷慨，使得我們的重印計畫得以實現。

彭　正　雄

文史哲出版社發行人

2000 年 7 月 15 日

《道家文化研究》合刊總目

《道家文化研究》第一輯目錄

《道家文化研究》第二輯　　目錄

《道家文化研究》第三輯　　　目錄

《道家文化研究》第四輯　　目錄

《道家文化研究》第五輯　　目錄

《道家文化研究》第六輯　　　目錄

《道家文化研究》第七輯　　目錄

《道家文化研究》第八輯　　目錄

《道家文化研究》第九輯　　目錄

《道家文化研究》第十輯　　　目錄

《道家文化研究》第十一輯　　目錄

《道家文化研究》第十二輯　　目錄

道家文化研究

第五輯

香港道教學院主辦

陳鼓應　主編

上 海 古 籍 出 版 社

目　　錄

陰陽：道器之間

龐　樸

内容提要　本文考察了陰陽這對概念的產生與演變。文中指出，陰陽本義指的是自然現象，最早指的是天文現象，而後推廣到地理現象，然後由具體的象升格為天地之氣（陰陽二氣），又用陰陽二氣來解釋自然現象。進而又把陰陽概念引入行為義理之中，成為人的行動的根據，最後從自然與人事中升華出宇宙圖式。本文指出，作為中國文化脊梁的陰陽，是物質還是意識？是抽象的道還是具體的器？諸如此類的二分式的研究法，曾經困惑過且仍然困惑着不少中國哲學的研究者。本文提出一個說法，認為陰陽介于道器之間，是既非道亦非器、既不離道亦不離器的象。

　　陽光普照大地，陰雲密布長空，這樣簡單的天氣現象，自從地球形成之日起，便隨之而有了；對今天人類的大多數來說，它已無任何神奇可言。可是，在遠古時代，這一陰一陽的自然現象，卻曾招致地球上的智慧動物頂禮膜拜，從而產生出許許多多自然的、非自然的和超自然的意義來，成爲一種意識形態，左右着意義製造者自己。其中，尤以中華先民所作出的努力最多，其哲理最玄，影響也至深且遠且大。

自 然 現 象

從已有資料看,在漢字中,陰陽二字起先只是兩個分別使用着的象形文。"陽"作昜(殷契前編七.一四.一),"陰"字甲文未見,當作今之類;分別表示陽光普照和陰雲密布。加上左耳阜字以表示地貌的阞和陽(見《虽伯盤》),即現代漢字陰和陽的原型者,倒是後來的孳生字。這兩點,大概已成定論,不會被任何新材料否定的了。

這就是説,陰陽本義指的是自然現象,最先是天文現象,爾後推廣到與天文現象相關的地理現象,即地勢的向陽和背陰。下面兩條古老的材料可見一斑:

> 虽伯子宛父,作其征盨。其陰其陽,以征以行。(《虽伯子盨銘》)

> 篤公劉!既溥既長,既景乃岡,相其陰陽,觀其流泉。(《詩·公劉》)

盨是盛食器皿,征盨應是行軍飯盒之類。"其陰其陽,以征以行",是説無分黑夜白天,不管高山平原,征盨永伴我討伐四方。陰陽在此包有天文和地理雙重意思。這一點,在"既景乃岡,相其陰陽"中更爲清楚:景是日影,岡是山脊;既已觀望了日影,再來察看山岡,于是斷定了地段的陰陽。這意味着,陰陽因日影和地形即天、地之象而生成。

地象的陰陽也好,助成地象陰陽的天象陰陽也好,本都不過是簡明的感性現象,沒有多少微言大義,更無什麼神秘可言。上引文字,正是這樣來運用陰陽二字的;也代表了青銅時代的一般看法。

當然這并不是説,那時的人們都是無神論者,或是缺乏抽象思維能力;而只是説,陰陽兩個字,在當時尚無神秘意義,尚未構成某種觀念。

　　後來，人們竟然慢慢發現，陰陽與風雨晦明等它種天象不同，也與山原河海等它種地象有別，它并非獨立性的實物，雖可感而不可觸；另一方面，它又顯然不同于天神人鬼、木怪石妖之類的人腦幻想物，雖無形卻有象。陰陽的這種介乎虛實之間心物之間的特質，遂使它左右逢源，游刃有餘，表演出了一番大事業來。

　　首先是從具體的象升格爲天地之氣。其說最先見于《國語》"宣王不籍千畝"章中的虢文公諫曰：

　　　　古者太史順時覝土。陽癉憤盈，土氣震發，農祥晨正，日月底
　　于天廟，土乃脈發。先時九日，太史告稷曰：自今至于初吉，陽氣俱
　　蒸，土膏其動；弗震弗渝，脈其滿眚，穀乃不殖。（《國語・周語上》）

癉在病爲濕熱。"陽癉憤盈"，謂如癉之陽充斥着；也就是下面的"陽氣俱蒸"的意思。"土氣震發"、"土乃脈發"、"土膏其動"的意思差不多，都是指土壤復蘇。濕熱的陽氣充斥着，蒸發着，大地復蘇了。對這段話，我們感興趣的問題是，這濕熱蒸騰的陽氣，是在土之上呢，抑在土之中乃至土之下？或者竟是土之氣本身？這個問題，單看這段話還難遽爾斷定。《周語下》說到過夏禹時"天無伏陰，地無散陽"，可能有一點啓示作用；《管子・形勢解》也有"春者，陽氣始上，秋者，陰氣始下"的說法，亦足幫助作答。而最爲明確的答案，應該數《莊子・田子方》中老聃談"物之初"的一段話：

　　　　至陰肅肅，至陽赫赫。肅肅出乎天，赫赫發乎地。兩者交通成
　　和，而物生焉。

陰、陽分別從天、地出發，然後碰到一起，生成萬物。這同"天無伏陰"、"陽氣俱蒸"、"陽氣始上"、"陰氣始下"等描述相通，應該是那時思想家們的共識，即：陽乃土之氣，發乎地；陰爲天之氣，出乎天。

　　同樣的說法也見于周幽王二年地震時的一段議論：

　　　　伯陽父曰：周將亡矣！夫天地之氣不失其序；若過其序，民亂
　　之也。陽伏而不能出，陰迫而不能蒸，于是有地震。今三川實震，是
　　陽失其所而鎮陰也；陽失而在陰，川源必塞，源塞國必亡。（《國語・
　　周語上》）

陽氣伏于地下，受陰氣之迫，而不能出，不能蒸，于是有地震。此之謂天地之氣失其序。這個序，指陽氣不能發乎地，去同出乎天的陰氣交通，這和前引的陰氣在天陽氣在地是一致的。

　　讀者大概已經强烈感覺到，或者敏鋭注意到，這個陰天陽地、陰上陽下的古老説法，同後來的觀念正好顛倒。其轉換的情況，有如殷道之坤乾和周易的乾坤（儘管《周易》仍以陰上陽下爲“泰”、陽上陰下爲“否”，而説《易》者遵循的卻是時新的陽尊陰卑的調調）。陰陽顛倒的時間，在文獻上留下痕迹的，似乎始見于《左傳・昭公元年》醫和爲晉侯看病時的對話：

>　　天有六氣，降生五味，發爲五色，徵爲五聲，淫生六疾。六氣曰陰、陽、風、雨、晦、明，分爲四時，序爲五節，過則爲災：陰淫寒疾，陽淫熱疾，風淫末疾，雨淫腹疾，晦淫惑疾，明淫心疾。
>
>　　女陽物而晦時，淫則生内熱惑蠱之疾。今君不節不時，能無及此乎！

這六氣，實乃我們今天所謂的天氣或氣象之氣。天氣一詞，殆出于此；氣象之所以謂之氣象，或許亦是此六氣之象的意思。這六氣，在此都被判爲天之所有，與上引諸文中陽氣屬地者不同。這個不同，可能反映了陽的地位的升騰；也可能是，此處的擁有六氣的“天”，應該作一寬泛的瞭解，即瞭解爲“大自然”，而非僅僅是頭頂上的蒼茫之天；這在古籍中是不乏其例的。如果是後一種意義，則陽仍可能屬地所有，尚未升騰完畢。

　　不管怎樣，值得我們特別注意的是，陰陽從具體的象升格爲氣時，便是兩種不同凡響的氣，在六氣中，它和其他四氣有抽象和具象、綱和目之不同。

　　六氣中，風雨之爲具體，自不待説。晦，從上下文看得出，是代表夜晚；明，表示白天。都有十分具體的所指。唯獨陰陽二氣，有點懸在半空，没有具體着落。經師們注疏之爲寒熱，或係誤會了“寒疾”“熱疾”之故。當時醫和説，陰太過則生寒疾，陽太過則生熱疾；

這個寒疾和熱疾，并非像"末（肢）疾""腹疾"那樣，爲某個官能的具體疾病，而是一切疾病所屬的兩大部類。任何疾病，都可納入寒、熱之譜，也都自有寒熱之分。准此，導致寒熱疾病的陰陽，也就相應地不是兩種具體的氣，而是其他四氣所屬的綱。風雨晦明，可以分別納入陰陽，各自還可細別爲陰陽。所以，我們在文獻中看到過這樣的定義：

> 天地者，形之大者也；陰陽者，氣之大者也。（《莊子·則陽》）

陰陽不是具體的氣，而是一般的氣；不是普通的氣，而是偉大的氣！以及：

> 日至六十日而陽凍釋，七十五日而陰凍釋。（《管子·臣乘馬》）

凍生于水，成于寒，顯然屬陰無疑；但凍之中又有陽凍陰凍之分。是陰之中還可再分陰陽。甚至可以無限地分下去，如醫家們所認爲的那樣：

> 言人身之陰陽，則背爲陽，腹爲陰。言人身之臟府中陰陽，則臟者爲陰，府者爲陽；肝心脾肺腎五臟皆爲陰，膽胃大腸小腸膀胱三焦六府皆爲陽。……
>
> 背爲陽，陽中之陽，心也。背爲陽，陽中之陰，肺也。腹爲陰，陰中之陰，腎也。腹爲陰，陰中之陽，肝也。腹爲陰，陰中之至陰，脾也。
>
> 此皆陰陽表裏，內外雌雄，相輸應也。故以應天之陰陽也。
>
> 《素問·金匱真言論》

這些陰陽所附之物，當然已不是"氣"，而是"器"；已不是"象"，而是"形"。它們之所以能判分爲陰陽，當係鑒于它們的相對的位置、性質、功能，總而言之是鑒于它們的狀況，可以比附成陰陽，并非有什麼絕對的根據。譬如"心"，作爲五臟之一，爲陰；而以背部爲座標來說，心卻又是陽中之陽。如此等等。

既然如此，既然人體器官本無絕對意義上的陰陽分別，爲什麼又非要判分爲陰陽不可呢？他們答曰："故以應天之陰陽也。"因爲

天即大自然有陰陽，爲了應天，人們才指認自己的軀體部位和各種
器官爲陰爲陽，或者叫屬陰屬陽，分屬于那個"氣之大者也"的"至
陰"和"至陽"，以表示人與天本是一體的，讓人有個安頓，也讓天有
個着落，或者説，以滿足"天人合一"這個總體性的意識形態或文化
習慣。

　　根據同樣的道理，自然界的其他方方面面，也無不可以分別爲
陰陽，且真的分成了陰陽。

　　牝牡分體的動物和雌雄異株的植物自不待説，即整個動物和
整個植物，亦被分屬于陰陽，其説見于《周禮》鄭玄注。《周禮·大宗
伯》"以天産作陰德，以中禮防之；以地産作陽德，以和樂防之"條，
鄭玄注曰：

> 天産者，動物，謂六牲之屬；地産者，植物，謂九穀之屬。陰德、
> 陰氣在人者。陰氣虛，純之則劣，故食動物，作之使動；過則傷性，
> 制中禮以節之。陽德、陽氣在人者。陽氣盈，純之則躁，故食植物，
> 作之使靜；過則傷性，制和樂以節之。如是然後陰陽平、情性和而
> 能育其類。

如果鄭玄的理解是對的，那麼，《周禮》是以動物爲陽，天産，其用在
于振作陰德；植物爲陰，地産，其用在于振作陽德。動植物之或動或
靜，當是它們在此判屬陽陰的主要根據。可是同爲鄭玄，在注釋《儀
禮·聘禮》"醴醯百甕"時，卻説：

> 醴、穀，陽也；醯、肉，陰也。

穀又成了陽，肉又成了陰了。作疏的賈公彦出來圓場説："醴是釀穀
爲之，酒之類，在人消散，故云陽。醯是釀肉爲之，在人沉重，故云陰
也。"就是説，若就其結構而言，動物陽植物陰；就其功能而言，則反
過來了。這個圓場也許打對了；也許由于受着"疏不破注"的鉗制，
巧爲之説罷了。其實如果説成：穀乃植物種子，内含生機，故陽；肉
爲動物遺骸，了無活力，故陰；也許更合適一些。不管怎樣，動植物
作爲整體，是被分屬于陰陽的。而結構與功能之屬性相反，陰結構

而有陽功能，陽結構而有陰功能，如此錯綜統一成動物和植物，倒表現了中國辯證思維的特殊精神。

最令經師們頭疼的還數不到動植物，而是水火的陰陽屬性。水性柔弱，在方則方，在圓則圓，善利萬物而不爭；火性剛烈，燁燁爲明，焚燎消礫，燔灼群形無子遺。用陰陽學的一般標準衡量，誰陰誰陽，本無庸議。可是《左傳·昭公九年》偏偏明白無誤地説："火、水妃也"！水王火妃，則火應爲陰，水卻爲陽。于是，如何給水火定性，又如何解釋《左傳》這段話，便成了不小的難題。

東漢服虔作《左傳解誼》，用八卦來説水王火妃，曰："火、離也，水、坎也。易卦離爲中女，坎爲中男，故火爲水妃。"中女中男之説，出自《説卦》，易傳他篇亦時以陰陽男女解説卦象。其中多有湊合敷衍之處，前人屢屢指出。即在《説卦》本身，離爲中女，亦爲日，坎爲中男，亦爲月，便很難避免陰錯陽差之譏。

所以後來杜預作《左傳集解》，便改用五行來解説，曰："火畏水，故爲之妃。"

畏之，故爲之妃。真是典型的男性中心主義。殊不知，火固畏水矣，水又何嘗不畏火？五行無常勝（《孫子·虛實》），水之勢勝火，而一勺不能救一車薪（《文子》），水火金木代爲雌雄（《淮南子·議兵》），水盛勝火，火盛勝水（《論衡·命義篇》），諸如此類的説法，文獻中不知凡幾，難道説，水火應互爲夫妻？

考其究竟，火爲水妃，如果不是一個古老的神話傳説，便是中國辯證法的妙處。用上述的結構、功能的説法，可以索解一二。其根本精神，便是相反相成：水火各自由相反者（如結構與功能相反）統一而成；水火結爲夫婦，又是一個相反相成。相反者相成，每一物之内和物之間，既不簡單是相反者，也不籠統是相成物了。

動植水火之外，他物當然也都能找出根據來分別陰陽。甚至于數目以其奇偶、干支比照天地，也紛紛取得了陰陽資格。

最有趣的是，大概是出于擬人化的興致，許多物類被在自身分

屬陰陽之後,更被在内部再分別陰陽。《周禮‧地官‧山虞》就有
"仲冬斬陽木,仲夏斬陰木"之説。至于何爲陽木何爲陰木,經師們
又是夾纏不清。宋玉在《風賦》裏分雄風雌風,《笛賦》裏別雌竹雄
竹;《抱朴子》"取牡銅以爲雄劍,取牝銅以爲雌劍";其他如虹霓、雷
電、石、箭等等,皆有雌雄陰陽之説。

　　總而言之,一切自然現象和物類,都可參照比附最原始的陰陽
含義,被判分爲陰陽,而且也的確判分爲陰陽了。

行　爲　義　理

　　古人不厭其詳地判分自然物象的陰陽屬性,也許有一種理論
架構上的驅動力在作用,甚至會有某種游戲的心情在挑逗;但更主
要的,恐怕還是爲了人類自己,爲了自己的行爲能夠順應自然,與
天地合其德,不致違背大自然的本性,無視大自然的昭示,做出逆
忤的事情來,就是説,更主要的動機,是功利主義的。

　　上一章引《詩經》《公劉》的"相其陰陽",就是一個最簡單的因
應地形以選擇定居點的例子。到了《國語》的虢文公諫勸周宣王擧
行籍田禮,理由是斯時"陽癉憤盈,土氣震發","陽氣俱蒸,土膏其
動",爲王的應該率領群臣籍田以帶動庶民耕田,使陽氣得以暢其
蒸;如果"弗震弗渝",不去變動一番田土,天地必將對人的不應行
爲做出報復,使得"脈其滿眚,穀乃不殖",後果不堪設想。半個世紀
後的三川地震,便是一個"報應"的實例。伯陽父解釋那次地震的原
因爲陰陽之氣失序;而其所以失序,乃"民亂之也"使然。注書的韋
昭説:"言民者,不敢斥王也";那就是"王亂之也"使然。不管是誰亂
之的,總之是人的行爲未曾順應陰陽,所以招致地震。另一個例子
中晉平公的貪色致疾,當然也是陰陽失序之故。

　　明乎此,我們自不難理解醫家們何以要細分人體之陰陽了:那
無非是爲着全方位地去因應外界的大自然,以及,便于絲毫不爽地

來對治内部的小自然。而博物家們和丹士們之細分萬物之陰陽，其目的亦不外乎此，不外乎最終落實到爲人自己尋找出宜陰宜陽的行爲準則來。

這就是説，陰陽，不僅是天象地貌，不僅是氣之大者，不僅是萬物質能，還是人的行爲義理；而且，正由于它是客觀的自然的，所以，它也應是主觀的行爲的根據，最高的根據。

陰陽之作爲行爲義理，首先提倡者，大概是巫及其進化者醫和史。醫側重于人的自然行爲，史側重于人的社會行爲；在巫那裏，二者則混沌未分。

巫道詭誕，姑置勿論。醫、史之説，前已略有涉及。蓋人之爲人，既是一自然存在，一有機生命體，由之需要也産生醫；又是一社會存在，一活動角色，由之需要也産生史。醫家説：

> 夫四時陰陽者，萬物之根本也。所以聖人春夏養陽，秋冬養
> 陰，以從其根，故與萬物沉浮于生長之門。逆其根，則伐其本，壞其
> 真矣。（《素問·四氣調神大論》）

這話主要是從自然意義上説的。這裏的沉浮生長，指人的機體的發育或萎頓；這裏所養的是自然性的陰陽之氣，和孟子所養的社會性的浩然之氣，便大不相同。以法自然和養生爲務的道家人士所談的陰陽，大多也是這個意思：

> 人大喜邪？毗于陽；大怒邪？毗于陰。陰陽并毗，四時不至，寒
> 暑之和不成，其反傷人之形乎！（《莊子·在宥》）
> 兵莫憯于志，鏌鋣爲下；寇莫大于陰陽，無所逃于天地之間。
> 非陰陽賊之，心則使之也。（《莊子·庚桑楚》）

大喜傷陽，大怒傷陰，寒暑不和，反傷人形。這裏的陽陰指大自然的陽和陰，喜怒則是人情的陽和陰。大喜大怒，意味着人的行爲違背了陰陽交通成和的道理，其後果是有傷于自然的陰陽，并反回來傷害人的形體。第二條引文的陰陽也是大自然的陰陽；它是最大的無法躲避的"寇"，但它并不無端害人，除非"心則使之"，即人的主觀

意念驅使它招惹它；在這個意義上説，"志"（心之所之）是最鋒利的
自戕武器。

這一套理論，像是故意跟讀者繞圈子。它不直説大喜大怒足以
傷害身心的平衡，像醫家們常説的那樣；而要投射到冥冥之中去，
然後再折返回來。這種天人感應的色彩，暴露出道家脱胎于古巫的
母斑，儘管它在體系上似乎已經很成熟了。

史也來源于巫，并演化爲後來的儒。與醫家道家不同之處在
于，史的興趣在社會方面。伯陽父談地震，也是兜了一個天人感應
的圈子，説地震是民亂了天地陰陽之氣，不過反回來受害的不是作
亂的民的身體和生命，而是"周將亡矣"，即整個社會。

將這種天人因應關係表述得最明白不過的，大概是范蠡的一
段話：

> 天因人，聖人因天。
>
> 人自生之，天地形之；聖人因而成之。（《國語·越語下》）

老天自己絶不無緣無故胡亂變卦；它如果有了什麼不測的風雲，那
只不過是將"人自生之"的結果予以"形之"罷了。這叫做"天因人"。
只是天的這種變幻并不能獨自完成對人的賞善罰惡，必待聖人來
不失時機地"因天""而成之"，始克畢其功。天與人的如此交相因
應，比起"天垂象，聖人則之"那種單行道來，更着重人的行爲後果
與效用；雖然還不曾擺脱掉天，但巫的意味顯然更輕，史的意味顯
然更濃了。後來揚雄説過"史以天占人，聖人以人占天"的話，可以
看成是天人關係上的變化狀況的概括。

沿着這條路下去，便會看到後來內史叔的有名答問：

> 六鷁退飛過宋都，風也。
>
> 周内史叔聘于宋，宋襄公問焉，曰：是何祥也？吉凶焉在？對
> 曰：今兹魯多大喪，明年齊有亂，君將得諸侯而不終。退而告人曰：
> 君失問，是陰陽之事，非吉凶所生也；吉凶由人。吾不敢逆君故也。
>
> 《左傳·僖公十六年》

六鷁退飛，由于風，即由于大自然的陰陽變化；而保守的宋襄公以爲是吉凶的兆化。内史叔作爲内史，則既知道它是“陰陽之事”，又知道它的“吉凶焉在”；并采取了因人而異的辦法，對糊塗人説糊塗話，對明白人説明白話。糊塗話是傳統的，怪力亂神的；明白話是進步的，人文主義的。

内史叔的精彩之筆在于：將吉凶同陰陽脱鈎，歸根于人事，明白指出吉凶由人非由陰陽，不再繞前人常繞的那個大圈子。但他也没有涉及陰陽之事由于什麽，似乎故意回避了陰陽變化與人的行爲關係（天因人）那個老問題。莫非這個問題太遙遠了，存而不論是當時所能達到的最高態度？後于他一百二十年、以開明著稱的子産，不是還在説“天道遠，人道邇”嗎？

内史叔的吉凶由人、子産的天遠人邇，都只能算作一星智慧的火花。其光芒是耀眼的，但也是轉瞬即逝的。因爲整個時代還没有到達那個水平。社會爲能維持其持續的穩定的存在，必須有一些公認的行爲準則；它不僅能使臣民自覺地或畏懼地遵循，也能使君主自覺地或畏懼地不加遑犯。這些準則，有宗教的，有道德的，有法律的，甚至有哲學的。而在古代中國，則巧妙地利用了自然現象的陰陽，轉換成爲一切人等都應遵循的最高行爲準則。它是宗教的、哲學的，也實踐化爲道德的和法律的。

自然現象的陰陽所以能被推廣爲人的行爲準則，也許由于人之作爲自然存在，早已因性别的不同，根據體態的剛柔，體格的强弱，性情的靜躁，嗓音的清濁，以及諸如此類的自然差别，加上因性别而起的家務分工之内外等等，被判定爲屬陰屬陽了。

但更主要的，當不止于人的自然存在。由于人還是社會存在，人的行爲主要在社會，行爲準則主要是社會行爲準則。社會角色的不同，社會遭際的差異，諸如長幼、尊卑、貴賤、貧富、賢愚、窮達等等，都可按陰陽來比附，從而按陰陽原則來要求，以求得社會的秩序化。董仲舒説得好：

丈夫雖賤皆爲陽，婦人雖貴皆爲陰。陰之中亦相爲陰，陽之中亦相爲陽；諸在上者，皆爲其下陽；諸在下者，各爲其上陰。陰猶沉也，何名何有，皆并于一陽，昌力而辭功。（《春秋繁露·陽尊陰卑》）

是故推天地之精，運陰陽之類，以別順逆之理，安所加以不在？在上下，在大小，在強弱，在賢不肖，在善惡。惡之屬盡爲陰，善之屬盡爲陽。（《春秋繁露·王道通三》）

諸在下的，各爲其上之陰；他們的一切，都并歸其上的陽；他們只應倡力，不得居功。這樣的可怕秩序，本是那種社會的要求，但他卻從陰陽中引申出來，推薦爲社會的行爲義理。

馬王堆帛書中，有一篇書叫做《稱》，將這種劃分和守則說得最是清楚：

凡論必以陰陽□大義。

天陽地陰。春陽秋陰。夏陽冬陰。晝陽冬陰。大國陽，小國陰。重國陽，輕國陰。有事陽而無事陰。伸者陽而屈者陰。主陽臣陰。上陽下陰。男陽女陰。父陽子陰。兄陽弟陰。長陽少陰。貴陽賤陰。達陽窮陰。娶婦生子陽，有喪陰。制人者陽，制于人者陰。客陽主人陰。師陽役陰。言陽默陰。予陽受陰。

諸陽者法天，天貴正，過正曰詭□□□□祭乃反。諸陰者法地，地之德安徐正靜，柔節先定，善予不爭。此地之度而雌之節也。

諸陽者法天，諸陰者法地。一切陽性的人和事，以天即至陽爲準則；一切陰性的人和事，以地即至陰爲準則。陰陽之所以成爲行爲義理，蓋由于人間先已按此義理判分成了陰陽兩界。或者說，被賦予的至陰至陽的諸種德性，本是來于人身和人生的秩序，然後又反回來君臨人間。這種狗咬尾巴式的循環圈，在理論上雖經不住推敲，但其實踐中的威力，卻絕不容低估。

一個是它成了國家行政的理論依據。

大概從《夏小正》開始，直到清末的《時憲書》，幾千年中，一切月令類的政策法規，無不以陰陽作爲行爲義理，或者叫"務時而寄政"。其根本的道理,正如司馬遷所公正指出過的："夫春生夏長,秋收冬藏,此天道之大經也,弗順則無以爲天下綱紀";但更多的也許是事情的另一面,即對春不生夏不長的災難的回憶和恐懼。《管子·四時》篇寫道：

> 陰陽者,天地之大理也。四時者,陰陽之大經也。刑德者,四時之合也。……是故春凋秋榮,冬雷夏有霜雪,此皆氣之賊也。刑德易節失次,則賊氣倏至;賊氣倏至,則國多災殃。是故聖王務時而寄政,作教而寄武,作祀而寄德焉:此三者,聖王所以合于天地之行也。

最高的原則在合于天地之行,即人的行爲尤其是君王的行爲應合于天地的行爲。天地的高厚雖然誰也説不清楚,它的行爲據説倒還可得窺測;其大理、大經便是陰陽。聖王以陰陽爲法,他的行爲的大理大經便是刑和德。法家稱之爲二柄,外國人叫做大棒與胡蘿卜。一切行政措施,文教武伐,乃至起居游宴,無不可以分別歸入刑德之列。由于天地的陰陽二氣并非均勻散布一成不變,斯有四時之分;聖王的刑德,也應隨春榮秋凋而輕此重彼。倘或易節失次,則將攪亂大自然的陰陽,致使國家遭殃。

　　這一套學説,像許多中國學問一樣,不能用唯物唯心或主觀客觀誰第一的簡單辦法來評判。用反作用、能動性,也只不過是把哲學問題簡化爲物理學、生理學頂多是心理學問題而已。因爲,如果單看以天地之陰陽作爲行爲義理,自應屬客觀第一性的了;但它同時認爲,人的行爲力之大大到可以變化陰陽的程度,則又仿佛是崇尚主觀,而不僅僅是反作用、能動性所可得以解説。其實,這就叫"天人合一"。"合一"意味着主亦是客,客亦是主,天能感人,人能感天,互相滲透,互相作用。這種能與人"合一"的"天"仿佛是虛設的,是思想家們神道設教的成果,藉以震慑民人乃至君主的,像許多宗教那樣;但卻又不盡然,因爲天的具體體現是陰陽,而陰陽確是種種可感的自然現象的代號,于是它又不像宗教的天。

衆所周知，全部中醫理論和東方養生之道，就是奉陰陽作爲行爲義理的。中國歷來都是人口最多的國家，不能説與這種觀念無關。而將陰陽義理在行爲中運用至至極，達到出神入化境界的，要數今天已經博得世界贊嘆的中國古代兵家的理論和實戰經驗。

《孫子·行軍》篇説："凡軍好高而惡下，貴陽而賤陰"，這還是僅就地形而言的。到了《軍爭》篇中的"以迂爲直，以患爲利；故迂其途，而誘之以利，後人發，先人至"，以及《九地》篇的"始如處女，敵人開戶；後如脱兔，敵不及拒"等等，便是活用陰陽作爲軍事的行爲義理，而且是所謂的"陰謀"了。《揭子兵經》中，將此道講得最透徹：

> 陰者，幻而不測之道。有用陽而人不測其陽，則陽而陰矣；有用陰而人不測其陰，則陰而陽矣。

> 善用兵者，或假陽以行陰，或運陰以濟陽。總不外出奇握機，用襲用伏，而人卒受其制。詎謂陰謀之不可以奪神哉？（《陰》）

范蠡輔佐越王伐吳，用過許多計策，其"善用兵者"一節云：

> 古之善用兵者，嬴縮以爲常，四時以爲紀；無過天極，究數而止。天道皇皇，日月以爲常，明者以爲法，微者則是行。陽至而陰，陰至而陽；日困而還，月盈而匡。

> 古之善用兵者，因天地之常，與之俱行。後則用陰，先則用陽，近則用柔，遠則用剛，後無陰蔽，先無陽察。用人無藝，往從其所，剛柔以御；陽節不盡，不死其野，彼來從我，固守勿與；若將與之，必因天地之災。又因其民之饑飽勞逸以參之，盡其陽節，盈吾陰節而奪之利。宜爲人客，剛强而力疾；陽節不盡，輕而不可取。宜爲人主，安徐而重固；陰節不盡，柔而不可迫。（《國語·越語下》）

這裏明確宣布用兵以陰陽爲法。陰陽擬之于出師爲後發與先發，擬之于對敵態度爲柔與剛。兵書有"先人有奪人之心，後人有待其衰"之説（見《左傳·昭公二十一年》），二者似乎各有妙處。但究竟應先發制人還是後發制人，用柔還是用剛，范蠡的原則是，在陰（後、近）則法陰，在陽（先、遠）則法陽；完全以陰陽作爲行爲準則。陰陽還有一個至極而反的規律，所以范蠡數次勘阻句踐，要等待敵人盡其陽節、自己盈吾陰節的時刻，再同對方交手。歷史事實是，後來越王終于打敗了吳王。

人們也許可以將這一套戰理術語換成別的詞，不用陰陽二字，但是，那只是術語不同而已，我們祖宗概括出來的陰陽之理，并不因此便被改掉。因爲，這個陰陽之理，反映着宇宙的圖式。

宇　宙　圖　式

屈原在《九歌・大司命》裏，描繪命運之神的神氣時，寫道：

紛總總兮九州，何壽夭兮在予！

高飛兮安翔，乘清氣兮御陰陽。

……………

靈衣兮被被，玉佩兮陸離。

壹陰兮壹陽，衆莫知兮余所爲。

命運之神主宰着九州之民的壽夭窮通，他忽兒陰忽兒陽，搞得別人莫名其所以然。這個陰陽，既非他自己所御的那個屬于六氣的陰陽，亦非上一章所説的天因於人而形之的天象陰陽；它乃是決定着每個人的命運的陰陽，是任何人所奈何不得的彼岸預設。只要看看雖如莊子那樣自詡爲“上與造物者游”的人，也曾告誡説，對待命運，只得“知其不可奈何而安之”（《人間世》）；便可想見其威力之一斑。

如果説六氣的陰陽是自然現象，行爲義理的陰陽不過是人間現存秩序和理想秩序的投影；那麼，命運之神所玩弄所釋放出來的陰陽，便是超乎二者之上的某種超自然超社會的强力。

《淮南子》的宇宙發生論這樣説：

古未有天地之時，唯象無形。窈窈冥冥，芒芠漠閔，澒蒙鴻洞，莫知其門。有二神混生，經天營地，孔乎莫知其所終極，滔乎莫知其所止息。于是乃別爲陰陽，離爲八極，剛柔相成，萬物乃形：煩氣爲蟲，精氣爲人。（《精神訓》）

這一段話如果換成概括一點的説法,便有如《呂氏春秋》所云:

> 太一出兩儀,兩儀出陰陽。陰陽變化,一上一下,合而成章。

（《大樂》）

這些二神和兩儀,顯然并非如一些舊注所認爲的那樣,是通常所謂的陰陽;因爲它不僅明確地生在和出在陰陽之前,而且是陰陽的生身父母。照《淮南子》的説法,它是象,没有形也不是形。而通常所謂的自然的陰陽和人事的陰陽,都已是有形的了。

可是,這并非通常所謂之陰陽的二神和兩儀,不是陰陽又將能是什麽呢?要知道,在中國文化裏,既已成雙捉對者,都可判别爲陰陽,判屬于陰陽,乃至謂之爲陰陽。這個習慣,這種思維方法,就其性質來説,應該可以無例外地運用,那怕是對于陰陽産生以前的二神和兩儀。所以,一些舊注見到二神兩儀便指爲陰陽,也有其某種習慣性和合理性。

當然必須清醒意識到,它們是唯象無形的陰陽,是先于陰陽的陰陽,是宇宙生成中第一次一分爲二時出現的陰陽。從而,它們也就是哲學意義上的元陰陽,哲學家們所探尋的陰陽。

在這方面挖掘最深的應數道家。老子説:"萬物負陰而抱陽,冲氣以爲和",這個陰陽,固不是人事上的陰陽,也并非自然中的陰陽,正就是原始的陰陽。形象地説,它是二神;抽象地説,它叫兩儀,或者叫"二",道生一、一生二的二。它自己是唯象無形的;唯其如此,它可以體現爲萬物萬事之形,萬物萬事負抱它而生而成。萬物萬事既生既成以後,又各有自己的具體而微的陰陽。在《莊子》的散文中,這一套關係便表述得比較清楚了。

莊子發明了"至陰""至陽"的概念,用來表示原始的陰陽,以與具體的陰陽相區别。譬如他説"天地者,形之大者也;陰陽者,氣之大者也",那是作爲自然之氣的陰陽;他説"中國有人焉,非陰非陽,處于天地之間;直且爲人,將反于宗"（《知北游》）,則是人事意義上的陰陽。照他的説明,人可以也應該通過將養氣之陰陽和善處人事陰陽，反于宗而回歸至陰至陽，成爲至人。

將這一套思想賦以符號的，是《易經》；對《易經》給予儒家式發揮的，是《易傳》。

《易經》的基本因子是--，人稱陽爻陰爻。從現已掌握的早期易筮資料看，這兩個符號也許源于數目的奇與偶。若果然如此，則全部六十四卦的系統，用數學的排列組合便可解釋清楚，同自然界社會界的所謂陰陽沒有什麼直接關係；易卦的神秘和神聖，是《易傳》作者們不停加上去的，是他們利用了易卦在構築自己的宇宙圖式。

《易傳》認爲，宇宙可以大別之爲道與器兩層，"形而上者謂之道，形而下者謂之器"。道在形之先形之上，故無形；但有象可循，有儀可按。其象由對立的兩部分合成，所以叫做"兩儀"（"易有太極，是生兩儀"），或者名之爲"陰陽"。兩儀不是靜止的，它們互相依存，互相滲透，互相轉化，互相替代，于是道象或時陰時陽，或陰陽交錯（"一陰一陽之謂道"），由之而呈現爲四種次生象（全陰、全陽、半陰、半陽，或所謂的老陰==老陽＝少陰==少陽==），是謂"兩儀生四象"。由于陰陽的不平衡性，四象又各有或偏陰或偏陽的情況，而呈現爲八種再生象，是謂"八卦"（"四象生八卦"）。由道之顯象，三變而有八卦。三乃數之成，所以八卦被當做道的代表象（"八卦成列，象在其中矣"）。由於陰陽的不安定性，八卦仍要相互交叉重叠，于是出來六十四卦（"因而重之，爻在其中矣"，"爻者，言乎變者也"）。

所以，六十四卦都是象，是太極或宇宙的動態，是太極或宇宙生成萬物過程的形容，是非道非器、亦道亦器、由道到器、聯聚道器爲宇宙一體的中介；其最基本的元，便是陰陽。"一陰一陽之謂道"，這個代詞"之"，所代的是太極，也就是宇宙；道是動的宇宙，或宇宙的動；一陰一陽，絕非説它一半陰一半陽，而是言其動，陰陽是動之象。在《易傳》作者看來，天地之大，正是法乎陰陽而生；日月之明，乃是法諸陰陽而懸；四時之變，不過陰陽之動的表現。剛柔、動靜、

屈伸、往來、吉凶、悔吝，都是陰陽的種種表現形態。人間的事功，也
要擬于陰陽方能成就和論定。至于“備物致用，立功成器”，則是宇
宙假手聖人依據卦象所示而起的模仿和創造。

這樣一幅宇宙圖式，也不妨反過來看：萬事萬物不僅是一些
器，不僅體現着道或太極，而且都還有着自己的非道非器之象，即
具體的陰陽。它是上兩章所説的種種自然和人事上的陰陽，又是萬
川之月，是元陰陽的投影。

與《莊子》和《易傳》之從宇宙本體上談論陰陽有別，被稱之爲
陰陽家的學派，倒僅僅局限在從天象變幻到人事禍福這樣一個狹
窄的範圍内，保留了更多的巫術色彩，以至于没有多少學理可言。
但是也正以此，陰陽家思想在苦難深重的無力掌握自己命運的社
會底層，卻得以廣泛流傳，影響巨大，以致構成了中國民俗的主要
意識。

作爲宇宙本體之象的陰陽，其本性和特徵，用一個“和”字便可
包括。所謂和，也叫“參合”，首先意謂着陰陽從不單獨呈現，總是彼
此和合存在。《莊子》的“混芒之中，……陰陽和靜”，《天問》的“陰陽
參合，何本何化”，《老子》的“沖氣以爲和”，《易傳》的“保合太和，乃
利貞”，都有這種意思。和，本來是樂器；衍生爲音樂術語，指高下疾
徐配置得當，所謂的和諧。古人曾相信，音樂可以根據同聲相應同
氣相求的道理，聚散陰陽之氣，以干預自然和人事，使之和諧或不
和諧：

> 昔古朱襄氏之治天下也，多風而陽氣畜積，萬物散解，果實不
> 成，故士達作爲五弦瑟，以來陰氣，以定群生。（《呂氏春秋·古
> 樂》）
> 晉人聞有楚師。師曠曰：不害；吾驟歌北風，又歌南風，南風不
> 競，多死聲，楚必無功。董叔曰：天道多在西北，南師不時，必無功。
> 叔向曰：在其君之德也。（《左傳·襄公十八年》）

第一條材料是用樂器召引陰氣，來調和氣候中飽和的陽氣，而取得

成功(?)的例子。第二條中，卜史董叔、儒家先驅叔向暫置勿論，其著名樂師師曠主張歌死聲來使楚師無功，則是相信音樂可以反用和諧的例子；後來劉邦擊潰項羽于垓下，用的大概也是這個招數。

思想家們談陰陽和靜，就是借自樂師的。

陰陽之和的另一個意思，是說它非動非靜、亦動亦靜。這是某種無從直觀的存在狀態。《老子》說它"獨立而不改，周行而不殆"，《易傳》說是"一闔一辟，往來不窮"。大約一千年後，有人用太極圖的形式，將它勉強表示了出來。整個圖象是非黑非白亦黑亦白的，而且呈交融互含的狀態；另外，從黑白二形的首尾相接中，似可領悟出某種動的態勢，而這動態，就內在于靜的圖形之中。宋明儒士對之作出許多說明，可備一解。

這就是中華文化的宇宙圖式。

作者簡介 龐樸，1928年生，江蘇淮陰市人。中國社會科學院研究員。

道家學說與明清文藝啓蒙

成復旺

内容提要 本文從明清文藝啓蒙的基本特徵出發,探索了它同道家學說的思想聯繫。把這種聯繫歸納爲三個方面:一是"任其性命之情"與提倡"發乎情性,由乎自然"的文藝解放論,二是"無為而無不為"與提倡"獨抒性靈,不拘格套"的創作自由論,三是"芴漠無形,變化無常"與崇尚浪漫主義的審美傾向。最後把這些聯繫總括爲"自然之道",提出明清文藝啓蒙是文藝上的"新自然之道"。

中國古代社會末期,出現了一股具有近代意義的文藝啓蒙思潮。這股思潮興起于明代中葉,高漲于明代後期,其代表人物是徐渭、李贄、湯顯祖、袁宏道等;入清以後漸趨低落,但仍不絶如縷,石濤、黄宗羲、廖燕、袁枚等皆有所貢獻;至鴉片戰爭前夕,龔自珍又爲之唱出了一曲有力的尾聲。這是中國歷史上的第一次文藝啓蒙。

這股文藝啓蒙思潮的基本主張,一是認爲文藝的本質是人的自然本性,而不是什么道德理義。如李贄所謂"蓋聲色之來,發于情性,由乎自然","非情性之外復有禮義可止也"(《讀律膚説》)。這種主張導致了文藝的新生。二是認爲文藝創作必須破除一切清規戒律,充分發揮藝術家個人的獨創性。如袁宏道所謂"獨抒性靈,不拘格套"(《叙小修詩》),石濤所謂"我自用我法"(《石濤論畫》)。這是文藝創作的解放。三是認爲文藝的最高境界不是日常習見的中和之美,而是奇特脱俗的不美之美。如湯顯祖所謂"奇物足拓人胸臆,起人精神"(《續虞初志》評語)。這是浪漫洪流的興起。

這些主張是從哪裏來的?就其社會基礎而言,當然是來自古代社會末期的現實人生;而就其思想淵源而言,則主要是來自老、莊的道家學説。

一、"任其性命之情"與文的新生

李贄《童心説》提出:"天下之至文,未有不出于童心焉者也。"那麼何謂"童心"? 李贄説,"童心"就是"絶假純真,最初一念之本心"。但這個"童心"卻是很容易喪失的:"蓋方其始也,有聞見自耳目而入,而以爲主于其内,而童心失。其長也,有道理從聞見而入,而以爲主于其内,而童心失。其久也,道理聞見日以益多,則所知所覺日以益廣。于是焉知美名之可好也,而務欲以揚之,而童心失;知不美之名之可醜也,而務欲以掩之,而童心失。道理聞見,皆自多讀書、識義理而來也。"原來"童心"就是未受後天的"道理聞見"侵蝕的自然之心,它是"自多讀書、識義理"而來的"道理聞見"的對立物。正是由于"道理聞見"的侵蝕,人們學會了文過飾非、隱惡揚善,遂使"最初一念之本心"喪失殆盡。于是,如該文後面所説,"以假人言假言"、"事假事而文假文","滿場是假"、"無所不假",形成了一個虛假的世界。而且,這侵蝕"童心"的"道理聞見",主要就是被人們尊爲"萬世之至論"的六經、《語》、《孟》:"然則六經、《語》、《孟》,乃道學之口實,假人之淵藪也,斷斷乎其不可語于童心之言,明矣!"

徐渭、湯顯祖等雖未言"童心",但都强調"情"。徐渭説:"人生墮地,便爲情使。聚沙作戲,拈葉止啼,情昉此矣。迨終身設境觸事,夷拂悲愉,發爲詩文騷賦,璀燦偉麗。……摹情彌真,則動人彌易,傳世亦彌遠。"(《選古今南北劇序》)"人生墮地,便爲情使"的"情",

自然也是"最初一念之本心";"聚沙作戲,拈葉止啼",正是天真爛漫的"童心"狀態。湯顯祖論文藝,更是如此。談戲曲的本原,曰"人生而有情,思歡怒怨,感于幽微,流乎嘯歌,形諸動搖。"(《宜黃縣戲神清源師廟記》)談詩的產生,曰"世總爲情,情生詩歌而行于神"。(《耳伯麻姑游詩序》)而且,他也明確表示,他所提倡的"情"正是"理"的對立物:"情有者理必無,理有者情必無"(《寄達觀》),"第云理之所必無,安知情之所必有耶!"(《牡丹亭記題詞》)這同李贄在與"義理"相對立的意義上提倡"童心"實質上是一樣的。

　　至龔自珍又提出了"完"。《書湯海秋詩集序》説,歷來大詩人"皆詩與人爲一,人外無詩,詩外無人,其面目也完。"所謂"面目也完"其實是指心靈、性情之"完",故下文又云:"何以謂之完也?海秋心迹盡在是,所欲言者在是,所不欲言而卒不能不言在是,所不欲言而竟不言、于所不言求其所言亦在是。"僅僅這樣説,"完"的實質意義似還不夠分明。《病梅館記》又寫道:文人畫士論梅,或曰"以曲爲美,直則無姿",或曰"以欹爲美,正則無景",或曰"以疏爲美,密則無態";于是養梅之人紛紛"斫直、删密、鋤正",戕害其本性,改造其自然,以求"梅之欹、之疏、之曲"。龔自珍痛恨這種審美觀,認爲這樣的梅是"夭梅"、"病梅",慨嘆"江浙之梅皆病,文人畫士之禍之烈至此哉!"因此——

　　　　予購三百盆,皆病者,無一完者。既泣之三日,乃誓療之,縱之,順之,毀其瓷,悉埋于地,解其棕縛。以五年爲期,必復之全之。予本非文人畫士,甘受詬厲,闢病梅之館以貯之。嗚呼!安得使予多暇日,又多閑田以廣貯江寧、杭州、蘇州之病梅,窮予生之光陰以療梅也哉!

可見,"完"就是指事物的自然本性完好無損的保存和自由自在的發展。在龔自珍看來,美根本就不在于曲或直、疏或密、欹或正,而只在于事物的自然生命、自然本性。只有任其自然,讓事物的內在生命獲得自由的、充分的、蓬蓬勃勃的展現,才有真正的美。按照某種所謂"美"的觀念施之于事物的任何加工修飾,都是對真正的美的扼殺。簡言之,美即本性,本性即美;本性不完,美即不存。

上述這些言論都是對文與美的本質的説明,也都是把文與美的本質歸結爲人或物的自然本性。那麼文與美的本質究竟是什麼?儒家認爲,文與美雖然離不開人的情性,但只有合乎禮義的情性纔能夠成爲美,所以文與美的本質是禮義。故孔子提倡"樂而不淫,哀而不傷"(《論語·八佾》),"思無邪"(同上《爲政》)。孟子説"理義之悦我心,猶芻豢之悦我口"(《孟子·告子上》)。荀子更直截了當地宣布:人的自然情性就是惡、就是醜,美只在于聖人規定而强加于人的道德規範,所以美即"僞"(見《荀子》中《性惡》、《樂論》等篇)。漢儒對音樂所下的定義是:"樂者,所以象德也。"(《樂記》)對詩的要求是:"發乎情,止乎禮義。"(《詩大序》)這種觀念也就是長期統治中國文壇的正統觀念。李贄等文藝啓蒙思潮的理論家們的上述言論,正是針對這種傳統儒家觀念而發的。他們就是要把理與情、名教與自然、社會理性與個體感性的關係顛倒過來,取消前者對後者的桎梏,從而把文與美的本質移到人的自然本性。李贄説:

> 蓋聲色之來,發于情性,由乎自然,是可以牽合矯强而致乎?
> 故自然發于情性,則自然止乎禮義,非情性之外復有禮義可止也。
> (《讀律膚説》)
>
> 《白虎通》:"琴者,禁也。禁人邪惡,歸于正道,故謂之琴。"余
> 謂:琴者,心也;琴者,吟也,所以吟其心也。(《琴賦》)

這兩段話可以説是對上述諸家言論的總結。這是文與美向着生機勃勃的真實世界的回歸,向着活潑潑的人的真實心靈的回歸,它無疑將爲文藝注入新的生命。

而這種"發于情性,由乎自然"的觀點,就是對道家"任其性命之情"的思想的繼承和發展。老、莊的一個重要思想,就是認爲事物的自然狀態才是事物的最佳狀態。因而他們尊重事物的自然本性,反對一切人爲的修正。老子説:"夫禮者,忠信之薄,而亂之首。前

識者,道之華,而愚之始。是以大丈夫處其厚,不居其薄;處其實,不居其華;故去彼取此。"(《老子》三十八章)他認爲正是人爲的道德規範("禮")破壞了人的道德,正是人所創造的道理("前識")擾亂了人的聰明。因而提出"含德之厚,比于赤子"。(同上五十五章)就是說,未經"禮"和"前識"侵蝕的童子纔是最純潔、最完美的人。莊子于此,闡述更精。他認爲,天下之物各有其自然之常態,"曲者不以鈎,直者不以繩,圓者不以規,方者不以矩,附離不以膠漆,約束不以纆索",任其自然,則"誘然皆生"(《莊子・駢拇》)。若加矯正,便是傷害:"鳧脛雖短,續之則憂;鶴脛雖長,斷之則悲"(同上)。所以,他堅決反對以人爲改變自然,熱情呼吁保持事物的真實本性。《秋水》篇云:"牛馬四足,是謂天;落馬首,穿牛鼻,是謂人。故曰無以人滅天,無以故滅命,無以得殉名。謹守而勿失,是謂反其真。"《漁父》篇云:"禮者,世俗之所爲也;真者,所以受于天也,自然不可易也。故聖人法天貴真,不拘于俗。"總之:"吾所謂臧者,非所謂仁義之謂也,任其性命之情而已矣。"(《駢拇》)顯然,這裏已經包含了"發于情性,由乎自然"的基本精神。文藝啓蒙思潮的理論家們正是從這裏領悟到了事物的自然本性是天然而美的,只有它纔是文的本質。只是老、莊往往把人的本性混同于自然物、自然界的本性,而文藝啓蒙思潮的理論家把二者區別開來了。如徐渭即云:"因其人而人之也,不可以天之也,然而莫非天也。"(《論中・二》)

二、"無爲而無不爲"與創作自由

老子說"道常無爲而無不爲"。(《老子》三十七章)莊子也說"天無爲以之清,地無爲以之寧,故兩無爲相合,萬物皆化生"。(《莊子・至樂》)或以爲"無爲而無不爲"的命題是消極的。其實也不盡然,文藝啓蒙思潮的創作自由論就是從這個命題引發出來的。

既謂之"無爲",也就反對有意的作爲,貶抑人工的技巧,要求讓自身與外物的本性自然地呈現出來。老子所謂"大巧若拙,大辯若訥"(四十五章),莊子所謂"無爲也而尊,樸素而天下莫能與之爭美"(《天道》),就是這個意思。莊子還有一段很著名的話,把這個意思說得更充分:"天地有大美而不言,四時有明法而不議,萬物有成理而不說。聖人者,原天地之美而達萬物之理。是故至人無爲,大聖不作,觀于天地之謂也。"(《知北游》)

文藝啓蒙思潮的理論家也是提倡自然無爲的。如李贄就說:"夫所謂畫工者,以其能奪天地之化工,而其孰知天地之無工乎?今夫天之所生,地之所長,百卉俱在,人見而愛之矣。至覓其工,了不可得。豈其智固不能得之歟?要知造化無工,雖有神聖,亦不能識知化工之所在,而其誰能得之?由此觀之,畫工雖巧,已落二義矣。"(《雜說》)從這裏很容易想到莊子所說天道"覆載天地刻雕眾形而不爲巧"(《天道》),"無爲而尊者,天道也;有爲而累者,人道也"(《在宥》)的話,不過李贄發揮得很精彩。袁宏道也說:"物之傳者必以質","古之爲文者,刊華而求實","風高響作,月動影隨。天下翕然而文之,而古之人不自以爲文也,曰是質之至焉者也。"(《行素園存稿引》)"風高響作,月動影隨"的創作境界恰是莊子講無爲而治的境界:"君子苟能無解其五藏,無擢其聰明,尸居而龍見,淵默而雷聲,神動而天隨,從容無爲而萬物炊累焉。"(《在宥》)

但文藝啓蒙思潮卻把自然無爲引向了真實無隱地呈現社會人生和自己的情感。李贄的《雜說》論"畫工"與"化工"本是就《琵琶記》同《西廂記》、《拜月記》相比較而言。他說:"《拜月》、《西廂》,化工也;《琵琶》,畫工也。"《琵琶記》有意進行忠孝兩全的道德說教,故需"窮巧極工,不遺餘力";但"雖工巧之極",卻"入人之心者不深"。而《西廂》、《拜月》乃不如是。意者宇宙之內本自有如此可喜之人,如化工之于物,其工巧自不可思議爾。"此外,該文還發揮道:"且夫世之真能文者,比其初皆非有意于爲文也。其胸中有如許無狀可怪之事,其喉間又時時有許多欲語而莫可所以告語之處,蓄極積久,勢不可遏,一旦見景生情,觸目興嘆,奪他人之酒杯,澆自己之壘塊,訴心中之不平,感數奇于千載。……寧使見者聞者切齒咬牙,欲殺欲割,而終不忍藏于名山,投之水火。"的確,既然要"爲無爲",如莊子所說放棄任何"非譽巧拙"的攷慮(《達生》),那就應該毫無顧忌地反映社會人生和自己情感的本然狀態,將是否有益教化、能否爲人接受完全置之度外。在這裏,正是"無爲"使人們變得更勇敢、更積極。

無爲,也就無法。道家對于一般所謂規則、技術是輕視的。《莊子》書中舉了許多事例(當然多爲寓言),說明真正高超的藝人是超于法的。如"梓慶削木爲鐻,見者驚猶鬼神",人問"何術以爲",答曰:"臣,工人,何術之有? 雖然,有一焉。"此"一"其實就是無爲,即"不敢懷非譽巧拙"云云,以達到"以天合天"(《達生》)。"工倕旋而蓋規矩,指與物化,而不以心稽,故其靈臺一而不桎。"(《達生》)總之,無爲就要求超越一切法則的桎梏,以自己的心靈進行自由的創造。

李贄可謂深得此意。他說:"追風逐電之足,決不在牝牡驪黃之間;聲應氣求之夫,決不在尋行數墨之士;風行水上之文,決不在一字一句之奇。若夫結構之密、偶對之切、依于理道、合乎法度、首尾相應、虛實相生,種種禪病皆所以語文,而皆不可以語于天下之至文也。"(《雜說》)就是說傑出的作家與"天下之至文"是超越于法度、技巧之上的,它們屬于另一個天地。袁宏道更對各種"格套"抱着極其反感的態度。他說:"格套可厭,習氣難除,非真正英雄不能于此出手,所謂日日新又日新者也。"(《又答梅客生》)他的主張是"獨抒性靈,不拘格套"(《叙小修詩》)。對于"怨而不傷"、"溫柔敦厚"之類的教條,他反駁道:"大概情至之語自能感人,是謂其詩可傳也。而或者猶以太露病之,曾不知情隨境變,字逐情生,但恐不達,何露之有?……窮愁之時,痛哭流涕,不暇擇音,怨矣,寧有不傷者?"(同上)對于以古爲師的訓戒,他分辯道:"善畫者師物不師人,善學者師心不師道,善爲詩者師森羅萬象不師先輩。法李唐者,豈謂其機格與字句哉?法其不爲漢、不爲魏、不爲六朝之心而已,是真法者也。"(《叙竹林集》)他從而倡導了一種輕鬆活潑、自由自在的詩文新風。

擺脱了前人的一切成法、一切格套,也就推倒了高高在上的權威,走向了自我作祖的大膽創新。莊子否定辨五味必如俞工、辨五聲必如師曠、辨五色必如離朱,而説"吾所謂聰者,非謂其聞彼也,自聞而已矣。吾所謂明者,非謂其見彼也,自見而已矣。夫不自見而見彼,不自得而得彼者,是得人之得而不自得其得者也,適人之適而不自適其適者也。"(《駢拇》)自聞、自見、自得,總之是一切自爲。正是這種思想激勵了文藝啓蒙思潮的藝術家和理論家們的開天闢地的創造精神。

徐渭就斥責前後七子的文藝復古派是"不出于己之所自得,而徒竊人之所嘗言",針鋒相對地提出要"出于己之所自得,而不竊人之所嘗言"(《葉子肅詩序》)。評他人詩文,表彰"師心横縱,不傍門户"(《書田生詩文後》)。談自己作畫,則謂"從來不見梅花譜,信手拈來自有神"(《題畫梅》),"不求形似求生韵,根撥皆吾五指栽"(《畫百花卷與史甥》)。他的開創中國繪畫新紀元的大寫意花鳥畫就這樣誕生了。袁宏道則據莊子之論,進一步發揮道:"拘儒小士,乃欲以所常見常聞闚天地之未曾見、未曾聞,以定法縛己,又以定法縛天下後世之人。勒而成書,文而成理,天下後世沉魅于五尺之中,炎炎寒寒,略無半礑可出頭處。"(《廣莊》)他就是要衝破這張"定法"的夜幕,伸出自己的頭來。而在這方面表現得最爲出色的,是明末清初的畫家兼繪畫理論家石濤。石濤以"我自用我法"的鮮明觀點和醖釀于道家哲學的"一畫"説,在繪畫領域表現了開天闢地的英雄氣概。他同袁宏道一樣憤慨于以古法縛今人的傳統勢力:"古人未立法之先,不知古人法何法;古人既立法之後,便不容今人出古法。千百年來遂使今之人不能出一頭地也。"(《石濤論畫》)因

而發憤立志:"在于墨海中立定精神,筆鋒下決出生活,尺幅上換去
毛骨,混沌裏放出光明。縱使筆不筆、墨不墨、畫不畫,自有我在。"
(《畫語錄・絪緼》)把這種思想上升爲一種理論、一種繪畫哲學,就
是"一畫"説。"一"是道家哲學的一個重要範疇。老子曰:"道生一,
一生二,二生三,三生萬物"(四十二章),"天得一以清,地得一以
寧,神得一以靈"(三十九章),"聖人抱一爲天下式"(二十二章)。莊
子曰:"泰初有無,無有無名,一之所起,有一而未形,物得以生,謂
之德。"(《天地》)一般理解,"一"就是道。道創生萬物、包函萬有而
獨立無待、統而爲一,故曰"一"。受此啓發,石濤想到:書畫是怎樣
產生的?森羅萬象,呈于畫幅,皆起于運筆落紙之"一畫":"一畫者,
字畫下手之淺近功夫也"(《畫語錄・運腕》),"一畫者,字畫先有之
根本也"(同上《兼字》)。而這種情況不是與天地開闢、萬物創生同
一道理嗎?"太古無法,太樸不散。太樸一散而法立矣。法于何立?
立于一畫。一畫者,衆有之本,萬象之根,見用于神、藏用于人"(同
上《一畫》)。那麼,自己手下的"一畫"就是紙上的大千世界的創造
者,有此"一畫"便可衆法皆貫:"一畫之法乃自我立,立一畫之法
者,蓋以無法生有法,以有法貫衆法也"(同上);有此"一畫"便可從
心所欲:"夫畫者,從于心者也"(同上),"一畫明,則障不在目,畫可
從心"(同上《了法》);有此"一畫"便可贊育天地:"我有是一畫,能
貫山川之形神","參天地之化育"(同上《山川》)。"總而言之,一畫
也,無極也,天地之道也。"(同上《資任》)立"一畫"以空諸一切,掙
脱所有成法的束縛,此即"無爲";又立"一畫"以創造一切,開闢自
己的藝術世界,此即"無不爲"。道家的"無爲而無不爲"在這裏顯現
出了幾乎是令人震驚的積極意義。

　　無爲,無法,自得,這都是"無爲而無不爲"的固有含義。"無爲
而無不爲",如果是指自己"無爲","安時而處順"(《莊子・大宗
師》),聽憑客觀世界對于自己的"無不爲",這的確是消極的,這是
人的自我放棄。如果是指自己像天道那樣,"真性流行,不涉安排"

（明代王學激進派王畿《示丁惟寅》），那就是人的主體性的高揚。文藝啓蒙思潮就是沿着這條路從道家的"無爲而無不爲"走向文藝創作的解放的。

三、"芴漠無形，變化無常"與浪漫洪流

"子不語怪、力、亂、神。"（《論語·述而》）一般説來，儒家是較爲務實的。他們的興趣主要在于習聞習見的日常事物，凡有超出日常之習聞習見者，都被排斥到他們的視野之外。他們也要維護常規，一切超出常規的東西，都是他們無法理解也不能容忍的。道家則不同。他們那形而上的超越精神往往把他們的目光引向日常生活之外。混茫深邃的宇宙，奇異獨特的人物，神秘荒誕的傳説，是否在這些超常的現象中才藴藏着世界的不可聞、不可見的本體？"芴漠無形，變化無常。死與！生與！天地并與！神明往與！芒乎何之？忽乎何適？萬物畢羅，莫足以歸。古之道術有在于是者，莊周聞其風而悦之。"（《莊子·天下》）莊子的學説就是沿着這條思路建立起來的。這種形而上的超越精神又賦予了莊子以無與倫比的想象力。《莊子》一書，"寓言十九，藉外論之"（《寓言》），"以謬悠之説，荒唐之言，無端崖之辭，時恣縱而不儻"（《天下》），充滿了光怪陸離的奇思妙想。如果説儒家是喜常厭奇的話，那麼道家、尤其是莊子正是喜奇厭常。

所謂奇，又可區分爲相關的兩種含義。一是指奇怪。《莊子·逍遥游》曾引《齊諧》語，云"《齊諧》者，志怪者也。"《齊諧》當是很古老的志怪小説，故被後世用爲志怪小説的别名。而莊子也是較早地注意志怪小説的哲學家。《莊子》書中記述了許多所謂"畸人"，如支離疏、哀駘它、子輿等等。這些人物雖離奇古怪，卻寓有深意。人問"畸人"，莊子回答："畸人者，畸于人而侔于天。故曰天之小人，人之君子；人之君子，天之小人也。"（《大宗師》）此外，莊子還愛説夢，

"莊周夢爲蝴蝶"的故事就很有名。夢,作爲不受現實邏輯束縛的虛幻情節,與"怪"性質略同。莊子從夢中領悟到人生的真諦,也是較早地注意夢境的哲學家。顯然,在他看來,畸人與夢境比通常的現實事物更真實。二是指奇偉。超常的巨大、雄壯,也是奇。《莊子》書中描繪了許多博大恢宏、奪人心魄的景象,如"背若泰山,翼若垂天之雲,摶扶搖羊角而上者九萬里"的大鵬(《逍遙遊》),"是唯無作,作則萬竅怒號"的天籟(《齊物論》),等等。此類景象之巨大,遠遠超出賞心悦目的界域,甚至超出人的心理承受能力,使人驚愕不已。從美學的角度説,奇怪與奇偉都不是通常的美,以通常的眼光視之這是不美。但這種不美之美又恰恰是更高的美。

那麼,對于儒道兩家的這個常與奇的分歧,文藝啓蒙思潮的理論家是什麼態度呢?

徐渭就是提倡"怪"的。他在反駁朱熹指責蘇軾文章之怪時説:"夫子不語怪,亦未嘗指之無怪。""朱老議論乃是盲者摸索,拗者品評,酷者苛斷"(《評朱子論東坡文》)。尚怪的突出代表是湯顯祖。他不僅認爲世間有怪,而且認爲正是那些超出常規的怪奇之事構成了天、地、人中的"三才":"嘗聞宇宙大矣,何所不有!宣尼不語怪,非無怪之可語也。乃齷齪老生輒云'目不睹非聖之書',抑何坐井觀天耶?泥丸封口,當在斯輩。而獨不觀乎天之風月、地之花鳥、人之歌舞,非此不成其爲三才乎?"(《艷異編序》)他還指出,只有奇異之人寫出的奇異之文才有"生氣","天下文章所以有生氣者,全在奇士。士奇則心靈,心靈則能飛動,能飛動則上下天地,來去古今,可以屈伸長短,生滅如意";"不能如意者,意有所滯,常人也"。(《序丘毛伯稿》)湯顯祖這裏所説的,正是莊子其人、《莊子》其書的特點。世間之奇事與奇士之奇想合而爲天下之真文,所以在湯顯祖看來,思路狹窄、死守常規的"拘儒老生"根本就不懂得什麼是文:"世間唯拘儒老生不可與言文。耳多未聞,目多未見,而出其鄙委牽拘之識相天下文章,寧復有文章乎?予謂文章之妙,不在步趨形似之間,

自然靈氣,恍惚而來,不思而至,怪怪奇奇,莫可名狀,非物尋常得
以合之。蘇子瞻畫枯株竹石,絕異古今畫格,乃愈奇妙。若以畫格
程之,幾不入格。"(《合奇序》)黄宗羲還不能算是一個叛逆思想家,
但他在奇與常的問題上卻發表了同傳統儒學相異的觀點。他説:
"夫文章,天地之元氣也。元氣之在平時,昆侖旁薄,和聲順氣,發自
廊廟,而豳浹于幽遐,無所見奇。逮夫厄運危時,天地閉塞,元氣鼓
蕩而出,擁勇鬱遏,坌憤激訐,而後至文生焉。"(《謝皋羽年譜游錄
注序》)"元氣之在平時","和聲順氣","發自廊廟,而豳浹于幽遐",這
正是儒家所稱道的正風、常態,他們以爲這才是至美。而黄宗羲卻
以"無所見奇"貶爲不足觀;一定要"厄運危時,天地閉塞",元氣越
出常軌,"鼓蕩而出",他才認爲是"至文生焉"。這就把尚奇的文藝
觀哲學化了。厭常喜奇,這是文藝啓蒙思潮上承道家學説的又一重
要特徵。

因此,文藝啓蒙思潮也推崇奇僻荒誕的題材。明代文藝啓蒙思
潮的高漲時期,就是傳奇志怪作品的興盛時期。《西游記》就產生於
這一時期,此外還有大量的志怪小説問世。湯顯祖在整理、刊行志
怪小説方面作出了寶貴的貢獻,并發表了有代表性的理論。他説:
"小説家唯説鬼、説狐、説盜、説鯨、説雷、説水銀、説幻術、説妖道
士,皆厥體中第一義也。"(《續虞初志》評語)爲什麼呢? 因爲"凡天
地間奇偉、靈異、高朗、古宕之氣,猶及見于斯編。"(《合奇序》)而
"奇物足拓人胸臆,起人精神"(《續虞初志》評語),故這類作品"以
奇僻荒誕、若滅若没、可喜可愕之事,讀之使人心開神釋,骨飛眉
舞。"(《點校虞初志序》)以爲祇有奇僻荒誕、可駭可愕的事物纔代
表了宇宙的偉大崇高、旁薄激蕩的真精神,這其實正是莊子的觀
點。湯顯祖還指出,這些志怪小説非止談奇説怪而已,皆"意有所激
蕩,語有所托歸"(同上),是深有寓意的;而他只有對這樣的作品纔
能產生共鳴,只有在這樣的作品中纔能找到知己:"吾嘗浮沉八股
道中,無一生趣。月之夕,花之晨,唧觸賦詩之餘,登山臨水之際,稗

官野史,時一展玩,諸凡神仙妖怪,國士名姝,風流得意,慷慨情深,語千轉萬變,靡不錯陳于前,亦足以送居諸而破岑寂。……一世不可余,余亦不可一世。蕭蕭此君而外,更無知己。嘯咏時每手一編,未嘗不臨文感慨,不能喻之于人。"(《艷異編序》)可見,正是這些超現實的人物、故事,蘊含着他的反現實的思想情感。除了大力提倡志怪小説外,湯顯祖自己的文藝創作則喜歡寫夢,他的四部戲曲作品就被稱爲"臨川四夢"。他説"夢中之情,何必非真","人世之事,非人世所可盡"(《牡丹亭記題詞》)。就是説正是這些虛幻的夢境,更深刻地表現了人世的真實。這與莊子的聯繫也是顯而易見的。

至于那種博大恢宏、奪人心魄的奇偉景象,更是文藝啓蒙思潮的強烈追求。徐渭就是專門追求這種景象的藝術家。"其所見山奔海立,沙起雲飛,風鳴樹偃,……一切可驚可愕之狀,一一皆達之于詩。"(《袁宏道《徐文長傳》)至于戲曲,則所寫"皆人生至奇至怪之事,使世界駭咤震動者也"(鍾人傑《四聲猿引》),"獨鶴決雲,百鯨吸海,差可擬其魄力"(祁彪佳《遠山堂劇品》)。而其論書法,要求如"孤蓬自振,驚沙坐飛,飛鳥出林,驚蛇入草"(《玄妙類稿又序》);論畫竹,要求"如群鳳爲鵰所掠,翎羽騰閃,捎掠變滅之詭,雖鳳亦不得而知"(《書梅花道人竹譜》)。他認爲,文藝作品就應當使人"如冷水澆背,陡然一驚"(《答徐北口》)。非止徐渭,文藝啓蒙思潮的理論家大都熱情提倡這樣的景象。如湯顯祖云:"予觀右辰才氣,浮積崒崒,瑰偉延衍。魁然其大,而不可以細視也。又兀乎其奇,而不敢正視也。想其含吐揮設之際,思緒興寄,雲涌而興,飆然而成。如萬竅倏屬倏濟,騷騷而于于,如屠坦一日解十二牛,四顧滿志。"(《金竺山房詩序》)如黃宗羲云:"介山胸中所欲鬯之語,無有不盡,不以博溫柔敦厚之名、而蘄世人之好也。雖然,介山其亦何能盡乎?雷霆焚槐,天地大絃,萬物之推拉搖盪,謬謬而爲窮苦愁怨之聲,不啻風泉之滿聽矣。"(《金介山詩序》)這些言論顯然受到莊子對天籟的描寫的影響,有些話都很相似。不過,文藝啓蒙思潮的理論家在這種景象中注入了憤怒的激情。龔自珍也提出,文藝當"受天地之瑰麗而泄天下之拗怒":"天下之山川,莫尊于遼東。遼俯中原,逶迤萬餘里,蛇行象奔;而稍稍瀉之,乃卒恣意橫溢,以達于嶺外、大海,際南斗,竪亥不可復步。氣脈所屆,怒若未畢,要之山川首尾可言者則盡此矣。詩有肖是者乎哉?詩人之所産有稟是者乎哉?……則如嶺之表、海之澨,旁薄浩洵,以受天地之瑰麗而泄天下之拗怒也亦然。"(《送徐鐵孫序》)這樣,博大恢宏、奪人心魄的景象就成了掀翻天地的偉大叛逆精神的象徵,莊子的尚奇思想育出了封建社會末期的時代的最强音。

奇僻荒誕的故事,博大恢宏的景象,共同組成了文藝啓蒙思潮的浪漫主義的奇情壯彩。而這股浪漫主義洪流的思想淵源,又是道家思想,是道家那種喜奇厭常的超越精神。這裏的關鍵在于,道家的喜奇厭常的超越精神追求一個超現實的世界,在現實世界之上創造了另一個世界,一個理想的世界。正是這一點啓發了文藝啓蒙思潮的倡導者從黑暗的現實世界中跳出來。雙方的差別只是在于:道家的這個世界是人世之上的"天"的世界,而文藝啓蒙思潮的這個世界是真正獲得自由的"人"的世界;道家要借助這個世界脱離現實,而文藝啓蒙思潮則要借助這個世界反抗現實。

如上,這就是道家學説與文藝啓蒙思潮的基本聯繫。這些聯繫顯然不是偶然的、支節的,而是精神上的。

這個精神就是"自然之道"。

綜合文藝啓蒙思潮的幾個主要特徵,要給一個總的名稱,也可以叫做"自然之道",當然是新的"自然之道"。"發于情性,由乎自然",這是對于人、對于人的情性的自然之道。"獨抒性靈,不拘格套","我自用我法",這是取消任何外在規範的文藝創作上的自然之道。至于奇僻荒誕、博大恢宏、奪人心魄,李贄在提出"發于情性,由乎自然"的時候就説過,性格"雄邁者自然壯烈,沉鬱者自然悲

酸”，“有是格，便有是調，皆情性自然之謂也”(《讀律膚說》);在論
述“世之真能文者”“皆非有意于爲文”的時候也指出，越是無意于
爲文，越會在“勢不可遏”之時“訴心中之不平，感數奇于千載”，寫
出驚世駭俗的作品。所以這可以説是“發于情性，由乎自然”和“獨
抒性靈，不拘格套”的必然引申，是自然之道在文藝風格、文藝的審
美形態上的貫徹。正因爲如此，作爲文藝啓蒙思潮的主要理論代表
的李贄，才會在發表自己的文藝觀點的時候屢屢感嘆:“蓋自然之
道，得心應手，其妙固若此也。”(《琴賦》)“故自然之道，未易言也。”
(《讀律膚說》)可以看出，李贄就是把自己的文藝觀點作爲一種新
的“自然之道”提出來的。

　　而道家學説就是“自然之道”，所謂“人法地，地法天，天法道，
道法自然。”(《老子》二十五章)他們舉起“自然”的旗幟，反對人爲，
批判人世，在精神上爲人們開闢了另一個世界，一個“自然”的世
界。所謂人爲、人世，其實就是文化:人爲的就是文化的，人世同自
然界的區別就在于有文化。所以，實質上，“自然”是個同“文化”相
對待的概念，道家的“自然之道”是一面反對文化、當然實際上是反
對文化的異化的旗幟。而當一種社會制度開始腐朽的時候，文化的
異化、即文化對于人的異化就會日益突出地暴露在人們的面前，成
爲歷史前進所必須解決的基本課題。一切思想啓蒙，無論哲學上的
還是文藝上的，實質上都是反文化異化的思想運動。明中葉以後，
中國歷史已經進入了這樣的時期，文藝啓蒙思潮接過道家“自然之
道”的學説也就是自然而然的了。

　　當然，文藝啓蒙思潮接過了這面旗幟，也改造了這面旗幟。它
把道家的無情、無知、無爲的“天”的“自然”，變成了有情、有知、有
爲的“人”的“自然”;從而使“自然之道”的主要矛頭不再指向人自
身，而是指向了包括自然界和社會在内的整個外在世界;使“自然
之道”的方向選擇不再指向“同于禽獸居，族與萬物并”(《莊子·馬
蹄》)的前文化、無文化的時代，而是指向了超越舊文化的時代的新

文化的時代。于是,"自然之道"成了古代社會末期的一面召喚自由和解放的啓蒙的旗幟。

作者簡介　成復旺,1939 年生,北京人。現為中國人民大學哲學系副教授。著有《神與物游——論中國傳統審美方式》、《中國古代人學與美學》等。

關于對話哲學的對話

滕守堯

內容提要 本對話是一個中國學者(簡稱 T)訪問西德明斯特大學時,與該校著名教授赫伯特·曼紐什(簡稱 M)的對話。曼紐什教授多次訪問中國,訪問後又屢次在西德《法蘭克福匯報》等大報撰文,高度贊揚中國文化和藝術。在這些文章中,他向西德同事們提出"不懂中國,就不懂藝術"的呼籲。與此同時,又邀請本文作者到該大學作西方懷疑論和中國道家的比較研究;二年後共同寫出《反者道之動》專著。

對話作者認為,許多傑出的當代西方藝術家和哲學家,已經把東方古老的"道"的觀念,熔化到他們的藝術和哲學中。西方現代藝術和美學,甚至西方現代哲學中最時興的解釋學,都帶有中國道家的"無為而無不為哲學"以及由這種哲學推衍出來的"對話哲學"的影子。作者指出,西方人如此重視東西方文化的對話和互補,并以之發展出許多有價值的東西,我們再也不能讓東西方文化呈分裂狀態,或是只知中國文化,把自己封閉起來;或是單方面地迷戀西方現代藝術和西方哲學,卻不知老莊哲學也是一門藝術型的哲學,現在是改變這種狀態的時候了,而改變這一狀態的關鍵,是要有對話精神。

T:(推門進入 M 教授的房間,發現他仍陷入沉思中)親愛的

M教授,我發現,自從你參觀漢堡的藝術展覽以來,一直都陷入沉思中,有時神情恍惚,甚至到了茶飯不思的地步,你能告訴我,這是爲什麼嗎?

M:不是沉思,而是做白日夢。這都是那個藝術展覽引起的,雖然參觀這個藝術展覽已經兩天了,但我感到,自己似乎仍然置身在那個展覽中,我的眼睛雖然已經離開它們,但那些奇特的畫面卻仍在我眼前閃爍。它們引發的那些奇妙的感覺,使我感到就像置身于一個美夢中。

T:現代藝術這個玩意兒,本來就是藝術家在夢中或白日夢中的所見所聞,欣賞藝術的人不做夢也就不能進入這種藝術的境界。

M:啊,對了!那兒有幾個藝術家都告訴我,他們的藝術都多少受到中國老莊哲學的影響,你覺得他們的藝術中能見到老莊哲學的痕迹嗎?

T:這一點我早就感到了。在常人看來,他們的藝術是夢幻般虛無縹緲的東西,然而在他們自己看來,卻是最真實不過的。記得莊子曾經說過,當一個人做夢的時候,也許是他最清醒的時候,而當他自己認爲最清醒、最理智的時候,可能是他最迷糊的時候。莊子說他有一次夢見自己變成了蝴蝶,一時間竟然分不清哪是莊子,哪是蝴蝶,他可能覺得,這就是他自我實現的最高境界。

M:我記得,這個藝術展上有這樣一件作品,其中有一股水一直在上下左右地流,它通過了重重關卡和障礙,最後進入了半截破水管,又從那兒向下流到一個亂石堆上。畫家向我解釋說,這就是"道",當時我故意反駁他說:'你當然可以把它說成是道,但別人也可以把它說成是什麼也不是!',你猜他說什麼?

T:請講!

M:他說,對于中國古代哲人老莊的道,我們這些藝術家是用心去領悟的,而你們這些哲學家卻是用腦子去領悟的。我們用心領悟的東西，你們怎麼可能用腦子理解它？

　　T：這話説得好極了！

　　M：最後他告訴我説，你不妨把自己想象成那股流水：你永無停止地、快樂地流動着，與永恒的時間融爲一體，你一路上征服了數不清的障礙，最後到了一個高處，又從那兒流下去，把一向視爲堅硬的石頭都滴穿了……。

　　T：你照他的話做了嗎？

　　M：是的。我發現，當我自己變成那股水時，好像已進入一種夢幻狀態，我似乎徹底地忘記了自己，與水流合爲一體。我就在這種夢幻狀態中，與水一起向前流動着，當它流到左方的極端時，我的身上便自然產生一股向右運動的力，當它流到右方的極端時，我的身上便產生出一股向左運動的力。我就這樣隨着這股水流欲上而下，欲左而右地運動着。最後，我覺得自己就是一種奇特的緊張力和一種自由的變化過程，我潺潺有聲，發出了生命的美麗的音符，我一往無前地行進着，任何障礙都不在話下，不管怎樣堅硬的石頭都能滴穿。我堅信，這就是我本來的自我，我感到，我現在才真正發現了我真正的自我。

　　T：這就是老子描述的那種自我的高超境界：

　　　　“天下莫柔弱于水，

　　　　而攻堅强者莫之能勝，

　　　　其無以易之。”

　　　　天下之至柔，

　　　　馳騁天下之至堅。

　　　　無有人無間。

　　聽了你這段描述，我感到既驕傲又慚愧。我驕傲的是，當今某些傑出的西方藝術家，已經把東方的古老的道的觀念，變成了最現代的藝術。從這個意義上説來，西方某些最現代的東西，也許是我們東方最古老的東西。我慚愧的是，中國老莊哲學，曾經是中國文化和藝術的偉大搖籃，曾產生了偉大的唐詩宋詞和宋元山水畫等，自進入西方以來，它們又賦予西方藝術家們以偉大的創作靈感，可在我們國內，許多人只是單方面地迷戀西方現代藝術和西方藝術哲學，卻不知老莊哲學也是一門偉大的藝術哲學，老莊哲學導致的人生體驗，乃是地地道道的現代藝術體驗。

M：我們現在是活在一個信息時代，東方和西方已經不再像過去那麼遙遠了。我感到，西方文化，特別是西方藝術，能得到中國古代哲學的滋養，那是它的福分。

T：那你認爲西方藝術的主流是什麼？

M：可以概括爲四個字：變中求存。藝術像人生一樣，必須時時變化自己的風格和形態，才能賦予人們種種深刻和新奇的經驗。經驗和信息構成了現代社會中兩種最珍貴的價值。新奇的藝術經驗對人類是無價之寶的東西。當然，這種藝術中的變中求存同商業中的變中求存是有本質的區別的，後者以功利爲目的，前者以反功利爲目的。

T：你是不是說，對于現代藝術來說，最有價值的東西，仍然來自于一種非功利的態度，反過來，以商業和功利的態度對待藝術，就等于扼殺藝術？

M：是的。可以說，在現代西方藝術中，凡是一味追求商業價值的藝術家，均寫不出好的作品，反之，最精美的作品往往是在與商品意識的對抗中產生的。

T：這一點同中國古代藝術家的創作有點相似，中國古代畫家從來没有想到畫畫賣錢，作畫只是他們生活内容的一部分，而不是他們的職業或養家糊口的手段。一幅畫往往代表着畫家的整個人格，見畫如見人，畫家超然脱俗，作品才不同凡響。

M：這正是左右西方現代美學的“非功利的審美態度”。當然，這個提法很可能不是西方人自己的發明。根據我的認真研究，這個提法很可能受到了老莊哲學的啓發。

T：據我所知，西方最早把藝術同"非功利的審美態度"聯繫起來的，是夏夫茲博里，王爾德對此也作了系統的論述。

M：是的，他們被稱爲西方現代藝術之父，并不是偶然的，因爲他們闡述和提倡的這種"非功利的審美態度"不僅促成了西方藝術由模仿到表現、由具象到抽象的大轉變，而且使藝術成爲一個真正獨立的東西，不再是宗教和其它力量的附庸。

T：但是，對這個問題，我現在卻有些新的發現。我在貴國呆的時間越長，對我的這些發現就越有信心。第一個重要發現就是，西方現在藝術和美學的基礎，甚至西方現在哲學中最時髦的解釋學，都似乎脫胎于中國道家的"無爲而爲"哲學以及由這種哲學推衍出來的"對話哲學"。您知道，所謂"非功利的審美態度"，也蘊含在老莊"無爲而無不爲"的人生態度中。中國的文化人都清楚，誰能以這種態度對待人生，誰就有可能成道。用美學的眼光看這個問題，就是誰以這種態度對待人生，誰的生活就有可能成爲藝術的。當然，説這個人的生活已經成爲藝術的，不僅僅意味着這種人能寫會畫，而且意味着他已經把美的生活本身作爲目的，把整個生活過程變成了藝術的。第二個重要發現是，西方現在最時興的解釋學美學，儘管它有龐大的體系和深奧的理論，其核心之處，好像也是得宜于中國道家的對話哲學。

M：是嗎？這我倒第一次聽説，請道其詳！

T：首先説我的第一個發現。在國內時，我對王爾德的"爲藝術而藝術"觀就略有所知。你知道，他的這個觀點，在中國是受批判的，但我們知道，它是西方現代美學和藝術的一個重要基礎，既然這個基礎有嚴重問題，西方美學和藝術也就成問題了。但那個時候，我們一點也不知道，王爾德的這個觀點原來是從老莊的"無爲而爲"轉化而來。現在我知道了，我們批判的卻原來是我們自己古代的道家哲學。

　　M：可你怎麼能證明，王爾德的"爲藝術而藝術"直接來自老莊呢？

　　T：你記得不記得，王有一篇題爲《作爲藝術家的批評家——無爲的重要性》的論文？

　　M：記得。

　　T：這是不是王爾德的代表作？

　　M：當然是，我講解王爾德時，一直是這樣向學生交代的。

　　T：那你知道不知道，王爾德的"無爲"二字，是直接來自老莊？

　　M：不知道，我不記得他在這篇文章中提到過老莊。王爾德自己沒有提到這件事，我們這個圈子裏的人也從未注意到這一點。

　　T：你説得不對！他提到了。請您翻開《王爾德全集》第 1044 頁，找到倒數第 18 行。他在這裏的確提到了莊子。他的這句話是這樣説的：

　　　　好了，我們現在還是離開這個實踐領域，別再談論這些惡劣
　　的慈善家了吧！他們早已經被那個生活在黄河邊上，長着一對杏
　　眼的智者莊子批得體無完膚了。這個聖人證明了，正是這些愛管
　　閑事的好心人，才把人性中的最純樸和最自然的東西剥奪殆盡。

　　M：天哪！我和我的學生讀這篇東西若干遍了，怎麼就沒有注意到這句話。

　　T：別以爲王爾德僅僅從莊子那兒學了隻言片語！我有證據證明，他事實上極其認真地閲讀和研究了莊子的全部著作。這種研究不僅使他提出了震動文壇的全新的美學學説，而且促使他采取了一種全新的生活方式和藝術方式。他的美學觀點和生活方式之所以震動了當時的社會，是因爲他首先受到了莊子哲學的震動。

　　M：那當然，"要想感動別人，首先要感動自己。"

　　T：的確如此。我注意到，在《王爾德全集》中，還有一篇短文，這篇短文是專門向當時的英國人介紹中國古代的莊子的。據王爾

德自己説，他有幸得到了當時最好的英譯本《莊子》，便一口氣將它讀完了。讀完之後，竟然進入一種如痴如狂的狀態。就在這種痴狂狀態中，他提筆寫了那篇專門的文章，向國人介紹他在《莊子》中的偉大發現。他這樣向他的同胞説：

> 如果你們真正瞭解了莊子是個什麼樣的人，你們一定會吃驚得發抖的！

> 在我看來，我們中的任何人，只要稍微瞭解一點莊子那摧毀性批評的巨大力量，他的民族自傲心就會立即消失殆盡的！

> 莊子一生都在實踐他的"無爲"學説，他無時無刻不向人們提醒所有的有用的東西的無用性。

M：説的太好了，我與他有同感，中國古代哲學的確了不起。

T：看來，王爾德的確抓住了莊子學説的要害。中國古代的藝術，受莊子的影響是極大的。在那時的真正的藝術家看來，一切在常人看來有用的東西，實際上都是無用的；那些一生都在追求有用的東西的人，以及那些試圖使自己成爲一個有用的人的人，到頭來都會發現是一場空。所以在那些藝術家的筆下，一切常人看作有用的東西，如各種工具、青壯年人物形象、挺直的樹木、工整的房屋等，都不入畫，而一切在常人看來非常無用的東西，如老樹殘枝，荒山野水，草屋茅舍，老人小孩等，卻成爲畫家喜愛的題材。

M：我還要問你一個問題：你何以證明，王爾德的整個思想體系，都得益于莊子？

T：因爲我還注意到，王爾德自從接觸莊子後，其文章的風格和觀點發生了大幅度的變化，可以説，簡直是判若兩人。你知道，他的《社會主義中人的靈魂》、《作爲藝術的批評》、《説謊的衰落》等幾篇最重要的著作，都是在 1890 年後，即他接觸莊子著作一二年後寫出來的，可以説，這些著作的字裏行間都能見出老莊思想的痕迹。我發現，有時候連他説話的語氣、句子的風格，甚至這些文章采用的對話體形式，都深受莊子的影響。最能説明問題的是他於

1890 年寫的一首詩,這首詩就是中國道家自然無爲思想的反映。
他這樣寫道:

漂泊,用我的全部激情,

直到我的靈魂化爲

一把隨風而奏的琴。

不正是爲了這個理想,

我才放棄了那些古老的智慧和律條?

我現在覺得,我的生活已變成,

一部重新寫過的史册。

在一個兒童的假日裏,

她被塗寫上了,

一首悠閑的,

保留了宇宙秘密的樂章。

……

(本譯文係作者根據下面的原詩譯出:

To drift with every passion till my soul

Is a stringed lute on which all winds can play,

Is it for this that I have given away

Mine ancient wisdom, and austere control?

Me thinks my life is a twice—written scroll

scrawled over on some boyish holiday ,

with idle songs for pipe and virelay

which do but mar the secret of whole

……)

　　M:這個發現太重要了,所謂"風奏的琴",是不是就是莊子説
的"天籟"?所謂"放棄古老的智慧",是不是就是老莊的"回歸自然,
無爲而爲"?所謂"保留了宇宙秘密的樂章",是不是就是莊子《天運
篇》裏説的"天樂"?

　　T:非常相像!老實説,在我自己未揭露出這個秘密之前,也
讀過王爾德這首詩,但那時怎麽也讀不懂。現在我終于懂得,這首

詩最明白不過地説明了作者對中國道家的皈依思想。它表明,這時候的王爾德已經意識到,一個人只有放棄一個固定的目的,才能過一種無爲而爲的漂泊閑適的生活;也只有這時,人的靈魂才能與大自然合一,變成一把風奏的琴,演奏出揭示整個大自然之秘密的樂章。

M:王爾德對莊子的理解的確是入木三分。從他以上的文章和詩作來看,他不僅接受了莊子,而且根據西方文壇的具體情況,將它發揮到了極致。

T:的確如此。但我承認,王爾德一再强調的"批評",莊子從來就没有提過。但縱觀莊子一生的所説和所做,卻無不體現出現代西方人一再稱道的那種批評精神。王爾德的過人之處就在于,他能透過種種表象,一下子便抓住了莊子哲學的實質,將莊子的批評精神突出出來,并加以充分發揮。

M:是的。現在我也明白了,爲什麽王爾德會對西方文藝批評的發展,做出如此突出的貢獻,導致了西方批評觀的大轉折。具體説,由于得益于莊子,王爾德徹底地改造了他之前的一些權威人士,包括了他的老師帕特所定義的"批評",使批評的含義更加廣泛。你知道,王爾德之前的學術權威阿納爾德給批評下的定義是:"批評就是使人看到事物本來的樣子。"王爾德的老師帕特在此基礎上,將"批評"的定義進一步拓展,變成:"人要想看到事物本來的樣子,首先要看到自己之印象的本來的樣子!他必須學會分清它們和辨别它們,最後要清清楚楚地認識它們。"

作爲帕特的學生,王爾德不僅没有重復老師的話,而且有點反其道而行之,將"批評"定義爲一個全新的東西,即:"批評的目的,就是要看到與事物之本來的樣子完全相反的樣子。"

T:很明顯,從他上面的定義中,我們可以看出中國道家的兩點痕迹。一是老子"反者道之動"的思想,二是道家向内、而不是向外求道的思想。

對第一個思想，我感到王爾德已經是青出于藍。關于第二個思想，他也作了創造性的應用。從你以上列的三個人的"批評"定義中，我們可以看到一個着眼點從外部世界向内部世界轉移的過程。也就是説，阿納爾德的"批評"完全是對外的，帕特的"批評"開始着眼于對内部世界的整理和區别，王爾德的"批評"則是一種對内部世界的一切認識、尤其是自以爲絶對正確的認識的懷疑和提問，而這一點正是老子和莊子著作中貫穿始終的東西。老子的"知人者力，自知者明"，"塞其兑，閉其門，挫其鋭，解其紛"等格言，就是讓人們把批評的方向倒轉，從外部指向自身。只有將批評倒轉的人，才能成爲真正强大的人，否則雖然擁有權力和金錢，也是虚弱的。王爾德所説的"看到與事物本來的樣子相反的樣子"，在老莊中就是要看到事物和人生的"無"和"虚"的一面。這一思想一直是中國文人修身養性，以達到超然脱俗的原則。

M：然而在我們西方，卻意味着哲學史和批評史上的一次革命，它在文學、藝術和哲學領域中造成的變化，就像自然科學領域中愛因斯坦相對論引起的變化一樣。從此以後，批評不再僅僅是針對别人和外界，而成爲一種不斷解剖自身、懷疑自身和發現自身的活動，在藝術中則表現爲對人的視野和内部世界的不斷探討和開拓。

T：我想問你一個問題：王爾德以"批評作爲藝術"作爲其文章的標題，你能否講一講，他爲什麽要把批評同藝術等同起來？換言之，批評怎麽可能是藝術？

M：他的原意是，批評本質上是一種藝術，而藝術的本質又在于批評，如果藝術不是批評，它就不美了。正如他説的："美是對一切確定性和清晰性的東西的批評。""每一種藝術品，同時又是一種藝術批評。……但是，對作品的批評，比作品本身更重要。"可見，王爾德所説的批評，是不同于常人所説的那種批評的。

T：你能否説的更具體些？

M：這個問題本來是很難回答的。但是受到你剛才的啓發後，我對這個問題似乎有了一種新的理解。這就是，自從王爾德接受老莊哲學之後，就常常把藝術家、批評家和犯罪者聯繫到一起。他曾經這樣説過，社會寧肯饒恕那些普通的罪犯，也不願意饒恕那些"夢想家"，因爲普通罪犯雖然違犯了社會道德準則，卻仍然停留在這個道德系統之内，而夢想者則對這種準則反其道而行之，對它的基本構成加以懷疑，正是通過這種懷疑，藝術家和批評家才爲種種習慣和習俗的固定性質加進一種動態的原則。"通過不斷的變化，而且只有通過不斷的變化，他們才發現了自身的統一，他們將不再滿足成爲自己之信念和見解的奴隸。"其實，這種不再成爲自己見解和信念的奴隸的人，正是王爾德所説的那種有個性的人。而王爾德所説的"有個性"的人，又往往是社會認爲有罪的人。

T：我想插一句，使我常常感到迷惑的是，你們西方人一提到"具有個性的人"時，總是把他同"個人主義者"聯繫起來，你能先談談個人主義、個性和自私的區別嗎？

M：要想真正瞭解王爾德所説的批評，這個問題還非得弄清楚不可。也許是因爲受王爾德的影響，在我們西方人的觀念中，"個人主義"和"自私自利"是有着嚴格區別的。我們往往把那些敢于把批評的矛頭指向自身的人，看作是一個有"個性"的人或一個"個人主義"的人；反過來，那些只知道把批評的矛頭指向別人的人，則是最自私的人。自私者認爲最重要的是要占有，"個人主義"者認爲最重要的是自己要成爲一個什麽樣的人。一個個人主義者知道，他越是把矛頭指向自身，他身上那種"反抗庸俗"的力量就越大，這種人的最大特點是，自己同自己的心靈對話，自己同自己爭辯，自己成爲自己的批評者和懷疑者。

T：這同當今中國人理解的那種"個人主義"的確不同。根據你的所説，這種個人主義者，也許是最少自私心理的人，因爲他總是在自己身上製造出一個利害的對手，通過與這個對手的不斷交鋒,使自己的思想達到一個個飛躍,從而使自己不斷深刻和更新。可我不明白的是,這種個人主義同犯罪又有什麼關係?王爾德爲什麼把它同犯罪拉扯在一起?

M:敢于質問自己,敢于對自己過去認定的那些最正確、最合理、最權威的東西提出懷疑和抗衡,就不僅是關乎到自身了,因爲個人總是生活在社會中的。如果一個人的理解和行爲總是同普通人截然不同,他在普通人眼裏就形同罪犯。但是,對一個真正的批評家和藝術家來説,卻恰恰在于有沒有這樣一種所謂的"犯罪意識"或"犯罪膽量"。

所謂犯罪意識,就是敢于把被顛倒的東西再顛倒過來,不作這種顛倒就沒有什麼正義和真理可言。王爾德這樣説道:"對于一個人來説,不能總是通過他做的事情對其估價,他也許遵守法律,卻是一個無價值的人;他也許破壞了法律,但卻是個好人。他也許是個壞人,但從未作過壞事;他也許對社會犯了罪,但卻通過這種犯罪,達到了自己的完美和完整。"

T:説得太好了!我覺得,這是王爾德對莊子思想的又一個創造性的應用。你記得,莊子中曾寫過一個叫盜跖的人。他本來是一個江洋大盜,但在莊子的筆下,他卻有可愛的一面。這種可愛的感覺,來自他的坦白和清醒的自我認識。盜跖毫不掩飾自己,同時他又指出,如果這就是盜賊的話,還有比自己更大的盜賊。與他辯論的孔老二則不然,他口口聲聲罵盜跖是盜賊,卻不知自己維護的那些正人君子和帝王將相是更大的竊國之賊。讀完這篇文章後,每個人都會感到孔子的可憐、可悲。他的可憐就在于他對自己的糊塗混然不覺,他的可悲就在于他畢生維護和爲之奮鬥的,恰恰是他口頭上反對的。

M:你剛才説的這個故事,也許是開啓王爾德的上述思想的鑰匙。因爲王爾德不止一次地指出,普通人犯錯誤可稱爲錯誤,而那些自稱爲聖人的人一旦犯了錯誤,那就不叫錯誤,而叫犯罪。聖人的錯誤一旦被揭穿，就顯得那麼可笑。然而最具啓發意義的是，在整個社會中，真正能戳穿這一深層秘密的人，恰恰是那些不怕稱自己爲罪人的人，而不是那些所謂安分守己的或一貫正確的人。

T：你是不是説，王爾德所説的"犯罪"，具有一種符號象徵意義？更具體地説，在他的潛意識裏，人要真正清醒，就是要"犯罪"，藝術家和批評家是最清醒的人，所以是當然的"犯罪者"？

M：你們中國的大藝術家和大批評家魯迅説過，文藝應該是投槍和匕首。你想想看，投槍和匕首是一種扎到對手的心臟，使之立即死去的東西，當他説這種話的時候，應不應該説有一種"犯罪意識"呢？當然，當魯迅説文藝是投槍和匕首時，他的意思不是説可以用它殺人，而是指藝術家的鬥爭精神和清醒程度。許多文學藝術作品之所以震動人心，就是因爲它們準確而尖鋭地點出了過去人們認爲完全正確的東西的完全不正確，把理所當然的東西揭露爲最不理所當然。很明顯，當一個藝術家把矛頭指向那些衆人和聖人都認爲正確和美好的東西時，他勢必在一段時間内受到指責和唾棄。但是，如果沒有盜跖那樣的決心和清醒的頭腦，一個作家或者藝術家就決寫不出什麼有價值的東西。因此，王爾德所説的"犯罪"，實際上是指一種徹底的反世俗態度，也是老子"反者道之動"思想在西方世界的運用。正如王爾德所説："因此，我們所説的'罪'，實際上是一種進步的要素，沒有它，世界就會呆滯、變老、無色無光。這種'罪'總是通過它的奇特性，增加人類的經驗，把人從單調中拯救出來，通過抛棄某些衆口一致的道德準則，而達到一種更高級、更完美的倫理。"

T：把藝術和批評同"犯罪意識"聯繫起來，這在我們聽來的確很新鮮，這也許是王爾德對莊子思想的一個新的發展。但我能理解到，藝術和批評的人生，就是一個不斷涉足新奇領域的人生，而新奇的東西在一開始出現的時候都是犯禁的。

M：是的，新奇的同完美正確的東西開始時總是嚴重對立的，但是,如果没有先驅者的勇敢挑戰,這個世界就永遠没有開拓和進步。正因爲如此,王爾德才主張:所有的藝術創造和批評都是基于一種"犯罪沖動",他在另一首詩裏這樣寫道:

> 時間教會了你,
> 你的犯罪曾帶給你
> 多少靈感!

　　"犯罪"這個字眼,聽上去的確比"批評"可怕多了,但在西方傳統中,人們并不覺得有什麼不可以的。當王爾德用"犯罪"這一字眼代替"批評"時,他是想告訴人們,真正的批評是不怕失去什麼東西的,包括一般人最重視的榮譽和尊嚴,也視爲糞土。因此,一個徹底的批評者,是一個在鋼絲上的跳舞者,他總是在冒險中不斷調整自己,并在這種不斷的冒險和調整中,贏得自己的獨特的風格和人格。

　　T:你認爲,除了決心之外,還有什麼東西是取得這種批評能力的關鍵?

　　M:取得這種批評能力的另一個關鍵是要注意克服那種時時出現的自我欺騙。正如王爾德所説,這種批評決不同于一般的爭論和爭執。爭論和爭執是采取教條主義立場的結果,批評者如果僅僅是在對手身上,而不是同時在自身中察覺到某種內在矛盾或某些潛在的偏見,他就應該感到如同咽下一杯毒酒一樣,因爲他感到這時一切原則都被摧毀了,全部都被轉化成了教條。練習自己的批評能力,意味着練習自己成爲一個有個性的人。如果我們承認,偉大的淺薄和偉大的學識常常在一個別人身上并存,我們就應該問,這究竟是爲什麼?按照懷疑論,一個人如果不注意對自己的偉大學識發出疑問,就會流入巨大的淺薄。

　　T:這就是説,這種批評的關鍵是首先摧毀使普通人和偉人都不能自拔的自我欺騙,看起來,這種事同改變一個人的價值觀有關,而改變價值觀又是世界上少數幾種最難做的事情之一。

M：這就需要善于同自己爭辯。能否自己同自己爭辯，是區別一個大家和一個普通人的重要關鍵。但同自己爭辯的關鍵又是要能隨時把自己想成另一個人。王爾德説得好："改變別人是容易的，改變自己就難了，一個人要想達到自己真正信仰的東西，就必須通過別人的嘴講出來；一個人要想認識真實，就必須首先想象出千百種不真實的東西。"這裏的"通過別人的嘴講述"，就是他一再推崇的"對話"，"對話"其實是他對藝術和批評的總稱。他這樣説道："對話，是世界上任何一個具有創造精神的批評家都樂于使用的一種形式，這種形式對任何一個思想家也都具有永恒的吸引力。通過這種對話形式，他既可以揭示自己，又可以掩蓋自己。他可以爲他的任何一種想象賦予形式，使他的任何一種情趣變爲現實。另外，他還可以通過它從任何一個角度展示客體，從而讓人們瞭解它的全貌。"

T：啊，對了，你的這番話又使我想起了我來到貴國之後的第二個重大發現。

M：是嗎？請説説看。

T：我發現，你們西方近代和現代的許多大家，都對對話特別的推崇。王爾德不用説了，從他的主要思想，到他的一系列代表作發表的形式，都是對話式的。就是現在的許多大家，例如解釋學代表人物伽德默爾，其哲學的中心也都是對話。王爾德的美學思想影響了西方數代人，而伽德默爾現在又成了西方現代思想界的偶像。豈不知，他們的這個思想也都不同程度地受益于中國道家思想。

M：是嗎？這事就更新鮮了，説説看！

T：剛才我們已經説了，王爾德發現《莊子》一書，如獲至寶。但是，你有没有注意到，《莊子》這本書的精華之處？

M：不就是你剛才説的"無爲而爲"嗎？

T：是的。但是，"無爲而爲"只是得道的重要前提，換句話説，它還只是一種態度，正如你們西方美學中説的，要想欣賞到美就必需要有一個審美的態度一樣。這個審美態度,就是非功利的觀賞態度,就是無爲而爲的態度。但是,有了態度,還不等于進入美的境界或道的境界。還必須有對話才行。

M:是嗎?這就是説,無爲而爲的態度僅僅是前提,對話才是關鍵?

T:是的,對于這一點,王爾德也注意到了。他不僅在向國人介紹莊子時,提到了這一點,而且自這之後寫的所有重要文章,都是以對話體的形式發表的。他的這種作法,其實是對莊子的一種模仿。你以後再讀《莊子》時,請你注意一下,這本書,單從形式上看,也算得上是一本對話集。也就是説,從形式上看,它從頭至尾都充滿了對話;從實質上看,它的著作處處滲透着對話的哲學。在《莊子》一書中,我們不僅可以從中找到不同的人之間的對話,如聖人和聖人之間,聖人同盜賊之間,孔門聖人同道家聖人之間的對話;還可以找到各種抽象的觀念之間的對話,如"知"與"無爲","知"與"狂屈","太清"與"無窮","泰清"與"無始","光曜"與"無有"之間的對話。這些對話,看似是兩個不同的人或兩種不同的實體之間的對話,但實質上,正如你説,是作者自己向自己的發問,具體些説,是站在某一個觀點或立場上的自我,向站在另一個觀點或立場上的自我的發問。《莊子》中有一段話特別深刻:"世俗之人喜歡別人同自己一個樣子,而不喜歡別人同自己不一樣;他們願意同自己相似的人交朋友,而不願意同那些與自己不似的人交朋友。"他的言下之意是,聖人不僅能同不同于自己的人交朋友,而且能同隨時想象出來的與自己不同的人辯論和交心。事實上,中國古代除莊子之外的許多大聖人和大學者,如孔子和孟子等,也都喜歡用對話的形式,孔子的《論語》全部是對話,《孟子》一書同樣是一本對話集。他們的著作都達到了可以同柏拉圖相比美的高度。

當然,這僅是從形式上説的,從實質上説,道家的道、中國的傳統藝術、中國的醫學,以至現在流行的氣功,無不體現了一種對話的哲學。

M：是嗎？請説説看。

T：以道家所説的道爲例。你們都知道，道家有一個太極圖，就是現在南朝鮮國旗上的那個太極圖。

M：當然知道。那是中國道家的一個標志，其中有一條白魚和一條黑魚，相互擁抱着。現在它倒成了南朝鮮人的專利，事情真有點滑稽。

T：其實，道家的整個哲學觀，都體現在這個太極圖中，而這個圖的核心，就是對話。具體點説，就是陰陽之間的對話。也就是易傳裏説的"一陰一陽之爲道"。説"一陰一陽之爲道"，不是説，二者隨便往那裏一擺就有道，而是説，二者必需對話才行。"對話"實際上是道家哲學最神秘的地方，也是中國傳統文化形成的大秘密，可以説，没有對話，就没有源遠流長的中國文化。

M：是嗎，你是説陰和陽對話？這個秘密究竟是怎麼會事？

T：你知道，道家爲什麼一再强調"水（或陰）在上，火（或陽）在下"嗎？

M：不太清楚，這是老子思想體系中經常使西方人感到困惑的地方。

T：在道家看來，水代表着一切陰性的東西，火代表着一切陽性的東西。所有對話都是在陰性的東西和陽性的東西之間進行的。但是，陰陽要想對話，又只有水在上方，火在下方才行。可以説，這是中國道家秘密中的大秘密。關于這個秘密，是由一個在中國生活了19年的德國人理查德·維爾海姆向西方人透露出來的。他在中國時，經常出入于道觀和佛廟之中，後來得到了《吕祖師太乙金華宗旨》手抄本，維氏把它帶回德國，翻譯成通俗流暢的德文，并由當時學術名人容格寫了一篇評論，二者合起來，起了一個書名叫《金花的秘密》，起因于道家在按照《太乙金華宗旨》中所教的方法修煉時，眼前會出現金色的蓮花。容格認爲，這是積澱在人類心理深層的一個典型的集體無意識原型，對人類的精神活動至關重要。但我讀完容格的書後，覺得他并没有真正理解這本書中透露的中國文化的高深秘密。迄今爲止，這一秘密也許只被少數幾個西方大哲學家悟到了，他們吸收了其中的精華後，就發展出震驚世界的哲學體系。而普通人對它的意思仍然是不甚了了。

M：真的嗎？我自己也不明白，爲什麼水在上，火在下才能導致對話呢？

T：爲了説明這一問題，不妨讓我們共同念念《金花的秘密》第85頁關于《金華宗旨》的一段重要譯文：

> 人的心屬火，火按其本性是上行的。當人睜開兩眼時，觀看就是向外的，這時心火也就隨着眼光流出體外。當人把眼睛閉上，將眼光回轉，向内觀看時，火心就會向下和向内行，這時人看到的是自己的本性，這就是回光法。人的腎屬水，按照其本性，是向下流動的。如果讓它隨意地流出體外，就有可能生出孩子。在做功時，人如果用自己的意念控制它，不讓它向下走，不讓它流出體外，而是讓它向上走，在内部發揮其創造力，它就會使身心得到營養，使人精力充沛。這就是回光法。

第95頁：

> 回光必兼之調息，……丹書説，鷄能抱卵常聽，鷄蛋之所以能孵出小鷄，是得自母鷄的暖氣。母鷄的暖氣與一般的暖氣作用是不同的。一般的暖氣只能暖其殼，不能進入其中。要想讓暖氣進入，必須以心意引導。……所以母鷄雖然有時離開鷄蛋外出，仍然常常作側耳傾聽的姿勢，它聽的時候，心意注入其中。心人氣就入，氣入就能使鷄蛋得到暖氣，得到暖氣就能生。母鷄雖然身子有時離開，心意卻從没有離開，這樣就保證暖氣晝夜不間斷，最後使小鷄孵出。

我認爲，僅僅這兩段話，就已經把對話的原理清楚地説了出來。所謂火在下，就是説，按照火的本性，原本應該是向上的，而道家在修煉時，卻通過心意的引導，讓它倒轉，不再向上走，而是向下走。水的本性本是向下的，道家在修煉的時候，讓它回轉過來，不是下行，而是上走。這樣一來，就使本是熱的火，同本是冷的水在中間地區相遇，形成一個溫暖的環境。很明顯，溫暖的環境是一個全新的環境，它既不同于心的熱，又不同于水的冷，但它具有生發或發展的功能。例如，春天是溫暖的，所以萬物萌發；母鷄身子下面是溫暖的，所以鷄蛋在那裏能變成活的小鷄。那麼這個溫暖的環境是怎樣得來的呢？是心與腎對話的結果啊！心意通過引導，使心和腎走到一起，相互對話，在對話中相互作用，相互調劑，最後形成了一個溫暖的、生發的環境。這就是太極圖中那個相互擁抱的陰陽魚所代表的深刻含義啊！

M：你解釋得清楚極了，但是我還不明白，你怎麼又把這個古老的對話原理同我們西方現代美學聯繫起來呢？

T：據我所知，不僅王爾德，作爲西方現代美學之父的夏夫茲博里，還有作爲現代解釋學美學權威的伽德默爾，都把對話哲學作爲他們哲學的核心。夏夫斯博里強調的是内心的對話，他有這樣幾句名言，如：

古人能看清楚自己的臉，而我們卻不能。

反躬自問乃是産生大思想家的一個重要途徑，内心對話是人類思維的最基本、最有效的形式。任何人，如果想要瞭解這個世界，就必須首先致力于瞭解自己，而瞭解自己的一個先決條件，就是要離開自我一定的距離，從而能夠全面地觀察自己，認識自己，自己批評自己。

至于伽德默爾，那就更不用説了。你知道，在伽德默爾的解釋學哲學和美學中，有一個很關鍵的概念，即："視界融合"。你能不能用幾句話概括出這個概念的含義？

M：這個容易。所謂"視界"，是指人們視力所及的範圍和高度，亦即人們從一個特殊的視點看到的一切。伽德默爾認爲，本文所體現的，是作者的視界，他稱之爲原本的視界；而閲讀本文的人所具有的視界，則是在今天的時代和環境所造就的視界，他稱之爲現今的視界。這兩個視界因爲時間的差距和歷史情景的不同，有着巨大的差距。然而真正的理解，卻恰恰是這兩種視界達到的融合，也就是説，理解者的視界和理解對象代表的視界通過融合後，都要超越原來的界限，達到一種全新的視界。這個全新的視界既包含了本文和理解者的視界，又超越了它們的視界。這個新的視界是一個動態、開放、不斷生發的實體。

T：我來問你，這兩個視界又是通過什麽方式融合的呢？

M：啊，對了。你這麽一説，我倒想起來了。伽德默爾説過，理解實際上就是一個對話事件，本文與理解者的關係，不應再是一個"主—客"體關係，而應該是一種主體與主體的平等關係，兩者之間的關係不應該是認識和被認識的關係，而是一種一問一答的對話關係。

T：問題的關鍵就在這裏。只要我們稍作比較，就可以認識到，伽德默爾所説的這種關係，其實就是陰與陽、水與火之間的對話關係。我剛才説過，爲了發展成對話，水必須逆其本性，向上走，火必須逆其本性向下走，只有這樣，二者才能遭遇在中途。本文和閱讀者同樣如此。二者爲了對話，本文必須逆其本性，從客轉爲主，不斷地向閱讀者提出問題，讓閱讀者回答。而閱讀者亦一反本性，從盛氣凌人的主人的地位轉爲與本文平等的地位，他必須製造機會和騰出空間，讓本文不斷提出問題，自己也不斷地回答問題。在這種對話中，不斷地使理解發展、深入和生發。使理解成爲一個活生生的東西。這不正好體現了道家的"反者道之動"的原理嗎？它所生成的動態的理解，不就是道家所説的那個流動不居的道嗎？

M：問題似乎越來越清楚了。真没有想到，二十世紀西方哲學的核心問題，在中國古代的道家哲學中已經得到了清楚的闡發。這件事真有點不可思議啊！

　　作者簡介　滕守堯,1945 年生,山東昌邑人,中國社會科學院哲學所副研究員。主要著作有《審美心理描述》、《藝術社會學描述》、《中國懷疑論傳統》等。

老子之道的史官特色

王　博

内容提要　老子為周之太史,太史的一項重要職責是觀察天道即日月星辰等運行的軌道及法則,老子之道就是在天道概念的基礎上提出來的。老子以道而不是其他東西為萬物本原,這本身就有鮮明的史官特色。而另一方面,道範疇與天道仍保持着密切聯繫,具體來說,老子對道的描述是以月亮為原型的,這當然也和太史熟悉月亮的運行規律有關。

班固《漢書·藝文志》以九流俱出于王官,其中"道家者流,蓋出于史官",後人對此信疑參半。本文以道家者流的開創者老子爲代表,探討一下其思想的中心範疇"道"和史官文化的關係,從中我們也可以看出《漢志》之說的有據。

一、老子為周之太史

老子是周王室的史官,這在古代典籍中有明白的記載。《莊子·天道篇》云:"孔子西藏書于周室,子路謀曰:由聞周之征藏史有老聃者,免而歸居。"《莊子》書雖"寓言十九,重言十七",但其所述人物身份大都合乎歷史事實。《史記·老子傳》也說:"老子……周守藏室之史也。"《史記》與《莊子》雖有說法上的差異,但究其實,則

是完全一致的。陸德明《莊子音義》引司馬云:"征藏,藏名也。一云:
征,典也","典"即是"主"、"掌"之義,因此,所謂"征藏史"也就是主
掌藏書之史,這與"守藏史"的意思是完全一致的。

進一步來看,主掌藏書之史應屬太史之類。案周代的史官制
度,大體由太史和内史兩類組成。兩類史官職責有相同之處,如筮
王闕、爲王使等,但更多是相異的方面。其中掌陰陽天時禮法、書籍
文字等,是太史的責任,内史則無此等任務。從這來看,主掌藏書的
老子當是太史類史官。鄭玄注《論語》時説:"老聃,周之太史",看來
是正確的。

二、太史掌天道和老子"道"範疇的提出

太史之職,負責觀測天時,即依日月星辰變化之規律來制定曆
法等,這日月星辰變化的規律就是所謂天道的内容。因此,太史在
古代是明天道的官。《國語・周語下》記單襄公對魯侯説晉國將亂,
于是魯侯問晉將亂的原因是天道,還是人故,單子對曰:"吾非瞽
史,焉知天道?"可見在周代,知天道的只有瞽和史兩種人,據韋昭
注,瞽是樂太師,掌知音樂風氣,執同律以聽軍聲,而詔吉凶;史即
是太史,掌抱天時,與太師同車。二者雖然都知天道,但是知天道的
角度(方法)是不同的,瞽是通過聽音辨風,太史則是通過以天時
(即栻)來觀測日月星辰的運行規律。

從目前可靠的文獻記載來看,從堯的時候起,就設置了專門觀
測天象的官職。《尚書・堯典》説:

> 乃命羲、和,欽若昊天,歷象日月星辰,敬授人時。分命羲仲,
> 宅嵎夷,曰暘谷。寅賓出日,平秩東作。日中,星鳥,以殷仲春。厥
> 民析,鳥獸孳尾。申命羲叔,宅南交。平秩南訛,敬致。日永,星火,
> 以正仲夏。厥民因,鳥獸希革。分命和仲,宅西,曰昧谷。寅餞納日,
> 平秩西成。宵中,以殷仲秋。厥民夷,鳥獸毛毨。申命和叔,宅朔方,

曰幽都。平在朔易。日短，星昴，以正仲冬。厥民奥，鳥獸氄毛。帝
曰："咨，汝羲暨和，朞三百有六旬有六日，以閏月定四時成歲。允
釐百工，庶績咸熙。"

　　羲、和之觀測日月星辰運行位置的變化，敬授人時，其目的主
要是指導以農業、漁獵爲主的百工之事。周代及漢代的太史正承繼
了羲和的責任，孫星衍注"乃命羲、和"句云：

　　　　《月令》云："乃命太史司天日月星辰之行"，是羲和于周爲太
　　史之職也。
所以《史記·太史公自序》追太史之遠源，亦上溯至羲、和，并記司
馬談云語曰："余先周室之太史也。自上世嘗顯功名于虞夏，典天官
事。"而在虞代，典天官者正爲羲、和，《史記·天官書》記載："昔之
傳天數者……于唐、虞，羲、和。"又其記周室以下之傳天數者云：

　　　　周室，史佚、萇弘；于宋，子韋；鄭則裨竈。

　　史佚是周武王時的太史，可知自周初始，太史已經承擔了羲、
和的責任。萇弘、子韋、裨竈都是春秋末年通曉占星術的人，他們是
否史官，文獻中無明文記載，但其與史官關係密切，職責相通，則無
可疑。

　　與羲、和一樣，太史觀測天象的一個主要職責是通過掌握天時
來指導農業生產。《國語·周語上》記虢文公的話說：

　　　　夫民之大事在農……古者，太史順時覛土，陽癉憤盈，土氣震
　　發，農祥晨正，日月底于天廟，土乃脈發。先時九日，太史告稷曰：
　　"自今至于初吉，陽氣俱蒸，土膏其動。弗震弗渝，脈其滿眚，穀乃
　　不殖。"
接着，講述太史在祭祀農神的典禮上"贊王"，王敬從之，"后稷
省功，太史監之"等，表現出周太史在農業生產中所起的重要作用。

　　但是在周代，還流行着天神崇拜的觀念。因此，在當時人看來，
日月星辰等的運行并不是自然的，而是由天神來決定的，是天神意
志的表現。在《山海經》中，還保留着帝俊之妻生日生月的神話，戰
國後期的楚帛書還認爲四時由四神掌管，十二個月各有神靈。因

此，由天神對人事的決定作用而產生了依天象變化來預測人事吉
凶的占星術，作爲掌天道的史官，在春秋時期，基本上尚未擺脱占
星術的影響，我們試舉一些例子來加以説明。《左傳·文公十四
年》記載：

> 有星孛入于北斗，周内史叔服曰："不出七年，宋、齊、晉之君
> 皆將死亂。"

又《左傳·襄公十八年》記：

> 晉人聞有楚師，師曠曰："不害。吾驟歌北風，又歌南風，南風
> 不競，多死聲。楚必無功。"董叔曰："天道多在西北，南師不時，必
> 無功。"

師曠是晉國的樂師，董叔是太史，其所謂"天道多在西北"，可能是
對木星活動的認識①。而由此得出"南師不時，必無功"，表明他認
爲天道對戰爭勝負有決定作用。又《左傳·昭公十七年》記載：

> 夏，六月，甲戌，朔，日有食之。祝史請所用幣，……太史曰：
> "在此月也，日過分而未至，三辰有災，于是乎百官降物，君不舉辟
> 移時，樂奏鼓，祝用幣，史用辭……。"

又《左傳·昭公八年》：

> 晉侯問于史趙曰：陳其遂亡乎？對曰：未也。公曰：何故？對曰：
> 陳，顓頊之族也。歲在鶉火，是以卒滅，陳將如之。今在析木之津，
> 猶將復由。

又《左傳·昭公三十一年》：

> 十二月，辛亥、朔，日有食之，是夜也，趙簡子夢童子羸而轉以
> 歌，旦占諸史墨曰：吾夢如是，今而日食，何也？對曰：六年，及此月
> 也，吳其入郢乎。終亦弗克。入郢必以庚辰，日月在辰尾。庚午之
> 日，日始有謫，火勝金，故弗克。

又《左傳·昭公三十二年》：

---

① 李申：《中國古代哲學和自然科學》，中國社會科學出版社，1989 年
版，第 64 頁。

　　夏，吳伐越，始用師于越也。史墨曰：不及四十年，越其有吳
　　乎！越得歲而吳伐之，必受其凶。

又《左傳·昭公六年》：

　　是歲也，有雲如眾赤鳥夾日以飛，三日。楚子使問諸周太史，
　　周太史曰：其當王身乎！若禜之，可移於令尹、司馬。

從以上的這些材料可以看出，包括太史在內的史官都還是占星術
的信奉者和宣傳者。占星術的核心就是認爲天象是某種天神意志
的表現，和人事吉凶有必然聯繫，如《國語·周語》所説，“天道福善
而禍淫”，而且通過祭祀等儀式，可以改變天意，或使吉凶的承擔者
發生轉移。這時的天道思想基本上還是在天命神學的支配之下。
　　占星術的流行主要是在春秋晚期，上引材料基本上都是在昭
公前後，便是一個證明。另外，在春秋末期，還有幾位著名的占星術
士，就是我們前面提到的周萇弘、宋子章、鄭裨竈等，他們依據天象
情況來預測人事吉凶及國家興亡。在當時很有影響。《左傳·昭公
九年》記載：

　　夏四月，陳災。鄭裨竈曰：“五年，陳將復封。封五十二年而遂
　　亡。”子產問其故，對曰：“陳，水屬也。火，水妃也，而楚所相也。今
　　火出而火陳，逐楚而建陳也。妃以五成，故曰五年。歲五及鶉火，而
　　後陳卒亡。楚克有之，天之道也，故曰五十二年。”

又《左傳·昭公十一年》：

　　景王問于萇弘，曰：“今兹諸侯，何實吉？何實凶？”對曰：“蔡
　　凶。此蔡侯般弒其君之歲也。歲在豕韋，弗過此矣。楚將有之，然
　　雍也，歲及大梁，蔡復楚凶，天之道也。”

但是，這種流行的占星術在當時也遭到了激烈的反對，《左傳·昭
公十八年》記載：

　　夏五月，火始昏見。丙子，風。……戊寅，風甚。壬午，大甚。宋、
　　衛、陳、鄭皆火……裨竈曰：“不用吾言，鄭又將火！”鄭人請用之，
　　子產不可……曰：“天道遠，人道邇，非所及也，何以知之。竈焉知
　　天道？是亦多言矣，豈不或信？”遂不與，亦不復火。

子産“天道遠，人道邇，非所及也”的主張，認爲天道和人事無干，這就徹底摧毀了占星術的基礎，對占星術無疑是一個重大打擊。子產的這種思想，春秋末期也有其他人提出過，不過没有如此明確罷了，如《周語下》記單子對魯侯説晉將有亂的原因：

> 吾非瞽史，焉知天道？吾見晉君之容，而聽三郤之語矣，殆必禍者矣。……夫目以處義，足以践德，口以庇信，耳以聽名者也，故不可不慎也。偏喪有咎，既喪則國從之。晉侯爽二，吾是以云。

單子借口不知天道，完全從人事的角度來推測晉國將亂，這實際上是間接地否定了天道和人事吉凶有關。

子產、單子等的此種否定天道的思潮，從歷史上來看，乃是繼承了周內史叔興所表現出來的自然事物和人事吉凶禍福相分的思想。《左傳·僖公十六年》記載：

> 十六年，春，隕石于宋五，隕星也。六鷁退飛過宋都，風也。周內史叔興聘于宋，宋襄公問焉。曰：“是何祥也，吉凶焉在？”對曰：“今兹魯多大喪，明年齊有亂，君將得諸侯而不終。”退而告人曰：“君失問。是陰陽之事，非吉凶所在也。吉凶由人，吾不敢逆君故也。”

從宋襄公之問和叔興的回答中，我們可以瞭解當時普遍流行着自然現象的特異變化和人事吉凶有關的想法，這種想法和占星術是一致的。但是，有些史官已從對自然現象和社會現象的觀察中意識到了人事吉凶乃是由人自己決定的，而與自然現象無關。這在當時是非常進步的想法，正構成了以後子產等提出天道人道不相及思想的基礎。

子產們的主張摧毀了占星術的基礎，天道和人事吉凶有關的想法再也不能存在下去了。由此可以引出兩種思想傾向：一種是不談天道，只言人道，就人事來談人事，子產本人基本上即是如此，以後孔子發展了這種傾向；另一種是剔除掉傳統天道觀念中所包含的神意内容，而發展出天道自然的思想，并在天道和人事之間建立起一種完全不同于占星術的關係，老子就是這後一種傾向的代表。

　　作爲掌天道的史官,而對子産們的挑戰,老子當然不會輕易地放棄天道這個領域,像孔子那樣把天道和人事的聯繫割開。史官的職責使得老子更能感受到天道和人事的密切關係,但是,這種聯繫再也不能以占星術的形式出現了,子産的實踐和理論已徹底暴露了占星術的虛僞和無用。所以,老子要重建這種關係,就必須要突破占星術的框架,對傳統的天道觀念進行改造。這種改造的一個直接表現就是在春秋時期天道觀念的基礎上提出了道的範疇。

　　很多學者都承認,老子的道是由天道觀念轉變而來的,這大致是不錯的。而且,我們還可以説,它也是爲了要取代天道概念而提出來的。這樣,老子就必須要解決由這種取代而來的一些問題,譬如天道在春秋時期是當然的人事活動的準則;人們應根據日月星辰等的運行情況來決定如何行事,另外,當時人在强調應按某種標準去做時,往往説這是"天之道也",即符合天道的。天道的這種地位乃是由天賦予的,因爲在當時的人們看來,天是包括人和萬物在內的一切東西的來源,因而也就自然是人們行事時所應效法的對象,如《詩·大雅·烝民》所説:

　　　　天生烝民,有物有則,民之秉彝,好是懿德。

這是講民由天生,而且天還爲民規定了行爲的準則。《左傳·昭公元年》記醫和的話説:

　　　　天有六氣,降生五味,發爲五色,徵爲五聲,淫生六疾。六氣曰
　　陰、陽、風、雨、晦、明,分爲四時,序爲五節……

天所有的六氣産生出五味、五色、五聲,分化四時、五節等,《左傳·昭公二十五年》記鄭子太叔引子産的話與此類似:

　　　　天地之經而民實則之,則天之明,因地之性,生其六氣,用其
　　五行,氣爲五味,發爲五色,章爲五聲。

　　因此,老子若要以道來取代天道,確立道作爲人事準則的地位,他就必須先確立道的絕對地位,以道來否定天,否定天的至高無上地位。這樣,他就必須改變以往把道從屬于天的作法,而以道

爲高于天的東西。老子宣稱道"先天地生",是"天地之根",就是做
的這項工作。同時,由于春秋前人們多把上帝和天等同,所以老子
也特別指出道"象帝之先"。在老子看來,是道,而不是天或上帝,才
是萬物的來源和母親,這就確立了道相對于萬物而言的權威地位,
確立了道作爲人事準則的合理性。

這樣,"道"也就由春秋以前僅僅具有道路、法則等意義,而變
成了具有世界本原的意義。從上面我們可以較清楚地看出,老子之
所以以道爲本原,其目的乃是爲了否定天命神學意義下的天及天
道概念,并最終確立道作爲人事法則的地位。

針對傳統天或天道概念的神學特徵,老子特別強調了道的自
然無爲特徵。道雖然是萬物的本原,但是它本身以及它的生化萬物
都是自然的。老子説:"道法自然","道之尊,德之貴,莫之命而常自
然",道不像傳統的天那樣有意志,它的行爲都是自然的,因此,它
在生成萬物之後,也并不充當萬物的主宰,老子認爲道是"萬物歸
焉而不爲主","生而不有、爲而不恃,長而不宰,"都是此意。

這樣,我們就約略可以看出老子之道產生的一個大概過程。它
揚棄了傳統的天道概念,但是同時仍保持着和天道的聯繫。雖然道
是一個本原範疇,但老子又十分強調道的過程、法則方面的意義,
這樣,它和天道又有一致之處,如七十七章"天之道,損有餘而補不
足……孰能有餘以奉天下,唯有道者"所示;另一方面,老子雖然提
出了道法自然的觀念,從根本上否定了傳統天命神學、占星術支配
下的天道思想,但在他的著作中,有時仍保留了在形式上與占星術
語言相同的句子。如七十三章説:

> 天之所惡,孰知其故?
> 天網恢恢,疏而不失。

七十九章説:

> 夫天道無親,恒與善人。

這些話曾被有些學者認爲是老子主張天有意志的證明,似乎過分

拘泥了些①。實際上,毋寧説是老子以前較熟悉這種占星術的語言,因而在這裏仍然借用了過來,但表達的内容則與占星術不同,而是天道自然了②。

　　老子提出道而不是什麼别的東西,作爲世界的本原,而且在他的學説中有道論這部分内容,這與他是史官,瞭解天道是分不開的。如果把這與同時代另一重要思想家孔子相比較,就會看得更加明顯。孔子雖然有時候信天命,給有意志的天保留了一定的地盤,但卻根本不談天道,所以子貢説:"夫子之言性與天道,不可得而聞也,"這當然與春秋末期占星術支配下的天道觀念已經失效有關。但是,做過史官的老子卻没有走上孔子這條路,而是揚棄天道,提出了道的範疇。老子和孔子這種思想差異應該是和他們各自的知識背景——如老子做過史官、瞭解天道,而孔子則對禮樂感興趣——有關。

三、老子之道與天道的聯繫

　　在天道概念的基礎上,老子提出了道的範疇。道與天道相比,其區别是十分明顯的。首先,老子之道的特性是自然無爲,這就揚棄了傳統天道概念的神學内涵;其次,天道不是一個實體概念,只是一個過程、法則的概念,它不能生長事物,而道則首先是一個本原範疇,是天下萬物的來源和依據。

　　但同時,道與天道之間仍有着十分密切的聯繫。老子有時在一定的意義上把道和天道等同起來,如七十七章説:"天之道,損有餘而補不足……孰能有餘以奉天下?唯有道者。"另外更重要的,老子也認爲道是運動的,如二十五章説:

――――――――――

　　① 張松如:《老子説解》,齊魯書社,1987 年。
　　② 參見陳鼓應:《老子注譯及評介》,中華書局,1984 年。

> 有物混成，先天地生。寂兮寥兮，獨立而不改，周行而不殆，可
> 以爲天下母。吾不知其名，强字之曰道，强爲之名曰大。大曰逝，逝
> 曰遠，遠曰反。

“周行”這裏指循環運動，“反”也有返回的意義。老子認爲道的運動
是循環往復的，這與當時人們對天道的認識是相一致的。更進一步
來看，老子對道的運動狀態的描述乃是以月亮的晦望變化爲基礎
的。二十一章説：

> 道之爲物，惟恍惟惚。惚兮恍兮，其中有象，恍兮惚兮，其中有
> 物。窈兮冥兮，其中有精。其精甚真，其中有信。自今及古，其名不
> 去，以閲衆甫。吾何以知衆甫之然哉？以此。

此段用“惚”和“恍”來形容道，“惚”、“恍”是通行本中的寫法，有些
本子與此略有差異，如傅奕本、范應元本“惚”作“芴”，“恍”作“芒”，
與《莊子·至樂》所用相同。《至樂》篇説：“芒乎芴乎，而無從出乎！
芴乎芒乎，而無有象乎！萬物職職，皆從無爲殖。故曰天地無爲也
而無不爲也。”此即本于《老子》二十八章。《至樂》篇還説：“雜乎芒
芴之間，變而有氣，氣變而有形，形變而有生……”敦煌本“恍”作
“慌”，“慌”或省作“荒”，《管子·水地篇》“察于荒忽”，“荒忽”即“恍
惚”也。七十年代出土的馬王堆漢墓帛書有《老子》甲乙本，其中甲
本“惚”作“忽”，“恍”作“望”，乙本“惚”作“沕”，“恍”作“朢”。有學者
曾據此把“忽望”與表現月相的“朔望”聯繫起來，認爲“這是《老子》
書裏運用月球盈虧變化來形象化地描述玄道運動的一個顯例，”[1]
是頗具啓發意義的。實際上，更準確地講，“忽望”即是形容月體變
化的“晦望”（而非“朔望”）。

關于“忽”字的意義，《爾雅·釋詁》云“忽，盡也。字并作‘惚’。”
此與表達月相之“晦”字意義接近，《説文》：“晦，月盡也。”比較起

① 白里布：《道家哲學的真質》，1990 年湖北“道家（道教）文化與現代
文明”討論會論文。

來，“忽”表示一般的“盡”，而“晦”則專指“月盡”，前者似比後者更
抽象一些。但是在一定的情形之下，二者的意義則可以契合，實際
上，在《老子》中，我們即可直接找出這樣的例子來。二十章説：

　　忽兮其若晦，望兮若無所止。

此句諸本頗多差異。王弼本作“澹兮其苦海，飂兮若無止”，河上公
本作“忽兮若海，漂兮若無所止”，嚴遵本作“忽兮若晦，飄兮若無所
止”，廣明、景福本作“忽兮其若海，漂兮若無所止”，開元、敦煌本作
“忽若晦，寂兮似無所止”。70 年代發現的帛書甲本作“㤉呵其若
囘，堅呵其若無所止”，乙本作“㤉呵其若海，望呵若無所止”。前引
句主要依帛書乙本寫定，不過也有“海”、“晦”的差異。《釋名·釋
水》：“海，晦也，主承穢濁，其色黑而晦也”，海、晦意義雖有相同之
處，但仍應以“晦”爲本字。此章上言“眾人昭昭，我獨昏昏；眾人察
察，我獨悶悶”，“昏昏”、“悶悶”即“晦”之謂。《老子》書言“海”，如
“江海之所以能爲百谷王者，以其善下之，故能爲百谷王”，(66 章)
“譬道之在天下，猶川谷之于江海”，與此不類。又“忽”爲盡義，亦不
能言似海。朱謙之先生謂：“‘海’，本或作‘晦’，爲‘海’之假借。”恐
有誤也。

　　二十章“忽兮其若晦，望兮若無所止”，下一章之“忽”“望”即承
此而來。從“忽兮其若晦”來看，以老子形容道體的“忽”即“晦”的説
法是可以成立的。

　　另外的一個就是“望”字。“望”或作“朢”，《説文》：“朢，月滿與
日相望，似朝君也，”即是指月圓的狀態。(望、朢二字的關係：《説
文》望，出亡在外，望其還也，從亡，朢省聲。段玉裁謂：“按望以朢爲
聲，朢以望爲義。其爲二字較然也，而今多亂之。”)

　　因此，老子形容道體的“忽望”，其實也就是形容月體變化的晦
望。“晦”指“月盡”的意義在文獻中出現得很早，如《春秋》經成公十
六年：“甲午晦，晉侯及楚子鄭伯戰于鄢陵”，而“望”在《尚書》和《易
經》中都有使用。如《書·召誥》：“惟二月既望”，《易·小畜》上九爻

辭："月幾望，君子征凶，"《歸妹》六五爻辭："月幾望，吉"，《中孚》六
四爻辭："月幾望，馬匹亡，無咎。""晦望"連稱來指月體變化的例
子，在古代文獻中也有很多。如《呂氏春秋·精通》云："月望則蚌蛤
實，群陰盈；月晦則蚌蛤虛，群陰虧"，《鶡冠子》中也有"晦望"連稱
之例。又如《後漢書·天文志上》劉昭注引《靈憲》文曰："羿請不死
之藥于西王母，姮娥竊之以奔月。將往，枚筮之于有黃。有黃筮之，
曰：'吉。翩翩歸妹，獨將西行，逢天晦芒，母驚母恐，后且大昌。'姮
娥遂托身于月，是謂蟾蜍。"《搜神記》卷十四中亦有類似的記載。此
中之"晦芒"即"晦望"，（芒、望古通假）也就是"忽望"、"惚恍"等之
本字。

　　這樣來看第二十一章，我們就可瞭解老子完全是依照自然界
中月亮之變化情形來形容道的。所謂"惚兮恍兮，其中有象"，相應
地即是月亮由晦到望的階段，包括"初吉"和"既生霸"兩部分；而
"恍兮惚兮，其中有物"，相應地則是月亮由望而晦的階段，包括"既
望"和"既死霸"兩部分。

　　前人由于多視"惚恍"爲復合形容詞，如河上公注"惚恍"爲"若
存若亡，不可見之也"。王弼云："恍惚，無形不繫之狀。"等皆然。但
是，實際上，《老子》中使用"惚恍"或者"恍惚"，在意義上是有嚴格
區別的。如嚴靈峰先生所說：

　　　　我們看到這段文字，（指十四章及二十一章——引者）很巧妙
　　地發現老子用語的嚴格。他在上一段用"恍惚"二字以形容有物；
　　在這兒便用"惚恍"二字以形容"無物"、"無狀"。兩字顛倒一下，則
　　意義全異。①
這是完全正確的。《老子》十四章說：

　　　　是謂無狀之狀，無物之象，是謂惚恍。

二十一章說：

────────────

　　① 嚴靈峰：《老子的"道"之新解釋》，見《老列莊三子研究文集》。

惚兮恍兮,其中有象;恍兮惚兮,其中有物。

基本上,"惚恍"是就"象"而言,強調道之"無"的方面;"恍惚"是就"物"而言,強調道之"有"的方面。而此種區分之基礎,即在于"惚恍"相應于月亮的初吉和既生霸階段,此時月尚未盛滿,故謂之"象";而"恍惚"相當于月亮的既望和既死霸階段,它包括月圓之狀態,故謂之"物"。

在此基礎上,我們再來看二十五章:

有物混成,先天地生。寂兮寥兮,獨立而不致,周行而不殆,可以爲天地母。吾不知其名,强字之曰道,强爲之名曰大。大曰逝,逝曰遠,遠曰反。

這其實也正是以月亮運動變化爲基礎而對道的寫照。所謂"大"、"逝"、"遠"、"反",杜易未先生解釋說:"按圓月爲'大',大圓月不久消逝,消逝于遠方,然後從遠處反回,新月再出,第十九章:'敝則新'。敝月去,新月來。"①結合二十五章來看,這種解釋還是比較合理的。

老子以月亮的晦望變化來描述道體的運動,最可反映出他的道與天道的聯繫。這種情形,當然與老子作爲史官,以觀察日月星辰等的運動變化爲己任密不可分。

總結地說,老子以道爲事物本原,這一點就能顯示出史官的特色。而如進一步地分析道和天道的關係、以及道以月亮爲原型等,那麼老子之道的史官特色就顯得越來越明顯。

作者簡介　王博,1967 年生,內蒙古赤峰人。1992 年 6 月獲北京大學哲學博士學位,現為北京大學哲學系講師。

---

① 杜易未:《老子的月神宗教》,學生書局,1984 年版。

《莊子》的生死觀

[日] 金谷治

孔子"不言死"是極著名的。一般説來,儒者没有特別地追究過死與死後的事情。先秦時代,從正面考慮這個問題并尋求解决的是《莊子》。

《老子》也曾談過生死,有過一些關于養生的言論。但大多零散、片面,不及《莊子》的具體與詳細。佛教的傳入强烈地刺激着中國人思索這一問題,但從考察中國人固有思想的角度來説,《莊子》是最重要的。

當然,《莊子》三十三篇并非一人一時之作。其中有作者(被認爲是公元前三百年左右的莊周)的思想,也有其後百餘年間陸續寫成的資料,書中還包含着一些完全矛盾的思想。這裏的生死觀當然也决不會是單純的,其中包含着各種立場觀點,呈現出複雜的狀態。因此,拙稿的主要目的就在于,通過對散見于《莊子》全篇的資料無一遺漏地進行思想性分類整理,研究它們相互間的關係以求迫近其核心思想。先秦時期的各種生死觀呈現出思考型的特點,莊周其人的生死觀也就可以由此探知①。

---

① 前學的業績有笠原仲二的"莊子中體現的生死觀(上、中、下)"(《立命館文學》一一四、一二二、一二五),木村英一的"從莊周故事看莊周的生死觀"(《東方學》十七輯)。前者尤爲詳細,可供參考之處甚多。

　　一切生物都不能逃避死亡。死即是生命的消失與滅亡。生命
體對死亡都抱有恐懼之心，這也是自然之事。而且只有當人們自覺
地意識到死亡的恐怖時，才會擁有熱愛生命之心。保養身體、善待
無常的生命這種養生或貴生的思想立場即是源出于此的。

　　《莊子》裏首先是《養生主》篇中有一個著名的庖丁解牛的故
事。屠夫深得宰牛之道，十分瞭解牛的皮與肉、肉與骨之間的大縫
隙，他沿着這些縫隙無心游刃，刀刃没有絲毫損傷，牛卻被完全徹
底地解剖完畢。惠文王聞聽此言嘆息道："吾聞庖丁之言，得養生
焉。"也就是説，順應自然，不勉强行事而渡過一生是最好的養生之
道。由此，"可以保身，可以全生，可以養親，可以盡年"。在《人間
世》篇中還説，"因爲有能力反而一生痛苦……不能全其天年而中
途夭折，當然也就成爲世間的笑柄"，用來嘲笑人生，强調無用、不
才、毫無用處的東西反倒有好的結局。

　　《刻意》篇中則更直接地談到養生。文中説，"形勞而不休則弊，
精用而不已則竭"，還説了肉體與精氣的關係，最後結論是"此養神
之道也"。文章中還十分蔑視那些只爲延長肉體的生命而"吹呴呼
吸（調節氣息）、吐故納新（吐出廢氣吸入新鮮空氣）……"的"道引
之士、養形之士"，爲此，文中將養生改稱爲養神。養神的"神"是指
比肉體還要尊貴的、充滿在生命之中的"精神"。與此相關的是《在
宥》篇中廣成子的話：

　　　無勞汝形、無搖汝精、乃可以長生。目無所見，耳無所聞，心無
　所知，汝神將守形，形乃長生。

　　《史記》六家要旨指出了道家主張的幾項可取之處，其中的用
詞造句與《刻意》篇或《在宥》篇相似，即：重視精神的觀念性看法是
道家重要的生命觀。如前所述，《刻意》篇中的立場觀點比那些單純
重視肉體的養生家已經進了一步。"精神"才是驅使肉體活動的能
量源泉，它是更基本的生命源。類似這樣有關養生的言辭在《大宗
師》、《天道》、《達生》等篇中也出現過，而《庚桑楚》篇的"衛生之徑"

一段則是更爲顯著的一例：

老子答曰：所謂衛生之徑——保衛生命之道——，即是將純粹之一者守于内；即是不失去它；即是不依賴占卜而靠自己判斷吉凶；即是自得其所，做符合自己身份的工作，自由自在，不過于用心而要坦誠生活；即是如赤子般純真。……順應周圍動向將自身投入其中；這就是衛生之徑——安守生命的方法。

《讓王》篇講述了帝王讓位的故事，其中闡明的思想即是輕視世俗性富貴地位而尊重個人的生命。文中還説，"夫天下至重也，而不以害其生、又況他物乎"，并用講故事的形式舉了種種事例進行説明。而且這些故事與《呂氏春秋》貴生篇中的許多地方重復。由此也可以更加明確地認識到這是一種貴生乃至重生的思想。但這與上文觀念性的思想仍是稍有差別的。與天下國家相比，我們自身，我們實實在在的生命才是最重要的。這裏體現的基本立場即是一種樸素的、保護實在的生命的思想。

珍視生命的心情與祈盼永生的神仙思想是相通的。一種觀念性的養生思想發展到極點之後就開始借用神仙式的言辭了。前文提到的《在宥》篇中廣成子的故事也是以"故我修（長）身千二百歲矣，吾形未嘗衰"一語作結的。這就是説壽命已經一千二百歲了但身體卻還很年輕。《逍遙游》篇中描寫藐姑射神人説："肌膚若冰雪，綽約若處子，不食五穀，吸風飲露"；《齊物論》篇中也出現了一位"大澤焚而不能熱，河漢沍而不能寒"、"死生無變于己"的至人；而《大宗師》篇中靠腳踵吸氣的古之真人則是"不知説生、不知惡死"。除此以外，《達生》篇、《田子方》篇等文中也出現過類似的描寫，《山木》篇中則可見到"不死之道"的詞語。在《莊子》中表現對神仙不死的憧憬之心的詞語無疑也是不少的。

祈求永生也許是生命體所具有的本能性願望。但是，生命體必定要迎接死亡，這也是不容更改的事實。要想超越這一事實，將不可能化爲可能，那就如同煉金術一樣，只能依賴借助于神秘外力的

宗教活動了。神仙方術就是這樣誕生的，它很快就被收進道教的統
轄之中了。

　　神仙不死的願望能夠實現嗎？這當然是不可能的。如果死是
不可避免的，那人們不能只是想到恐怖，考慮如何逃避死亡。害怕
死亡是因爲人們對生的執着。但是，生真的具有使人們如此執着的
價值嗎？

　　《齊物論》篇中説：悦生難道不是一種迷惘嗎？厭死，不就如同
幼年離家遠去而不知歸處嗎？……死去的人或許正在後悔他們生
前對生命的執着。的確如此，死後之事無人知曉。而且，人生如果
不斷地延續下去，果真就是一種樂事嗎？況且，我們在想到人生的
種種苦難時，也許反會感到死是從苦難中解救我們的樂事。《大宗
師》篇中以下的語句就提示了這種思考方向：

　　　　夫大塊載我以形，勞我以生，佚我以老，息我以死。
明確地贊美死亡的是《至樂》篇中的文章：

　　　　人之生也，與憂俱生，壽者惛惛，久憂不死，何之苦也。
還有著名的髑髏問題：

　　　　死無君于上，無臣于下，亦無四時之事，縱然以天地爲春秋，
　　　雖南面王樂，不能過也。
莊子不信這個髑髏的話，問他如果再次生還于世，會是怎麼樣呢？
髑髏正顔道：

　　　　吾安能棄南面王樂，而復爲人間之勞乎。

　　死如果真是那麼快樂的事的話，人們不是該早早地訣別苦難
人生走向死亡嗎？但如此明確斷言的語句在《莊子》中并未發現。正
如死究竟是應該厭惡之事還是相反的問題一樣，誰也不知道死亡
是否是椿快樂事情。總之對死亡的贊美是空洞的。而且如果死的
世界不可知的話，那么很顯然，人們對死的恐懼就來自他們對生的
執着。要想消除對死的恐懼，那就必須最終斷絕對生的執着。這裏

所持的立場即是，人們在討論生死問題時不要被問題本身纏住。

《德充符》篇説；

　　　　仲尼曰：死生亦大矣。而不得與之變。……命物之化，而守其
　　宗也。

　　　　以死生爲一條，以可不可爲一貫。

《大宗師》篇又説：

　　　　孰知死生存亡之一體者，吾與之友。

《齊物論》篇的哲學在否認是非、可不可之間對立關係的同時，也否
認有無、生死之間存在對立①：

　　　　彼出于是，是亦因彼，彼是方生之説也。雖然方生方死，方死
　　方生。

正如彼與是相互依存，處于相對關係之中那樣，生與死之間的關係
也是相同的。生命體就這樣死去，死又是一種新生。這是一種超越
的思想，是要擺脱由生與死的區別所帶來的束縛的思想。

　　這種不被生死的事實所束縛的思想，又可以分爲幾種不同的
立場觀點。第一，承認生與死的變化，認爲那是人力所不及、不可逃
避的命運，由此而得到不被生死所掌握的態度。這未必是一種悲觀
絶望的態度。雖説抱有積極的意義，但對于超越人的能力、無可奈
何的事情采取了放棄的態度。《德充符》篇説：

　　　　仲尼曰：死生、存亡、窮達、貧富……、是事之變（化）、（運）命
　　之行也。日夜相代乎前，而不能規乎其始者也。故不足以滑和、不
　　可入于靈府（死生的問題不可使之侵入内心）。

《大宗師》篇也説：

　　　　死生命也，其有夜旦之常，天也。人之有所不得與，皆物之情

---

① "方生方死"一語較難解。應考慮它與《天下》篇中惠施的"日方中方
　睨、物方死方生"一語有關係，如果確實，則是"方生則方死"之意無
　疑。"方"之訓應從王閩運的"方爲古之旁字，是倚也"。但一般認爲是
　表示現在時間的助字。

也。

> 古之真人，不知説生，不知惡死，……悠然而往，悠然而來而
> 已矣。不志其所始，不求其所終，受而喜之，忘而復之。

上述例子都是很明顯的，《知北游》篇中"生非汝有，是天地之委和
也。性命非汝有，是天地之委順也。"一語，也具有同樣的傾向。

第二種觀點是承認生與死的變化，認爲那是自然的變化而不
去在意。這與第一種觀點有聯繫，但比起第一種觀點樸素的認識來
説是進了一步。正如《至樂》篇中説"死生爲晝夜"，人的生死與自然
現象的推移循環是相同的：

> 生（命）者假借也，假之而生。生（命）者塵垢也，死生爲晝夜。
> 且吾與子觀化，而化及我（自然的變化涉及我們自身）。我又何惡
> 爲。

《山木》篇中把"一龍一蛇，與時俱化"看作理想。爲保全自己的天年
而苦惱自己是否應該具有才能的人是愚蠢的。而"乘道德而浮游"
的理想人物，則是隨時間的推移一起變化，不采取那種執着於生命
的態度。《天道》篇説："知天樂者，其生也天行，其死也物化"，《養生
主》篇也説："適來夫子時也，適去夫子順也。……哀樂不能入也"。
《大宗師》篇中還説："孟孫氏，不知所以生，不知所以死，……若化
爲物，以待其所不知之化已乎。"無論哪一種説法，它們都把生死的
變化看成是"化"，即自然現象的變化推移。

在《至樂》篇中，一方面認爲生死是與"春秋冬夏四時之行"相
同，同時又用"氣"的概念進行了説明。這段話被認爲是莊子喪妻時
説的。他説："察其始，而本無生，非徒無生也，而非無形，……而本
無氣。雜乎芒芴之間，變而有氣。氣變而有形，形變而有生。今又
變而之死。是相與爲春秋冬夏四時行也。"當他愈加爲死感到悲傷
時，就認爲死是"不通乎（運）命"的行爲。在這裏雜糅着各種觀點，
但引入"氣"的概念這一點值得注意。《知北游》篇中又説：

> 生也死之徒，死也生之始，孰知其紀。人之生，氣之聚也。聚則

爲生，散則爲死。若死生爲徒，吾又何患。

人的生死出自氣又歸于氣，甚至是出入于連氣也不存在的芒芴空漠的世界。這樣的思想讓我們擁有一種超越人類微小的有限性，不被生死所左右的態度。如果再將"生者假借也，生者塵垢也"的思考增加進來的話，這種態度就會更加堅定了。

以上各觀點在是否引入氣的概念方面有重要差別，但在把生死變化認同爲自然界的推移方面是一致的。這種生死觀是唯物的，其中含有時間的觀念。然而也有一種觀點不同于此，它是無時間性的、觀念性的，不承認生死的差異，要在這樣的基礎上超越、克服這個問題。

上文提到的《齊物論》篇中説："方生方死，方死方生。"如果把它與惠施的詭辯聯繫起來考慮的話，其根本思想是超越時間觀念，宣揚生即死，死即生，否認生死的差異。《大宗師》篇中説，如果達到了忘天下、忘物、忘生、見獨的境地，那麼"見獨而後能無古今，無古今而後能入乎不死不生"。《天地》篇中也説："不樂壽，不哀夭，不榮通，不醜窮，……萬物一府，死生同狀。"《庚桑楚》篇更進一步明確認爲："有無死生爲一守。"無論那一種觀點，都是與"方生方死"站在同一立場上，不承認生死的變化是一種變化，無時間性地極端強調二者的同一性，由此而使得生死之間沒有人們溶入哀樂的餘地。

以上將散見于《莊子》全篇的種種生死觀按照其各自不同的立場進行了分類説明。進一步整理一下可得到如下結論：

一、愛惜生命，宣揚養生乃至貴生（分兩種觀點，即樸素地思考肉體之養生和超越肉體以"精"和"神"爲主的觀點）。

二、與不老不死的神仙思想相關聯的觀點。

三、以生爲苦，贊美死亡。

四、探討生死問題但卻不被問題本身所束縛。

1）承認生死變化，視爲無可奈何的命運，要克服這個問題。

2）承認生死之變化，視之爲自然的變化推移，要克服它。這裏也有引人"氣"概念的觀點。

3）認爲生死之間無差別，由不承認其變化的立場出發希望克服這一問題。

上述結果，作爲《莊子》中生死觀的幾種類型，應使其保持原狀受到尊重。在這些觀點中，有的類型只有寥寥數語體現于《莊子》之中，但因其是當時存在的重要的生死觀之一，所以應當想象其背景的廣闊性。資料數量的多寡還與《莊子》編者的立場觀點有關。

拙論在一開始就表明：探討上述不同的生死觀之間的關係是本文的又一課題。如前所述，第一種的養生乃至貴生的觀點與《史記》的記載有互相吻合之處，是道家重要的生死觀。但這與第三種贊美死亡的觀點顯然是矛盾的。不僅如此，連第三種觀點在內，那種不被現實的生死奪走內心世界的觀點，與不爲生死所束縛的第四種觀點也有很大差別。應當如何考慮這些關係呢？《莊子》的中心思想究竟是什麼，它與其他種種生死觀是怎樣聯繫起來的呢？這些問題必須探討清楚。

解決問題的線索首先在于對《莊子》這部文獻的研讀。前文列舉的資料是從《莊子》全文中無批判地收集來的，所以説其中存在着一些互相矛盾的生死觀的類型。要究其原因，首先必須探求包括上述資料在內的各篇文章性質上的差異。

在此問題上最明顯的即是宣揚貴生乃至重生思想的《讓王》篇。這篇文章的整體觀點是主張否認政治，其特色在于從重視、尊重個人生命的立場出發進行論證。對于它的成立問題，自宋蘇東坡以來，就有人懷疑這不是莊周之作或是後出的文章。近人羅根澤氏認爲《讓王》篇與《漁父》篇都是漢初隱逸派的作品，而武內義雄、津田左右吉兩博士則認爲這是《呂氏春秋》以後秦漢時期的作品，反映了楊朱派的思想①。

《讓王》篇中的貴生思想在《莊子》的生死觀中屬于第一種類型，它表現的是一種尊重現實的生命的態度。如前所述，這種態度與《莊子》的中心思想仍是存在一定距離的，將其看作是楊朱派後學的思想是正確的②。因此，第一種類型應當除去這種因素，作爲一種養生思想來進行考察。這種思想受到貴生思想的骨干——即樸素的尊重肉體性生命——態度的影響，而產生出尊重"精""神"的生死觀。

下面是文獻的問題。即第三種觀點贊美死亡的資料非常少，僅見于《大宗師》篇和《至樂》篇，而且稍加深究就會發現一些問題。首先《大宗師》篇中說大塊的作用是"勞我以生"，"息我以死"，這裏不過是有一點贊美死亡的傾向。但接下來又說"故善吾生者、乃所以善我死也"，這就體現了一種把生與死都看作是大塊的作用，具有同樣的性質的態度。而且這段話在《大宗師》篇中出現過兩次，從前後文的關係來看，都證明這樣理解的正確性，即認爲這是單純地對死亡的贊美是錯誤的③。在《淮南子·俶真篇》中也出現過同樣的句子，看了高誘的注之後，愈加懷疑這個句子原來是否是《莊子》的

---

① 羅根澤《莊子外雜篇探原》(《諸子考索》)武内義雄《老子與莊子》、津田左右吉《道家的思想及其發展變化》。

② 楊朱學派的思想見于《呂氏春秋》的本性、重己、貴生、情欲四篇。欲望解放的貴生乃至全生思想見于拙稿《思想的歷史》2.《春秋戰國與古代印度》(平凡社)。

③ 這兩處中，前者承"與其譽堯而非桀也，不如兩忘而化其道"一語。後者見于認爲生死存亡爲一體的四人會話。

創作了①。

　　另外一篇是《至樂》篇。其主題論述了追隨世俗見解以求安樂
的愚蠢,希望人們超越世俗的安樂尋求至樂活身。王夫之等人認爲
這是表現對死亡贊美的文章,是由于被髑髏問答的强烈印象所蒙
蔽而形成的偏見②。此篇第一節中説"人之生也,與憂俱生",以對
抗世俗中富貴長壽共存的見解,這一點是值得注意的。接下來在第
二節、第三節中論述了不被生死所束縛的觀點,屬于第四種類型。
文中以生死爲晝夜,爲春秋冬夏,説"察其始,而本無生。……變而
有生。今又變而之死"。出現問題的髑髏問答在第四節,據武内博
士的研究表明:唐《經典釋文》中這以下并無崔、向兩氏的音義,所
以説這以下的文章原來屬于另外的篇章,《南史》文學傳中的馬捶
篇即是這篇問答的觀點也存在③。

　　這一節的特異之處從其他方面也可以得到證明。《莊子》中莊
周故事的大部分是强加于莊周之身的,但這次不是,而是莊周在俗
人立場上的所作所爲。與髑髏會面的事在後來的列子故事中也可
以見到,而在《列子》天瑞篇中以一種樸素的形式重新出現。所以説
這則髑髏問題的莊周故事或許是以列子故事爲基礎進行潤色加工
而成的。無論怎麼説,對于死亡的贊美從思想到形式,整體上與《莊
子》的形象不相協調,很感特異。

　　進一步探究文獻的性質的話,就會有更多的成果。但目前暫到
此爲止,下面將直接考察思想内容方面。第一種愛惜生命的觀點與

──────────

① 參照武内義雄"莊子考"(《老子原始》附錄,後收入《武内義雄全集》
　第六卷,353 頁)。高誘在注中説:"莊子曰,生乃徭役,死乃休息也,
　故曰,休我以死。"引用的莊子文章在今本中已不存在,暫作問題留
　待今後考察。總之,高誘認爲《淮南子》原文并非《莊子》中的文章。如
　果列舉其他文章的話,現在的"息我以死"本來不是《莊子》的文章。

② 王夫之《莊子解義》至樂篇。

③ 武内義雄《老子與莊子》(《武内義雄全集》第六卷所收,92 頁)。

第四種超越生死的觀點之間有較大的差別，所以二者間的聯繫就是主要問題了。在第一種觀點中，單純地尊重肉體生命的貴生思想無論在文獻方面還是在思想内容方面都顯現出其特異性。所以這裏只剩下尊重"精"與"神"的養生語言的問題了。通過研究這些語言，首先必須探求的即是養生爲何？以及由此而覺醒的生命爲何的問題。

對于上述問題必須進行考慮的即是；養生是觀念性的，甚至是一種精神主義的態度和立場。上文提到的《刻意》篇和《在宥》篇中"形"與"精"或"神"的詞語是并列出現的，肉體與精神似乎是平等地來考慮和對待的。但對那些只考慮肉體的"養形之人"，作者又希望人們超越這種態度，如此重新來看，"精"與"神"的概念依然是受到重視的。這具有重要的意義。如果我們捨棄斷章取義的態度而去研讀《刻意》篇的主題思想的話，就不難理解"天地之道，聖人之德"即是所謂的"不道引而壽（不特意尋求長壽法也可以長壽）"，其重點在于"聖人之生也天行，其死也物化"、"其生若浮，其死若休"這種對生死的超越，在于"純素之道，唯神是守"這種特殊的精神主義。當然，這裏的"精""神"并不限于我們所説的那種心性意義上的精神。這是與氣的概念相聯繫，因此包含着物質概念的能量根源；但是，當然也不應該否定其觀念性的特性。

在《達生》篇中也有同樣的情況：

> 生之來，不能卻。其去，不能止。悲夫，世之人，以爲養形足以存生。而養形果不足以存生，則世（事）奚足爲哉。……棄事則形不勞，遺生則精不虧。夫形全精復，與天爲一。天地者，萬物之父母也。合則成體，散則成始。形精不虧，是謂能移。精而又精，反以相天。

"形"與"精"的并稱表示作者本身并不是捨棄"形"的。但可以看出其重點在于有别于"形"的，新提出的"精"的方面。《庚桑楚》篇的"衛生之經"一語本身也是帶養生意味的。從其論述來看，像"能抱

一乎,能勿失乎,能無卜筮而知吉凶乎"這樣的語言已經與一般的
養生家的語言不同。如果仍不足以說明的話,請看下面的例子。作
者把"身若槁木之枝,心若死灰"這樣的狀態看作是善,這就很清楚
地表明它與那種單純愛惜生命的態度是不同的。

由此看來,《莊子》中具有養生意味的言辭,并不是說養生的目
的即是爲了現實的肉體的長生不老。

在這裏首先否認了被養生的手段——肉體——所束縛的觀
點,而強調"精神"的重要性。反過來考慮的話,也就是說作爲養生
的目的的生命本身不只是肉體的生命,它還顯示出一種超越這之
上的真實的生命。具有養生意味的言辭的結論總是"相(助)天"或
"身若槁木之枝,心若死灰",原因即在此。這不只是保全天壽,延長
生命,而是具有這以上的意義。總之,這裏出現的具有養生意味的
言辭不僅僅是一種愛惜生命、珍視生命的觀點。

通過上述思考可以明確看到,第一種觀點中具有養生意味的
言辭與第四種觀點超越生死的態度并無多大差距。《養生主》篇的
主題也是說:講求養生手段莫若"適去適來",聽任自然更有利。文
章開首的話語,表明了這種態度:

> 吾生也有涯,而知也無涯。以有涯隨無涯,殆(危)已。

換言之,《莊子》中具有養生意味的言辭是在一般養生說的基礎上
將問題移至更廣泛的立場觀點之中,并要超越一般的養生說。《莊
子》不是把普通意義上的養生作爲其目的的,而是從根本上采取了
不同的立場。而這種根本的立場不是別的,就是不爲生死所困擾,
或者說不僅是生死,而是超越出所有的來自世俗性對立的人類的
苦難。這就是與第四種觀點相通的立場。從以齊物論爲中心的莊
子的哲學體系來看,其生死觀的重點在于此處也是自然的,是能夠
認可的。

與神仙思想有關的第二種觀點的語言通過上述的考察也不難
看出:不老不死并非其目的。"登高不慄,入水不濡,……"的所謂

"古之眞人"是"不知説生，不知惡死"之人（《大宗師》篇），而被認爲是"乘雲氣，騎日月，而游乎四海之外"的至人是"死生無變于己"（《齊物論》篇）。這些都很好地體現了《莊子》的根本立場。前文曾論及的對死亡的贊美中如果也加入積極的因素進行考慮的話，那也是一種爲了否定那種被生所束縛的觀點而采取的一種變通的説法。

　　《莊子》中有關生死觀的各種觀點的相互聯繫已經逐漸明確。這其中顯示出一種向第四種觀點，即超越生死的觀點靠攏的傾向。最後的問題即是四裏面細分出的1)、2)、3)之間的相互關係。概括地説來，1)的命運性觀點是最樸素的，2)認爲生死是自然的變化，這是對1)的觀點進行了哲學反省後得出的結論。3)則又更進一步，更趨近于齊物論哲學的趣味和宗旨，這纔是《莊子》哲學的中心立場。

　　從邏輯上來考慮其繼起過程時，當時是由1)到2)再到3)的順序。但在《莊子》中出現的順序卻未必遵循此道。如體現1)的命運性觀點的是德充符篇中"命物之（變）化"一語，而這裏又混有2)的自然推移變化觀點；而在《至樂》篇中，"氣"的變化與"四時之行"的生死觀同時出現并得到説明。這并不是説樸素的觀點被新的哲學性觀點所驅逐，而是顯示着樸素觀點長久生存的力量。而且在2)的觀點中，以"氣"來説明生死的語言表明：這是接近于自然科學的最合理的思考①。

――――――――

　　① 以氣來説明生死的是《至樂》篇和《知北游》篇。其他書中類似的表達有《管子》樞言篇中的"有氣則生、無氣則死，生者以其氣"和精神篇等處。氣的原義是呼吸，其原始性觀念也被認爲是生命的根源。因此，這是與人類的生死有關的自然的發展。但值得注意的是這些文獻的表達具有相當的合理性。在《呂氏春秋》明理篇中，有"凡生非一氣之化也"一語，所以很顯然，《至樂》、《知北游》篇中的思想在先秦末期已經形成了。參照栗田直躬的"上代支那典籍中出現的'氣'觀念"（《中國上代思想之研究》160頁）。

　　考慮生死觀的問題時必須要追溯到《莊子》以前的雛形，而考察這以後的發展變化也是極有意義的。即便是《莊子》本身，也還留有許多問題。本文已對《莊子》中的生死觀進行了明確的分類，爲今後的研究提供了一個立足點，是有一定意義的。而對于生死觀中幾個觀點相互關係的探討，也有助于認清莊周哲學的一個側面。拙論的目的就在于此。

　　作者簡介　金谷治，1920 年生于日本三重縣。東北大學畢業，文學博士。曾任東北大學、追手門學院大學教授，現爲兩大學名譽教授。著有《秦漢思想史研究》、《管子之研究》等。

從接受美學看《莊子》

王　玫

內容提要　在西方一度風行的接受美學,其認識基礎及思維方式與莊子哲學有不謀而合之處,本文試圖從認識活動的特徵等方面對此進行比較,以此引發對中國式"接受美學"的思考。

《莊子》與接受美學,它們一是公元前中國先哲的智慧結晶,一是本世紀六十至七十年代導源于德國的文學理論學說,無論從時代還是地域來看,二者之間似乎不該有什麼必然的聯繫。但是,正如這兩者共同注意到人的認識不可能是一成不變一樣,東西滲透,古今貫通未嘗不是可能的事實。

接受美學的產生有其歷史淵源與文化背景,而從哲學的角度觀之,歸根結蒂是一個認識論和方法論方面的問題。莊子哲學雖然沒有作認識論方面的專門探討,但是卻有一個相當完整的認識系統,而且與接受美學所憑依的認識論基礎有一致之處,本篇文章的寫作正由此緣起。這裏僅就莊子哲學中與接受美學有聯繫且有啓發的方面作一些粗淺的討論。

一、認識活動的特徵

1. 認識的主觀性

莊子哲學以體道的境界爲認識的最高目標，而要達到這一目標就要用直覺的方式，以清明澄澈之心“獨與天地精神往來”，“芒然徬徨乎塵垢之外，逍遙乎無爲之業”（《大宗師》）。體道的境界純粹是一種直覺的内在經驗，不是文字所能描述的。換言之，認識主體所采用的認知世界的方式是建立在自我體驗、自我實現的基礎上，以達到“天地與我并生，萬物與我爲一”的最高境界。由此出發，認識主體的主觀能動性必然受到足夠的重視，莊子認爲認識主體應該突破外在形迹的拘限，以超言絶象的直覺體驗與事物互爲感通，實現自我精神的超越，《逍遙游》中開拓出一個恢闊浩茫的境界，正是寄托了莊子的深沉向往。其次，《莊子》中列舉了許多個體之間認識差異的例子，從另一方面也説明莊子注意到主體意識在認識過程的重要作用。《齊物論》道：

> 民濕寢則腰疾偏死，鰌然乎哉？木處則惴慄恂懼，猨猴然乎哉？三者孰知正處？民食芻豢，麋鹿食薦，蝍且甘帶，鴟鴉耆鼠，四者孰知正味？猨，猵狙以爲雌，麋與鹿交，鰌與魚游，毛嬙麗姬人之所美也，魚見之深入，鳥見之高飛，麋鹿見之決驟，四者孰知天下之正色哉？

這裏借物類的不同説明認識的主觀差異。如果説這段話主要還是説明客觀的認識標準難以確玄的話，《山木》中的一段故事或許更易看出認識活動的主觀性特徵：

> 陽子之宋，宿於逆旅。逆旅有妾二人，其一人美，其一人惡，惡者貴而美者賤。陽子問其故，逆旅小子對曰：“其美者自美，吾不知其美也；其惡者自惡，吾不知其惡也。”

客觀的美丑對於“逆旅小子”來説是視而不見的，他只以自己主觀的標準衡量美惡，俗話説“情人眼裏出西施”正是這一道理。

認識的主觀性也爲接受美學所共識。接受美學的主要觀點就是“讀者中心論”，與一般的文學理論不同，接受美學十分强調讀者的作用，讀者對本文的接受過程就是對本文的再創造過程，文學作品的實現必須有賴于讀者的能動創造，而讀者的接受決定了作品的意義。接受美學的代表人之一姚斯曾引柯林伍德的話説:"歷史什麼也不是,只是在歷史學家的頭腦裏,將過去重新制定一番而已。"從認識論角度來看,也就是從自我意識出發去感知或把握認識對象,顯然,這與莊子哲學有不謀而合之處,而與它所憑依的現象學和闡釋學的認識論基礎也密切相關。現象學强調以直覺的方式"訴諸事物本身",采取一種離形去智超然物外的哲學批判態度。海德格爾則將認識論與本體論結合一起,主張回到真正的"在"之領域。接受美學則從文學批評的角度,把現象學闡釋學那些抽象思辯的基本認識論具體地運用到對文學及其接受的考察上。强調認識的主觀性正是它們理論的共同特徵。

2. 認識的時間性

認知過程不僅是主觀性的,而且也是時間性的。在莊子看來,天地横亘,萬物流轉,時間上在遠古之前還有遠古,未來之後還有未來,而人的生命和認知都是有限的,"則知有所困,神有所不及"(《外物》)。從時空的無限性與人的認識有限性的關係中,莊子否認把"有涯"得來的知識看作是永恒不變的真理,《養生主》道:"吾生也有涯,而知也無涯,以有涯隨無涯,殆已。已而爲知者,殆而已矣。"同樣,《知北游》道:

> 世人直爲物逆旅耳,夫知遇而不知所不遇,知能能而不能所
> 不能,無知無能者,固人之所不免也。夫務免乎人之所不免者,豈
> 不亦悲哉?

一切事物都處在流變不居的狀態中,存在的時間性使得所有的認識關係也處在不斷變化之中,認識顯然不可能是永遠不變的。

從接受美學觀點來看,文學的接受也是一個歷史的過程。對于文學作品而言,它的存在也是時間性的,不同時代的讀者、理論家對同一作品的接受必然相異,文學作品在歷史進程中將遇到千變萬化的構成它的意義和接受的條件,而認識主體更是隨着時間的流逝處于時時變化狀態之中。由于這種時間性和變異性的存在,文

學作品的意義也毫無例外地具備了多重性,即各個不同歷史時期對同一文學作品有不同的解釋.正是基于這樣的認識,接受美學十分注重對文學史的研究,以至構成接受美學的重要觀點之一.

3. 認識的相對性:

人的認識因視界廣狹生命久暫的限制,無法窮盡宇宙或客觀對象的全部,所以主體只能在對客體的認識中展現自己有限的存在,于是,莊子認爲從主觀認識看去一切事物都出現了相對的形態。認知主體的角色互爲轉換,在我看來的"非",在你看來可能"是";反之我看的"是",在你可能爲"非"。故"是亦彼也,彼亦是也,彼亦一是非,此亦一是非;果且有彼是乎哉,果且無彼是乎哉"(《齊物論》)?同樣,時空的久暫闊狹在主體的主觀認識看去也有了相對的意義,所以"天下莫大于秋毫之末,而太山爲小;莫壽于殤子,而彭祖爲夭"(《齊物論》)。由于認識是相對的,真正的知識都要在個人的實踐經驗中去體會,對客觀事物的認識離不開個人的實踐經驗而構成,因此,個體之間沒有理由以一己之見去要求別人,各個認識主體都可以以其獨有的認識方式達到"道"的境界,正如庖丁、痀僂或匠石,他們從事的專業不同,體道的方式也各異,但都達到"道"的境界,而他們認識事物所共同遵守的原則就是"順物自然","順物自然"正是包含着對認識的相對性的認可。

接受美學既否認認識對象的客觀性,也否認認識的絶對性,而主張一種絶對的相對主義,接受美學認爲各種認識都有其合理性正是建立在相對性的基礎上.在他們看來,每一主體意識對客體的投射都是主體自身存在的展現,所以相對于每一主體來説,同一對象所具備的不同意義都是有效的,真實的,可成立的。對于文學本文而言,其存在的意義和價值僅在于人們對它做出不同的解釋,這些解釋可以因人而異,也可以因時代變化而不同,但無論哪一種解釋都是有意義也是合理的,正像尺鷃和鯤鵬一樣,九萬里和數仞之下蓬蒿之間也是相對的區別,它們在認識客觀事物的過程中各自體現了自己的存在，當然這是郭象後來所做的進一步發揮，但《莊子》中未嘗没有隱含這種意味。

二、認識主體的自我修養

不否認認識的主觀性、時間性、相對性，可能會模糊認識的客觀標準，這使莊子哲學和接受美學受到一些指責。不過，從某種意義上説，這正是他們認識的深刻之處。真理是相對的，并不等于否認客觀存在的真善美或假丑惡。即使善惡美丑是客觀事實，在居心叵測或闇昧不識者看來也會位置顛倒，把真理説成謬誤，反之亦然，因此，只有當人的認識水平和思想修養達到一定高度，去除內外種種蒙蔽心靈的障礙，方能辨別真實與虛假。接受美學和《莊子》都十分注重認識主體自身的思想修養和審美水平的提高，認識到主體自身狀況直接影響到他對世界的真實把握還是虛假把握，正如莊子所説“有真人而後有真知”(《大宗師》)。

那麼，怎樣才能提高主體的識知水平與能力，盡可能接近世界的本相？莊子哲學認識系統的輝煌之處就在于他既不否認認識的主體性特徵，同時也看到主觀陋見對認識客觀事物的不利作用，只有消除或盡量消除一切狹隘偏執的成見和功利巧詐，才能達到“齊萬物”，“等死生”，與道合一的最高境。這裏須加以辨別的是，承認認識的主體性與反對主觀陋見是兩個方面的問題，前者是一種認知的方式，後者則是對認識主體所提出的要求。不拘于一己之見，不以一家一派的標準去衡量別人，這是認識個體之間所應持有的態度。消除主觀偏見，以清明澄澈之心去把握絕對的精神自由，實現自我超越，這是對認識主體自身的要求。要摒棄偏狹之見，獲得“真知”，首先就要認清個體處在時空中的位置和擺脱環境及觀念的束縛：

　　吾在天地之間，猶小石小木之在大山也，方存鄉見少，又奚以

> 自多。計四海之在天地之間也,不似礨空之在大澤乎?計中國之在
> 海內,不似稊米之在大倉乎?(《秋水》)

《秋水》中又道:"井鼃不可語于海者,拘于虛也;夏蟲不可以語于冰
者,篤于時也;曲士不可以語以道者,束于教也。"井鼃、夏蟲、曲士
之所以認識淺陋就在于他們所處的時空及所持的觀念的限制,只
有突破這種局限,認清自己所處的地位,才能認識到宇宙的本相和
自然的規律。

其次,要認識到個人成見的偏差,打開封閉的視界。《天道篇》
云:"有機械者必有機事,有機事者必有機心,機心存于胸中,則純
白不備,純白不備,則神生不定,神生不定者,道之所不載",明確指
出心有城府必然難以達到對世界的真實把握。而"與己同則應,不
與己同則反"(《寓言》),這種一般人的心理也是認知的阻礙。人好
以自己的主觀成見去看待事物,所以容易流于片面,正如"聾者無
以與乎文章之觀,聲者無以與乎鐘鼓之聲,豈惟形骸有聾盲哉,夫
知亦有之"(《逍遙游》)。只有掃清這些障礙,方能接近對真理的認
識。

再次,拋棄外在的形迹,探求內在的精神實質,也是有益于對
事物真相的認知。世人多只看到事物的外觀而忽略內在的本質,或
者耽于市俗虛泛的名聲而泯滅自己的本性。對此,《天道篇》道:

> 世之所貴者書也。書不過語,語有貴也,語之貴者,意也,意有
> 所隨;意之所隨者,不可言傳也,而世因貴言傳書;世雖貴之,我猶
> 不足貴也,爲其貴非其貴也。故視而可見者,形與色也,聽而可聞
> 者,名與聲也。悲夫!世人以形色名聲爲足以得彼之情,夫形色名
> 聲果不足以得彼之情。則知者不言,言者不知而世豈識之哉?

從接受美學的角度來理解這段話,則字面的形迹固然是接受活動
首先接觸的媒介,但是認識僅僅停留于此是不夠的,而要深入求其
"意",何況言辭常常并不能傳達內在的情意。于是莊子說了一則輪
扁斫輪的故事:

　　桓公讀書于堂上，輪扁斵輪于堂下，釋椎鑿而上，問桓公曰：
"敢問公之所讀者何言邪？"公曰："聖人之言也。"曰："聖人在乎？"
公曰："已死矣。"曰："然則君之所讀者，古人之糟魄已夫！"桓公
曰："寡人讀書，輪人安得議乎！有説則可，無説則死。"輪扁曰："臣
也以臣之事觀之。斵輪，徐則甘而不固，疾則苦而不入。不徐不疾，
得之于手而應于心，口不能言，有數存焉於其間。臣不能以喻臣之
子，臣之子亦不能受之于臣，是以行年七十而老斵輪。古之人與其
不可傳也死矣，然則君之所讀者，古人之糟魄已夫！"

從接受美學觀點來看，這則故事可以給人幾方面的啓示：(1)桓公
讀書僅是看到"聖人之言"，并且認爲"有説則可，無説則死"，没有
自己的心得體會，這是談不上接受的。(2)人的主觀精神難以靠文
字流傳下來，如果接受者不能以自己的理解去認識作品，聖人即使
有言傳于後世，也無異"死矣"。(3)就個人内在修養的培養而言，外
在形色是虚幻的，關鍵在于領會内在精神。當然，莊子的主觀目的
在于説明絶棄一切知識書籍，以求内在精神的絶對自由，同時也説
明"道"的不可言説和概念性，但是，客觀上它卻道出主體在認識過
程中的主觀能動性，以及對内在精神把握的重要性。《外物》中更明
確説："荃者所以在魚，得魚而忘荃；蹄者所以在兔，得兔而忘蹄；言
者所以在意，得意而忘言。""得意忘言"也是莊子力求達到最高認
識境界的途徑之一。

　　所有去除心靈蔽障的努力，都是爲了使認識者明心如鏡，如實
地面對客觀世界，莊子爲此進一步提出要"虚靜"、"心齋"、"坐忘"
等具體方法。"游心于淡，合氣于漠；順物自然，而無容私"(《應帝
王》)，虚靜方能納物，心之不明，因之有"塞"，所以"胞有重閬，心有
天游；室無空虚，則婦姑勃谿"(《外物》)，只有虚靜空明，方能靈氣
疏宕，不染主觀成見，如實映現外物，從而"去小知而大知明"(《外
物》)。同樣，"以目視目，以耳聽耳，以心復心，若然者，其平也繩，其
變也循"(《徐無鬼》)。此外，"貴富顯嚴名利"、"容動色理氣意"、"惡
欲喜怒哀樂"等也是有礙主體意志心靈情操以及認知的不良因素，

只有捨棄它們，“胸中則正，正則靜，靜則明，明則虛，虛則無爲而無不爲也”（《庚桑楚》）。

在認識主體自身修養這一問題上，接受美學與莊子哲學也有一致之處。接受美學認爲，讀者既然是文學作品的創造者和接受者，這就要求讀者具有一定的思想道德文化等方面的修養，以及接受能力和審美水平，所以接受美學十分重視讀者在接受過程中的審美教育和知解力、想象力的培養。接受美學這一觀點與他們從自我意識出發去感知或把握認識對象的方式是相一致的，由於把認識的着眼點建立在構成的主觀性圖式上，接受美學所説的文學作品只存在于人的主觀觀念中，這個主觀觀念不只是文學本文在人的頭腦中的反映，而是主體的期待視野或流動視點處于能動的地位對本文的再創造，因此，作爲接受主體的讀者，其自身修養審美水平對接受活動的進行具有重要的作用。

三、認識過程中的主客體關係

莊子哲學把追求一種絕對的精神自由看作是認識的最高境界，這種境界是認識主體通過自我體驗之所得。但是，從莊子哲學强調人與自然相融，天地并生，萬物爲一，説明莊子并沒有因爲强調認識過程中的主體經驗而忽視客體的存在，或者説，正是由於看到客觀存在的不可移易，所以尤其强調主觀體驗與客觀事物融合一體。莊子所謂理想的“真知”、“真心”，都是主觀與客觀、主體與客體的統一。不過，莊子認識系統中的主客體關係顯然與一般認識論有所不同。其一，莊子是從對宇宙的整體認識角度看待主客體關係。其二，在主客體關係上，主體是本位的，起主導作用的。“體道”的境界是認識主體與宇宙精神的融合，而不是主體對客體的反映。其三，主體與客體并不是對立的兩方，而是相融的、互爲關聯的整體，主客不分，物我兩冥。

在莊子看來,宇宙萬物是一個整體,萬化運行其中互有關聯不可離棄,有成就有毀,有得就有失,"故爲是舉莛與楹,厲與西施,恢恑憰怪,道通爲一,其分也,成也;其成也,毀也。凡物無成與毀,復通爲一"(《齊物論》)。從宇宙的大視角觀之,萬事萬物都是一個有機統一體,事物與事物之間潛藏着正反成毀兩面,彼此間不是單一的、孤立的,它們關係之密切致使它們之間常常互相轉化,互爲影響,所謂"安危相易,禍福相生,緩急相摩,聚散以成"(《則陽》)。認識過程中的主體與客體關係也是密不可分的,惟有如此,才能到達最高的認識境界。如《徐無鬼》中所舉的匠石運斤的例子:

> 莊子送葬,過惠子之墓,顧謂從者曰:郢人堊慢其鼻端若蠅翼,使匠石斲之,匠石運斤成風,聽而斲之,盡堊而鼻不傷,郢人立不失容。宋元君聞之,召匠石曰:"嘗試爲寡人爲之。"匠石曰:"臣則嘗能斲之,雖然,臣之質死久矣。"自夫子之死也,吾無以爲質矣,吾無與言之矣。

這則故事本是説明惠子死後,莊子感嘆"無可與縱言之人"(《莊子集解》),但它有助于我們從另一方面了解認識活動中的主客體之關係。此外,"庖丁解牛","痀僂承蜩"等故事無不是主客體完全諧和相融所達到"道"之境界的形象説明。在"道"的意義下,主客體的界限泯没了,主觀精神與宇宙自然融匯一起,這既是莊子所追求的人生境界,也是莊子哲學最高的認識境界。

主客體的交互關係正是現象學闡釋學研究的重點,接受美學從本文與讀者的關係中來立論正是根植于這種理論基礎。在它們看來,意識作用必須有意識的對象纔能成立,而意識作用與意識對象合在一起便是意識的整體。意識不是一種狀況或官能,而是川流不息的活動,它永遠投射向客體,因此不可能産生没有意識對象的意識。如果説現象學闡釋學還將認識過程中的主客體看作同等重要的話,接受美學在這個基礎上又有所變化,那就是隨着認識重心不斷向主體意識傾斜,讀者的地位也愈益突出,但是,作爲接受客體的本文來說，其存在也并非毫無意義的，只不過從主客體的整體關係來看，它不是獨立的、自爲的，而是相對的，開放的，是一種未定性結構，它的存在本身不能產生獨立的意義，它存在的意義在于讀者在觀念和意識中將之具體化，具有未定性的文學本文與讀者閱讀過程中的具體化二者的結合才構成完整的作品。從整體的角度看待認識過程中的主客體關係，這使接受美學的思維方式與《莊子》有不少相似之處。誠然，隨着接受美學理論的進一步發展，本文的地位愈加引起重視，本文不再被視作未定性結構，而是一個決定性結構，這與接受美學所憑依的認識論基礎的變化顯然有關。

所以將《莊子》與接受美學放置一起，主要考慮到它們在認識方式態度等方面有不少相通之處。當然它們之間的差異也是十分明顯的，首先，莊子學說主張以絕言超象的主觀體驗去體道，因此他反對任何有礙這一目標實現的人爲設置，語言文字作爲人類文明創造成果之一，也爲莊子所排斥，雖然，莊子學說不可能直接討論以語言文字爲對象的文學接受。其次，從接受美學對讀者在接受過程中所起決定性作用的充分肯定，接受美學更注重人爲重建。莊子哲學以體道爲認識的最高境界，反對人爲因素的約束，因而莊子學說力倡順物自然。然而，認識的主體性特徵使莊子哲學與接受美學在認識論方面得有更多相通，這與它們所處的時代、文化背景的某些類似不無相關，對于接受美學來說，它是時代要求人文精神復歸的回聲，而在《莊子》，則是在儒墨紛爭不已，道德律多日益束縛人心的背景下，尋求人性的返樸歸真。

莊子學說雖然不曾有意建構文學理論體系，但是它直覺直悟的思維方法對中國古典詩詞文論浸淫尤深，加上以後佛教的滲入，這種思維方式更趨豐富，強調讀者或批評家的主觀感受，構成古典文藝理論主觀性感受性強而思辯性弱的特徵，中國古代文藝批評家們以自己對作品的感受甚至創造性的發揮，展示了中國獨特的"接受美學"，這不能說沒有莊子認識思想及方法的影響。

作者簡介　王玫,1957年生,福建福州人。1982年畢業于廈門大學中文系,現為廈門大學中文系講師。撰有《古典文學與接受美學隨想》等論文。

莊子語言符號與“副墨之子”章之解析

莊萬壽

一、老子的語言符號觀

《莊子》書中的語言符號（Verbal Symbol）①，是繼承《老子》思想而來。《老子》之符號觀，大致有兩點的宣示：

（一）、《老子》開宗明義，即稱“道可道，非常道；名可名，非常名。”（一章）指可以說出的“道”，不是永恒的“道”；可以說出的“名”，不是永恒的“名”。“道”不可說，“名”不可命，都說明語言符號的不可及性。道家以“道”爲本體，是超語言符號的，所以《老子》又說：“道隱無名。”（四十一章）是說“道”的語文概念，亦是不存在的。

（二）、語言非本體，有不可靠的變動性。所以“聖人處無爲之事”又行“不言之教”（二章、四十三章），“知者不言，言者不知”（五十六章），顯示語言并非“道”及其教育的媒體，語言根本不能全面的反映事物的本真，因此，《老子》“小國寡民”理想社會的社會關係，是“民不相往來”，“復結繩而用之”（八十章）。而不是語言符號。

---

① 語言符號包括用來表達語言的文字符號。

二、概念與實體的分離性

《莊子》三十三篇，包含着道家不同的門派、時代之作品，對于語言符號的討論資料相當豐富，基本上是繼承《老子》而來。其中莊派、老派、黄老派尤爲接近，激烈的無君派則牽涉到的資料較少。

這些門派的作者們，大抵對語言皆采取不信任的態度。内篇《齊物論》是莊派的著作，當中很重要的一個主旨便是齊言論的是非，并且還完全取消語言的功能性。《齊物論》：

夫言非吹也，言者有言，其所言者特未定也，果有言邪？其未嘗有言邪？其以爲異于鷇音，亦有辯乎？其無辯乎？道惡乎隱而有真偽？言惡乎隱而有是非？道惡乎往而不存？言惡乎存而不可？道隱于小成，言隱于榮華。故有儒墨之是非，以是其所非而非其所是。欲是其所非而非其所是，則莫若以明。

認爲語言與自然之風吹響萬竅不同，全是“言者”的自我表達，是毫無標準，没有客觀的定位。可是“言者”都以爲自己纔是對，以爲自己的語言異于没有意義的小鳥破卵之初鳴聲①。殊不知這樣的語言才是多餘的，説與没有説根本一樣。如儒家、墨家兩造皆有各自的是非觀，皆以己是而彼非，以自己的是非來否定對方的是非。這樣子，也就連帶的否定了語言可以表白是非的功能性。

其中原因，是在于語言只是反映實體的概念，永遠不能與實體合一。《齊物論》：

天地與我并生，而萬物與我爲一，既已爲一矣，且得有言乎，既已謂之一矣，且得無言乎？“一”與“言”爲二，“二”與“一”爲三。自此以往，巧曆不能得，而況其凡乎？

① 成玄英《莊子疏》：“鳥子欲出卵中而鳴，謂之鷇音也。”關于“鷇音”莊子造此詞，自有本義，下文再解析。

　　"并生""多一"兩句這本是實體的問題,但轉化爲"語言"而成爲概念,就產生分裂。"一"的實體與概念的"一"衍生成爲兩物"二",而陳述這兩物"二"的新概念,與原來實體"一"的距離又要被推遠了一步,就是"二"與實體的"一"的并立而衍生爲三,以此類推到四、五……到無窮,算學家都不能計算。這樣的發展越是煩瑣複雜,與實體越是遙遠。這就是"言隱于榮華"的意思。

　　茲以數字排列如下:

$$1+1=2$$
$$2+1=3$$
$$3+1=4$$
$$4+1=5$$
$$\downarrow$$
$$8$$

三、認識主客體之不可知性

　　語言居然如此的不可信任,那麼作者面臨一個尷尬的問題,他既然認爲語言不能反映實體,又要用語言來表達此事,猶克里特島哲學家說:"凡是克里特人都是說謊者",這就是《齊物論》自己說的"其名爲吊詭"這就是"悖論"(Paradox)因此《齊物論》就用以下這樣的文字來交代:

　　　　今且有言于此
　　　　雖然,請嘗言之(又見〈至樂〉)
　　　　且吾嘗試問乎汝。
　　　　予嘗爲女妄言之。

　　都是不得不暫且說、姑且說、姑妄說的意思。尤其"道"的本體是超越語言符號的,唯有掉落到現象,纔是語言符號的世界,但這不是一個真實的世界。《齊物論》:"六合之外,聖人存而不論;六合之內,聖人論而不議。"六合之內,已是現象,其下的"春秋經世先王

之志，聖人議而不辯”，以至于“衆人辯之以相示也”都是語言的“榮
華”現象。一如上文所引到的“自此以往，巧曆不能得，而況其凡
乎?”

　　莊子要認識外在客體，只能由内心作精神上的觀照，就是上文
所舉的“莫若以明”的“明”，而不能也不必經由肉體官能如語言等
媒介去認識。《齊物論》：

　　　　孰知不言之辯，不道之道? 若有能知，此之謂天府。注焉而不
滿，酌焉而不竭，而不知其所由來，此之謂葆光。

　　天府是就認識主體的無窮包含性而言，其内在的觀照亦是
“明”，亦是葆光。而且認識方法，卻是極其神秘的，絶對不言、不道
的，而流爲非道德性的工夫論①。對認識的客體不能言，不能道，就
是不可知，如何不可知亦不可知，連帶使認識的主體，亦因之消失，
這就是“然則我與若與人，俱不能相知也。”

　　莊子確爲一上古的不可知論者（agnosticist）。

四、概念的歧義是語言的開始

　　再看《莊子》外，雜篇的資料：

　　《知北游》説知這個智者北游，適遇無爲謂，三問而無爲謂不
答，再問狂屈，狂屈説：“予知之，中欲言而忘其言。”最後三問黄帝，
黄帝説：無爲謂是“真是也，以其不知也。”説狂屈是“似之也，以其
忘之也。”黄帝説自己與知兩人是“不近也，以其知之也。”

　　三個層次，最高是“無爲謂”所謂無爲謂，即宣穎所説的“無爲
無謂”，即是自然之道的擬人化，本身就是超語言、没有語言概念。
所以非不答，而是不知有語言。所以黄帝認爲是道的本真。

　　其次是狂屈，是狂又屈并存的人，欲言而忘言，雖直觀了然于

―――――――――――
　　①　一如《人間世》的“心齋”、《大宗師》的“坐忘”。

心，但又不能從語言反映出來，欲辯解而已忘言。黃帝稱他近似道。

最後是等而下之的智者與黃帝①，説兩人不能接近道，尤其是強不知心爲知，而且把它用語言説出來了。這三個層次説明語言既不適于言道，而且本身又是不可靠的。

《則陽》篇杜撰一個意思是廣大公正調和萬物的"大公調"其人，他答覆少知問："季真之莫爲，接子之或使，二家之議，孰正于其情，孰徧于其理？"説：

> 可言可意，言而愈疏……無窮無止，言之無也。與物同理，"或使""莫爲"，言之本也。與物終始。道之爲名，所假而行，或使莫爲，在物一曲，夫胡爲于大方？道物之極，言默不足以載，非言非默，議有所極。

本來少知在問"莫爲"的無爲，與"或使"的有爲，雖合情合理。然而大公調完全以兩者皆是現象的語言概念而否定了少知的問題。

文章説如果可以言語可以意測，則與本質距離越來越遠，沒有開頭沒有終止，的"無窮止的狀態，語言便無所依附，而萬物亦無始無終，無所依附；如果説出"有爲""無爲"，那麼這就是語言的開始，萬物亦隨之有始有終。道是本體，它是不能由語言符號來代替的，之所以用"道"字只是假借它而已的。而"有爲"，背後即無爲；"無爲"背後即有爲，這種兩歧之義，是構成語言的開始，也就是作者認爲語言的形成，就是意味着概念的產生，同時兼有肯定與否定的對立屬性的概念，因此它是不能客觀的反映事物的本質，本質與萬物的最高的意義，并不需要讓語言或非語言來表達的而是要超越語言與非語言，讓本質自我存在，這才是我們議論的價值所在。

---

① 莊子後學認爲上古"至德之世"，到了黃帝開始了"强陵弱，衆暴寡"，進入"亂人"的時代。見《盜跖》。

五、"副墨之子"章與《莊子》認識過程

《莊子·大宗師》有一段很重要的文字,説明語言符號與"道"的關係,即是從"道"經本能的行爲、語音、乃至于耳、目、口,以至文字的認識過程之綱領。所有《莊子》語言符號的作用皆可以納諸此章來詮釋:

> 聞諸副墨之子,副墨之子聞諸洛誦之孫,洛誦之孫聞之瞻明,瞻明聞之聶許,聶許聞之需役,需役聞之於謳,于謳聞之玄冥,玄冥聞之參寥,參寥聞之疑始。

這段文字,有九個擬人化的專名,把文字置于最低下的一個層次,它必須依賴耳目口的器官才有文字的運用功能,而這三個器官,必須依賴本能、然後再上溯抽象虛無的大道。這是莊子的認知過程(Cognitive Process),素來未見有較深入的分析,我首先用現代語言列入圖表中,再把九個過程逆向依次説明

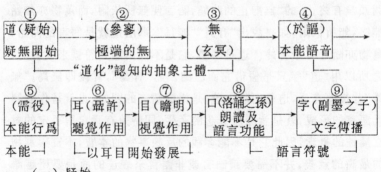

（一）疑始

疑始,疑無開始,似始而非始,即超越開始,超越所有源頭的源頭,是萬物的本質,其實就是道,超現象的。用《齊物論》的造句法,是在"無也者"的上面,加無限次的"未始"。

（二）參寥

再三、極度的寂寥。《老子·二十五》"有物混成,先天地生,寂

兮寥兮，獨立而不改……"寂，無聲；寥，無形，即是無的意思。以《齊物論》句法，是比"疑始"少一個"未始"的階段。而比"玄冥"多一個"未始"。

（三）玄冥

玄冥是深遠冥暗之狀，是虛無的樣子，就是無。郭象注："玄冥者，所以名無而非無也。"即超越無的意思，即可。《秋水》："無東無西，始于玄冥，反于大通。"無東無西，就是玄冥之所出，最後歸于大道。

以上三者，都是認知的抽象主體，其階段性的異名，其實並沒意義。

（四）於謳

兩字本指徒歌的謳吟，其實是指還沒有利用耳目口去接受社會教育、知識、價值之前的階段，心理學家皮亞傑（Piaget Jean）以爲認知有兩方面，一是本能，二是發展。"於謳"是本能語音的開始，是不學而能的，莊子認爲這個階段是純真、而近乎大道，這個語音就是如上文引到的"彀音"，衆人的言論，不希望如彀音。但莊子認爲彀音，是鳥破殼而出的第一聲。《老子·二十章》"我獨泊兮，其未兆，如嬰兒之未孩（咳）"，寧靜淡漠，但又有生機欲露而未露之兆；如嬰兒剛出生首次欲笑而尚未笑出之聲。"彀音"、"未孩"皆爲天地之大美。莊子稱許：超越語言及論辯之言辯，如《齊物論》"大辯不言"、《寓言》"言無言，終身言，未嘗不言。"大辯與上一字的言，就是指尚未社會化的"於謳"這個階段的自然語音。①

（五）需役

---

① 這個語音，尚未成爲語言符號系統，包括有聲、甚至無聲的副語言（Paralanguage）莊子的"於謳"還包括自然的音響，包括風吹萬物的"吹萬"即《逍遙游》的地籟。至於魏晉時代如孫登、阮籍的長嘯，也是"於謳"了。

需役,有待動作。指器官尚未社會化之前的本能行爲。《老子·五十五章》:"含德之厚,比于赤子,……骨弱筋骨柔而握固,未知牝牡之合而峻作。"嬰兒還未發展前,已經手能握緊東西、生殖器(男)也能硬起來,一如成人動作,這就是含"德"的深厚。依皮亞傑的兒童認知階段,這是第一期的"感覺動作期"(Sensorimotor Period),是出生到兩歲的渾渾噩噩的襁褓時代[1]。道家整個返樸歸真的結構,尤其是《老子》包括本體、認識、人生、政治諸領域官有追求嬰兒期的傾向,容後專文再論。《莊子·庚桑楚》"兒子動不知所爲,行不知所之,身若槁木之枝,而心若死灰。若是者,禍亦不至,福亦不來。禍福無有,惡有人災也。"把嬰兒的感覺動作,與自然結合。并回歸至人、真人,一樣的能超越禍福,擺脫災害。《齊物論》:"大仁不仁,大廉不嗛,大勇不忮。"大仁、大廉、大勇就是"需役"階段的行爲,超越了社會化的道德觀。

(六) 聶許

(七) 瞻明

聶許是耳,聽覺;瞻明是目,視覺。《老》、《莊》皆以耳目是人遠離自然而社會化的罪媒。《老子·十二章》:"五色令人目盲,五音令人耳聾。"《莊子·徐無鬼》也説:"目之于明也殆,耳之于聰也殆。"本來以耳目開始接受外在的事物,是發展的基礎,然而莊子以爲脱離自然之道,朝向社會化發展就是墮落的開始。

(八) 洛誦之孫

指以口來誦讀的擬人化。這是語言符號的形成,也是文字賴以存在的要素。《天道》記齊桓公在堂上讀書,讀的是"聖人之言",輪扁直稱爲是"古人之糟魄"。"洛誦之孫"就是指《莊子》五書的整個語言符號,這符號全是糟魄。

(九) 副墨之子

---

[1] 有關皮亞傑的説法,見朱智賢主編《心理學大詞典》467—469頁。

　　副于墨的是文字，文字是比語言更等而下之具象之物。文字寫于書上，使"聖人之言"文字化，其距離實體更爲遙遠。《天道》："世之所貴者書也，書不過語，語有貴也。語之所貴者意也，意有所隨，意之所隨者，不可以言傳也，而世因貴言傳書，世雖貴之，我猶不足貴也，爲其貴非貴也。故視而可見者，形與色也，聽而可聞者，名與聲也。悲夫，世人以形色名聲爲足以得彼之情！夫形色名聲果不足以得彼之情，則知者不言，言者不知，而世豈識之哉！"這非常明確地說明：書（文字）是不能傳意的，形色之物，不能傳達非形色之物，所以文字豈止是"糟魄"而已。

　　總之，莊子的語言符號的思想，是借用語言符號來否定語言符號的社會功能性，希望回歸非語言系統的自然語音，當然莊子并非主張啞巴，其目的在于要摧毀儒墨的語言符號系統解構"聖人之言"的神話圖騰系統 ①。

　　作者簡介　莊萬壽，1939 年生于臺灣鹿港。臺灣師範大學國文研究所畢業，現任師大教授。主要著作有《莊子學述》、《列子研究》、《列子讀本》、《嵇康年譜》等。

---

　　①　關于"莊子語言符號與神話圖騰"，另文叙述。

莊子與惠施

李存山

内容提要 本文評述了莊子與惠施的生平活動、交往、人生道路的不同選擇、思想學說的不同性質以及他們的不同命運。作者認為,莊子與惠施同為"布衣"之士,但前者退隱逍遙,對統治者采取不合作的態度;而後者進取致用,對統治者采取合作的態度。莊子思想以惠施思想為"質",惠施思想的本質是素樸的自然辯證法,其中含有發展出原子論的種子;莊子思想則是由相對主義走向"棄智""休心"的認識論,其深層本質是一種社會批判學說。莊子思想在"儒道互補"結構中對後世有深遠影響,而惠施思想的厄運則是中國傳統哲學和文化的悲劇。

一、一對同鄉　兩個布衣

莊子與惠施是戰國中期的兩位卓越哲學家。他們的生卒年在史書上皆無明確的記載,按現在學術界一般接受的觀點,莊子約生于公元前 369 年,卒于公元前 286 年,惠施約生于公元前 370 年,卒于公元前 310 年。《莊子·徐無鬼》篇云:"莊子送葬,過惠子之墓……"據此,惠施比莊子早卒是可以肯定的。如按他們的生年說,莊子與惠施大致可說是同時代的同齡人。

　　《史記·老莊申韓列傳》云：“莊子者，蒙人也……”劉向《別錄》
云：“宋之蒙人。”《呂氏春秋·淫辭》篇高誘注云：“惠子，惠施，宋人
也……”據此可知，莊子與惠施同爲宋人；説得親近點兒，他們是一
對同鄉（中國歷有“尸骨還鄉”之俗，觀“莊子送葬，過惠子之墓”，以
及《莊子·至樂》篇所云“莊子妻死，惠子弔之”，二人相居可能不會
太遠）。這一對同鄉早年是否有過交往，史書上無記載。侯外廬等
在《中國思想通史》中所作“惠施年行略表”云：公元前 334 年，惠施
“三十六歲。爲魏相……”公元前 322 年，惠施“四十八歲。被張儀
逐至楚，轉入宋。與莊子相晤論學。”① 錢穆著《惠施公孫龍》亦云：
“〔魏惠〕王果聽張儀，施見逐之楚，……楚王……乃奉施而納之宋。
時梁惠王之後元十三年也。遂與莊子交游。”②如果這裏所謂“與莊
子相晤論學”、“遂與莊子交游”是説惠施與莊子初次相見，那麼二
人的交往是比較晚的。但我們還不能這樣認定。可作爲參考的是
《莊子·秋水》篇云：

　　　惠子相梁，莊子往見之。或謂惠子曰：“莊子來，欲代子相。”于
　是惠子恐，搜于國中三日三夜。

如果這段話不是全出 于杜撰，那麼莊子與惠施至少在“惠子相梁”
時即惠施被逐至楚的十多年前就已有過交往。如果再考慮到惠施
身爲魏相，莊子以一介隱士欲往見之，恐不是素昧平生而突兀造
訪，兩人在此之前曾有過一些接觸，莊子要去見一見以前的老朋
友，這種可能性也是有的。

　　《秋水》篇説，惠施對于莊子的到來很不理解，輕信了別人説
“莊子來，欲代子相”，于是“搜于國中三日三夜”。惠施恐不至于真
的這樣器量狹小，這段話可能是要説明惠施當時不知莊子之清高，

　①　《中國思想通史》第一卷，人民出版社 1957 年版，第 422 頁。
　②　轉引自王蘧常主編《中國歷代思想家傳記匯詮》先秦兩漢分册，復旦
　　　大學出版社 1989 年版，第 187 頁。

于是引出莊子"南方有鳥,其名爲鵷鶵……非梧桐不止,非練實不食,非醴泉不飲"一段話。如果説在此之前惠施與莊子已有過交往,而惠施不知莊子如此之清高,那麼有兩種可能性,一是惠施對莊子知之不深;二是莊子本人的思想有很大變化。我傾向于後一種可能性。

莊子思想的清高、冷峻、深刻、灑脱,決不是一個少年或青年所能企及的。他的思想飽含了對社會黑暗、生活酸楚、世態炎涼的人生體驗,説他的思想形成于中年時期是比較合理的。

莊子早年曾在蒙做過漆園吏,也就是説,他并非一開始就超然物外,而是也曾被世所"用"。這一段被世所"用"的經歷可能對莊子思想的形成産生了決定性的影響。在《莊子·人間世》篇中有幾則關于被世所"用"和不被世所"用"的寓言,作爲一篇之總結的一段話説:

　　　　山木自寇也,膏火自煎也。桂可食,故伐之;漆可用,故割之。

這些話是説被世所"用"而致傷。其中"漆可用,故割之"當是莊子從做漆園吏的社會實踐中體驗得來。"漆"被世所"用"而致傷,這不僅是指"漆"而言,而且是指莊子曾做漆園吏被世所用而受到"世俗"的傷害而言。文中有"櫟樹"所云:

　　　　且予求無所可用久矣,幾死,乃今得之,爲予大用。使予也而
　　　　有用,且得有此大也邪?

這段話凝聚着莊子從被世所"用"到"無所可用"而"爲予大用"這樣一段人生轉折的艱難困苦的經歷,這段經歷也是莊子思想逐漸形成并愈發堅定的過程。

莊子在世上求"無用之用",這樣一條人生道路雖使他陶然于精神之逍遙,但也窘迫于物質之貧困。《莊子·山木》篇云:"莊子衣大布而補之……。"正説明了莊子當時的社會身份——他是一個窮苦的布衣之士、一個平民知識分子。《莊子·外物》篇載"莊周家貧,故往貸粟于監河侯"云云,也正是莊子生活貧困,受到權勢階層的

怠慢，而莊子奮力作精神抗爭的寫照。

莊子做漆園吏之前的身世如何，今人無從確考；他辭去或被罷去漆園吏之後的家境，肯定是很貧窮的。這種貧窮不是由于仕途受阻，而是由于莊子看破了仕途的險惡，不甘爲世所"用"。莊子把通過仕途而得富貴比喻爲在"驪龍頷下""得珠"，他對諂媚于君王而僥幸于富貴者更有"舐痔"之譏（見《莊子・列御寇》）。《秋水》篇和《列御寇》篇有兩段莊子拒絕受聘的叙述，司馬遷把這兩段話作了綜合，寫入了莊子的傳記（見《史記・老莊申韓列傳》）。莊子是否真地曾被楚威王"許以爲相"，今人也無從確考，但那兩段話確實表明了莊子不爲世"用"、不與當時的統治者合作的態度。

與莊子相比，惠施在政治上走着不同的道路。據侯外廬等所作《惠施年行略表》：公元前 338 年，惠施"初至魏，見魏相白圭。應魏王召，論齊、魏戰馬陵事"；公元前 334 年，惠施"爲魏相，主謀齊、魏相王"。如果説楚威王聘莊子"許以爲相"確有其事的話，那麼楚威王于公元前 339 年至公元前 330 年在位，這段時間也正是惠施初至魏然後任魏相的時候。莊子對相位避之唯恐不及，而惠施則被視爲"新娶婦"加入了魏國卿相的行列。《呂氏春秋・不屈》篇載惠施初至魏，向當時的魏相白圭訴説使魏國强盛之策，白圭竟以"新娶婦"不該指責夫家的弊端陋習而責怪之，可見惠施在魏國舊卿眼中的地位是很低微的，而這正從一個側面説明了惠施在任魏相前的社會身份。《呂氏春秋・不屈》篇又載，魏惠王欲讓賢傳國于惠施，惠施説："……今施，布衣也，可以有萬乘之國而辭之，此其止貪爭之心愈甚也。"

這段話説明了惠施爲什麼被魏國舊卿視爲"新娶婦"——惠施原本爲"布衣"之士，同莊子一樣是平民知識分子。

惠施的社會政治主張除"止貪爭"外，還有"泛愛萬物"（見《莊子・天下》）、"去尊"（見《呂氏春秋・愛類》）、"偃兵"（見《韓非子・內儲説上》），這些與墨家的"兼相愛交相利"、"愛無差等"、"非攻"

等思想很相近。墨學代表了小生產者的利益，惠施之學雖不是小生產者的利益所能範圍，但它反映了一般平民階層的願望還是應該肯定的。《呂氏春秋·淫辭》篇云：

> 惠子爲魏惠王爲法。爲法已成，以示諸民人，民人皆善之。獻之惠王，惠王善之，以示翟翦……

翟翦先説"善也"，但又説"不可行"，并將其喻爲"鄭衛之音"。翟翦是翟璜之後，翟璜又是魏文侯欲舉爲相的私友（見《呂氏春秋·舉難》）。翟翦反對惠施所立之法，與"民人"異，很可能是出于舊臣權貴的偏見。而"民人皆善之"，這説明惠施所立之法照顧到一般民衆的利益。荀子説惠施之學"不法先王，不是禮義……不可以爲治綱紀……"（《荀子·非十二子》）這也説明惠施這位"布衣"卿相確有一套與地主階級政治家不同的社會政治學説。

今人或因匡章喻惠施爲"蝗螟"，惠施自稱是"治農夫者"（見《呂氏春秋·不屈》），而説惠施此論與孟子"勞心者治人，勞力者治于人"之説甚爲近似，而與墨家的社會學説極端相反。其實，惠施此論只是强調社會分工的必要，而不帶有"大人"與"小人"階級對立的色彩。觀匡章之意，主要是責難惠施及其隨行没有"與農夫并耕而食"，這是農家許行派的觀點（見《孟子·滕文公上》）。惠施的回答與孟子論"勞力"、"勞心"之分確有些相似，但惠施并没有像孟子那樣作"大人之事"與"小人之事"的區別，他自比于"築成"活動中的"操表掇者"，很有些出身于"布衣"的學者兼政治家的色彩。

莊子與惠施同爲布衣之士，前者"求無所可用"而"爲予大用"，"寧游戲污瀆之中自快，無爲有國者所羈，終身不仕"；後者則懷抱"去尊"、"偃兵"、"泛愛"、"止貪争"的社會理想，被視爲"新娶婦"加入到卿相階層的行列。前者的道路是退隱逍遙，後者的道路是進取致用。以前者觀後者，則後者不免因"用"而致傷；以後者觀前者，則前者雖"大"而"無用"。《莊子·逍遙游》的篇末有莊子與惠施關于"大瓠"、"大樹"之"用"與"無用"的兩段對話，最能顯出二人在人生道路選擇上的對立，讀者可參見之。

二、一對諍友　兩種學說

　　莊子與惠施所選擇的人生道路雖然不同，但這并沒有妨礙二人成爲一對諍友。《莊子·至樂》篇云：“莊子妻死，惠子吊之。”且不論莊子借此機會對惠施作了一番人之生死“相與爲春秋冬夏四時行”的開導，僅從惠施親往吊喪而言，兩人之間是確有情誼的。《徐無鬼》篇云：

> 　莊子送葬，過惠子之墓，顧謂從者曰：“郢人堊慢其鼻端，若蠅翼，使匠石斲之。匠石運斤成風，聽而斲之，盡堊而鼻不傷，郢人立不失容。宋元君聞之，召匠石曰：‘嘗試爲寡人爲之。’匠石曰：‘臣則嘗能斲之。雖然，臣之質死久矣。’自夫子之死也，吾無以爲質矣，吾無與言之矣。”

這段話最足以說明莊子與惠施在學術思想上的關聯。莊子之所以能夠“運斤成風”、“洸洋自恣”，其實是以惠施的思想爲“質”的（今人或謂“惠施爲莊子的思想作邏輯論證”，恰好顛倒了二人孰爲“質”的關係）。觀莊子所言，莊子本人的著作起碼可以說大部分作于惠施去世之前，而且大部分是以惠施爲辯論的對象，或者說是在與惠施爭辯討論的基礎上形成、展開的。

　　惠施的思想爲莊子提供了何種材質？由于惠施學富“五車”的著述全部佚失，我們現在只能從散見于《莊子》、《荀子》、《韓非子》、《呂氏春秋》等關于惠施的記述和評論中觀其端倪。當然，保存惠施思想最集中的就是《莊子》書中的《天下》篇。

　　《天下》篇云：“惠施多方，其書五車，其道舛駁，其言也不中。”以此知惠施學問廣博，著述宏富，而其思想與莊子不合。接下來，《天下》篇列舉了惠施“歷物之意”的十大命題。何爲“歷物之意”？成玄英《疏》云：“心游萬物，歷覽辯之”；馬叙倫《莊子天下篇述義》引章炳麟云:"陳數萬物之大凡也";用我們今人的哲學術語説,這是一種自然哲學或素樸的自然辯證法思想。《天下》篇又云:惠施"徧爲萬物説……弱于德,强于物……散于萬物而不厭……逐萬物而不反……"這些都説明惠施是以"物"或"萬物"爲研究對象的。今人或以概念的思辨或邏輯的詭辯來解惠施之學,其實是有違惠施"歷物之意"的本意的。

我在拙著《中國氣論探源與發微》(中國社會科學出版社1990年出版)的"試解惠施的幾個命題"一節中,曾嘗試從氣論哲學的角度對惠施的"歷物之意"作了詮釋,有興趣的讀者可以參見之。本文爲探討莊、惠思想的異同,對有些命題再作些重點的分析。

惠施的十大命題之首爲:"至大無外,謂之大一;至小無内,謂之小一。""大一"與"小一"的概念是惠施從宇宙構成論的角度立論。簡言之,宇宙的全體,謂之"大一";構成萬物乃至整個宇宙的,謂之"小一"。《莊子・秋水》篇云:

> 世之議者皆曰:"至精無形,至大不可圍。"……無形者,數之
> 所不能分也;不可圍者,數之所不能窮也。

這段話可視爲對"至大無外"和"至小無内"的正確解釋。用今天的術語説:"不可圍"、"數之所不能窮"就是無限大;"無形"、"數之所不能分"就是無限小。惠施認爲,宇宙的全體是無限大的"大一",而構成宇宙中的萬物乃至整個宇宙的,則是無限小的"小一"。惠施爲什麼要提出"大一"和"小一"的概念?這從《莊子・知北游》篇中可得到解釋:

> 今彼神明至精,與彼百化,物已死生方圓,莫知其根也,扁
> (遍)然而萬物,自古以固存。六合爲巨,未離其内;秋毫爲小,待之
> 成體。……此之謂本根,可以觀于天矣。

惠施提出"至大無外,謂之大一",就是要解決"六合爲巨,未離其内"的問題;提出"至小無内,謂之小一",就是要解決"秋毫爲小,待之成體"的問題。這裏的後一個問題也就是古希臘的亞里士多德所

說："最基本的元素物質應該是由它們的并合來組成最初的事物
的。這種質性應是屬于實體中〔最〕精細的微粒。"①在惠施看來,這
種"最精細的微粒"就是"至小無內"、"至精無形"的"小一"。但這裏
立即出現了邏輯矛盾:"至小無內"、"至精無形"的東西還能稱爲
"微粒"嗎? 如果一個東西小到了"無內"、"無形",那麼它不就等于
零、等于不存在嗎?古希臘的埃利亞學派在批評伊奧尼亞哲學時揭
示了這一矛盾,并將其作爲存在只能是"一"("大一")而不能是
"多"("小一")的證據。這裏的另一個邏輯矛盾是:如果說"最初的
事物"由"至小無內"、"至精無形"的東西"并合"而成,那麼"無內"
加"無內"、"無形"加"無形"不是仍然等于"無內"、"無形"嗎? 它們
又怎能"并合"成"最初的事物"呢? 古希臘的埃利亞學派也將這一
矛盾作爲存在不能是"多"的證據,而原子論者則認爲存在是"多",
但這種"多"不是"無內"、"無形",而是有形、"不可分"的"原子"。
"原子"概念的出現首先是因古希臘唯物主義哲學家要避開以上矛
盾("虛空"概念的設置則是要避開"充實與運動"之間的矛盾,爲
"原子"提供運動的空間)。惠施的哲學接觸到以上矛盾,但他不是
要避開它們,而是承認它們,因此才有惠施的第二個命題:"無厚不
可積也,其大千里。""無厚"即"無內"、"無形",是指"小一"。所謂
"無厚不可積也",是說"無厚"、"無內"、"無形"的東西相加,仍然等
于"無厚"、"無內"、"無形",此爲邏輯上的"不可積";所謂"其大千
里",是說"無厚"、"無內"、"無形"的"小一"事實上積成了"其大千
里",然而又不止千里,宇宙萬物乃至整個宇宙("大一")都是"小
一"積成的(《經典釋文》引司馬彪云:"苟其可積,何但千里乎")。
　　如果明白了"大一""小一"的道理,那麼另外的幾個命題便可
以迎刃而解。如"天與地卑,山與澤平",以"小一"的概念解之,則天
與地、山與澤皆由"小一"積聚而成;既然它們的本質構成相同,那

──────────

① 《形而上學》,商務印書館 1959 年版,第 20 頁。

麼它們之間可謂没有尊卑的差别了。如果用"大一"的概念解之，則
天與地、山與澤皆處在"至大無外"的"大一"之中；如果將天與地、
山與澤之間的有限差别比起無限大的"大一"來，那麼這種差别也
就近似于零了。

　　與"天與地卑，山與澤平"意思相近的命題有"我知天下之中
央，燕之北越之南是也"以及《荀子・不苟》篇提到的"齊秦襲"。燕
在北，越在南，齊在東，秦在西，它們之間的距離比起無限大的"大
一"來，也是近似于零的。因爲宇宙是無限大的，所以燕之北、越之
南、齊之東、秦之西皆可謂之爲"天下之中央"。

　　惠施之學被總括爲"合同異"，此處之"合"不是相對主義的混
同或概念的詭辯，而是以"物"爲根據的；惠施的有些命題看似帶有
相對主義的色彩，但其潛在的條件卻是"大一"與"小一"概念必然
存在的矛盾。古希臘的唯物主義哲學家正視并且要避開這些矛盾，
因而走向了原子論。與惠施同時的莊子則借用惠施提供的自然哲
學的思想資料，以其爲"質"，走向了另一條道路。

　　《莊子・秋水》篇在解釋"世之議者"所云"至精無形，至大不可
圍"之後説：

　　　　可以言論者，物之粗也；可以意致者，物之精也。言之所不能
　　論，意之所不能察致者，不期精粗焉。……知是非之不可爲分，細
　　大之不可爲倪。

在這裏，"至精無形，至大不可圍"只是爲莊子的思想作了鋪墊。惠
施所言論、所意致者只是物之精粗，而莊子從中引申出的則是"是
非之不可爲分，細大之不可爲倪"的相對主義結論，他所追求的是
不能言論、不能意致、"不期精粗"的"道"。

　　《莊子・德充符》篇云：

　　　　自其異者視之，肝膽楚越也；自其同者視之，萬物皆一也。夫
　　若然者，且不知耳目之所宜，而游心于德之和……

這段話的前一句與惠施"萬物畢同畢異"的思想可謂相近或相同，

“夫若然者”則是鋪墊之詞，莊子從中引申出的結論是：萬物并非耳目的適宜對象，只有“德之和”——“道”纔是游心之所。

惠施在提出萬物之差別具有相對性、同一性時，其潛在的條件是與“無窮”的“大一”相比。依此客觀的條件，只能説“天與地卑，山與澤平”，而不能説“天比地卑，山比澤低”。莊子則取消了客觀的條件，把萬物之差別看作主觀上可以任意顛倒的，因此他提出：

> 天下莫大于秋毫之末，而大山爲小；莫壽于殤子，而彭祖爲夭。（《莊子·齊物論》）

莊子在强調萬物之差別可以任意顛倒時，實際上否認了人們對物質世界進行客觀認識和理性分析的必要和可能，萬物之差別也就只能在主觀上達到最終的冥同合一：“天地一指也，萬物一馬也……道通爲一。”（《齊物論》）

惠施提出的“萬物畢同”、“天地一體”，是從對宇宙之構成的概念分析中所得。莊子認爲，這種從概念分析中得出的萬物統一性并非“以道觀之”的冥同，它仍在作理性的計較，作“朝三”與“暮四”的區別，因此他説：“勞神明爲一而不知其同也，謂之朝三。”（《齊物論》。郭象《注》云：“夫達者之于一，豈勞神哉？若勞神明于爲一，不足賴也，與彼不一者無以異矣。”）觀此可以明確，莊子與惠施所同者是他們都提出了天地一體、萬物爲一的命題，但惠施的命題是“勞神明”從對物質世界的概念分析中所得，而莊子則是擯除理性，弃絶對物質世界的分析計較，達到“以道觀之”的冥同。惠施在通過“心智謀度”而提出“萬物畢同”時并没有否認“萬物畢異”，而莊子則把“萬物畢同畢異”作爲否定理性認識的可靠性的鋪墊，最終得出“道通爲一”的結論。

莊子在説“勞神明爲一……謂之朝三”時，提出與之相對的概念：“已而不知其然，謂之道。”（《齊物論》）此“道”在認識論上就是停止對物質世界的分析計較，停止對萬物之所然和所以然的認知，“和之以是非而休乎天鈞”（同上）。惠施的“合同異”在本質上是自然哲學的命題，是自然辯證法的思想；而莊子的"齊物論"則是把自然辯證法轉換成相對主義，最終提出了"棄智""休心"的認識論。惠施與莊子在認知内容上的不同在于：惠施以"物"爲認識對象，"散于萬物而不厭……逐萬物而不反"，莊子則以"道"爲認識之終的，認爲"知止其所不知，至矣"（同上）；在認知形式上的不同表現爲"辯"與"不辯"："惠施日以其知與人之辯……卒以善辯爲名"（《天下》），莊子則提出"辯也者有不見也，夫大道不稱，大辯不言……道昭而不道，言辯而不及……"（《齊物論》）。

惠施與莊子在認識領域的分歧開啓了他們對人是否"有情"的爭論（見《德充符》）。惠施的"歷物之意"是主客對置的思維方式，當他提出"萬物畢同"、"天地一體"時，并没有泯滅物我、天人的區別。因此，他才有發自"人之情"的愛心，提出"泛愛萬物"的命題。也因此，他纔有"以石代愛子頭"，"擊其所輕以免其所重"之喻（見《呂氏春秋·愛類》）。莊子的"齊物論"與惠施的"歷物之意"不同，他采取了"喪其耦"、"吾喪我"（《齊物論》）的思維方式，他的"道通爲一"不僅齊萬物、和是非，而且同天人、均物我，進入了"天地與我并生，而萬物與我爲一"（同上）的境界。這樣，莊子就"視喪其足猶遺土也"（《德充符》），"形固可使如槁木，而心固可使如死灰"（《齊物論》），他的"人之情"便泯滅了。在惠施看來，人如果"無情"就不可以叫作"人"，人如果"不益生"也就算不上"有其身"。莊子則以"無情"而求"不傷其身"，以"無用"而"爲予大用"，以"無己"而用諸己，在這近乎悖論的思想中，我們可以看到"僅免刑焉"的社會的折射，可以聽到對"遞相爲君臣"、"相刃相靡"而"損乎其真"（《齊物論》）的世道的抗議！莊子以"棄智""休心"的認識論菲薄惠施的自然辯證法，而其"棄智""休心"的認識論在最深層的本質上又是一種向往自由、反抗異化的社會批判學説——儘管它在當時不能取得積極的現實成果，而只能爲莊子這樣的布衣隱士提供一種在"無何有之鄉，廣莫之野"的精神的"逍遥"。

三、一種感慨　兩般命運

　　莊子與惠施雖然持不同的學說，走着不同的人生道路，但這兩個布衣處在同一種社會情勢下，因此他們也不免發出同一種感慨。

　　惠施是被視爲“新娶婦”而步入魏國卿相階層的行列的，這位學富“五車”的飽學之士初見魏相白圭便“説之以强”，白圭“無以應”，而且不得不承認“新娶婦”所言“非不便之家氏也”。然而，惠施的强國宏略在當時的情勢下很難施行，尤其是很難得到魏國舊臣權貴的支持。觀白圭把“惠施之言”比作“無所可用”的“市丘之鼎”（見《呂氏春秋·應言》），以及翟翦把惠施所立之法比作“鄭衛之音”，匡章把惠施及其隨行比作“蝗螟”，最後魏惠王聽信張儀之言逐惠施至楚，由此看來惠施受到各方面政敵的反對是可以肯定的。《韓非子·説林上》載惠施對陳軫説：

　　子雖工自樹于王，而欲去子者衆，子必危矣。這段對政界官場相互爭寵、傾軋的揭露，可謂是惠施遭受各方面排擠和攻擊的經驗之談。《韓非子·説林下》又云：

　　　　伯樂教二人相踶馬，相與之簡子廏觀馬。一人舉踶馬，其一人從後而循之，三撫其尻而馬不踶，此自以爲失相。……惠子曰：“置猿于柙中，則與豚同。故勢不便，非所以逞能也。”

後面這段話可能不僅是惠施對其强國之策因有各方面的掣肘而不能順利施行的感慨，而且是他對“泛愛”、“去尊”、“偃兵”、“止貪爭”的社會理想在當時不可能實現的感慨！

　　莊子不像惠施那樣用于世，但觀其所言“天下有道，聖人成焉；天下無道，聖人生焉”，他的不用于世恐怕不是不想用于世，而是當時的世道不能用于世。惠施在用于世的過程中對于世之情勢“不便”有所感慨，莊子在不用于世的道路上對于世之情勢“不便”更有所感慨。《莊子·山木》篇載“莊子衣大布而補之，正緳繫履而過魏王”，魏王問：“何先生之憊邪？”莊子答曰：

> 貧也，非憊也。士有道德不能行，憊也。衣弊履穿，貧也，非憊
> 也；此所謂非遭時也。……處勢不便，未足以逞其能。今處昏上
> 亂相之間，而欲無憊，奚可得邪？此比干之見剖心征也夫！

魏惠王見到莊子“衣弊履穿”便謂之“憊”，莊子借機發揮說，“衣弊履穿”只是“貧”，“士有道德不能行”纔是“憊”。“貧”只是莊子的外表，“憊”才是他的内心感受。莊子“懷道抱德”，而當時卻是“天下無道”；身處“昏上亂相之間”，欲“無憊”而不得，莊子不能不發出“處勢不便，未足以逞其能”的感慨！

莊子與惠施有同樣的感慨，但二人走的卻是不同的道路。莊子由此感慨而“外天下”、“外物”、“外生”（見《莊子·大宗師》），惠施則仍然以“天下”為事，“逐萬物而不反”，執“有情”而“泛愛萬物”。惠施之所以能夠如此，這與他在“處勢不便”時仍有一種“利民”的淑世主義精神和“當其時而已矣”的現實主義態度有很大關係。請看他在回答匡章“公之學去尊，今又王齊王，何其到（倒）也”的駁難時說的話：

> 今有人于此，欲必擊其愛子之頭。……子頭，所重也；石，所輕
> 也。擊其所輕以免其所重，豈不可哉？……今可以王齊王而壽黔首
> 之命，免民之死，是以石代愛子頭也，何爲不爲！……利民豈一道
> 哉？當其時而已矣。（《呂氏春秋·愛類》）

惠施之學本爲“泛愛萬物”，但當“欲必擊其愛子之頭”時，他便衡別輕重，以“石”（物）代“愛子頭”（人），這是惠施之學“愛類”（愛人）更重于“愛物”的一種表現。惠施之學本爲“去尊”，但在戰國時期王權主義盛行的形勢下，“去尊”之說不能行于世，爲“壽黔首之命，免民之死”，他采取“王齊王”而“偃兵”的政策，這是惠施順應歷史潮流，持“當其時而已矣”的現實主義態度的一種表現。

莊子不同于惠施，他認爲當時是“僅免刑焉”的世道，任何有爲的政治措施不但于世無補，而且會被人所“竊”，流于虛僞，加重世

情的苦難。在莊子看來，"愛民，害民之始也；爲義偃兵，造兵之本也"(《徐無鬼》)。因此，他不是像惠施那樣"當其時"而有所作爲，而是"安時而處順"(《養生主》)，"知其不可奈何而安之若命"(《人間世》)。

儘管惠施在政壇上屢遭排擠，歷經沉浮，但他畢竟爲魏國的政治和外交奔波了一生。其功過得失有待于史家作公允的評價(《呂氏春秋·不屈》篇將"惠王之時，五十戰而二十敗，所殺者不可勝數，大將、愛子有禽者"等等，作爲惠施"大術之愚"的治魏敗績。但據《史記》，這些都是惠施"初至魏"以前的事。)錢穆謂：惠施"憂魏者深矣。要爲異于三晉權詐之士也"(《惠施公孫龍》)。這當是對這位政治家不失布衣學者之正直本色的評價。

莊子比惠施晚死20餘年。惠施死，莊子失其"質"，"無與言之矣"，其學術思想上的寂寞可想而知。但觀莊子"過惠子之墓"以及"莊子將死"時，他身邊已有一些"從者"、"弟子"服侍，其晚年的生活可能不是很凄涼。從《列御寇》篇所載"莊子將死"時與弟子關于是否"厚葬"的一段精彩對話，可知這位哲學家真地實踐了他所謂"大塊載我以形……善吾生者乃所以善吾死也"(《大宗師》)，可謂生得逍遙，死得瀟灑！

哲學家的命運不足以用其窮達生死來說明，最重要的還要看他的著作和思想對後世發生了何種影響以及受到後世何種的評價。從這個角度說，惠施的命運遠不如莊子。

在惠、莊在世時，惠施的影響可能要大于莊子。《徐無鬼》篇載：

莊子曰："然則儒、墨、楊、秉四，與夫子爲五，果孰是邪？……"

惠子曰："今夫儒、墨、楊、秉，且方與我以辯，相拂以辭，相鎮以聲，而未始吾非也，則奚若矣！"

觀此可以說，惠施之學是戰國中期的顯學之一。當時，道家思想的代表人物是楊朱，所以孟子排楊、墨而未論及莊子。宋儒朱熹曾說："莊子當時也無人宗之，他只是在僻處自說，然亦止是楊朱之學。但

楊朱説得大了，故孟子力排之。"（《語類》卷一二五）從《孟子》書也
沒有論及惠施來看，孟子有可能是把惠施視爲墨家一類的。然而到
了戰國後期，思想形勢發生了很大變化，荀子開始點名攻擊惠施
"不法先王，不是禮義，而好治怪説，玩琦辭，甚察而不急，辯而無
用，多事而寡功，不可以爲治綱紀"（《荀子·非十二子》），還説"惠
子蔽于辭而不知實，莊子蔽于天而不知人"（《荀子·解蔽》）。荀子
對莊子的批評可能僅此一句，而他對惠施卻屢番攻擊，而且十分嚴
厲。荀子批評惠施"蔽于辭而不知實"，此處之"實"不是指萬物及其
規律（荀子是主張"不求知天"的，見《荀子·天論》），而是指儒家的
君道、人道——"仁"。惠施"弱于德，强于物"，儒道兩家對"德"的理
解不同，但用這句話批評惠施卻是兩家都可以接受的。惠施"卒以
善辯爲名"，而荀子對何爲"辯"之善作了嚴格的劃分，他説：

> 小人辯言險，而君子辯言仁也。言而非仁之中也，則其言不若
> 其默也，其辯不若其呐也。（《荀子·非相》）

荀子是只許"君子辯言仁"，不許"小人辯言險"的！因此，他又説：

> 無用之辯，不急之察，棄而不治。若夫君臣之義，父子之親，夫
> 婦之別，則日切瑳而不舍也。（《荀子·天論》）

除了這種對"辯"的二分法之外，荀子還有三分法，即"有小人之辯
者，有士君子之辯者，有聖人之辯者"（《荀子·非相》）。惠施之辯當
然不屬于後兩者。就在這種對"辯"的三分法中，荀子更透露了對
"小人之辯"的殺機："聖王起，所以先誅也，然後盜賊次之。"（同上）
荀子是把惠施等辯者視爲頭號敵人的！荀子之仁學的核心是禮論，
在荀子看來，與其"禮之理"相違背的也首先是辯者之辯。因此，他
説："禮之理誠深矣，'堅白''同異'之察入焉而溺。"（《荀子·禮
論》）

　　在先秦哲學中，最先提出停止"辯物"的是莊子。他批評惠施
"逐萬物而不反，是窮響以聲，形與影競走也。悲夫！"在停止"辯
物"這一點上，荀子與莊子是相同的，其區別只是莊子主張知止于

"至道"，荀子主張知止于"聖王"（見《荀子・解蔽》）。

在莊子之"至道"、荀子之"聖王"面前，先秦名辯思潮受到了重大挫折，然而給先秦名辯思潮以最致命打擊的可能是戰國末期異峰崛起的法家。韓非子在"以功用爲之的彀"，棄"無用不辯，不急之察"這一點上是與荀子的思想相同的。但荀子主張"君子辯言仁"，韓非子則將言行標準完全訴諸"法令"，提出"言無二貴，法不兩適，故言行而不軌于法令者必禁"（《韓非子・問辯》）。依此，則"辯"全無必要。"上之不明，因生辯也"，"'堅白''無厚'之詞章而憲令之法息"（同上）。只要君主頒明"法令"，則"辯"在"必禁"之列。

韓非子在禁"辯"的同時，對主張"大道不稱，大辯不言"、持"恬淡""恍惚"之説的道家思想也露出了殺機。他説：

> 恬淡，無用之教也；恍惚，無法之言也。……恍惚之言，恬淡之
> 學，天下之惑術也。《韓非子・忠孝》

在韓非子的政治王國裏，是不允許莊子那樣的"逍遙"隱士存在的："賞之譽之不勸，罰之毀之不畏"，這在韓非子看來，是在"首誅"之列（見《韓非子・外儲説右上》）。莊子似乎早已預料到這種結局，并預設了對付的辦法。所以，在《山木》篇中，其弟子問："昨日山中之木，以不材得終其天年；今主人雁，以不材死。先生將何處？"莊子笑曰："周將處乎材與不材之間……"在嚴酷的君主專制下，莊子一類隱士欲得到完全的"無累"是不可能的；爲了"保身""全生"，他們只能"處乎材與不材之間"。而這與儒家的所謂"窮則獨善其身，達則兼濟天下"實有某種程度的默契。在歷史上，莊子的"逍遙游"不知爲多少宦海失意的儒生提供了精神的避風港！魏晉時期，郭象注《莊子》，提出"夫聖人雖在廟堂之上，然其心無異于山林之中"。這更化解了"材"與"不材"之間的矛盾："材"即"不材"，用于世即不用于世，"應帝王"即"逍遙游"。

法家思想的獨尊隨着秦二世滅亡而成爲過去，漢初崇尚黃老，"恬淡之學，恍惚之言"有了發展的轉機。至漢武帝"罷黜百家，獨尊

儒術”，陰陽五行家的思想被儒學大量吸收，“陽儒陰法”、“儒道互
補”漸成爲中國政治、學術的基本格局。在先秦的“六家”顯學中，實
際上只有墨家和名家中道斷絶，而其中最帶有悲劇性的就是惠施
之學了。惠施的著作全部失傳，以致惠施的思想除了被人遺忘之外
就是遭人譏貶了。但從客觀上分析，惠施的有些思想仍然融入了中
國傳統哲學和文化的大潮之中。例如，他的“大一”和“小一”概念就
成爲中國傳統哲學自然觀中不可或缺的概念（儘管名詞表述可有
不同，參見《管子》之《心術上》、《内業》、《宙合》，《楚辭·遠游》，《呂
氏春秋·下賢》，《淮南子·俶真訓》，以及劉禹錫《天論》，張載《正
蒙·太和》，王夫之《正蒙注·太和》等）①，這是惠施之學對中國傳
統哲學的重大貢獻！然而，後世哲學家在沿用“大一”“小一”的思想
時，對其中深刻的自然辯證法内涵已經漠然不解了。古希臘的哲學
家正是從對類似于“無厚不可積也，其大千里”以及“充虚之相施
（移）易”這樣的命題的矛盾解析中，建構了原子論哲學②。惠施之
學爲中國傳統哲學埋下的原子論的種子，被“無用之辯，不急之察，
棄而不治”的思想扼殺了！此外，惠施的“去尊”思想、把王權視爲
“當其時而已矣”的權宜之計的思想，也被“君臣之義，無所逃于天
地之間”的思想掩埋了！這些不僅是惠施之學的悲劇，而且是中國
傳統哲學和文化的悲劇！

　　與惠施的命運相比，莊子要幸運得多。他的思想影響的廣泛深
遠已無庸贅談，僅以其著作而言，《莊子》一書不但一直流傳，而且
爲之作注者古今相續。魏晉時期，《莊子》倍受玄學家和佛學家的青
睞，此時難得的是竟也有人想起惠施——

----

① 後世哲學家對于這一思想的歸屬并不清楚，例如《朱子語類》卷六十
　三：“問：‘其大無外，其小無内。’二句，是古語，是自做？”朱熹只答曰：
　“《楚詞》云：‘其小無内，其大無垠。’”

② 參見拙著《中國氣論探源與發微》“氣論與原子論”一節。

　　司馬太傅問謝車騎：“惠子其書五車，何以無一言入玄？”謝
　曰：“故當是其妙處不傳。”（《世說新語·文學》）
莊子思想之“妙處”可以通過《莊子》書和《莊子注》不斷地領會，惠
施思想之“妙處”則需于“不傳”中艱苦地挖掘！

　　作者簡介　李存山，1951 年生，北京市人。中國社會科學雜志
社副編審。主要著作有《中國氣論探源與發微》。

尚水與守雌

——《老子》學說探源

劉寶才

内容提要　本文主要用《左傳》、《國語》中的一些材料說明,上古中國人經過長期社會實踐,對水和雌性事物的認識逐步深化,強烈地影響着思想文化發展。至西周末和春秋時代,這在政治思想方面已有突出表現。《老子》取水為喻闡發哲學思想,借助雌性引發出一系列理論觀點,表明《老子》學術思想具有深遠的歷史根源。

"先秦諸子之學,非至晚周之世,乃突焉興起者也。在此之前,旁薄鬱積,蓄之既久矣。至此又遭時勢,乃如水焉,衆派爭流;如卉焉,奇花怒放耳。"(呂思勉《先秦學術概論》第 4 頁)至于《老子》之學,古人班固說它出于史官,近代還在爭論;今人蒙文通先生提出其出于南方,70 年代以來楚文化的研究中發揮甚多。拙文擬換一個角度,不拘于職官和地域,仍從中國上古歷史整體背景出發,探索《老子》學說的淵源,主要是從《左傳》、《國語》中找出一些材料,牽合《老子》之言,試說《老子》尚水和守雌觀念的歷史根源。囿于見聞,不知前人或已論及,抑為淺薄不經之見,僅以正諸師友。

(上)《老子》與水

上古中國人經過長期社會實踐,認識到水、火、木、金、土五種自然物質與人類關係最爲密切,將其合稱爲"五行"。但《老子》書中没有火、金、土字樣,木字也只有三個,見于 64 章和 76 章。《老子》學說主要取譬于水。其論"道"有"不爭"的性質,則曰:"上善若水。水善利萬物而不爭,處人之所惡,故幾于道。"(8 章)其說"道"與萬物的關係,則曰:"譬道之在天下,猶川谷之于江海。"(32 章)其明"處下"的價值,則曰:"大國者下流,天下之交。"(61 章)又曰:"江海所以能爲百谷王者,以其善下之,故能爲百谷王。"(66 章)其言柔弱的功用,則曰:"天下莫柔于水,而攻堅强者莫之能勝,以其無以易之。"(78 章)此外,如描繪體道之士的精神狀態説:"豫焉若冬涉川。""渙兮若冰之將釋。"(15 章)講治國之術時説:"魚不可脱于淵,國之利器不可以示人。"(36 章)冰也,川也,淵也,江海也,皆不離水。

《老子》取水爲喻,當有深遠的歷史根源。空氣、土地和水爲人類生存必須的自然基礎。然而,上古之時,空氣與土地無不足之虞,土地肥瘠的差別,也不足以影響人類生存。水的有、無、多、少變化不居,便成爲關係上古人類生死、國家存亡的最大自然因素。人類社會與水休戚相關,人類意識也就打上了水的烙印。試看《左傳》、《國語》中的幾條材料:

　　昔共工……虞于湛樂,欲雍防百川,墮高堙庳,以害天下。皇天弗福,庶民弗助,禍亂并興,共工用滅。(《國語·周語下》)

　　鯀播淫其心,遂稱共工之過,堯用殛之于羽山。(同上)

　　禹……共工之從孫四岳佐之……疏川導滯,鍾水豐物,封崇九山,決汨九川,陂鄣九澤,豐殖九藪,汨越九原,宅里九奧,合通四海,……皇天嘉之,祚以天下,賜姓曰姒,氏曰有夏,謂其能以嘉

祉生物也。柞四岳國，命以侯伯，賜姓曰姜，氏曰有呂，謂能爲禹股
肱心膂，以養物豐民人也。（同上）

　　鯀郵洪水而殛死，禹能以德修鯀之功，契爲司徒而民輯，冥勤
其官而水死。（《國語‧魯語上》）

以上材料記載的治水傳説，證之以《堯典》、《舜典》，可知不爲
無據。其中提到的人物以共工爲最早，與黄帝同時，屬於史前傳説
時代；冥爲最晚，他是商湯之後第九代人。因此，上述記載可以視爲
傳説時代至商代中期千餘年的中國治水史。從中可以看出，人們最
初對水這一自然力量缺乏認識，採用違背自然規律的辦法治水，因
而屢遭失敗。共工與鯀未能治平洪水，不是因爲他們偷懶苟安（“虞
于湛樂”）。試想：當時洪水成災，水患未除，共工有什麼安樂可圖
呢？況且到處堵塞河流，挖山填澤，也絶不是輕鬆的事情。共工治
水失敗，至鯀受命治水時，前有覆車之鑒，爲什麼仍然採取共工的
錯誤辦法呢？只能説明，從共工到鯀，人們還没有認識水的性質，因
而没有找到有效的辦法來治水。後來，禹在共工的從孫四岳協助下
治水，總結了教訓，認識了水的性質，從而找到了合乎自然規律的
治水辦法。所謂“禹能以德修鯀之功”，這句話裏的“德”字應解爲
“性”，是説禹能夠依照水的自然本性治理洪水。禹治水成功，不僅
是千古傳頌的偉業，也是上古中國人認識自然的里程碑，必然對後
代思想發展產生深遠影響。

這裏要問，傳説中的洪水時代究竟是怎麼一回事？我國氣象、
地理學家竺可楨先生研究證明，地球上各區域降雨量經過數十年
或數百年便會發生周期性變化，交替出現多雨期和少雨期。這種周
期性變化，自遠古以來已經出現過多次了。我國古史專家徐旭生先
生認爲，傳説中的洪水時代就是發生在四、五千年前的中原地區的
一個多雨期。由于連年降雨過多造成河流泛濫、湖泊漲溢。並非如
詩人想象的那樣，魚兒在山腰游戲，人類都被困到一個個孤立的山
頂上去了。如果發生了那樣的滔天洪水，又持續幾代人之久，人類

早該滅絕了。

進一步問，爲什麼洪水時代特指四、五千年前的一個多雨期，而不是其前或其後的任何一個多雨期？難道能夠證明這一次多雨期洪水之大空前絕後嗎？不是。雖然不能證明這次發生了空前絕後的大洪水，但可以證明這次洪水帶來的災難特別巨大，給人們留下了最爲深刻的記憶。原因是這樣的：在石器時代，爲了生存的需要，人類都是居住在湖泊、河流附近。考古學家發現，離開水邊一、二里以外，絕對沒有石器時代的遺址，這可以説是一條規律。因此水災很容易危害人類生活。不過當人類還處於漁獵與畜牧經濟的階段，遇到多雨期洪水爲害，漁獵生產不會受到太大影響，人們也可以把家畜趕到高處“逐水草而居”。到了初入農業經濟階段，遇到多雨期洪水爲害，人們要離開定居地點就不容易了。不僅因爲重建廬舍、重置器物變得更爲複雜，更棘手的是，當時的耕地處於莽莽森木包圍之中，耕地被淹没後，要用石器工具砍伐森林、開墾新的耕地，必須花費多年艱辛的勞動。當時的人想要改換居住和耕地的位置，會遇到幾乎無法克服的困難。傳説炎帝是農業的發明者，説明四、五千年前中國社會處于初入農業經濟的階段。這個歷史階段遇上了一個多雨期，洪水造成的困難必然特別巨大，災難留給人們的印象難以磨滅。這就是洪水傳説發生于那個特定時代的原因。

如上所説，洪水時代是一個特定的多雨期。這個時期過去以後，水仍然是古代人類生存不能脱離又最難控制的自然力量。冥爲水官而死于水，就是一個明證。我們還可以看到，水是《周易》經文中一個反復出現的主題，400多句簡短的卦爻辭中，“涉大川”一語出現了十次（見于《需》、《同人》、《蠱》、《大畜》、《益》、《渙》、《中浮》、《訟》的卦辭以及《頤》上九、《未濟》六三爻辭）。此外，《坤》卦六二爻辭占問以方舟渡河之事，《泰》卦九二爻辭占問用葫蘆渡河之事，也都是講涉水。涉水過河是古代人類生活中不可避免又充滿危險的事情，單這一點就可以説明水與古代人類關係特別密切了。水多爲患,水少也會爲患。"昔伊、洛竭而夏亡,河竭而商亡。"(《國語·周語上》)旱災使得河流乾枯,竟成爲夏、商滅亡的重要原因。

《左傳》成公五年(公元前 586 年)和《國語·晉語五》説"國主山川",《國語·周語上》説"國必依山川",都説明山、水與國家命運關係密切。在山、水兩者中,古人認爲水更爲根本,因爲"川竭,山必崩"(《國語·周語上》),没有水的滋潤,山就會枯乾草木不生,以至朽壞而崩坍。

水與人類社會關係這麼重大,與水作鬥爭成爲古代人類改造自然的重要方面,人們逐步從實踐經驗中總結出帶有理論性的認識。所謂"古之長民者不墮山,不崇藪,不防川,不竇澤"(《國語·周語下》),已將治水原則與治國原則聯繫起來。這個原則的表層含義是不要墮毁高山,不要填塞沼澤,不要攔阻河流,不要引湖泊外流,背後的深層觀念是順任而不違背自然規律。這個順任自然的認識被擴大到政治思想方面,一些開明的統治者常常以治水説明治民原則。西周末年,邵公反對周幽王壓制輿論時説:"防民之口,甚于防川。川雍而潰,傷人必多,民亦如之。是故爲川者決之使導,爲民者宣之使言。"(《國語·周語上》)春秋時代,晉國政治家里克説:"使百姓不有藏惡于心中,恐如雍大川,潰而不可救御也。"(《國語·晉語二》)楚大夫令尹子常也説:"夫民心之慍也,若防大川焉,潰而所犯必大矣。"可謂地無分南北,人無分華夷,都把水與政治思想聯繫起來了。所以説,《老子》以水喻道,闡發哲學思想,其源在于整個中國上古歷史的大背景,而不僅僅是由某一地域文化發展而來的。

(下) 守雌種種

注重雌性是《老子》學説的一大特徵。其書云:"知其雄,守其雌,爲天下谿。"(28 章)又云:"天門開闔,能無雌乎。"(10 章)還有其它説法,如將"道"比爲"玄牝"(6章)和"天下母"(25章),將大國喻爲"天下之牝",所有這一切都是雌性的贊頌詞。

這裏有兩個問題。一是,主張"守雌"是否説明《老子》思想源於母權社會?有學者認爲,這是一種女權優於男權的觀念,説明《老子》思想源于極早時代(見呂思勉《先秦學術概論》第27頁)。也有學者由"守雌"推斷,《老子》思想來源於"三易"中的《歸藏》。因爲《禮祀·禮運》篇稱《歸藏》爲《坤乾》,表明早已失傳的《歸藏》的卦序是首坤次乾,具有注重雌性的思想,與《老子》的觀點一致(見梅養天《老子思想淵于歸藏易論》,載於1947年出版的《怒潮》第15期。又見金景芳《中國奴隸社會史》第286頁—287頁)。這些學者都很嚴謹,没有直接説《老子》思想是源於母權社會。由于研究不夠,對這個問題暫且存而不論。第二個問題是《老子》書裏"守雌"思想的豐富内容,亦即由"守雌"引發出來的哲學和政治觀點,能不能在《左傳》和《國語》中找到來源?這是下邊要着重討論的。

《老子》之學崇尚"自然"。司馬遷説《老子》的宗旨是"無爲自化,清靜自正"(《史記·老子韓非列傳》),班固説《老子》的精神是:"清虚自守,卑弱自持"(《漢書·藝文志》),都是崇尚"自然"的意思。《老子》五千言,依據"自然"之意闡述了它的全部理論觀點。有趣味的是,這些理論觀點,每一個都是借助雌性事物引發出來的。因爲雌性"應而不倡",爲"後之屬也"(《老子》10章、28章王弼注),從而引出後發處下的觀點;因爲"雄動而倡,雌靜而處"(《老子》28章李嘉謨注),從而引出儉嗇無爲觀點;因爲主張儉嗇無爲,所以反對用智;因爲雌性的生育現象表現爲一種無窮的循環往復(依馮友蘭先生説,《老子》25章的"周行"即周而復始的循環運行),從而又引發出其盈虚禍福轉化説。

了解《老子》理論觀點與"守雌"的聯繫之後,再來比較《老子》與《左傳》、《國語》中的相關材料:

(1) 關于後發處下

《老子》聲稱"不敢爲天下先"（67章），就是"應而不倡"，也就是後發的否定説法。不爲天下先有時間上後發的含義，又不限于此。王弼注説："唯後，外其身，爲物所歸，然乃能立成器，爲天下利，爲物之長。"可見不爲天下先還有以己身爲下，以己身爲輕，以己身爲外的含義。《老子》説的"善用人者爲之下"（68章），"欲上民者以言下之，欲先民者必以身後之"（66章），都不是指時間上的先後，而是指爲人之道的處下、謙讓。《老子》教導人們"不自見"、"不自是"、"不自伐"、"不自矜"、"不爭"（22章），中心意思也是要人謙卑。在《老子》看來，後發處下是成功的根本所在。春秋時代，這類觀點絶非《老子》獨有。《左傳》莊公十六年（公元前684年）記載：長勺之戰時，齊、魯兩軍對陣，魯莊公急于擊鼓進攻，參乘曹劌説："未可。"齊軍三次攻擊後，曹劌才説："可矣。"魯軍發起反擊，一下子打敗了齊軍。《左傳》昭公二十一年（公元前521年）記載："軍志有之：先人有奪人之聲，後人有待其衰。"兩處都説到戰爭中後發制人的意義。後一處還指出後發是當時兵書上已有的理論，不只是個別人的看法。《國語·周語中》記述單襄公的話説："君子不自稱也，非以讓也，惡其蓋人也。夫人性，陵上者也，不可蓋也。求蓋人，其抑下滋甚，故聖人貴讓。"這是從"人性"出發説明必須"貴讓"，更是一條思想史上的可貴材料。

（2）關於儉嗇無爲

《老子》宣稱"儉"是"三寶"之一（見67章），又説"治人事天者莫若嗇"（59章）。"嗇者，有而不用也"（蘇轍注），與"儉"同義。儉嗇有節約財物的意思，即"使有什伯之器而不用"（80章）和"儉用其財"（魏源注）。這種觀點在《左傳》、《國語》裏也可見到。如《國語·周語中》記載：周定王派劉康公去魯國聘問。劉康公到了魯國，給諸大夫分發禮幣時看到，季文子和孟獻子居處儉樸，叔孫宣子和東門子家居處奢侈。回到洛陽後，他向定王説："今夫二子者儉，甚能足用矣，用足則族可以庇。二子者侈，侈則不恤匱，憂必及之，若是則必廣其身。且夫人臣而侈，國家弗堪，亡之道也。"《老子》指斥當時的統治者奢侈腐敗說："朝甚除，田甚蕪，倉甚虛，服文綵，帶利劍，厭飲食，財貨有餘，是爲盜夸，非道也哉！"(53 章)進而揭露他們奢侈腐化造成社會經濟、政治危機："民之饑，以其上食稅之多，是以饑。民之難治，以其上有爲，是以難治。民之輕死，以其上求生之厚，是以輕死。"(75 章)《左傳》、《國語》中批評統治者奢侈的記載也不少。周厲王"專利"，大夫芮伯說："匹夫專利，猶謂之盜，王而行之，其歸鮮矣。"(《國語·周語上》)楚靈王收羅逃亡者修築章華宮，大夫無寧把他比做昏慵暴虐的殷紂(見《左傳》昭公七年)。令尹子常想要"蓄貨聚馬"，大夫鬥且說他像餓狼一樣貪婪(見《國語·楚語下》)。魯莊公修整桓公廟，要彩繪楹柱，雕刻椽頭，匠師說這種有損先君儉德的事大可不做(見《國語·魯語上》)。《老子》的儉嗇無爲觀點，正是這類言論的理論總結。

(3) 關於反對用智

《老子》大聲疾呼："智慧出，有大僞"(18 章)，"絕聖棄智，民利百倍；絕巧棄利，盜賊無有"(19 章)，強烈反對以智治國。研究者多已指出這種觀點失於片面和極端，是很中肯的。不過，還應注意其與儉嗇無爲觀點的聯繫。正如《老子》的"不敢爲天下先"不是僅指時間先後一樣，它的儉嗇也不是僅指節約財力物力，還有愛惜精神的含義。"儉用其財則家富"和"愛寶其神則精盛"(《老子》59 章魏源注)兩句話結合起來，才是對《老子》儉嗇觀點的全面理解。後一句尤其重要，它是《老子》及其開創的道家學派學術的特質。

有兩段材料，與《老子》反對用智的思想相似。一段見於《左傳》昭公十八年(公元前 524 年)，說周大夫原伯魯"不說學"，魯國的閔子馬聽到後推測："夫必多有是說，而後即其大人。"又推測：當時脫離"正道"的思想已經流行起來，大夫原伯魯可能怕民間有了學問會失"正道"而生惑亂，所以提出"可以不學，不學無害"的口號。兩種推測雖然有異，都反映出了一個事實，那就是春秋時確實有人反對學習知識。《老子》主張"不以智治國"可能與此有某種曲折的聯繫。另一段材料見于《國語・魯語下》，公父文伯之母説："昔者聖王之處民也，擇瘠土而處之，勞其民而用之，故長王天下。"認爲故意使人民勞苦反而能夠長久維持統治，故意使人民貧困的統治者反而是"聖王"，當然是一種怪論。不過這裏説"昔聖王"有此政策，暗示《老子》説的"非以明民，將以愚之"的"古之善爲道者"（65章）不純是虛構，至少在思想史上應該早有類似觀念。對於《老子》反對用智的觀點的淵源，現在只能説到這個程度。

要澄清的一點是，不管《老子》反對用智的理論如何偏激，也不能認爲它提倡愚民政策。在這一點上，《老子》與公父文伯之母有所不同。《老子》自稱"愛民治國"（10章），在其理論體系中，反對用智出于"愛寶其神"，使人民不因精神勞瘁而損傷身體。《老子》主張"愛民"，公父文伯之母主張"勞民"。《老子》書中多處稱揚赤子、嬰兒的無知無識，認爲那是最富有生命力、最合乎自然的狀態。又稱聖人"爲天下渾其心"（49章），自言"我愚人之心也哉"（20章），可見《老子》反對用智不只是對人民説的，也是對聖人和自己説的。《老子》反對用智不是爲了愚弄人民。《老子》的理想社會是一個自然的天趣圈，理想公民是渾然自適的天人。那裏没有等級社會裏尊卑秩序，没有宗法制度下的孝子賢孫，有的只是一幅詩意盎然的大寫意畫。這是一種烏托邦，是一種比儒家大同理想浪漫無比的烏托邦。它是空想，但不是愚民政策。

（4）關于盈虛禍福

《老子》9章："持而盈之，不如其已。揣而梲之，不可長保。金玉滿堂，莫之能守。富貴而驕，自遺其咎。功遂身退，天之道。"《國語・越語下》："天道盈而不溢，盛而不驕，勞而不矜其功。"兩者觀點的一致一目了然。《越語》中這句話是范蠡在魯哀公九年（公元前492年）説的，時間已是春秋末年，但至少還可以説明，《老子》成書時，中國社會已有這類思想。而且范蠡的思想是更早出現的陰陽五行思想的發展，不好說《越語》的話抄自《老子》。《老子》58章：“禍兮，福之所倚；福兮，禍之所伏。”《左傳》、《國語》中類似觀念表現亦多。《左傳》襄公二十三年（公元前550年）記載，臧孫說：“季孫之愛我，疾疢（疹）也；孟孫之惡我，藥石也。美疢不如惡石。疹之美，其毒滋多。孟孫死，吾亡無日矣。”成公十六年（公元前575年）記載，范文子說：“外寧必有内憂。”《國語·晉語六》記載，范文子說：“唯聖人能無外患又無内患。詎非聖人，不有外患，必有内憂。”“戰若不勝，則晉國之福也；戰若勝，亂地之序者也，其產將害大。”《國語·周語下》記太子晉的話說：“禍不好不能爲禍。”社會生活中禍福轉化的辯證法已經被普遍察覺，《老子》的禍福倚伏理論，不能與之没有源流關係。

　　以上四個方面的比較顯示，《老子》“守雌”思想的種種觀點，在《左傳》、《國語》中大致都有程度不等的表現。這就是說，西周末年和春秋時代，社會意識中已經出現《老子》思想的種種因素。《老子》學說是這些因素的系統化和理論化的發展，與這些因素有源流關係。

　　最後，筆者有兩點一般性認識：一、《老子》學說思辯性較强，又不像儒、墨那樣“俱道堯舜”，“明據先王”（《韓非子·五蠹》），自舉其學說淵源，因而給人帶來突兀難以索解之感。以上探索說明，不管《老子》理論多麼抽象，文辭多麼玄妙，《老子》學術還是植根于一定歷史階段的社會生活，并非天外飛來的東西。二、古人有一種顛倒觀念。《莊子·天下篇》言“道術爲于下裂”，班固說諸子各出于王官之一職，都以爲上古實有一個完美的學術整體，後代各學派都只是那個完美學術整體的一個片面。這種顛倒觀念是學術史上復古主義的認識根源。學術發展的真實歷史正好相反，是從片斷到系統，從粗淺到精深，從雛形而成體的前進發展過程。作爲淵源的種種先前出現的思想因素，只是後來爲某一學派吸收、改造、加工、整理而系統化理論化,才得到發展成熟。支流不能等于江河,更不能大于江河;學術發展中的源流關係亦復如此。記住這一點,對于研究歷史上的社會意識和當代社會意識都是重要的。

作者簡介　劉寶才,1938 年生,陝西華陰人。1961 年畢業于西北大學歷史系。現為西北大學中國思想文化研究所副教授,中國先秦史學會副理事長。發表過《先秦思想史上的陰陽五行學說》等數十篇學術論文。

試談《文子》的年代與思想

張岱年

内容提要 近年河北定縣漢墓出土竹簡中有《文子》殘卷,證明《文子》確是漢初古籍。本文通過比較《文子》與《淮南子》、《孟子》、《莊子》、《易傳》、《呂氏春秋》等書的部分文字,認爲《文子》是漢文景之時黄老學派的著作。文章并從道與一、道與陰陽、無爲與有爲、道與仁義、論時變、天人相類等六個方面分析了《文子》的思想,肯定它是司馬談所說的"道家"著作,并對《淮南子》、董仲舒等都產生了很大影響。

《漢書·藝文志》著錄《文子》九篇,原注:"老子弟子,與孔子并時,而稱周平王問,似依託者也。"《隋書·經籍志》"《文子》十二篇",原注:"老子弟子,《七略》有九篇。"今傳本《文子》十二篇,同於《隋志》。過去多數學者認爲《文子》是偽書,所以中國哲學史著作中很少談到文子。近年河北定縣40號漢墓出土的竹簡中,有《文子》殘簡,證明《文子》確是漢初古籍。但是,《文子》即令是《漢志》之舊,而是否就是先秦的舊籍,似乎還需要作進一步的考察。

關于老子的年代,至今仍無定論。我認爲孔老同時的傳說還是有根據的。傳說文子是老子弟子,所以《漢志》說"與孔子并時"。《文子》一書是否"與孔子并時"的文子所著呢?班固說:"與孔子并時,而稱周平王問,似依託者也。"前人已經指出,《文子》書中所謂

"平王"是楚平王,而非周平王。但是,《文子》一書是否楚平王時人
的著作呢?《左傳》哀公六年,記載孔子曾稱贊楚昭王,"初,昭王有
疾,卜曰:河爲祟。王弗祭。……孔子曰:楚昭王知大道矣。其不失
國也宜哉!"楚昭王是平王之子。如果文子曾與楚平王對話,其年歲
應不少于孔子。"稱周平王問"是依託,稱楚平王問,是否即非依託
呢?

　　《文子》書中有許多文句同於《淮南子》。過去很多學者認爲《文
子》係抄襲了《淮南子》(我也曾如此看),現在《文子》竹簡出土,證
明不是《文子》抄《淮南子》,而是《淮南子》抄襲了《文子》的文句。這
個問題已經得到了結論。其實,以兩書相校,有的章節也可證明《淮
南》抄襲《文子》。例如《淮南子·修務訓》莊刻本云:"若吾所謂無爲
者,私志不得入公道,嗜欲不得枉正術,循理而舉事,因資而立權,
自然之勢,而曲故不得容者。"清代學者考證,立字下脱功字。《文
子》的《自然》篇有相同的文句,作"循理而舉事,因資而立功,推自
然之權,曲故不得容。"這證明《文子》確非抄襲《淮南》。

　　《文子》雖然未抄《淮南》,卻抄襲了《莊子》、《孟子》等書。柳宗
元《辨文子》説:"其旨意皆本老子,然考其書,蓋駁書也,其渾而類
者少,竊取他書以合之者多,凡《孟子》輩數家皆見剟竊。"按《文子》
引用《莊子》之語甚多,如《符言》篇"無爲名尸,無爲謀府,無爲事
任,無爲智主"語見《莊子·應帝王》。《九守》篇"故其生也天行,其
死也物化,靜即與陰合德,動即與陽同波"語見《莊子·刻意》。又
《精誠》篇云:"是謂坐馳、陸沉。""坐馳"一詞見《莊子·人間世》,
"陸沉"一詞見《莊子·則陽》。在《莊子》書中都有上文,《文子》卻只
引用了這兩個名詞,顯然在《莊子》之後。《文子·上禮篇》云:"若夫
至人定乎死生之意,通乎榮辱之理,舉世譽之而不益勸,舉世非之
而不加沮。"這顯然是因襲《莊子·逍遙遊》所謂"且舉世譽之而不
加勸,舉世非之而不加沮,定乎内外之分,辨乎榮辱之境"。《莊子》
是用此語贊述宋榮子(宋鈃),而《文子》以爲至人之行。《文子》多處

引用孟子的辭句,如《精誠》篇:"夫憂民之憂者民亦憂其憂,樂民之樂者民亦樂其樂。故憂以天下,樂以天下,然而不王者未之有也。"《符言》篇:"求之有道,得之有命。"《文子‧精誠》還抄錄了《易傳‧文言》的辭句,如云:"大人與天地合德,與日月合明,與鬼神合靈,與四時合信。"這後二句稍有改變,前二句完全是照抄。又《上義》篇云:"凡學者能明于天人之分,通于治亂之本。"按"天人之分"是荀子所強調的,《莊子‧大宗師》講"知天之所爲、知人之所爲者,至矣",《秋水》討論了"何爲天?何謂人?"但明確講"天人之分"的是荀子。《文子》所謂"明于天人分"恐係本于荀子。

《文子‧下德》有一段話,其中的語句又見于《莊子‧讓王》及《呂氏春秋‧審爲》。今將三處文句抄列如下:

《文子‧下德》

　　身處江海之上,心在魏闕之下,即重生,重生即輕利矣。猶不能自勝,即從之,神無所害也。不能自勝而強不從,是謂重傷。重傷之人無壽類矣。

《莊子‧讓王》

　　中山公子牟謂瞻子曰:身在江海之上,心居乎魏闕之下,奈何?瞻子曰:重生,重生則利輕。中山公子牟曰:雖知之,未能自勝也。瞻子曰:不能自勝則從,神無惡乎。不能自勝而強不從者,此之謂重傷,重傷之人無壽類矣。

《呂氏春秋‧審爲》

　　中山公子牟謂詹子曰:身在江海之上,心居乎魏闕之下,奈何!詹子曰:重生,重生則輕利。中山公子牟曰:雖知之,猶不能自勝也。詹子曰:不能自勝,則縱之。神無惡乎!不能自勝而強不縱者,此之謂重傷,重傷之人無壽類矣」

《莊》、《呂》所載是魏牟與詹何的對話,其中語句乃有感而發,詹何是針對魏牟的情況而立論的。《文子》卻是作爲一個抽象的原則而提出的。詹何、魏牟不可能背誦《文子》的語句來問答。顯然,《文子》此節是抄襲《莊》或《呂》的辭句。《莊子‧讓王》不知作于何時，《呂氏春秋》成于戰國之末。《文子》此節不可能早于戰國後期。

《文子·道原》有一段話，又見于《淮南》，亦見于《禮記·樂記》。今試加以比較：

《文子·道原》

　　人生而靜，天之性也；感物而動，性之害也。物至而應，智之動也；智與物接，而好憎生焉。好憎成形，而智狀于外，不能反己，而天理滅矣。

《淮南子·原道訓》

　　人生而靜，天之性也；感而後動，性之害也。物至而神應，知之動也；知與物接，而好憎生焉。好憎成形，而知誘于外，不能反己，而天理滅矣。

《禮記·樂記》

　　人生而靜，天之性也；感于物而動，性之欲也。物至知知，然後好惡形焉。好惡無節于内，知誘于外，不能反躬，天理滅矣。

《樂記》此節受到宋代理學家的稱贊，其實出于《淮南》，而《淮南》本于《文子》。《樂記》成于漢武帝初年，《淮南》成于漢景武之際。如此，《文子》書的撰作年代不能晚于漢景帝時。

《文子·自然》云："神農形悴，堯瘦癯，……孔子無黔突，墨子無煖席。"按墨子曾獻書于楚惠王，惠王是平王之孫。與楚平王同時的文子何能言及墨子？這幾句也可能是後人增益。然從《文子》大部分的文句看，此書不可能是春秋時期的著作。根據以上的論證，我初步認爲，《文子》的著作年代，最早不能早于戰國後期，最晚不能晚于漢景帝時。我的初步推斷是，《文子》一書是漢文景之時黄老學派的著作。這還可以從《文子》中的思想來考察。

漢武帝時史學家司馬談著《論六家要指》，其中評論道家説："其爲術也，因陰陽之大順，采儒墨之善、撮名法之要，與時遷移，應物變化，立俗施事，無所不宜。"按今存道家之書，如《老子》、《莊子》，皆無"采儒墨之善、撮名法之要"的内容，惟有《文子》一書既宣揚虛無無形之道，又承認仁義的價值，同時又肯定"世異則事變，時移則俗易”,可以説是“采儒墨之善、撮名法之要”。所以,認爲《文子》是文景之時道家學者的著作,是比較符合實際的。《文子·上禮》云:

> 世之將喪性命,猶陰氣之所起也,主暗昧而不明,道廢而不行,……天下不合而爲一家,諸侯制法各異習俗,……自此之後,天下未嘗得安其性命、樂其習俗也。賢聖勃然而起,持以道德,輔以仁義,近者進其智,遠者懷其德,天下混而爲一,子孫相代輔佐,黜讒佞之端,息未辯之説,除刻削之法,去煩苛之事。

這正是贊述漢代初年承戰國之後、統一天下、執行與民休息政策的情況。這也是《文子》作於文景之世的明證。

關于《文子》的思想,兹舉出六個問題加以論述:(1)道與一,(2)道與陰陽,(3)無爲與有爲,(4)道與仁義,(5)論時變,(6)天人相類。

(1) 道與一

《文子》繼承老子“道”的觀念,重複《老子》所謂“有物混成,先天地生,惟象無形”,認爲“夫道者高不可極,深不可測,苞裹天地,稟受無形,……忽兮恍兮,不可爲象兮;恍兮忽兮,用不屈兮!”(《道原》)但又認爲這無形之道也就是“一”。《道原》云:“無形者一之謂也,……視之不見,聽之不聞,無形而有形生焉,無聲而五音鳴焉,無味而五味形焉,無色而五色成焉,故有生于無,實生于虛。……道者一立而萬物生矣。”按《老子》講“道生一”,一與道屬於不同層次。《老子》三十九章:“昔之得一者,天得一以清,地得一以寧”。注釋家或認爲“一”即是道,但《老子》未嘗説一即是道。首先提出“一”即是道的乃是《文子》。《文子·道德》説:“一也者,無適之道也,萬物之本也。”明確肯定一即是道。《淮南子·原道訓》云:“所謂無形者,一之謂也。……道者一立而萬物生矣。”又《詮言訓》云:“一也者,萬物之本也,無敵之道也。”這都同於《文子》,應是因襲了《文子》。

《淮南子·天文訓》云:“道始于一,一而不生,故分而爲陰陽,陰陽合和而萬物生。故曰：一生二，二生三，三生萬物。"又《精神訓》云："夫精神者所受于天也，而形體者所稟于地也。故曰一生二，二生三，三生萬物。"兩次引《老子》，都略去"道生一"一句。而《文子·九守篇》云："夫精神者所受于天也，骨骸者所稟于地也，故曰：道生一，一生二，二生三，三生萬物。"仍引了《老子》"道生一"一句。從這裏也可以窺見《文子》與《淮南》的先後關係。《文子》雖然提出一即是道，但還不敢否認老子所謂"道生一"，到《淮南》則完全不承認"道生一"了。這也足以證明《文子》先於《淮南》。

（2）道與陰陽

老子"貴柔"，意在以柔勝剛，以弱勝強。老子講"萬物負陰而抱陽，冲氣以爲和"，陽是正面的，陰是反面的。《文子》提出"尚陽"之說。《文子·上德》云：

天氣下，地氣上，陰陽交通，萬物齊同。……天氣不下，地氣不上，陰陽不通，萬物不昌。……陽氣動，萬物緩而得其所，是以聖人順陽道。……陽滅陰，萬物肥；陰滅陽，萬物衰。故王公尚陽道則萬物昌，尚陰道則天下亡。……陽氣盛，變爲陰；陰氣盛，變爲陽。故欲不可盈，樂不可極。

這一方面肯定陰陽的和合，一方面強調陽道的積極作用。

友人陳鼓應同志語我：《文子》尚陽道值得注意。我認爲這正是《文子》"采儒墨之善"的一種表現。

（3）無爲與有爲

我在舊作《中國哲學大綱》中曾引述了《淮南子》的無爲論，認爲《淮南》的無爲論其實是一種變相的有爲論。以《淮南》與《文子》參照，始知《淮南》的無爲論本于《文子》。《文子·道原》云：

所謂無爲者，不先物爲也；無治者，不易自然也。

又《自然》篇云：

所謂無爲者，非謂其引之不來、推之不去，迫而不應、感而不動，……謂其私志不入公道，嗜欲不挂正術，循理而舉事、因資而立功，推自然之勢，曲故不得容，事成而身不伐、功立而名不有。

後來《淮南·修務訓》正是根據此意而加以引申潤色。這種無爲論可以說是對於老子無爲論的修正，是具有重要價值的。

(4) 道與仁義

《老》、《莊》之書，都推崇道德而貶低仁義，不承認仁義的價值。《文子》有所不同，一方面肯定道德高於仁義，一方面又認爲仁義也有一定的價值。《道德》篇云：“物生者道也，長者德也，愛者仁也，正者義也，敬者禮也。不畜不養，不能遂長；不慈不愛，不能成遂；不正不匡，不能久長；不敬不寵，不能貴重。故德者民之所貴也，仁者民之所懷也；義者民之所畏也；禮者民之所敬也。此四者文之順也，聖人之所以禦萬物也。”又說：“誠使天下之民皆懷仁愛之心，禍災何由生乎？”這認爲仁義禮都是必要的。但又重複了《老子》“大道廢有仁義”之說：“道散而爲德，德溢而爲仁義，仁義立而道德廢矣。”(《精誠》)“仁者人之所慕也，義者人之所高也。爲人所慕，爲人所高，或身死國亡者，不周于時也。故知仁義而不知世權者，不達于道也。”(《微明》)于是認爲道德與仁義有深淺之異：“古之爲君者，深行之謂之道德，淺行之謂之仁義，薄行之謂之禮智。此六者國之綱維也。”(《上仁》)這樣，《文子》爲道德與仁義排列了高下的次序。既宣揚所謂道德，又肯定仁義的相對的重要性，這也是“采儒墨之善”的表現。但《文子》終究屬于道家，還是強調道德高于仁義。

> 循性而行謂之道，得其天性謂之德，性失然後貴仁義，仁義立
> 而道德廢，純樸散而禮樂飾。(《上禮》)

把道德與仁義對立起來。儒家認爲仁義即是道德，道家認爲仁義是道德的背離。這是根本不同的。

(5) 論時變

《文子》還宣揚了時變觀念，《道德》篇云：

> 執一世之法籍，以非傳代之俗，譬猶膠柱調瑟。聖人者應時權
> 變，見形施宜，世異則事變，時移則俗易，論世立法，隨時舉事。上
> 古之王，法度不同，非古相反也，時務異也。是故不法其已成之法，

而法其所以爲法者，與化推移。

又《上義》篇云：

> 治國有常，而利民爲本。……苟利于民，不必法古；苟周于事，不必循俗。故聖人法與時變，禮與俗化。衣服器械，各便其用；法度制令，各因其宜。故變古未可非，而循俗未足多也。

這種重視時變的觀點顯然是受了法家商鞅、韓非的影響。《莊子》書中也有肯定時變的言論，如《秋水》篇云："夏蟲不可以語于冰者篤于時也。……昔者堯舜讓而帝，之噲讓而絕；湯武爭而王，白公爭而滅。由此觀之，爭讓之禮，堯桀之行，貴賤有時，未可以爲常也。"但不如《文子》"世異則事變、時移則俗易"講得顯明。《文子》區別了"已成之法"與"所以爲法者"，《莊子·天運》亦云："夫六經，先王之陳迹也，豈其所以迹哉？"區別了"迹"與"所以迹"。《文子》提出"所以爲法"，可以説觀點更爲顯明。

（6）天人相類

《文子·九守》云：

> 天有四時五行、九解三百六十日，人有四支五藏、九竅三百六十節；天有風雨寒暑，人有取與喜怒，膽爲雲，肺爲氣，脾爲風，腎爲雨，肝爲雷。人與天地相類，而心爲之主，耳目者日月也，血氣者風雨也。

這是"天人相類"説，可以説是董仲舒"天人感應"説的前導。天人關係是漢代思想的主要問題，《文子》這一方面也表現漢代思潮的特點。

以上略論《文子》的主要思想，這些思想確實表現了"采儒墨之善，撮名法之要，與時遷移，應物變化，立俗施事，無所不宜"的面貌。所以，《文子》應是漢初道家的一部重要著作。

《文子》竹簡的出土，證明《文子》確屬漢代古籍，證明《淮南子》與《文子》相同的文句是《淮南子》抄《文子》，而非《文子》抄《淮南子》。《漢書·藝文志》載《文子》九篇，《隋書·經籍志》著錄《文子》十二篇，今本亦是十二篇。這九篇與十二篇的差別是分合的不同還是多寡的不同，今日已難考察。也可能多出的三篇是後人附益的。而後人附益的是那三篇，亦難考定。《文子》竹簡尚未公布，其與今本的異同尚難詳論。

班固說文子是老子弟子，當有所據。《論衡》以老子文子並稱，以老子文子與孔子顏淵相比（《自然篇》），也符合文子是老子弟子之說。《韓非子·內儲說上》：“齊王問于文子曰：治國何如？對曰：夫賞罰之爲道，利器也，君固握之，不可以示人”。其說是發揮了《老子》所謂“國之利器不可以示人”，似亦與老子有關。司馬貞《史記索隱》引劉向《別錄》云：“《墨子》有文子，文子，子夏之弟子，問于墨子。”按子夏弟子即是孔子的再傳弟子，與老子弟子的文子恐非一人。從《文子》書的內容看，其中包含了戰國後期的典故，如“身處江海之上，心在魏闕之下”之類，決非春秋末年的著作，也可能是文子及其後學的著作的匯編。無論如何，《文子》是道家的一部重要著作，這是確然無疑的。

作者簡介　張岱年，1909 年生，河北獻縣人。北京大學哲學系教授、清華大學思想文化研究所所長、中國哲學史學會名譽會長，著有《中國哲學大綱》、《張岱年文集》等。

説 "黄老"

李 零

内容提要 "黄老之術"盛于兩漢,是上承先秦道家,下啟漢末道教的重要環節。"黄老"之"黄"本是數術、方技等類實用書籍的一種時髦題材,來源是《世本·作篇》類的發明傳說。它雖派生出陰陽、道家之"黄",但并不限于哲言式的道論。而"老"是代表以養生為體、刑名為用的古代道論,與前者知識系統相近,内容形式互補。故二者并稱不是混融合一,而是互為表裏。它們構成後世道教的理論基石。最後,作者還按知識背景把儒、墨與陰陽、道、法、名分為二系,指出儒、墨相非而歸于儒,陰陽、道、法、名互通而歸于道,是中國思想史的基本格局,後者與前者至少是平分天下。

"黄老之術"風靡漢代,在學術史上至關重要。當時所謂的"黄"是黄帝書,"老"是《老子》,這點很清楚。但"黄"、"老"何以會并稱?它們的内在聯繫到底是什麽?這類問題卻值得探討。

一、黄帝書的分布範圍

我們先談"黄"。黄帝書和《老子》不同,它不是一種書,而是一類書。這類書的共同點是以黄帝故事為形式。如道家書《管子》、《莊子》、《鶡冠子》,法家書《商君書》、《申子》、《慎子》、《韓非子》,雜家書《尸子》、《吕氏春秋》，數術書《山海經》，方技書《黄帝内經》，兵書《孫子》、《尉繚子》，以及《左傳》、《國語》、《大戴禮》、《禮記》，還有漢代緯書，它們都講黄帝故事。這些故事不僅是衆口相傳的成説，還發展爲書籍體裁的一種。如《尉繚子·天官》引用黄帝書《刑德·天官之陳》篇①，就是戰國已有黄帝書的證明。

古代黄帝書有很多種，如《漢書·藝文志》著錄：

（一）《諸子略·道家》有：(1)《黄帝四經》四篇；(2)《黄帝銘》六篇；(3)《黄帝君臣》十篇(注：起六國時，與《老子》相似)；(4)《雜黄帝》五十八篇(注：六國時賢者所作)；(5)《力牧》二十二篇(注：六國時所作，托之力牧。力牧，黄帝相)。

（二）《諸子略·陰陽家》有：(1)《黄帝泰素》二十篇(注：六國時韓諸公子所作)；(2)《容成子》十四篇。

（三）《諸子略·雜家》有：孔甲《盤盂》二十六篇(注：黄帝之史，或曰夏帝孔甲，似皆非。案：據王應麟《漢書藝文志考證》，此孔甲是黄帝史)。

（四）《諸子略·小説家》有：《黄帝説》四十篇(注：迂誕依托)。

（五）《兵書略·兵形勢》有：《蚩尤》二篇(注：見《吕刑》)。

（六）《兵書略·兵陰陽》有：(1)《黄帝》十六篇(注：圖三卷)；(2)《封胡》五篇(注：黄帝臣，依托也)；(3)《風后》十三篇(注：圖二卷。黄帝臣，依托也)；(4)《力牧》十五篇(注：黄帝臣，依托也)；(5)《鵊冶子》一篇(注：圖一卷)；(6)《鬼容(臾)區》三篇(注：圖一卷。黄帝臣，依托)；(7)《地典》六篇。

（七）《兵書略·兵技巧》有：《蹴鞠》二十五篇(案：據《史記·衛將軍驃騎列傳》索隱、正義引劉向《別錄》，此書亦戰國時人依托

---

① "天官之陳"，今本作"天官"，此據《群書治要》卷三七和《孫子·計》杜牧注引。參看鄭良樹《〈尉繚子〉校證》(收入所著《竹簡帛書論文集》，中華書局1982年)的討論。

黄帝)。

（八）《數術略·天文》有：(1)《黄帝雜子氣》三十三篇；(2)《泰階六符》一卷（案：即《漢書·東方朔傳》注引應劭説提到的《黄帝泰階六符經》)。

（九）《數術略·曆譜》有：《黄帝五家曆》三十三卷。

（十）《數術略·五行》有：(1)《黄帝陰陽》二十五卷；(2)《黄帝諸子論陰陽》二十五卷；(3)《風后孤虚》二十卷。

（十一）《數術略·雜占》有：《黄帝長柳占夢》十一卷。

（十二）《方技略·醫經》有：《黄帝内經》十八卷，《外經》三十七卷。

（十三）《方技略·經方》有：(1)《泰始黄帝扁鵲俞拊方》二十三卷；(2)《神農黄帝食禁》七卷。

（十四）《方技略·房中》有：(1)《容成陰道》二十六卷；(2)《天老雜子陰道》二十五卷；(3)《黄帝三王養陽方》二十卷。

（十五）《方技略·神仙》有：(1)《黄帝雜子步引》十二卷；(2)《黄帝岐伯按摩》十卷；(3)《黄帝雜子芝菌》十八卷；(4)《黄帝雜子十九家方》二十一卷。

這些書都是依托黄帝或黄帝君臣問對。黄帝臣有所謂"七輔"（四輔三公）、"六相"（天地四時之官）等官①，皆模仿戰國秦漢官制。書題所見人物，風后、天老、地典、力牧皆在"黄帝七輔"之内（其他三人是知命、五聖、窺紀，或説"七輔"有鵊冶而無風后）②，蚩尤是黄帝"六相"之一（《管子·五行》），封胡、鬼臾區、岐伯也是有名的黄帝臣。其分布範圍主要是集中于數術、方技類的實用書，以及數術之學在兵學中的分支即兵陰陽；見于諸子，則主要是陰陽、道兩家及其小説雜記。

---

① 參看《路史·後紀》卷五和《管子·五行》。
② 參看《路史·後紀》卷五。

它們當中,只有《黃帝内經》保存下來,《黃帝銘》有逸文①,《風后》可能與傳世的《風后握奇經》有關,《地典》有新發現的銀雀山漢簡殘篇②,其他都已亡逸。但傳世的黃帝書如《黃帝授三子玄女經》(講式法)、《黃帝龍首經》(講式法)、《黃帝九鼎神丹經》(講煉丹)、《素女經》(講房中)、《玄女經》(講房中)等,很多也都是兩漢故籍③。

二、黃帝書與《世本》

黃帝書見于史志著錄和傳于後世,主體是數術方技之"黃"。數術方技是古代的"技術"總匯,既包括今之所謂科學技術,也包括淵源古老的巫術和方術。其中數術偏于天道陰陽,方技偏于醫藥養生,各爲陰陽家和道家所本,是它們的知識背景。陰陽家和道家之"黃"與數術、方技之"黃"在内容上也是互爲表裏。

古代的技術傳授習慣采用"依托"的形式。我們已經指出,"依托"是古代實用之書表達其技術傳統的一種特殊形式,不同于僞造④。技術傳統都是累世積澱,比如現在的物理學就是從亞里士多德一直講到愛因斯坦。古人爲各門技術尋根,追上去都相當古老。它不可能像諸子之學有晚近的"宗師",當然只好依托。但這并不等

① 如《太平御覽》卷三九〇引黃帝《金人銘》,《路史·後紀》卷五引黃帝《巾几銘》。
② 有吳九龍《銀雀山漢簡釋文》(文物出版社1985年)所收未經整理的簡文。
③ 關于這些書的年代,請看李零《"式"與中國古代的宇宙模式》(《中國文化》第四期)、陳國符《〈道藏經〉中外丹黃白法經訣出世年代考》(收入趙匡華編《中國古代化學史研究》,北京大學出版社1985年)、李零《馬王堆房中書研究》(《文史》第35輯)。
④ 李零《出土發現與古書年代的再認識》,《九州學刊》3卷1期。

于説寫書的人可以信口胡編。他依托誰，不依托誰，還是很有講究。其來源是《世本·作篇》這樣的東西。

《世本》是講"世"（世系）。"世"在古代很重要，是貴族子弟的必修課（《國語·楚語上》）。貴族社會最重血統宗法。譜牒世系不僅爲史家所重（《史記》就是以"世"爲框架），而且諸子家法、技術傳授也都體現着這種精神。春秋戰國時期，血緣關係借地緣關係擴大，同時也被地緣關係稀釋。世系越亂，人們對它的强調越厲害。如當時的銅器銘文常常以"某某之子，某某之孫某某"開頭，甚至溯其初祖于"黄帝"（陳侯因資敦），誇其先世所居爲"禹迹"（秦公諸器和叔弓鎛），就是這種風氣的反映。《世本》是戰國末年趙人所作①。它的內容，《帝系》是主幹，《王侯》是分支，《卿大夫》又次之，《氏姓》（記姓氏）、《作》（記發明）、《居》（記居邑）、《謚法》（記死謚）是有關附錄。當時的"帝系"都是混融各姓。本來每一族姓都有自己的"帝"（"帝"即"嫡"的本字，是嫡出的始祖），但由于黄帝族的後裔特別發達，故很多"帝系"都是以黄帝爲中心。《世本·作篇》把大多數發明都歸于黄帝君臣的名下，與此是同步現象。

中國古代傳説主要是世系傳説，發明傳説是它的重要組成部分。《世本·作篇》講各種發明，如"伶倫作律"，"容成作曆"，"蒼頡作書"，"史皇作圖"等等，都只有一句話，但這些短句卻是構成黄帝故事的"叙事母題"（motive）。例如：

（一）在數術書中，"黄帝戰蚩尤"就是一種很重要的故事。傳説蚩尤發明兵器（《世本》），號稱"兵主"（《史記·封禪書》）。古代出兵前要祭蚩尤，叫"貙祭"（《周禮·地官·肆師》）。黄帝戰蚩尤于涿鹿，屢戰不勝，後得玄女之授和風后之助始克之（《太平御覽》卷一五引《黄帝玄女戰法》和《志林》）。玄女所授"戰法"和風后"法鬥機

---

① 陳夢家《世本考略》，收入所著《六國紀年》（上海人民出版社 1956年）。

作指南車"都與式法有關。後世式家皆祖玄女、風后(六壬式亦稱玄女式),就是來源于這個故事。另外兵家傳陣法有所謂"風后八陣圖"(《風后握機經》),《抱朴子·極言》說黃帝"審攻戰則納五音之策",還有古代體育中的角抵和蹴鞠(《述異記》卷上和《別錄》),也都和這個故事有關。

(二)古代方技書除《素問》、《靈樞》一類醫經是依托黃帝六臣問對(黃帝與岐伯、鬼臾區、雷公、少師、伯高、少俞的問答),號稱"雷岐之術",服食家講黃帝煉九鼎神丹而龍升(《黃帝九鼎神丹經》、《黃帝龍首經》),房中家講黃帝問道素女、玄女(《素女經》、《玄女經》),號稱"玄素之法",也都有它們講故事的一些固定套子。

古代數術方技之書和諸子書在形式上有一定相似。諸子書的體裁來源是"事語",也是由"故事"和"言語"(分"直言"和"對話"二體)而構成。但數術方技之書傳授的是技術而不是思想。對它來說,"故事"本身只是大家熟悉的一種套子,借以推出對話人物,引起討論。整個對話以解惑釋疑的形式層層展開,也是爲教學的目的而設計。當時的作者和讀者都能領會這種"戲劇化"語言,根本不像辯偽學家所推想,只是借名人欺世。

三、黃帝書的新發現

對于研究黃帝書,出土材料很重要。例如銀雀山漢簡中的《孫子兵法》逸篇《黃帝伐赤帝》和《地典》,馬王堆帛書中的《十六經》和《十問》中的部分篇章(後者是竹書)就是屬于新發現的黃帝書。

這四種黃帝書,《黃帝伐赤帝》是屬于兵陰陽類的古書,內容是解釋《孫子·行軍》中的"黃帝之所以勝四帝也"。借此可知,黃帝是靠"右陰,順術倍(背)冲"而戰勝青、赤、白、黑四帝。《地典》也是兵陰陽類的古書,內容是借黃帝、地典問對,講作戰地形的方向、陰陽、高下、死生、順逆、向背等概念,以及作戰中對各種作戰地形的選擇和其中的忌諱。《十六經》共十四篇(外加無標題的一章),其中有八篇是借黃帝君臣問對講陰陽刑德和法術思想。《十問》是一種古房中書的摘鈔,共十組問答,其中前四組爲黃帝與天師(即岐伯)、大成、曹熬、容成等人的問對,全是講房中術中的"養陽"之法。四種書中,尤以《十六經》最引人注目。

《十六經》是《老子》乙本卷前的四種古逸書之一。其他三種是《經法》、《稱》和《道原》。這四種書,學者推爲《漢志·諸子略》道家類中的《黃帝四經》①,是值得商榷的。因爲四書雖與《老子》合鈔于一卷,并同屬"黃老刑名"的大範圍,但四書只有《十六經》是以黃帝君臣問對的形式寫成,其他都是直言式的一般道論,合定爲《黃帝四經》是相當可疑的。

我們理解,《十六經》應是單獨一書。書中對話人物,力黑即傳世古書中的力墨或力牧,在書中出現最多。閹冉、果童不詳。高陽,學者多以爲即帝高陽氏顓頊,恐怕不對。案《素女方》逸文記黃帝臣有高陽負,疑即此人。太山之稽即傳世古書中的太山稽。而所謂"四輔"估計就是《史記·五帝本紀》所説黃帝舉以治民的"風后、力牧、常先、大鴻(即鬼臾區)"。此書雖不必就是《黃帝四經》中的一經,但它與《老子》同鈔,是"黃老刑名"的直接證明。

在《十六經》中,我們可以發現黃帝故事的一些新綫索。如:

(一)《立命》講"黃帝四面",可與《尸子》印證。借此可知,它是把黃帝擺在一個四方十二位的方圖當中,這種圖式顯然與式法常用的圖式直接有關。

(二)《五政》、《政亂》講"黃帝擒蚩尤",後者提到黃帝殺蚩尤,剝其皮做箭靶,剪其髮做旌旗,充其胃做鞠(足球),并腐其骨肉爲醢(肉醬),使天下營之,以儆效尤。這不僅爲《別錄》説黃帝作蹴鞠

---

① 唐蘭《馬王堆出土〈老子〉乙本卷前古逸書的研究》,《考古學報》1975年1期。

提供了注腳,還爲戰國銅器魚鼎匕銘的理解找到了綫索。

魚鼎匕傳出山西渾源,現藏遼寧省博物館。銘文(釋文中的難字皆直接用破讀字代替)曰:

曰:延(誕)有昏人,述(墜)王魚鼎,曰:欽哉,出游水蟲。下民
無智(知),參蚩尤命。帛(薄)命入羹。忽入忽出,毋處其所。

過去讀不懂,現在對照《政亂》可知,銘文是把鼎中魚羹比做"蚩尤醢",要下民以蚩尤爲戒。此匕就是盛魚羹的鼎所配。

馬王堆帛書《十六經》應屬道家之"黃",它與"老"最接近,也以哲言的方式講思想。但這種"形而上"的黃帝書只是黃帝書中的一種,在形式上與其他"形而下"的黃帝書仍很相似,有同樣的故事套子。故事來源仍是數術方技之"黃"。古人所說"黃老"之"黃"從來都是泛指黃帝書,絕不限于道家之"黃"。

四、《老子》與刑名法術

《老子》的內容是由一種"無中生有"的宇宙生成說(道)和"清靜無爲"的處世哲學(德)而構成,在先秦諸子中最抽象,因此似乎可以包容一切,并爲各種不同角度的理解留有充分餘地。雖然後世解老多依王弼注,主要是從哲理講《老子》。但研究漢代學術史,我們可以發現,它還有另外兩種傳授系統,即刑名法術的系統和養生神仙的系統。

這裏我們先講前一個系統。

關于戰國秦漢時期刑名法術之學與《老子》的關係,學者多有討論,這裏再做幾點補充。

第一,我們應當注意的是《老子》在西漢道家中的地位。現在我們所說的道家,範圍比較窄,只限于老、莊一類書,而西漢道家書卻包含許多不同種類。如《漢志·諸子略》的道家書是分四種:

(一)陰謀書。即目中首列的《伊尹》、《太公》、《辛甲》、《鬻子》、

《管子》（“管”字原从竹从完）五書（下文《周訓》一書可能亦屬此類）。伊尹佐商滅夏，太公佐周滅殷，辛甲、鬻子也是周文王和武王身邊的名臣、師保。它們都屬于“《周書》陰謀”，和《逸周書》有關①。齊地流行管、晏之書也是類似題材。這類書都是依托名賢講治國用兵。

（二）先秦道經。即其次的《老子》（有鄰氏、傅氏、徐氏、劉向四家説）、《文子》、《蜎子》（環淵之書）、《關尹子》、《莊子》、《列子》、《老成子》、《長盧子》、《王狄子》、《公子牟》、《田子》（田駢之書）、《老萊子》、《黔婁子》、《宮孫子》和《鶡冠子》等書，以及列在下一類書後面的《孫子》、《捷子》（接子之書）、《鄭長者》、《楚子》等書。

（三）黄帝書。列在上一類書的後面，已引見上文。

（四）西漢道論。即目中列在最後的《曹羽》、《郎中嬰齊》、《臣君子》、《道家言》等書。

這四類書中的第一類，從現存《太公》書（《六韜》及其他逸文）和《管子》來看，都講治國用兵。第二類中的《鶡冠子》也講治國用兵（在漢代還被視爲兵書）。第三類，從馬王堆帛書《十六經》來看，也是借道論講刑名法術。第四類皆逸，但估計也是漢初黄老風氣下糅和道、法的論著。它們都和刑名法術有密切關係。

第二，古代道家和儒家相似，也有從内守（偏于哲學和倫理）向外施展（擴大到治國用兵），形成剛柔相濟的過程。孔子落泊一生，始終不得志，但子夏之徒在政治上卻很活躍，對晋、鄭法術派傳統的形成有重要影響。同樣，道家也是如此。他們强調順應天道，形神相葆，也是退可以養生延命，自求多福；進可以治國用兵，兼濟天下。如《老子》除去講養生處世，也講“以正治國，以奇用兵，以無事

---

① 如《太公》見于古書引用，往往題爲《周書》。《淮南子·精神》高誘注稱之爲“陰謀圖王之書也”。

取天下”①。《史記》以管、晏同傳,老、莊、申、韓同傳,反映的是戰國學術傳統。正如學者多已指出,漢代之所謂道術與刑名法術本來就是同出一源,在初是很難分開的。

第三,《老子》一類道經與戰國流行的講刑名法術和兵略的書在精神實質上是息息相通。例如司馬談《六家要指》以爲“大道之要”在于“去健羨,絀聰明,釋此而任術”,強調放棄一切人爲的東西,完全以道術爲依歸(反對“揠苗助長”,主張“太公釣魚”)。呂思勉先生已指出,法家之要是“釋情而任法”②。同樣,兵家也有類似的講法。例如《孫子·勢》有“擇人而任勢”一語,據考,這句話中的“擇”字應讀爲“釋”③,可見也是屬于類似的講法。孫子認爲士之勇怯并無一定,完全取決于環境(所謂“勇怯,勢也”),所以有“愚兵投險”的馭兵之術。

戰國晚期政治家對道術的關心主要是應用,從刑名法術解釋《老子》,《韓非子》的《解老》和《喻老》是代表作。

五、《老子》與養生神仙

《老子》在戰國末和西漢初的“黃老之術”中主要是被用于刑名

---

① 《老子》有治國用兵之論,但學者稱之爲兵書卻不妥。因爲按《七略》的體例,諸子論兵,如《伊尹》、《太公》、《管子》、《孫卿子》、《鶡冠子》、《蘇子》、《蒯通》、《陸賈》、《淮南王》,凡有專篇,皆兼載于《兵書略》,而其中并沒有《老子》。可見此説實出後人推想,并非古人原有的理解。又劉宗漢先生説,《莊子》内篇始之《逍遙遊》而終之《應帝王》,也兼有内外之用。

② 呂思勉《先秦學術概論》(中國大百科全書出版社 1985 年)93 頁:“法家精義,在于釋情而任法”。

③ 見瀧川資言《史記會注考證》(上海古籍出版社 1986 年)下册 2043 頁和裘錫圭(筆名:求是)《説“擇人而任勢”》(《文史》第 11 輯)。

法術,但它内在的東西是養生。道家講道,與陰陽家不同。陰陽家講道,是直接脱胎于數術之學,關心的主要是天道陰陽本身,帶有更多本體論色彩。而道家講道,則是從養生的角度去講,例如《老子》把"道"比喻爲一個至大無外、其深無比的生殖器(玄牝),説天地萬物皆從中化育,就是一種擬人的宇宙生成論。它認爲"人法地,地法天,天法道,道法自然",人能順應自然,方謂"德"。它把有德之人喻爲"嬰兒",説"含德之厚,比于赤子",認爲"赤子"是"元陽",代表了生命力,就像周棄、摩西、羅慕路斯和勒摩斯式的棄嬰,是不可傷害的。古人所謂"養生",都是養其所生(即養性),首先是保存這種生命力,進而是袪病延年,最後是要達到畢天地而不朽,叫做"通于神明"。

《老子》書中没有直接談到神仙,但古之所謂"神仙"只是養生的最高境界。道家書談哲理,喜歡處于一定的精神狀態下,就好像嬉皮士聽搖滾要吸毒,吸過毒,聲音、顔色都變了。如《老子》説"載營魄抱一,能無離乎?專(摶)氣致柔,能嬰兒乎","蓋聞善攝生者,陸行不遇兕虎,入軍不被甲兵。兕無所投其角,虎無所措其爪,兵無所容其刃"一類話,《莊子》述鯤鵬徙南溟,仙人游四海,都是講這種養生境界。古代方技講養生神仙,道家也講養生神仙,二者有不解之緣。後者的很多術語和概念都是借自前者,如《老子》以玄牝喻道,强調"天下之交也,牝恒以靜勝牡"(今本有誤,此據帛書本),就與房中術有一定關係。

古代道家本與方技相通,常被研究者忽略。其實對道家來説這是更根本的東西。漢代傳《老子》,有河上公《章句》、嚴遵《指歸》和張陵《想爾注》等書,其中都有以方技解老的内容。《史記·樂毅列傳》講漢初黄老之授,有"河上丈人教安期生,安期生教毛翕公,毛翕公教樂瑕公,樂瑕公教樂臣公,樂臣公教蓋公,蓋公教于齊高密、膠西,爲曹相國師"的一派。這個"河上丈人"就是河上公。其名號使人想到垂釣渭濱的太公,和張良師事的黄石公相似,也是帶有神秘色彩的人物。張良一派的兵書《黃石公三略》是西漢古書①，河上公《章句》也是西漢就有的古書②。過去學者把它定爲東漢或魏晉的古書皆失之太晚。

河上公、嚴遵、張陵一派的解老，後世主要流傳于道教系統，不爲人們重視。特別是《想爾注》以房中解老，更被視爲荒謬。但馬王堆房中書的發現卻證明，儘管此派解老頗多穿鑿附會和庸俗曲解，但把《老子》術語當房中詞匯實不始于《想爾注》，而是至少在漢初就已存在。如這些書用"赤子"、"脧氣"指元陽，"玄門"指陰門，"握固"指固精，就都是借自《老子》③。可見這類解釋乃是兩漢固有的一種傳統。

過去王明先生曾説，自漢初迄三國，老學凡有三變：西漢初年主治國經世，東漢中至東漢末主治身養性，三國流行虛無自然之玄論④。其實我們倒不如把這三變看作老學固有内涵的展開過程，只不過各個時期的側重點有所不同罷了。比如漢初，雖然黃老主要是刑名法術，但當時也包含其他兩類内容。如整個西漢，抽象的道論和神仙方術都很發達。當時學黃老者差不多都有兩面。人們認爲秦失不在用法，而在離道而言法，所以主張墨守成規，"無爲而治"，這只是一方面。另一方面，當時的執政大臣，如蕭何、曹參、張良、陳平，他們學黃老，還有一大本事是會保護自己，對上裝糊塗，飲酒不治事，甚至棄人間事而從赤松子游，唯恐步韓信等人的後塵。它説明黃老即使在當時也有用于内守的一面。

① 見吳樹平《黃石公三略譯注》前言（收入《兵家寶鑒》，河北人民出版社 1991 年）。

② 見金春峰《漢代思想史》388—394 頁和附錄三。

③ 天師道所傳《黃書》以"合氣"指男女交合，也見于馬王堆帛書《養生方》。《抱朴子·微旨》以"卻走馬"指固精不瀉，也是借自《老子》。

④ 王明《老子河上公章句考》，收入所著《道家和道教思想研究》（中國社會科學出版社 1984 年）。

六、黄、老的結合與歸宿

黄帝書與《老子》從形式上看有許多不同。比如"黄"多爲故事而"老"則是哲言，"黄"偏技術而"老"重思想。但兩者并稱，必有原因。

黄、老相通，我想首先還是由于它們在知識系統上比較接近。我們在前面講過，數術方技是道家所本。黄帝書既是數術方技之書最時髦的題材，而《老子》也是道論之雄，二者並稱，當然也就是代表了這兩個方面的結合。前者是後者的知識基礎，後者是前者的理論抽象，正好相得益彰。其次，古代道論常借"故事型"的道家言做通俗解説，如《莊子》多用寓言，《漢志》兼載陰謀書，就有這種奇效。黄帝君臣的故事，内容屬于古代習見的"黄金時代"或"理想國"。黄帝垂衣而天下治，與儒家稱道堯、舜相似，正好可以圖説演義《老子》，代表其"無爲而治"思想的"至治之極"。另外，黄帝也像老子一樣是養生家所推崇的"老壽星"，從養生神仙的角度講，他也是一種楷模。所以二者會合鈔并習，甚至創作出兼有黄、老特點的道家之"黄"①，是一點也不奇怪的。

我們在這裏提到黄、老合流是系統相近的古代知識與哲學思想的結合，這點很重要。因爲任何天馬行空的哲言都離不開一定的知識背景。讀先秦子書，我們會發現許多"不言而喻"（術語没有解釋，故事掐頭去尾，引文缺乏出處）。但古人"不言"并不等于没有，乃是因共知共識，把注腳隱于背景深處。它們是研究古代思想家對話語境的基本綫索。例如在先秦諸子中，儒、道相非，主張不同，但還是有一些共同的爭論對象或話題，如仁、義、道、德、禮、法等。我們要想弄清這些概念的是非同異，就得挖掘它們的深層背景。比如

---

① 《列子・天瑞》引《黄帝書》而文出《老子》，或與此有關。

儒家本之詩書禮樂,"不語怪神,罕言性命"(《後漢書·方術列傳》),同數術方技似乎最疏遠,但它傳《周易》和《春秋》還是同數術有關。《周易》是卜筮之書,本來就屬於數術。《易傳》對《周易》有哲學化的解釋,但總不能離天道陰陽而言之。古代易學除"儒門易"還有"數術易",後者在漢代有很大勢力。如馬王堆帛書《周易》的卦序就很接近孟、京式的卦氣説,雙古堆漢簡《周易》在每條經文後都附以《龜策列傳》式的漢代通俗占辭,也是爲占家所用。《春秋》是史書。史官的看家本事是陰陽數術(如太史公一家)。他們按曆法編排史事,照例要穿插天象災異和卜筮預言。漢代讖緯最重《易》和《春秋》,與這種傳統是分不開的。可見即使是儒家也和這種背景有一定關係。

通過對陰陽家和道家的研究,我們可以看得比較清楚,它們是數術方技之學更直接的延續,而黃老之術又是融通二家與二學的新體系。黃老之術在東漢仍很興盛,以至被奉爲"黃老道"(《後漢書·皇甫嵩傳》),對道教的形成很重要。《抱朴子·釋滯》也提到魏晉時代"道書之出于黃老者"頗多續作,"遂令篇卷至于山積"。現在的《道藏》是宋以來才結集而成,年代已相當晚,但在《道藏》中我們仍能看到"黃老之術"的許多重要遺產。像上面提到的《黃帝授三子玄女經》、《黃帝龍首經》、《黃帝九鼎神丹經》等,很多都是賴《道藏》而傳,而《老》、《莊》、《列》、《文》一類書也是其道經的核心。它們對道教知識體系和哲學基礎的形成起了重要作用。

七、餘論:六家重議

上述討論可以説是"跳出黃老看黃老"。其實推廣開來,我們對整個先秦諸子都不妨作如是觀。

漢初司馬談《六家要指》分諸子爲陰陽、儒、墨、名、法、道六家。陰陽是史官的看家本事,道家是當時的萬能理論,最其所重,故其叙述是始之陰陽而歸宗于道。劉歆《七略》增加縱橫、農、雜、小説四家皆非思想流派（縱橫、農是專門之學，雜、小説非家），講思想流派仍不出于六家。它以儒、道、陰陽、法、名、墨排列六家，升儒于首而降墨于終，反映了漢武帝以後的學術變化。現在的思想史著作往往先講儒、墨顯學，然後講後期儒、墨和陰陽、道、法、名等家，側重哲學，側重存書，兼顧年代，但框架仍未離于《六家要指》。

　　近來，有學者提出"先秦無六家"説，認爲六家之分純屬司馬談的創造①。這種説法聽來快意，好像一切都可以推倒重來，然而實際上卻既無用處也未必合于事實。因爲第一，先秦固有"儒者"、"墨者"之名，"儒分爲八，墨分爲三"，至少不能説是司馬談的創造。第二，先秦亦有陰陽之説、道德之論、形名之辯、法術之議，司馬談定的陰陽、道、法、名四家，是指儒、墨以外的這類説法。他把這一大類加以析分，雖然没法完全分開，但還是比籠統地放在一起講要方便得多。這種分類屬于整理而非創造，從内容上講還是反映戰國學術。

　　我以爲，作爲思想流派，先秦諸子可大别爲兩類，一類是以詩書禮樂等古代貴族教育爲背景或圍繞這一背景而爭論的儒、墨兩家，一類是以數術、方技等實用技術爲背景的陰陽、道兩家和從道家派生的法、名兩家（或刑名法術之學）②。

　　先秦六家傳于後世，第一類墨亡而儒存，是賴六藝之學而傳；第二類陰陽、法、名亡而道存，是賴數術方技而傳，都是附麗于原有的知識背景。

---

① 任繼愈《先秦哲學無六家——讀〈六家要旨〉》，收入《中國哲學史論》（上海人民出版社 1981 年）。

② 先秦名辯思潮雖有各派參加，但戰國形名（亦作刑名）之學主要還是同法術有關。參看呂思勉《先秦學術概論》，第 90—91 頁。另外，可順便指出的是，兵書如《孫子·勢》和《墨子·旗幟》也把旌旗徽章之制稱爲"形名"。

我想,以學術背景把握大的思想流變,這是兩條基本綫索。

(1992 年 9 月 5 日寫于北京薊門里)

作者簡介 李零,1948 年生,山西武鄉人。現任北京大學副教授,著有《長沙子彈庫戰國楚帛書研究》等。

《管子·經言》思想"法、道、儒"融合的特色

——再論《經言》并非管仲遺著

胡家聰

内容提要 《管子·經言》這組文獻,包括《牧民》、《形勢》、《權修》、《立政》、《乘馬》、《七法》、《版法》、《幼官》和《幼官圖》等篇。我們對上述篇章從文獻的實際出發,進行縝密的考據和研究,一反傳統史書著録的管仲遺著説,而認爲是田齊變法的時代產物,出自稷下先生之手,具有"法、道、儒"思想融合的特色。

《經言》是否屬管仲遺著

從歷史考據説,齊國歷史上曾出現過兩次霸業,一次是姜齊時齊桓公和管仲"尊王攘夷"的霸業,在春秋前期(公元前 685—643);再一次是田齊時威王、宣王變法圖强的霸業,在戰國中期(公元前 356—301)。兩次霸業在時間上相隔三個多世紀,中間經過齊桓公死後的五子爭位、靈公時滅掉萊國、景公時晏嬰爲政以及田氏貴族專齊政近百年,田齊取代姜氏政權,到戰國中期才有威王、宣王時的變法改革、爭霸稱王,繼而醖釀稱帝的帝制運動。尤其在前後兩次霸業之間,經歷了春秋戰國之際的社會大動盪,從舊貴族領主制到新貴族地主制的轉變,在政治、經濟、軍事、文化等方面均出

現了體制上的變化。齊桓、管仲"尊王攘夷"霸業和威王、宣王變法
圖强霸業有三百多年的大跨度,怎能不顧歷史的前後間隔,把兩者
混爲一談呢?

而《管子·經言》之傳統的管仲遺著說,恰恰是混淆齊國歷史
上的兩次霸業,把兩者混同起來。歷代史書對《管子》書著錄爲春秋
管仲遺著,那是古人受到了歷史的局限。然而至當代仍有人維護傳
統舊說,作《管仲遺著考》①。但當代學者郭沫若、馮友蘭、顧頡剛、
張岱年等不同意《管仲遺著考》維護傳統舊說,而各有所論,都認爲
《管子》是戰國著作。經過周密的歷史考據,《管子·經言》各篇思想
內涵所反映的"王天下"(《形勢》)、"正天下"(《七法》)、"帝、王、霸"
聯提(《乘馬》、《幼官》)等等說法,與齊桓、管仲"尊王攘夷"的霸業
根本上不相應合。所謂"王天下"、"正天下"是以齊國爲基地的"王
天下"、"正天下",帶着鮮明的戰國色彩;而且"帝、王、霸"聯提反映
出田齊威、宣時由爭霸取勝而稱王,又由稱王醞釀稱帝,力圖"王天
下"、"正天下"。上述種種提法,都不與齊桓、管仲時的霸業相應,而
與威王、宣王時的霸業相合。其具體的考證,見筆者所撰《〈管子·
經言〉作于戰國考辨》(《管子學刊》1987 年創刊號)。

《經言》的學派性質和特徵

從《經言》諸篇文獻的實際出發,其思想內涵具有綜合性、系統
性。恰如《管仲遺著考》所說:"《經言》各篇乃是一個不可分割的完
整的思想體系。"我們根本不同意管仲遺著的舊說,卻十分贊成《經
言》內涵是一個不可分割的完整的思想體系,可稱之爲"牧民"等說
的體系,係田齊威、宣時變法圖强的歷史產物。其學派性質屬于齊

---

① 關鋒等《管仲遺著考》,認爲《管子·經言》係管仲遺著,見《春秋哲學
史論文集》,人民出版社 1968 年版。

法家，其學派特徵與秦商鞅派法家唯法是用、反對禮教不同，而是吸收老子道家思想、孔孟儒家思想形成爲齊法家“法、道、儒”思想的融合、帶有濃重的黄老色彩。筆者依據對《經言》諸篇的歷史考證和思想剖析，撰寫成《從〈管子·經言〉看齊法管理國家的學説》論文（刊在《管子研究》第一輯書内，山東人民出版社 1987 年版），可以參考。

《管子·經言》作于田齊，出自稷下。當時官辦的大學堂稷下學宫，聚集了來自齊國内外的許多學者，著書立説，傅授弟子，并提供政治咨詢。《史記·田齊世家》説：“宣王喜文學游説之士，自如鄒衍、淳于髡、田駢、接予、慎到、環淵之徒七十六人，皆賜列第爲上大夫，不治而議論。”這裏，注意兩點：（1）稷下先生七十六人是絶對數字，指名的僅有六人，佚名的卻有七十人之多。《管子·經言》係推崇并依托管仲的法家著作，屬于齊法家學派的稷下先生們很可能均在佚名的七十人之内。（2）所謂“不治而議論”，指稷下先生不擔任行政實職，而參與議政，提供咨詢。

《經言》諸篇乃是法家學派稷下先生參與議政，向田齊君主提供咨詢的著作，還有其思想内涵的内證。《牧民》所説：“毋蔽汝惡，毋異汝度，賢者將不汝助”，三個“汝”字均指國君，體現出直陳諫言的本色。《牧民》更提出：“察于時而審于用而能備官者，可奉以爲君也。”好大的口氣，竟提出“奉以爲君”的標準來。論説“王天下”之道的《形勢》，其中所論：“言而不可復者，君不言也；行而不可再者，君不行也。凡言而不可復、行而不可再者，有國者之大禁也。”這裏的“有國者”無疑指君主，説過的錯話“不可復”，做過的錯事“不可再”，也是直陳諫言。《權修》政論中“牧民者”應如何如何凡九見，明明是寫給國君看的。《版法》係“牧民”學説的撮要，短短篇文寫在版櫝上，獻給國君以爲座右銘。如此等等，可以證明係管子學派佚名稷下先生出謀獻策、提供咨詢之作。《經言》諸篇的内涵每篇各有重點，而以《牧民》爲綱要形成一個思想體系，即齊法家“法、道、儒”思想融合的體系；由于出自當時"百家爭鳴"的稷下之學，因而帶有"因道全法"的濃重的黄老氣息。

如何理解"法、道、儒"思想融合？

田齊變法自然是推行法家政治。從變法的政治、經濟、軍事、文教等新的體制説來，《經言》思想體系所反映的正是這些封建性的新體制，而不是舊貴族領主制的舊體制。這是對傳統的管仲遺著説的一種否定。再從《經言》所體現的學派淵源和特徵説來，"牧民"思想體系的最大特點是戰國時期"法、道、儒"三家學説融爲一體。這是對傳統的管仲遺著説的又一種否定。

怎樣理解"法、道、儒"思想的融合呢？

一是融合的學術淵源。法、道、儒三家出于不同的地區文化，各有代表人物。孔子曾問禮于老子，因而老子先于孔子。老子、孔子生活于春秋末，實際上已開始傳播其道家、儒家學説，分別見于《老子》和《論語》。孔子、子思、孟子的儒家學説傳承主要在魯鄒一帶。老子、莊子的道家學説傳播主要在楚宋一帶。而法家學説的興起，首先是魏文侯任用法家李悝實行變法，"盡地力之教"以發展農業生產，作《法經》而以法治國。適應舊貴族領主制轉變爲新貴族地主制的歷史趨向，變法浪潮推向楚、秦等國，乃有法家吳起在楚國的變法，李悝弟子商鞅在秦國的變法，以及齊國威、宣時的變法。簡言之，法家、道家、儒家各有其地區文化的學術淵源。從春秋末葉到戰國中期，三家學説的傳播逐漸擴展開來，才有田齊變法的"法、道、儒"思想的融合。實質上，這是受歷史規律制約的。

二是稷下"百家爭鳴"的特定環境。稷下之學興盛于威、宣時是爲變法改革盡力的。這裏，諸家各派學術爭鳴、交流，好像一座熔爐，對來自楚、宋的道家説、出自魯、鄒的儒家説，以及法家、形名、兵家、農家、輕重家等等學説，通過"百家爭鳴"而重新熔鑄。齊法家以法家爲本位的“法、道、儒”融合，正是在這種特定的環境中形成的。

商鞅變法發展起來的秦法家學説，是在秦國特定環境中成長和發展者，多政策闡述，少理論概括，而且嚴刑厲法、“以刑去刑”，反對禮義教化，其説甚偏頗。如果作個簡單的比較，秦法家學派《商君書》的法治學説，屬于封閉型的；而齊法家學派《管子》書的“法、道、儒”思想融合，則屬于開放型的。

三是“法、道、儒”融合的實質。這不是三家學説的混合、雜燴，而是以齊文化爲基礎，經過改造制作，使之適合齊國國情的法家新説。本來，儒家强調“德治”，把德禮與刑政對立起來；道家强調“道治”，即順任自然的“無爲”而治。但老子學説反對“禮、法”，要求人們保持純樸的自然本性。法家强調“法治”，頒布法令，以法治國，如李悝之作《法經》，其弟子商鞅在秦國變法又作《秦律》。儒家“德治”，道家“道治”，法家“法治”，齊法家對三家學説有取有棄，批判地繼承，從而形成爲“法、道、儒”融合的法家新説。而這種融合的改造制作，是經由參政議政的佚名稷下先生的理論思維而實現，集中體現在《經言》這組文獻裏。

四是“法、道、儒”融合新説的基本内容。精細研究《經言》的“牧民”思想體系，其中的基本内涵可以概述爲三個要點：

其一，農本思想與民本思想結合。以農業爲本事，“務在四時，守在倉廩”（《牧民》），辟地墾荒，招徠遠民，依靠廣大人民發展農業生産力，并且寓兵于農，從而富國强兵，擴充綜合國力，這是齊法家的進步思想。我們知道，老子道家主張順任自然、“無爲”而治，不强調發展生産；孔子儒家倡導“德治”，也不重視農業生産；只有法家堅持重農富國、一于農戰的主張，從李悝到商鞅以至齊法家，都突出地重視發展農業爲主的社會生産力。農業和農民是分不開的，因而農本思想與民本思想結合。齊法家的“令順民心”、“量民力”、“養桑麻，育六畜”、“使民各爲其所長”、“不强民以其所惡”，這種農本與民本結合的主張,在田氏家族有其歷史淵源。田常"專齊政"時,"以大斗出貸,以小斗收",以此攏絡民心(《史記·田齊世家》)。齊法家總結民心向背的政治經驗,歸結爲:"政之所興,在順民心;政之所廢,在逆民心"、"刑罰不足以畏其意,殺戮不足以服其心"、"從其四慾,則遠者自親;行其四惡,則近者叛之"等等(《牧民》)。農本與民本思想結合的基本思想,不僅貫穿于《經言》各篇,並且貫穿于《管子》全書而一脈相承。

其二,厲行法治與禮義教化并舉。儒家強調"德治",重視禮義道德規範的教化。而商鞅派法家,強調嚴刑厲法,"行法令,明白易知",以法爲教,以吏爲師(《商君書·定分》),不用道德教化。齊法家則不然,既重視"出令布憲"(《立政》)、"出號令,明憲法"(《七法》),又重視禮義教化,即禮、義、廉、恥,"國之四維","四維不張,國乃滅亡"(《牧民》),把厲行法治與禮義教化兩者結合起來。《權修》説得最清楚:"厚愛利足以親之,明智禮足以教之。上身服以先之,審度量以閑之,鄉置師以導之。然後申之以憲令,勸之以慶賞,振之以刑罰。故百姓皆説(悦)爲善,則暴亂之行無由至矣。"這正是説,道德教化與"申之以憲令"的厲行法治結合兼行。這法、教統一、相輔相成的基本思想,貫穿于《管子》全書的多篇法治論文之中。

其三,"道、法"融合的黄老哲學。老子道家學説本來是反對"禮、法"的。但齊法家學説形成于稷下學"百家爭鳴"的熔爐中,道、法兩家學説交融互補,因而齊法家批判吸收老子思想,從老子的反對"禮、法"轉變到黄老哲學的崇尚"禮、法",這就是道家哲學的政治轉軌。黄老道論的哲理滲透在《經言》各篇中,把齊法家新説提到了哲學世界觀的高度,使"法、道、儒"融合的新説,帶着黄老道論的氣息。

《經言》體系吸收老子道家思想

　　何謂黄老學説？從馬王堆漢墓出土的黄老帛書《經法》等篇看出，黄老之學以"道、法"融合爲特徵，以道家哲學論證法家政治，古稱"國道全法"（《韓非子·大體》）。在稷下，頗多道家學者，"慎到，趙人；田駢、接子，齊人；環淵，楚人。皆學黄老道德之術，因發明序其指意，故慎到著《十二論》，環淵著《上下篇》，而田駢、接子皆有所論焉。"（《史記·孟子荀卿列傳》）這些黄老著作早就佚失了，但我們從這裏得知，稷下學"百家爭鳴"中有兩大派，法家、道家各爲一大派，經過學術上的爭鳴、交流，自然形成了"道、法"思想交融互補的黄老學説。

　　蘊含在《經言》中的黄老思想并不顯著，如與《老子》書比較，便可將其中批判吸收老子道家思想的痕迹揭示出來。這裏依《經言》各篇次序進行揭示，并略作考析。

《牧民》

　　（1）"下令于流水之原者，令順民心也。""政之所興，在順民心；政之所廢，在逆民心。"這種民本思想既傳承田氏家族"專齊政"時的攏絡民心，又受老學思想影響。老子説："聖人無常心，以百姓心爲心。"（《老子》第四十九章）老子學説的民本思想濃重，尤其體現在抨擊統治者的壓迫、剥削上，如"民不畏威，則大威至（指人民造反）"（第七十二章）、"民不畏死，奈何以死懼之。"（第十四章）這裏，抗議統治者的苛政很强烈。

　　（2）"唯有道者能備患于未形也，故禍不萌。"這種"備患于未形"的思想是精深的。研究上引文意，應注意兩點：

　　其一，"有道者"之"道"，是指儒家德治主義的"道"、還是指道家自然主義的"道"呢？回答應該是後者。《老子》書多見"有道者"，如第二十四章："自見者不明，自是者不彰……其在'道'也，曰余食贅行。物或惡之，故有道者不處。"第三十一章："夫兵者不祥之器，物或惡之，故有道者不處。"第七十七章："天之道，損有餘而補不足。人之道則不然，損不足以奉有餘。孰能有餘以奉天下？唯有道者。"《牧民》作者必讀過《老子》書，乾脆把"有道者"一詞搬過來使用。

其二，"能備于未形也，故禍不萌"，這也是承襲老學道論："其安易持；其未兆易謀；其脆易泮；其微易散。爲之于未有，治之于未亂。"（第六十四章）《牧民》所説"唯有道者能備患于未形也，故禍不萌"，這種察微備患的思想，不正是因襲老子"爲之于未有，治之于未亂"嗎？西漢賈誼就説："夫事有起奸，勢有召禍。老聃曰：'爲之于未有，治之于未亂。'管仲曰：'備患于未形。'上也。"（《新書・審微》）在賈誼的心目中，《老子》書作于前而《管子》書作于後，他瞭解這種學術傳統的真情。《史記》賈誼傳説：賈誼洛陽人，能誦詩屬書，吳廷尉"聞其秀才，召置門下，甚幸愛"。這位吳公與秦丞相李斯同鄉，"常學事焉"。漢文帝即位後，吳廷尉"乃言賈生年少，頗通諸子百家之書。文帝召以爲博士。"吳廷尉師事法家李斯，廷尉是首席法官，不會不諳通"商、管之法"（《韓非子・五蠹》），懂得"商法"《商君書》和"管法"《管子》書都是秦、齊變法的學派著作。因此，吳公和賈誼并不把《管子》認作是春秋時的管仲遺著，這是合于歷史實際的（筆者曾撰《〈牧民篇〉并非管仲遺著》，見《文史》第二十四輯）。

《形勢》

（3）"形勢"的篇名緣于老學道論，《老子》五十一章："道生之，德畜之，物形之，勢成之。是以萬物莫不尊道而貴德。"有人認爲《形勢》係管仲遺著，有人認爲《形勢》作于《老子》以前，都是值得商榷的。因爲，《形勢》闡發"道、法"融合的黃老哲理，在思想内涵上與《牧民》、《權修》等篇聲息相通，因而《經言》諸篇形成不可分割的完整體系。

（4）"上無事則民自試，抱蜀不言而廟堂既修。"此處的文意承襲老子學説："聖人處無爲之事，行不言之教。"（《老子》第二章）即

“無爲”而治。前面說過，黃老學道論與老子學道論相比，有個從老子學反對“禮、法”轉爲黃老學崇尚“禮、法”的政治轉軌。《形勢》屬“道、法”融合的黃老之作，通觀全篇是崇尚“禮、法”的。

上引文字的第一句“上無事則民自試（試，用也）”，是指君主“無爲”，不去擾民，那麼人民便會自然而然從事生產，爲國所用。

難的是第二句中怎樣準確理解“抱蜀”的本義。《形勢解》：“人主立其度量，陳其分職，明其法式，以蒞其民，而不以言先之，則民循正。所謂抱蜀者，祠器也。故曰：‘抱蜀不言而廟堂既修。’”這裏，把“抱蜀”解釋爲祠器，確實不得《形勢》原作之本義。于省吾《管子新證》指出：“抱獨”即老子的“抱一”，可謂至確。引據《爾雅・釋山》：“獨者蜀。”郭璞注：“蜀亦孤獨。”（見《雙劍誃諸子新證》，中華書局版）查馬王堆漢墓出土黃老帛書《稱》，其中“聖人麋論（彌綸）天地之紀，廣乎蜀見，□□蜀□，□□蜀□，□□蜀在”，這裏的四個“蜀”字均通“獨”。因何“抱獨”即老子學說的“抱一”呢？《老子》二十五章說：“有物混成，先天地生，寂兮寥兮，獨立而不改，周行而不殆……”，意即“道”的本體是獨一無二的，“獨”或“一”，都是自然主義的“道”之代稱，如“聖人抱一爲天下式。”（《老子》二十二章）至于“抱獨不言”的“不言”，即老學的“希言自然”（第二十三章），意即君主順任自然、“無爲”而治，應盡可能少地發號施令，并非絕對的“不言”。再，《形勢解》解“抱蜀”指祠器的錯解，這涉及《管子》中齊法家諸篇的分期問題。如果說《經言》爲前期，屬祖輩；《法禁》、《重令》、《任法》等專題法治論文爲中期，屬父輩；而《管子解》則爲後期，屬孫輩（筆者另有考證專文）。無怪孫子輩對祖父輩所寫原篇，其中個別之處已不明原義了。

（5）“有無棄之言者，參于天地也。”這裏的難點在于何謂“無棄之言”？《形勢解》：“言而語道德、忠信、孝悌者，此言無棄者。天公平而無私，故美惡莫不覆；地公平而無私，故小大莫不載……故無棄之言者，參伍于天地之無私也。”這樣的解釋實際未得“無棄之言"的原義。老子學説："聖人常善救人，故無棄人；常善救物，故無棄物。……善人者不善人之師，不善人者善人之資。"(《老子》二十七章)又説："人之不善，何棄之有？"(六十二章)文意很明白，有道者的"聖人"，善救人而無棄人，善救物而無棄物，儘管"人之不善"，也絶不放棄對他的幫助和教導，使之改過自新，這就是《形勢》引據《老子》的"無棄之言"之原義。

(6)"能予而無取者，天地之配也。"這也承襲老子學説："聖人不積。既以爲人，己愈有；既以與人，己愈多。"(第八十一章)意即"聖人"没有私自的積藏，盡量幫助別人，自己反而更充足；盡量給與別人，自己反而更豐富。這正是"予而無取"之意。

至于所謂"天地之配"，是指天地大公無私，只予不取。正如老子打的比方："天地相合，以降甘露(雨水)，民莫之令而自均。"(第三十二章)這是"予而無取"、德配天地的精確比喻，有如俗説"大旱逢甘雨"。

(7)"欲王天下而失天之道，天下不可得而王也。得天之道，其事若自然；失天之道，雖立不安。……"這裏的"王天下"帶着田齊變法圖强的鮮明印記。而所謂"天之道"的自然觀概念，實因襲《老子》書，如"功成身退，天之道。"(第九章)"天之道，不爭而善勝，不言而善應，不召而自來。"(七十三章)"天之道，其猶張弓歟？……天之道，損有餘而補不足……"(七十七章)"天之道，利而不害。"(八十一章)上引便有五處之多。而老學的"天之道"，如第二十五章所述"人法地，地法天，天法道，道法自然"，表明係自然主義天道觀，而爲《形勢》作者所承襲。

(8)"藏之無形，天之道也。"《形勢》中此語，正與《牧民》"唯有道者能備患于未形也，故禍不萌"恰相吻合。所謂"藏之無形，天之道也"，依老子學説，自然主義的"道"看不見、聽不到、摸不着，即"視之不見名曰'夷'，聽之不聞名曰'希'，搏之不得名曰'微'。"(第十四章)"藏之無形"的"天之道"寓于萬事萬物中，指客觀規律。這種規律、法則似無實有，並非不可知，而憑靠"有道者"虛心體察，見微知著，因小見大，即老子所説"見小曰明"（五十二章）。這裏，《牧民》思想與《形勢》相通，當不會是管仲遺著。

（9）"其功順天者，天助之；其功逆天者，天圉（讀違）之。天之所助，雖小必大；天之所違，雖成必敗。順天者有其功，逆天者懷其凶，不可復振也。"這裏以"順天"、"逆天"的對比作論證，"天"指"天之道"，即自然天道的客觀規律，意即順應客觀規律行事必有其功，逆反客觀規律行事必得其凶，這與《牧民》"唯有道者能備患于未形"的文意應合。

其實，這種求功備患的思想承襲老子學説"知常曰'明'；不知常，妄作——凶。"（第十六章）這裏"知常"的"常"，指客觀規律，正像《形勢》所説："天不變其常，地不易其則……"，"常"、"則"均指規律、法則。老學所謂"知常曰'明'"，指人們認知並把握客觀規律行事，是明智的，從而得以成功；相反，如"不知常"，不認知客觀規律而妄作妄爲，那麼就會失敗而遭凶。《形勢》的"順天者有其功，逆天者懷其凶"，實淵源于老學。

《權修》

（10）"地之生財有時，民之用力有倦，而人君之欲無窮。以有時與有倦，養無窮之君，而度量不生于其間，則上下相疾也。"這裏嚴厲譴責"欲望無窮"的君主，亦深受老學的影響。老子强烈抨擊統治者的窮奢極欲，如"朝甚除，田甚蕪，倉甚虚；服文綵，帶利劍，厭飲食，財貨有餘，是謂盜夸（盜魁之意）！"（第五十三章）又説："民之饑，以其上食税之多，是以饑。民之難治，以其上之有爲，是以難治。"（七十五章）

《權修》上段引文，本之于老子思想而着重强調："以有時與有倦，養無窮之君，而度量不生于其間，則上下相疾也。……故取于民有度，用之有止，國雖小必安。取于民無度，用之不止，國雖大必危。"這種財政税收思想，導源于老子"上食税之多"而又推進了一步,明確提出了"取于民有度,用之有止"的度量原則。

《立政》

(11)"工事無刻鏤,女事無文(紋)章,國之富也。"這是指奢侈品生產必須加以抑制,意同于《牧民》的"文巧不禁,則民乃淫"、《權修》"末產不禁,則野不辟",而《幼官》概括爲一句:"務本飭末則富。"齊法家所謂"務本飭末",指以農業生產爲本事,以奢侈品生產爲末業,這與秦法家"禁末"的末業指"技藝之士"、"商賈之士"(《商君書·算地》)有所不同,齊國傳統是士農工商四民分業,並不禁止商業而只禁止奢侈品生產。

上述齊法家"務本飭末"或"禁末"的抑制奢侈品生產,其思想淵源出于老學。老子道論一再反對奢侈及奢侈品生產,如"不貴難得之貨,使民不爲盜;不見可欲,使民心不亂。"(第三章)"馳騁畋獵令人心發狂,難得之貨令人行妨。"(十二章)更強烈抨擊統治者貴族"服文綵,帶利劍,厭飲食"的奢靡成風(五十三章)。《經言》各篇作者讀過《老子》書,在強調重農富國的同時,又主張"禁末"、"飭末",從政策上抑制奢侈品生產,所以說:"工事無刻鏤,女事無紋章,國之富也。"

《乘馬》

(12)"無爲者帝,爲而無以爲者王,爲而不貴者霸。"這裏,"帝、王、霸"三者聯提,絕不反映齊桓、管仲時"尊王攘夷"的霸業,而只反映威王、宣王變法圖強的霸業。其特點是,由爭霸而稱王,進而醞釀稱帝的帝制運動。這且不說,而最引人注目的是"無爲者帝"一句,"無爲"的詞語《老子》書多見,老學"無爲"的本義是順任自然而爲,不去妄作妄爲,即人們主觀認識合于客觀事物的規律。《乘馬》所說的"無爲者帝……",承襲老學是顯而易明的。這是一。

其二,所謂"無爲者帝,爲而無以爲者王……",乃是推衍老學的"'道'常無爲而無不爲,侯王若能守之,萬物將自化",這是"君人南面術"的體現,與前面所說《形勢》中的"上無事則民自試,抱獨不言而廟堂既修”文意相合，帶着“道、法”融合的黃老色彩。

《版法》

（13）“凡將立事，正彼天植。風雨無逆，遠近高下，各得其嗣（古“嗣”字，訓“治”）。”難懂在前句，“立事”指執政；“天植”據《版法解》：“天植者，心也。天植正，則不私近親，不孽疏遠。不私近親，不孽疏遠，則無遺利，無隱治。……欲見天心，明以風雨。故曰：‘風雨無逆，遠近高下，各得其嗣（訓治）。’”這個解釋得其本義。這裏指出兩點：

其一，爲政的“正彼天植”及“欲見天心，明以風雨”，均承襲老子道論所説：“聖人無常心，以百姓心爲心。”（第四十九章）這正是“天植者，心也”的來源，“以百姓心爲心”，多麼鮮明的民本思想！而“欲見天心，明以風雨”亦見老學道論：“天地相合，以降甘露，民莫之令而自均。”（三十二章）。

其二，這段文意與《牧民》表述的“如地如天，何私何親？如月如日，唯君之節”相吻合，再次證明《牧民》吸收老子道家思想，與《版法》所説“法天合德，像地無親，參于日月，伍于四時”吻合一致。

總起來説，以上對《管子·經言》的考證和分析概述爲三點：（1）《經言》諸篇確形成一個思想體系，這個體系以齊法家學派爲本位，“法、道、儒”融合爲特徵，帶着濃厚的黃老色彩。（2）《經言》的作者是田齊變法時期的佚名稷下先生，他們“不治而議論”，《經言》各篇係提供咨詢的諫言。（3）《管子》其書實非春秋時的管仲遺著，而是田齊稷下之學推崇先驅政治家管仲、并依托管仲而立言的學派著作。這個學派可稱之爲“管子學派”，而以齊法家政治思想爲主導，是稷下之學有權威的一大學派。

作者簡介　胡家聰，1921年生，北京人。現爲中國社會科學院政治學所研究員。著有《管子》研究的論文三十餘篇。

《管子》論攝生和道德自我超越

劉長林

內容提要 《管子》四篇以心神修煉為核心,論述了氣功攝生的基本原理,以及道德修養和治國安民,並且將它們整合成一個體系。《管子》作者之所以能以攝生理論為體系建構的基礎,從根本上說是由于中國民族一向重視以調控整體為職事的心的作用,心是機體的調控中心。《管子》四篇在理論開展過程的同時揭示了儒道兩家思想的若干聯繫,確切地說,儒道兩家的關係不是互補,而是對稱。因為這兩個思想派別是沿着一條共有的中綫,分別向左右兩側展開。這條共有的中綫就是氣功攝生的基本法則。

攝生的確是《管子》之《內業》、《心術》上下和《白心》等四篇的一個主題。但此四篇決不止于此。中國的攝生學和道德學有一個突出的特點,就是攝生中涵蘊道德,道德中寓藏攝生。認為一切健身的修煉,都有益于道德的提高,一切道德的覺悟與實踐也都有益于祛病延年。這是因為人的生理結構與人格精神、自然生命與道德生命、自然秩序與人文秩序雖屬兩個領域,但有着統一的運行機制和相同的規律,是一個結實的整體。

一、"內靜外敬"，"和乃長久"

　　《管子》提出，"心之在體，君之位也。"（《心術上》）"體"實際包括兩個方面：一是指體的生理結構，二是指體的社會行爲。這就告訴人們，無論人的自然身軀還是道德品行都受一個統一的心的控制與支配。《管子》説："平正擅匈，論治在心，此以長壽。"（《内業》）又説："心安是國安也，心治是國治也，治也者心也，安也者心也。"（《心術下》）這表明，在人所涉及的所有領域，必須把握住"心"這一個關鍵環節。因爲心是控制中樞，起決定性作用。

　　依據《管子》，心也是一個整體系統，而且是一個有高度組織的系統。所以"心以藏心，心之中又有心焉"（《内業》）。就是説，心作爲整體人的控制中樞，其自身還有控制中樞，也須實行自我調控。而心進行自我調控的法則在于直接或通過各種手段，做到虛靜專一，清心寡欲：

　　　　天之道虛，地之道靜。虛則不屈，靜則不變，不變則無過。故曰"不忒"。"潔其宮，開其門"：宮者，謂心也。心也者，智之舍也，故曰"宮"。潔之者，去好過也。《心術上》

　　　　虛其欲，神將入舍，掃除不潔，神不留處。《心術上》

　　　　天主正，地主平，人主安靜。……能正能靜，然後能定。定心在中，耳目聰明，四肢堅固，所以爲精舍。《内業》

　　　　凡心之刑，自充自盈，自生自成，其所以先之，必以憂樂喜怒欲利。能去憂樂喜怒欲利，心乃反濟。《内業》

《管子》認爲，過度的憂樂喜怒，來源于虛靜之心的喪失。按照虛靜的法則進行修煉，消除過度和不正的欲利之念，會使性情得到淨化，心神得到安定，這樣就可提高心系統的有序性和對人的調控能力，增進人的健康與聰明才智。人的精神風貌、道德品性也將變得更加純誠和高尚（"反正""内德"）。因此，虛靜專一、清心寡欲是強化心系統，提高自然生命和道德生命共同的依據。

從上還可以看出，虛靜寡欲的修煉原則，有兩個來源。一是法天地，二是發本心。在《管子》的作者看來，天地宇宙以虛靜平正爲本色，人也應當以虛靜平正爲其修煉的圭臬。又由于"天出其精，地出其形，合此以爲人"（《內業》），所以，從本質上說，人心即天心，向天地學習，亦就是發現本心，回歸本性。"是故意氣定，然後反正。"（《心術下》）因此，按照虛靜平正進行心神修煉（即氣功），就是自覺地合己于天，它是自我回復的過程，也是自我調控自我超越的過程。

除了心直接把自然生命和道德生命聯結起來以外，《管子》認爲致使這兩個領域產生互動的原因，還在于有一條重要的普遍規律在起作用，那就是，"同則相從，反則相距"。（《白心》）意思是同類事物相互召引；不同類事物則相互排拒。如《莊子·徐無鬼》："以陽召陽，以陰召陰。"《易傳·文言》："同聲相應，同氣相求。"《春秋繁露·同類相召》："百物去其所與異而從其所與同，故氣同則會，聲比相應……美事召美類，惡事召惡類，類之相應而起也。"在《管子》作者看來，自然生命和道德生命雖屬兩個領域，但並非不可比較。人的自然生命中一切向上的好的因素，與道德生命中一切高尚的美的因素屬于同類，它們會相互召引、相互促進。這就是爲什麼攝生有益于養性，養性有益于攝生的又一重要原因。

《管子》認爲"和"是强健身體、修養道德和治理國家的共同法則。和，即協調而有秩序，平穩而不激蕩。《白心》說："建當立首，以靖爲宗，以時爲寶，以政爲儀，和則能久。"《內業》說："和乃生，不和不生。""和"是生命的源泉，是常規中的首則，是一切事物得以長久的保證。依中國哲學，和必中，中則和。故崇和又常表現爲尚中。"故曰：美哉嘩嘩。故曰：不中有中，孰能得夫中之衷乎！"（《白心》）當然，和與中應當首先體現于心。如果心能保持平和，人的身體和德性將自然相互推進。所以《管子》說："和以反中，形性相符。"（《白心》）對于保持心的平和，古人一向十分重視。春秋後期，晏子就曾指出:"先王之濟五味、和五聲也,以平其心,成其政也。聲亦如味……君子聽之,以平其心。心平德和。"(《左傳》昭公二十年)古人認爲,味和、聲和可以導致心和(平),而心和又會引出政和、德和以及藏府氣血之和。這在春秋時期已經成爲學者們的共識。

然而《管子》對于這個問題又有進一步的論述。它把"和"與虛靜寡欲統協起來,認爲人身藏府氣血的不和,在很大程度上是由情志欲利過多所造成。它說:"凡人之生也,必以平正,所以失之,必以喜怒憂患。"(《内業》)因此,如對心神進行虛靜寡欲的修煉,就會引出"和"的效果。無欲則虛,虛則寧謐,寧謐安祥的心境定會引導全身氣血和諧有序。"能去憂樂喜怒欲利,心乃反濟。彼心之情,利安以寧,勿煩勿亂,和乃自成。"(《内業》)另外,排除了心神的不安定因素,藏府氣血本身之陰陽經過自我調節,也會實現自和。所以說,"紛乎其若亂,靜之而自治。"(《心術上》)自治即自和的表現和結果。相反,"憂則失紀,怒則失端。"(《内業》)失紀失端即失和。失和就要引發疾病。"慢易生憂,暴傲生怨,憂鬱生疾,疾困乃死。"故"忿怒之失度,乃爲之圖。節其五欲,去其二端,不喜不怒,平正擅匈。"(《内業》)"平正擅匈"應包含兩層,一是指五藏六府達于和,一是指能以平和公正的態度與方式去處理世事。

可見,堅持虛靜寡欲,去除不當的憂樂喜怒欲利,不僅可使氣血藏府平和,還會在人們之間促成謙恭愛敬的關係。《管子》認爲,相互謙恭有禮是推進道德和治好國家的核心要素。它說:

> 修恭遜、敬愛、辭讓、除怨、無爭,以相逆也,則不失于人矣。嘗試多怨爭利,相爲不遜,則不得其身。大哉!恭遜敬愛之道。吉事可以入祭,凶事可以居喪。大以理天下 而不益也,小以治一人而不損也。嘗誠往之中國、諸夏、蠻夷之國,以及禽獸昆蟲,皆待此而爲治亂。澤之身則榮,去之身則辱。(《小稱》)

《管子》把"恭遜敬愛"提到"道"的高度,強調它是處理人與人、國與國以至蟲獸之間關係最高和理想的準則,其實質就是"和"。不僅如此,《管子》還把"恭遜敬愛"與身體保健聯繫起來。"小以治一人而不損也",這"治一人"就包括養生在內。所説"不得其身"、"身則榮"、"身則辱"實際上都含有形體健康方面的內容。

爲了做到虛靜寡欲,實現心和、體和、人和,《管子》提出:

> 是故止怒莫若詩,去憂莫若樂,節樂莫若禮,守禮莫若敬,守敬莫若靜。內靜外敬,能反其性,性將大定。《內業》

詩、樂、禮,如果撇開它們的具體內涵和社會功能上的差異,那麼它們歸根到底都是宣教、維護和展現某種社會道德和典章制度的手段與形式。在《管子》的作者看來,詩、樂、禮是按照虛靜寡欲、恭遜敬愛的精神創作和制定的,因此,誦詩、作樂、舉禮,一定會培植虛靜寡欲、恭遜敬愛的心性,同時也必須高揚這種心性,才能貫徹詩、樂、禮的精神,使人們去除不當的憂樂喜怒,實現人際和平,社會安寧。歸結起來,內靜則外敬,外敬促內靜,二者互動的結果,自然生命和道德生命都達于"和"而不斷升華。

二、"聖人裁物,不爲物使"

爲了攝生和養性,每天用一段時間,采用一定的形式,或動功,或靜功,進行專門的心身修煉是必要的,但不能以此爲限。依《管子》,必須把攝生和養性的修煉推衍到日常生活中去,與廣泛的社會實踐結合起來。就是説,要把清心寡欲、虛靜專一的法則貫徹到主體與客體、主觀與客觀的現實關係中去,在實際的社會活動中錘煉自己的心身,以使形與性、自然生命與道德生命兩個方面同時得到加强。

以虛靜寡欲指導實踐活動,其具體表現就是"無爲",《管子》則用"靜因之道"來界説"無爲":

> 是以君子不怵乎好,不迫乎惡,恬愉無爲,去智與故。其應也,非所設也;其動也,非所取也。過在自用,罪在變化。是故有道之君

子,其處也若無知,其應物也若偶之。靜因之道也。(《心術上》)

「恬愉無爲,去智與故」,言虛素也。「其應非所設也,其動非所取也」,此言因也。因也者,舍己而以物爲法者也。感而後應,非所設也;緣理而動,非所取也。(《心術上》)

《管子》的靜因之道有兩點引人注目:一是「以物爲法」,二是「應物若偶」。要做到「以物爲法」,則主觀必須符合客觀。而所謂「應物若偶」則是要求人們在爭取生存與發展的實踐活動中尊重物質世界大化流行的整體。當然這兩個方面又是相互滲透的。不少大陸學者認爲,「靜因之道」是一種消極的反映論,其實不然。

「靜因之道」,從其結論和客觀效果上説,由于要求主客統一,而和反映論很相接近。尤其是在形名關係上,《管子》强調「名不得過實,實不得延名,姑形以形,以形務名,督言正名,故曰聖人。」「因也者,無益無損也。以其形因爲之名,此因之術也。名者,聖人之所以紀萬物也。」(《心術上》)這種名須符形的形名關係論,其表現形式的確很像反映論,或曰唯物論。但是如果我們從理論的整體上分析就會發現,「靜因之道」與反映論有着本質的區別,其理論基礎根本不同。

反映論以主體與客體的分明界限和彼此對立爲前提,在這一前提下,反映論强調物質存在的第一性和思維意識的第二性,承認主觀思維能夠正確反映客觀存在。「靜因之道」則不是以主客對立爲前提,恰恰相反,它以主客合一、天人一體爲理論的出發點。依據《管子》,人與天本自一性。之所以出現分離,是由于人產生了不應有的欲念和不適度的情感。這就背離了天地虛靜之道,故爾使人的思想與行動常與客觀世界發生冲突。而要做到「以物爲法」「緣理而動」,人們就必須恢復虛靜專一、清心寡欲的本性。

《心術上》説:「聖人無之,無之則與物異矣。異則虛。」「自用則不虛,不虛則仵于物矣。」「與物異」即順從萬物的變化而變化,或曰「殊形異勢,不與萬物異理。」(《心術上》)「非設」、「非取」,即不執着自我。執着自我，就會導致"自用"，自以爲是，將主觀的想法和意願強加于客觀事物。因此，要復歸人與天合一的本性，就應當從根本上泯去主體與客體的對立，這就是"聖人無之"，"無之"即"舍己"，即無我，此即實踐中的虛。做到了這一點，才可能在各種具體活動中，使主觀與客觀相一致。莊子説："若一志，無聽之以耳，而聽之以心，無聽之以心，而聽之以氣。耳止于聽，心止于符。氣也者，虛而待物者也。唯道集虛。虛者，心齋也。"（《莊子·人間世》）精神專一，摒除一切感覺和思索，唯以自身之氣去與宇宙之氣相接，這是要消除一切意念，以極其虛境空白的心境去與宇宙冥合。這種冥合是最深邃無間的合一，是在進行專門的靜功修煉中，深度入靜的心神狀態。《管子》所説的"聖人無之"與此"心齋"顯然有很大區別。前者是指實踐活動中所應持有的"虛"，後者則只適用于靜功修煉，是高級靜功所達到的水準。但是也須看到，這二者的理論基礎是一致的，它們都能起到攝生和修養道德的作用。

由于"靜因之道"以虛靜寡欲，人天相合爲立論的根基，所以它所主張的"非設非取"、主客一致，要求行爲的主體作全身心的投入，從而爲達到主客一致提供前提。因此，要實行靜因之道，不僅要使自己的認識合于宇宙的大化流行，使名不過實，實不延名，更重要的還在于主體必須具有虛靜寡欲的心性修養。

"靜因之道"和"恬愉無爲"，並不是消極的。無爲和靜因決不等于無所作爲，不意味沒有主體的存在與實現。《心術下》説："聖人裁物，不爲物使。"《内業》説："一物能化謂之神，一事能變謂之智。化不易氣，變不易智，唯執一之君子能爲此乎！執一不失，能君萬物。君子使物，不爲物使，得一之理。"《管子》強調人應當掌握事物的變化與具有裁物、使物、君萬物的能力和作爲。可見《管子》胸懷恢宏俊偉的人類和人生的理想十分突出人的主體地位和能動性，只不過與在反映論基礎上建立起來的人的主體性和能動性有很大的差別。

　　原來《管子》所宣稱的裁奪萬物，是以順應萬物的大化流行，即保證萬物運變整體的完好性爲根本條件的。它强調：“其應非所設也，其動非所取也，此言因也。因也者，舍己而以物爲法者也。”又說：“其應物也若偶之，言時適也。若影之象形，響之應聲也。故物至則應，過則舍矣。”可見“因”決不能僅僅理解爲遵循，決不可僅僅停留在主觀符合客觀這最一般的要求上。“因”還包括尊重客觀對象的整體性。正如《心術上》所說：“因也者，無益無損也。”與此相關，所謂“舍己”也不能僅僅理解爲去除主觀任意性，而要進一步包括防止以人爲中心的對客觀整體世界的破壞。故《內業》說：“心無他圖，正心在中，萬物得度。”前引《小稱》主張將恭遜敬愛之意推行于全世界全人類以至“禽獸昆蟲”，其目的正是要求得萬物共存共榮。可見，人對萬物的裁奪君使，須以對萬物的尊重爲前提；能夠依此而行的人，是必須具有內靜外敬，虛以待物的品德的。這也就是後來《中庸》所謂的“贊天地文化育”，“盡物之性”而“與天地參”。這一對人的作用的深刻界定，對于以主客對立爲基礎的反映論哲學，是不存在的。

　　對于《管子》說來，君使萬物只是人的主體性、能動性的一半。還必須有另外的一半，就是“不爲物使”。人裁奪萬物是爲了讓萬物爲人服務，同時又使萬物得到治理。如果人不受任何約束地去追逐外物，以滿足肉體感官對某種刺激的奢求，那就不僅不是主體性和能動性的表現，相反，恰恰是它們的喪失。其結果，不是人支配物，而是物支配人。那麼，人使物還是物使人的界限在哪裏呢？界限就在人的身心本身，即以不傷害人的身心健康而且還有利于開發人的潛能爲準繩，以不違反道德而且還有利于精神生活的躍升爲準繩。這兩方面缺一不可。《心術下》說：“無以物亂官，毋以官亂心，此之謂內德。是故意氣定，然後反正。”《內業》也說：“不守不忒，不以物亂官，不以官亂心，是謂中得。”可見，所謂“不爲物使”，並不是要在裁奪萬物之長途中的哪一點上止步，而是要求人在思想上和行爲上時時注意擺正人與物的關係,時時注意遵守自然生命和道德生命的規範。爲此,人們必須保持自身的獨立和尊嚴。所謂"化不易氣,變不易智"(《内業》),就是要人們在變化外物的過程中,不喪失自己的本性和人格,不損害自己的氣血與健康。把保持主體和提高主體置于最重要的地位。而這些也是反映論哲學所不直接涉及的。

三、"充不美則心不得"

人的生理結構和道德覺悟,養生習練和社會實踐,畢竟屬于不同的範疇,《管子》和中國心學能夠將它們統攝起來,還由于氣。

當《管子》宣布神是氣,道也是氣之時,氣概念則不僅在本體論的意義上躍升到一個新的階段,而且,氣也從僅具有自然屬性而變成兼有社會屬性了。春秋時醫和提出天有陰、陽、風、雨、晦、明六氣,全爲自然之氣。在《論語》中出現"辭氣"(《泰伯》)、"食氣"(《鄉黨》)、氣息(《鄉黨》)等概念,仍屬自然之氣。《左傳》昭公九年記屠蒯曰:"味以行氣,氣以實志,志以定言,言以出令。"氣來源于味,卻可充實人的志意,影響言論和法令,這氣已開始和社會生活相銜,但氣本身的社會屬性還不明朗。《管子》則明確賦予了氣以人文意義。它説:

> 故禮者謂有理也。理也者,明分以論義之意也。故禮出乎理,理出乎義,義因乎宜者也,法者所以同出,不得不然者也,故殺僇禁誅以一之也。故事督乎法,法出乎權,權出乎道。(《心術上》)
>
> 善氣迎人,親如兄弟,惡氣迎人,害于戈兵。(《心術下》)
>
> 道者,……小取焉則小得福,大取焉則大得福,盡行之而天下服,殊無取焉則民反。(《白心》)
>
> 是故此氣也,不可止以力,而可安以德。(《内業》)

依《管子》,禮、義、權、法等同源于道,道即氣,故氣的人文意義就十分昭然了。氣還分"善氣""惡氣"，表明氣能顯示愛恨情感。正是由于氣具有社會屬性，氣作爲道方能給人類帶來秩序和福祉，氣也才能受道德意識的支配。

《管子》完成了氣的人文化，就從理論上開闢了一條新的途徑。沿着這條途徑能夠很好地説明，爲什麼養生與道德、生理與心性、治身與治國相互通職、相互促進。《心術下》説："正形飾德，萬物畢得。翼然自來，神莫知其極，昭知天下，通于四極。"《内業》也説："形不正，德不來；中不靜，心不治。正形攝德，天仁地義，則淫然而自至，神明之極，照乎知萬物。"按照仁義正靜的道德原則修養，精氣會不召自來，涌入人體，集于心中，使人的素質與智能得到增强。"嚴容畏敬，精將至定。""善心安愛，心靜氣理。"（《内業》）若能做到心地善良安靜，態度莊重肅敬，會使人體氣血變得更加穩定有序。

反過來，由于氣既有自然屬性又具有社會屬性，養生治氣以强健心身的同時，也必定提高人的道德水準和治國的能力。《心術下》説："氣者身之充也，行者正之義也。充不美則心不得，行不正則民不服。""治心在于中，治言出于口，治事加于民。故功作而民從，則百姓治矣。"《内業》也説："凡道，必周必密，必寬必舒，必堅必固。守善勿捨，逐淫澤薄，既知其極，反于道德。……氣意得而天下服，心意定而天下聽。"通過養生的修煉，使充身之氣丰美而周密，寬舒而堅固，于是心身强健（"逐淫澤薄"），道德復歸。若是國君，則會由心神慧敏、德性高尚，而提出合理合情、有利于民的法令法規，得到人民的擁戴。

從《管子》所論可知，有利于心身之氣，與合于天仁地義的道德之氣同爲一類，所以，這種氣在身體裏集聚的越多，對心身健康和道德修養就越是有利。又由于這氣與心神相通，受心的支配，故攝生養性相依而進，統歸于養心治氣一途，而以心的修煉爲總起動。這一思想也爲孟子、荀子所接受。孟子説："我四十不動心。""告子曰：'不得于言，勿求于心；不得于心，勿求于氣。'不得于心，勿求于氣,可;不得于言,勿求于心,不可。夫志,氣之帥也;氣,體之充也。夫志至焉,氣次焉;故曰:'持其志,無暴其氣。'"(《孟子·公孫丑上》)許多學者由于長期以來只從階級道德的角度研究孟子,不知道養生在古代的重要地位,不瞭解孟子也是一位大養生家,又由于堅執物質和精神的嚴格對立與差別,故只承認孟子氣的道德屬性。這樣,就不可能弄明白孟子知言養氣的本目和機制。孟子説"氣,體之充",與《管子》"氣者,身之充",語句用詞都相同,可見孟子也肯定了氣的自然屬性和健生作用。實際上孟子認爲,心的修煉,氣的聚養,是攝生和養性共同的關鍵。在他看來,攝生和養性本是相輔相成的兩個方面。所謂"不動心",就是不爲與大道不合之物欲所誘。故孟子説:"養心莫善于寡欲。"(《孟子·盡心下》)他和《管子》一樣,也把清心寡欲、虛靜專一作爲修心的準則。他主張,氣和言受心的控制,心是本,氣和言是末,所以他肯定了"不得于心,勿求于氣,"否定了"不得于言,勿求于心"。就是説,緊守虛靜寡欲,做到不動心,使心對氣的控制能力增強,即能以意念(志)導引行氣,令氣充體。

孟子又説:"我知言,我善養吾浩然之氣。……其爲氣也,至大至剛,以直養而無害,則塞于天地之間。其爲氣也,配義與道;無是,餒也。是集義所生者,非義襲而取之也。"(同上)此"浩然之氣",亦即上述充體之氣。"至大至剛"和"塞于天地之間",是氣充養豐盛之後所出現的心身感覺狀態。這種感覺狀態既是肉體的,又是精神的;既是生理的,又是道德的。它以充身之氣爲存在的基礎。孟子強調,氣的充養靠"集義",表明孟子認爲道德覺悟和道德實踐對心身修煉具有決定意義。但這並不排斥氣的物質屬性和自然屬性。所謂"餒也",指無氣而餒。餒原義爲饑,引申爲泄氣。用餒形容無氣後的狀態,顯然既含有精神方面的意義,又含有生理方面的意義。故氣也應同時具有這兩方面的內涵。全祖望曰:"集義者,聚于心以心待其氣之生。曰生,則知所謂配者,非合而有助之謂也,蓋氤氳而化之謂也。"(《經史答問》,見焦循《孟子正義》)集義于心,則提高了心的功能,在心能的充分發揮下,可化生出大量的氣來。即孟子所謂的"浩然之氣"。我們現在常説"浩然之氣",確實僅指一種精神狀態而言,而孟子的"浩然之氣"就不同了。《内業》説:"精存自生,其外安榮,内藏以爲泉原,浩然和平,以爲氣淵。"可見用"浩然"二字形容氣並非孟子獨家,也不會因此就使氣變成純粹的精神實體,或僅具道德屬性。① 孟子的"浩然之氣"與《管子》的"浩然和平"之氣實爲一氣。它可以充體健身,"以爲氣淵",又能使人志意高潔,頂天立地。孟子説:"志壹則動氣,氣壹則動志。"(《孟子·公孫丑上》)可見氣與義是相生相濟的。

我們知道,通是氣的本性。《心術上》説:"天之道,虛其無形。虛則不屈,無形則無所低忤,無所低忤,故遍流萬物而不變。"氣由于小至無形,大至不可圍,故能夠穿透一切事物,散布于無限宇空,並處于萬物之中。所以以行氣、服氣爲目標的練功活動,使人與氣相互交流、相互融合、相互通透,從而不斷地受到氣的陶冶和熏培。氣"不遠而難極"(《心術上》),博大而情深,柔順而剛堅,虛極故無所不包,又無所不潛。人通過養氣不僅健身,還能夠感受並吸收氣的這些品性,從而提高自己的道德和精神境界。這就是《管子》所説的"唯聖人得虛道"(《心術上》)。

由于氣是萬物萬事的動力和源泉,故通也就成爲攝生與道德修養的另一共同法則。健身、修德和治國都須要"通",而氣是通的體現者和推動者。《管子》指出,人的生命以氣的通暢爲本。它説:

---

① 馮友蘭説:"'氣'字本來有兩種意義。一種指客觀存在的一種物質;這是稷下黄老派(即指《管子》四篇——引者)所謂的'氣'。一種指一種精神或心理狀態;這是孟軻所謂的'氣'。"(《中國哲學史新編》第二册,第 91 頁。人民出版社,1984 年版)馮先生把氣的二重性割裂並對立起來,與管、孟不符。

"氣,道乃生。"又説,"今夫來者,必道其道,無遷無衍,命乃長久。"
(《白心》)氣在人體周身上下的循行中,在人體與外環境的交流中,
若能暢行無阻("無遷無衍"),則可望健康長壽。如果"飽不疾動,氣
不通于四末"(《内業》),那就會生病。"泉之不竭,九遠遂通,乃能窮
天地,被四海。"(《内業》)若氣血充足而又通暢,就有可能產生超常
智能,實現生命的自我超越。

同樣,道德和治國亦需要通。《白心》説:"天行其所行而萬物被
其利,聖人亦行其所行而百姓被其利。""行,猶通也"。(《吕覽·適
音》注)故"行其所行",即通其所通。就是説,在道德和治國的實踐
活動中,在人與人之間,人與物之間,要大道通行,要進行廣泛、普
遍的信息和品物的交流。而大道、信息、品物本質都是氣。故氣通
則利,暢則達。通是實現社會安寧和純美道德的條件與表現。

通與和又有着必然的聯繫。就人體言,氣血通暢與藏府協調互
爲條件。就社會言,法度通行,思想感情和財貨的暢達與恭遜敬愛
的人際關係,安定平和的社會秩序相爲前提。可謂通則和,和則通。

如何才能實現通?這與如何實現和是一致的。《心術上》説:
"去欲則宣,宣則靜矣,靜則精。精則獨立矣,獨則明,明則神矣。"宣
即通。做到虛靜寡欲可使氣血宣通。而由氣血宣通所導致的"獨"、
"明"、"神",既指生理智能上的提高,同時也包含道德覺悟和道德
行爲方面的增進。經過心的調控,在"同氣相求"的作用下,人體氣
血的通暢與人際關係的和美也會相互促進。歸總起來,《管子》認爲
破壞通與和,破壞自然秩序和人文秩序的根源就在于"私"。《白
心》説:"是故聖人若天然,無私覆也,若地然,無私載也。私者,亂天
下者也。"《管子》所説的"私"不僅指個人名利之私,還包括與萬物
對立的人類之私。爲了個人利益以至人類的利益而違反大道的行
爲,都爲"私"。而它所主張的公,包括人類和禽獸昆蟲萬物。依據
《管子》,只有"舍己"(《心術上》)、"亡己"(《白心》)才能將自己與大
道融爲一體,才能對人類和宇宙萬物充滿恭遜敬愛之情。"出善之

言,爲善之事,事成而顧反無名","還與衆人同"。他們孜孜以求的
是,"無成有貴其成也,有成貴其無成也"(《白心》)。唯有這樣的人
才能真正做到虚静寡欲,與人類和萬物相通。歷代氣功家認爲,那
些胸襟坦蕩,行大道而不爲物累,對衆人和萬物充滿恭遜敬愛的
人,其身心氣血容易通透,其與外界環境隨時發生的氣的聯繫容易
和暢。這種人練功容易獲得高功夫。

《管子》的人生追尋,是自然生命和道德生命不斷的自我超越。
《内業》説:

> 大心而敢,寬心而廣,其形安而不移,能守一而棄萬苛,見利
> 不誘,見害不懼,寬舒而仁,獨樂其身,是謂出氣,意行似天。

這段話集中表述了《管子》對人生理想境界的看法。健全長壽的體
魄,正義果敢的品格,堅信大道而依大道行仁,這就是最大的快樂。
獲得這種快樂的途徑是,堅持不懈地修煉心神,將自己的心靈去與
宇宙相接,直養浩然和平之氣,令其充塞于天地之間,從而寬然舒
然,悠然坦然,與宇宙一道自由地運化。在這種境界裏,人終于超出
了自我,克服了有限。在靈性之中,與無限綿綿相通。不難看出,孟
子的"上下與天地同流"(《孟子·盡心上》),張載的"大其心則能體
天下之物"(《正蒙·大心篇》),都與《管子》的這種精神同出一源。
莊子説:"汝游心于淡,合氣于漠,順物自然而無容私焉。"(《莊子·
應帝王》)其深層的實質亦與《管子》同。

四、一 點 啟 示

《管子》四篇在理論展開過程中,顯示出從氣功攝生到道德和
治國的思維順序,同時也揭示了氣功攝生與儒道兩家思想的若干
聯繫。這就多少向我們透露了一些中國文化發展綫索的秘密。

《管子》四篇以心神修煉爲核心,從基本原理上論述了氣功攝
生,也論述了道德修養和治國安民,并且將它們整合成一個體系。

《管子》作者明顯是以攝生理論爲其整個建構的基礎和邏輯的起點。之所以能夠如此，從根本上説，是由于中國民族一向重視以調控整體爲職事的心的作用，把心統一看作是這三者的關鍵。而心首先是機體的調控中心。

氣功攝生在中國有久遠古老的歷史。由于氣功以調心爲主，所以從氣功攝生必定會產生出一整套相關的養性理論，擴展開來，其中還自然會包括對人生和世界的看法。虛靜寡欲、大心無私、順物而通等就可能首先是在氣功攝生過程中總結出來的法則。長期的實踐證明，這些法則是正確的，是普遍有效的，而且帶來了令人矚目的積極成果。在崇拜生命、重視連續這樣的傳統思維的牢固影響下，人們無疑會十分尊崇這些法則。因此，隨着時代的前進，當很多人爲適應社會需要而創建和制定道德理論與治國方略時，在整體觀的指導下，總是要把這些法則當作重要的參照系和進行發揮、聯想的基礎，一切新的創造都不得與之相違。于是氣功攝生的一般原理，就成爲人們建立其他各種理論學説的初始依據。歷史證明，在中國這塊土地上，那些與氣功攝生理論相一致的思想派別是最富于生命力的。那就是道家和儒家。

儒、道有很奇妙的關係。有人説是互補，確切地説，是對稱。因爲這兩個思想派別是沿着一條共有的中綫，分別向左右兩側展開了去。而這條共有的中綫，即二者共同依據的理論信條，恰恰就是氣功攝生的基本法則，如清心寡欲，虛靜專一等等。從《管子》四篇的披露可知，幾乎儒道的全部重要主張都從不同的角度與這些法則相合，或者是這些法則的延伸。應當説，儒道兩家（包括道教）能夠成爲中國文化的主流，綿延至今而不衰，與這一點是分不開的。在一定意義上可以説，氣功攝生理論是樹幹，儒道兩家是在這根樹幹上長出來的兩個相對而生的大型枝杈。否則，就很難理解，爲什麼如此對立，如此不同的兩個思想派別，卻擁有一條公共使用的理論系列，而中國民族又爲什麼在幾千年裏始終把二者共同的東西當成必須恪守的成法。單只用相互滲透、因循傳統，不看到這些共有東西的來源和價值，是解釋不清楚的。

　　作者簡介　劉長林，1941 年生，北京市人。1963 年畢業于北京大學哲學系。現爲中國社會科學院哲學研究所研究員、中國孔子基金會學術委員會主任。著有《中國系統思維》等。

秦漢新道家之"殿軍"諸葛亮

熊鐵基

内容提要　本文認為諸葛亮的思想屬于黃老新道家。從他的思想基礎看，和當時"名士"一樣，突破了儒家思想的束縛。從宋人對諸葛亮思想的評論看，由"出于申韓"而近黃老。本文結合諸葛亮的言和行，具體分析了他的"澹泊"、"寧靜"、"絕情欲"、"忍屈伸"等思想，及其與黃老道家思想的淵源關係。

諸葛亮的政績、才能和人品，從當時開始就不斷有人評論，并且和歷代賢能宰相相比，或者說他"可謂識治之良才，管、蕭之亞匹矣"①，或者說"雖古之管、晏，何以加之乎！"② 兩晉南北朝以至隋唐，人們的評論很少涉及他的思想，準確地說很少分析他的思想。到了宋代，出現一個新的情況，人們開始討論起諸葛亮的學術思想來，這從《朱子語類》中的幾條材料可以見到：

論三代以下人品皆稱子房、孔明。

唐子西云："自漢而下，惟有子房、孔明爾，而子房尚黃老，孔明喜申韓。"也說得好。子房分明是得老子之術，其處己、謀人皆是。孔明手寫申韓之書以授後主，而治國以嚴，皆此意也。問"邵子

---

① 陳壽之評，見《三國志‧諸葛亮傳》。

② 張儼《述佐篇論》，《三國志‧諸葛亮傳》裴注引。

云：'智哉留侯！善藏其用。'如何？"曰："只燒棧道，其意自在韓而不在漢。及韓滅無所歸，乃始歸漢，則其事可見矣。"

問子房孔明人品。曰："子房全是黄老，皆自黄石一編中來。"又問："一編非今之《三略》乎？"曰："又有黄石公《素書》，然大率是這樣説話。"廣云："觀他博浪沙中事也甚奇偉。"曰："此又忒煞不黄老。爲君報仇，此是他資質好處。後來事業則都是黄老了，凡事放退一步。若不得那些清高之意來緣飾遮蓋，則其從衡詭譎，殆與陳平輩一律耳。孔明學術亦甚雜。"廣云："他雖嘗學申韓，卻覺意思頗正大。"（以上卷135）

諸葛孔明大綱資質好，但病于粗疏。孟子以後人物，只有子房與孔明。子房之學出于黄老，孔明出于申韓，如授後主以《六韜》等書與用法嚴處，可見。若以比王仲淹，則不似其細密。他卻事事理會過來。當時若出來設施一番，亦頗可觀。

或問孔明。曰："南軒言其體正大，問學未至。此語也好。但孔明本不知學，全是駁雜了。然卻有儒者氣象，後世誠無他比。"

問："孔明與禮樂如何？"曰："也不見得孔明都是禮樂中人，也只是粗底禮樂。"

忠武侯天資高，所爲一出于公。若其規模，并寫《申子》之類，則其學只是伯。程先生云："孔明有王佐之心，然其道則未盡。"其論極當。……

諸葛孔明天資整美，氣象宏大。但所學不盡純正，故亦不能盡善。（以上卷136）

……張子房近黄老，而隱晦不露。諸葛孔明近申韓。（卷137）

評價思想家的思想，一是根據事實，二是有評價者的看法。據此，我們對以上記述作一些分析。

以上記述雖出自《朱子語類》，但反映當時評論的人不少，有唐子西（唐庚），有南軒（張栻）①，有程先生（程頤）等，這只是以上記

---

① 張栻議論頗多，並作有《忠武侯列傳》及後論等，對諸葛亮自比管樂也有看法，認爲是"慕王者之佐""豈與管樂同在功利者哉"！

述中朱熹提到的幾個人,還有那些問學的人。以上記述一個突出的
表現是,把張良和諸葛亮二人相提並論,而且給予很高的評價。爲
什麼如此推崇?是否理想需要一批忠心耿耿,而又各方面比較完善
的政治家,這不好作過多的揣測。二者並提,當就其主要思想而言,
觀上引"問子房孔明人品"一段可見。以上一些具體的比較論述,頗
有許多耐人尋味之處。如對于張良,一方面十分肯定"子房全是黄
老",另方面其"博浪沙中事""又忒煞不黄老",但"後來事業則都是
黄老","若不得那清高之意來綠飾遮蓋,則其從衡詭譎,殆與陳平
輩一律耳"。如果不是黄老思想爲主導,也不過是陳平之類的一般
人物,不會是"好人才"了。張良的思想也不那麼純。對于諸葛亮,
一方面強調他"近"或者"喜"申、韓,另方面又一再説"孔明學術亦
甚雜",此"亦"字當是一種強調,既反映與張良學術大體相同,故稱
"亦",又是強調孔明本身學術之雜。他二人在思想、學術上有相通
之處,只是二人政治活動的最終結局有所不同。張良在"事業"中也
不無"從衡詭譎",只是他功成身退,"及後疑戮功臣時,更尋討他不
著。"履行了老子之言:"功遂身退,天之道也。"① 而諸葛亮則不得
不"鞠躬盡力,死而後已"②。在"事業"中,諸葛亮所用申韓之法術
更多一些,所以朱熹一再強調其"學術甚雜","所學不盡純正"等
等。唐庚、朱熹等人不會不注意到一個明顯的事實,《史記》中是老、
莊、申、韓合爲一個列傳,而且司馬遷一再説明,"申子之學本于黄
老",韓非"喜刑名法術之學,而其歸本于黄老",老、莊、申、韓"皆原
于道德之意"③。因此,張良、諸葛亮雖有"尚黄老"、"喜申韓"之不
同,但他們也都是"其歸本于黄老"的。

　　王利器先生曾根據諸葛亮"自比管仲、樂毅",推論諸葛亮是因

---

①　《老子》,第九章。
②　《三國志·諸葛亮傳》裴注引《後出師表》。
③　引文均見《史記·老莊申韓列傳》。

爲樂毅的後代多黄老之學的傳人，而"欲以黄老之道易王下耳"①。
結論是反映了事實，推論畢竟離得較遠，并且比管、樂主要還應該
是政治上作爲的比較（前人論述頗多），非思想上的比較。其實，諸
葛亮思想的淵源是有迹可尋的。

　　最能表明諸葛亮黄老思想的，那就是他的《誡子書》和《誡外生
書》。其中"澹泊"、"寧靜"、"絶情欲"、"忍屈伸"，也應該説"皆原于
道德之意"。從《老子》那裏發源，爲黄老新道家所闡發的。

　　"靜以修身，儉以養德，非澹泊無以明志，非寧靜無以致遠"最
早見于《文子》，其《上仁》篇寫道：

　　　　老子曰：君子之道，靜以修身，儉以養生。靜即下不擾，下不擾
　　即民不怨……

　　　　老子曰：非淡漠無以明德，非寧靜無以致遠，非寬大無以并
　　覆，非正平無以判斷。以天下之目視，以天下之耳聽，以天下之心
　　慮，以天下之力爭。故號令能下究，而臣情能上聞，百官修達，群臣
　　輻輳……

《淮南子》則"多爲之辭"，分散在好幾個地方闡述以上思想，如"靜
以修身"，《原道訓》中説：

　　　　是故達于道者，反于清靜；究于物者，終于無爲。以恬養性，以
　　漠處神，則入于天門。

《俶真訓》中説：

　　　　靜漠恬澹，所以養性也，和愉虛無，所以養德也。外不滑內，則
　　性得其宜。性不動和，則德安其位。養生以經世，抱德以終年，可謂
　　體道矣。

《精神訓》中説：

　　　　夫靜漠者，神明之宅也，虛無者，道之所居也。

《主術訓》中説：

　　　　君人之道，處靜以修身，儉約以率下。靜則下不擾矣，儉則民

　　① 《試論諸葛亮的政治思想》，《諸葛亮研究》，巴蜀書社 1985 年版。

不怨矣。下擾則政亂，民怨則德薄……

《淮南子》照抄了《文子》所引的"老子曰"，又加以展說，其辭還有不少，這裏不再一一羅列。

又如"寧靜致遠"，《淮南子·主術訓》中寫道：

> 是故非澹薄無以明德，非寧靜無以致遠，非寬大無以兼復，非慈厚無以懷眾，非平正無以制斷。

這種思想，可以說是秦漢黃老新道家的普遍思想，陸賈《新語·無爲》中的兩句話即與此相類似：

> 是以君子尚寬舒以苞身，行中和以統遠。民畏其威而從其化，懷其德而歸其境，美其治而不敢違其政……

"絕情欲"、"忍屈伸"等，也是源于《老子》，而爲黃老新道家所反復闡發的。關于"絕情欲"，《文子·道原篇》說：

> 老子曰：夫人縱欲失性，動未嘗正也。以治國則亂，以治身則穢。

《下德篇》說：

> 夫縱欲失性，動未嘗正，以治生即失身，以治國即亂人。故不聞道者，無以反性。

還有好些地方論述"私志不入公道，嗜欲不挂正術"（《自然篇》），"神清者，嗜欲不誤也"（《十寧篇》）等等。另一新道家代表作《呂氏春秋》中更有《情欲》一篇，專言節制情欲，並在許多篇中，都有節制情欲的内容。《淮南子》對這一問題也是"多爲之辭"，如《原道訓》中說明"至人"或"聖人"就是要"除其情欲，損其思慮"，並且論述道：

> 夫喜怒者，道之邪也。憂悲者，德之失也。好憎者，心之過也。嗜欲者，心之累也。人大怒破陰，大喜墜陽，薄氣發瘖，驚怖爲狂，憂悲多恚，病乃成積。好憎繁多，禍乃相隨。故心不憂樂，德之至也。通而不變，靜之至也。嗜欲不載，虛之至也。無所好憎，平之至也。不與物散，粹之至也。能此五者，則通于神明。通于神明者，得其内者也。是故以中制外，百事不廢。中能得之，則外能收之。中之得則五藏寧，思慮平，筋力勁强，耳目聰明。疏達而不悖，堅强而

不韙。無所大過,而無所不逮。處小而不逼,處大而不窕。其魂不躁,其神不嬈。湫漻寂寞,爲天下梟。

關于"屈伸",《文子·上義篇》寫道:

> 老子曰:屈者所以求伸也,枉者所以求直也。屈寸伸尺,小枉大直,君子爲之。

《淮南子·泰族訓》也説:

> 夫聖人之屈者,以求伸也,枉者以求直也。故雖出邪辟之道,行幽昧之途,將欲以直大道、成大功。猶出林之中,不得直道;拯溺之人,不得不濡足也。伊尹憂天下之不治,調和五味,負鼎俎而行,五就桀、五就湯,將欲以濁爲清,以危爲寧也;周公股肱周室,輔翼成王,管叔、蔡叔奉公子祿父而欲爲亂,周公誅之以定天下,緣不得已也;管子憂周室之卑,諸侯之力征,夷狄伐中國,民不得寧處,故蒙恥辱而不死,將欲以憂夷狄之患,平夷狄之亂也;孔子欲行王道……此皆欲平險除穢,由冥冥至炤炤,動于權而統于善者也。

以屈求伸不過是一種"權變",這道理講得清清楚楚,附帶説一下,以上的舉例説明,也可見諸葛亮爲什麼以管仲自比,爲什麼有人要把他比伊尹、周公,在政治上、在"權變"上大有類似之處。

綜上所述,我們不難看出,諸葛亮那"誡子"等書中發出肺腑之言所反映的根本思想,以及其思想之淵源,是完全徹底的黄老新道家思想。文字語言是直接承用的,略加改變而已:"明德"改爲"明志",因爲他不是明一般的"德",而是明自己之"志"。對"情欲"用了"絶"字,對"屈伸"用了"忍"字,也是就指導自己的行動而言。與其他新道家的論述没有什麼不同。

值得附帶一提的是,諸葛亮的《誡子書》中幾乎可以説没有儒家思想,主要是新道家思想(以下還要進一步申述)。這與嵇康的《家誡》相比尤爲突出:嵇康比諸葛亮要晚一輩,嵇康主張"越名教而任自然",應該是更反對儒家思想的,可他的《家誡》中卻有不少的是非標準是儒家的"仁"和"義",諸葛亮的言論中則無"仁義"二字。

　　我們説諸葛亮主要是新道家思想,不僅是因爲他以道家的"寧靜"、"淡泊"爲基本思想,而且與秦漢所有新道家一樣是"入世"的。寧靜是爲了致遠,如朱熹所説:"靜,便養得根本深固,自可致遠"①。諸葛亮的"誡子"等書説得十分明白,他要"明志",他要致遠。他的"志"決非"悲守窮廬",而是"志當存高遠"。他本來"躬耕",所謂"苟全性命于亂世,不求聞達于諸侯"②,不過是以屈求伸。他與石廣元、徐元直等人在一起游學時,就預測這些友人"仕進可至刺史、郡守也",至于友人"問其所至","亮但笑而不言"。他是一條"卧龍",龍總是要騰飛的。在劉備"猥自枉屈"、三顧草廬之後,他終于出山了。入世而不避世,這正是新道家的特點之一③,與老莊道家是不同的。所以他説:"老子長于養性,不可以臨危難。"④

　　我們再看看他入世之後的所作所爲,及其所反映的新道家思想。諸葛亮"受任于敗軍之際,奉命于危難之間"⑤,出山之後,事無巨細必親躬,短短二十幾年時間,大事如聯孫抗曹、治理西蜀、南撫夷越、北伐曹魏等等,接二連三,費盡心機;小事如"罰二十以上皆親覽"。儘管他智力過人,也不得不疲于應付。諸葛亮積勞成疾,54歲就累死了,在百忙之中,有些事不得不急于處理,有些事急得無暇顧及,《朱子語類》中也有幾處記載,頗有意思,一條説:

　　　　直卿問:"孔明出師每乏糧。古人做事,須有道理,須先立些根本。"曰:"孔明是殺賊,不得不急。如人有個大家,被賊來占了,趕出在外牆下住,殺之豈可緩?一緩緩,人便一切忘了。孔明亦自言一年死了幾多人,不得不急之意。……

又一條説:

① 《朱子語類》,卷136。
② ⑤ 《三國志·諸葛亮傳》。
③ 參閱拙作《秦漢新道家與先秦道家之主要比較》,《秦漢新道家略論稿》,上海人民出版社,1984年版。
④ 《長短經》,卷1,《任長》。

孔明治蜀，不曾立史官。陳壽險甚（杴拾）而爲《蜀志》，故甚

略。孔明極是子細者。亦恐是當時經理王業之急，有不暇及

此。①

或曰"鞠躬盡力"，或云："經理王業之急"，都能反映諸葛亮一生之
繁忙。在繁忙之中雖忽略許多事情，但其所處理的事情大多能得心
應手，他不像老子那樣"不可以臨危難"，而是在任何情況下都能鎮
定自若，如朱熹所云：

諸葛亮臨陣對敵，意思安閑，如不欲戰。②

當時和後世筆記小説描寫的一個道士模樣的諸葛亮，看來并非向
壁虛造，諸葛亮在形象上確與"道"家有關。

再從行爲上看，諸葛亮治蜀也好、治軍也好，皆勵行法治，法令
嚴明，賞罰分明，在當時甚至遭到人們的反對，攻擊他"刑法峻急"，
法正建議他"緩刑弛禁"，他回答説：

吾今威之以法，法行則知恩，限之以爵，爵加則知榮；恩榮并

濟，上下有節。爲治之要，于斯而著。③

顯然，他用法治，不過是一種南面之術，而且是深得新道家政治思
想之要，把法家有用的東西采取過來了，所謂"撮名法之要"，那就
是法家的"正君臣上下之分"，"不別親疏，不殊貴賤，一斷于法"，這
後者"可以行一時之計"，但是又避免了法家的"嚴而少恩"④，能夠
做到"刑政雖峻而無怨者"。新道家的理想法治，如《淮南子·主術
訓》所説：

是故明治之治，國有誅者而主無怒焉，朝有賞者而君無與焉。
誅者不怨君，罪之所當也；賞者不德上，功之所致也。民知誅賞之
來，皆在于身也，故務功修業，不受賚于君。是故朝廷蕪而無迹，田
野辟而無草，故太上下知有之。

① ② 《朱子語類》，卷 136。
③《三國志·諸葛亮傳》裴注引。
④ 引文見《史記·太史公自序》。

諸葛亮的法治是按照這種理想而努力的,其事實頗多。諸葛亮用法,一是公平無私,二是賞罰分明,所以能做到使人口服心服。廖立、李平,都是受過諸葛亮處分的人,不但無怨言,還長時間有懷念和感激之情。可見其"用法"乃"行一時之計"。他的用法思想原則也與新道家的一致,如《淮南子‧主術訓》中所説:

> 法者,天下之度量,而人主之準繩也。具法者,法不法也,設賞者,賞當賞也。法定之後,中程者賞,缺者誅。尊貴者不輕其罰,而卑賤者不重其刑。犯法者雖賢必誅,中度者雖不肖必無罰,是故公道通而私道没矣。

法就像權衡規矩一樣,諸葛亮曾説:

> 吾心如秤,不能爲人作輕重。①

《淮南子‧主術訓》中也説:

> 今夫權衡規矩,一定而不易,不爲秦楚變節,不爲胡越改容,常一而不邪,方行而不流,一日刑之,萬世傳之,而以無爲爲之。

總之,諸葛亮之用法,與法家之"嚴而少恩"顯然不同,説諸葛亮是法家,不能説是對他的準確理解。

最後,我們還要談談諸葛亮的修身養性,看他如何實踐其"絶情欲"的新道家思想。雖然他位極人臣,但謙虛謹慎,決不居功自傲,因而上下不疑。如他上表後主説:

> 臣初奉先帝,資仰于官,不自治生。今成都有桑八百株,薄田十五頃,子弟衣食,自有餘饒。至于臣在外任,無别調度,隨身衣食,悉仰于官,不别治生,以長尺寸。若臣死之日,不使内有餘帛,外有贏財,以負陛下。②

一直到死:

> 亮遺命:葬漢中定軍山,因山爲墳,冢足容棺,斂以時服,不須

---

① 《北堂書鈔》卷37引諸葛亮書曰。
② 《三國志‧諸葛亮傳》。

器物。①

由此我們可以説，新道家的思想貫徹了諸葛亮一生的始終，"死而後已"。

前人沒有弄清楚黄老新道家的特點，因而對諸葛亮的思想很難評價，對一些表象很難定論，所以如前所述，朱熹等人一會兒説他"有儒者氣象"，一會兒説他"其學只是伯"，一會兒又説他"所學不純正"，甚或"本不知學，全是駁雜了"。其實，諸葛亮的思想和秦漢以來的黄老新道家一樣，是"采儒墨之善，合名法之要"的。他並非"不知學"，而是能夠兼采衆長，他曾論諸子之長短可見一斑：

> 老子長于養性，不可以臨危難。商鞅長于理法，不可以從教化。蘇、張長于馳辭，不可以結盟誓。白起長于攻取，不可以廣衆。子胥長于圖敵，不可以謀身。尾生長于守信，不可以應變。王嘉長于遇明君，不可以事暗主。許子將長于明臧否，不可以養人物。此任長之術者也。②

無疑他是吸收了諸子之長的，他廣泛的學習、思考，如：

> 范蠡以去貴爲高，虞卿以捨相爲功，太伯以三讓爲仁，燕噲以辭國爲禍，堯、舜以禪位爲聖，孝哀以授董爲愚，武王以取殷爲義，王莽以奪漢爲篡，桓公以管仲爲霸，秦王以趙高喪國，此皆趣同而事異也。明者以興，暗者以辱亂也。③

他在許許多多的不同事件中看到了相同的旨趣。他不是駁雜，而是以兼采衆長的黄老思想爲主導。他最後一個身體力行的實踐了黄老新道家思想。所以説諸葛亮是秦漢新道家的"殿軍"。

作者簡介　熊鐵基，1933 年生，湖南常德人。華中師範大學歷史系教授。主要著作有《秦漢新道家略論稿》等。

---

① 《三國志·諸葛亮傳》。
② 《長短經》，卷 1，《任長》。
③ 《長短經》，卷 7，《時宜》。

《象傳》中的道家思維方式

陳鼓應

内容提要　專家論及《象傳》，多認它以儒法思想為主。本文則側重論述它與道家思想的關聯。《象傳》中《大象》與《小象》為不同人之作，兩者思想風格迥異。《大象》乾卦釋“乾”名言：“天行健，君子以自強不息”，本文論證這種以天道推衍人事的思維方式乃是先秦道家特有的思維方式，并從《老子》“周行而不殆”、馬王堆帛書《黄帝四經》“天行正信·啟然不怠”，探索《大象》與老學及黄老屬同一思想脈絡之發展。《小象》作者思考力較為貧弱，本文從《小象》釋“乾”、“坤”爻辭中逐條指出它所受老子思想之影響。

　　《易傳》各篇，以《彖傳》、《繫辭傳》最為重要，而《象傳》次之。從哲學角度而言，《象傳》的最大特色在于它的宇宙論，而它的萬物生成論淵源于《老子》，更為接近于《莊子》，可以說，《象傳》天道觀屬于老莊道家系統。《繫辭》的道論與“太極”說（依帛書本則是“太恒”說）源于老莊，同時，也糅合不少黄老思想的成分，以此，我曾提出充足論據論證《繫辭傳》是稷下道家的作品至于《象傳》，舊說多以為它屬儒家作品。事實上，《易傳》講義理也講象數，而《象傳》特重筮法（小象尤然），但研究哲學或思想史的學者往往拔高它的義理，而無視于它的筮法成分。本人雖不研究象數，但從朱伯崑先生之說，認為《易傳》確有兩套語言，一是哲學語言，另一是占筮語言。

由于論者幾乎人云亦云地認定《象傳》是儒家的著作，而完全忽略道家影響的成分，因此，本文專就談義理者之學派性觀點而提出不同的看法，偏重在論述《象傳》中的道家思想傾向。

一、《象傳》形成的年代

《象傳》產生于戰國中後期，它晚于《彖傳》而早于《繫辭傳》。《象傳》之晚于《彖傳》，已有不少易學專家指出，如朱伯崑先生在《易學哲學史》上所說：“關于《象》形成的年代，高亨認爲，《大象》只解六十四卦的卦名和卦義，而不及卦辭，因爲《彖》已解卦辭，故《象》出于《彖》之後（見《周易大傳今注》）。此説甚是。《彖》只解卦辭，而不及爻辭。《小象》則補以爻辭，并采爻位説，亦《象》晚出之證。”《象傳》晚于《彖傳》，其摹仿抄襲的痕迹也頗明顯，李鏡池先生在《周易探源》中曾將早出的《彖傳》與晚出的《象傳》、《繫辭》等之間的關係作了這樣的概説：“《彖傳》在《易傳》裏，最有代表性的作品，它綜合了由陰陽家的陰陽説所發展出來的剛柔説，道家的宇宙觀，和儒家的政治理想、行爲修養思想來説解《周易》，而又奠定了後來説易的基礎。它的構成和影響是：

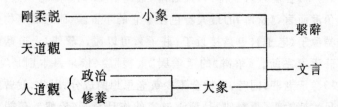

它的剛柔説和天道觀，又不是孤立的，而是用來發揮它的政治思想、修養思想。”

從李鏡池先生所理出的綫索，在有關《彖》、《象》相承關係的問題上，我想作兩點説明：一是從天道觀方面來説，《彖》、《象》兩傳的

成就確實差別懸殊,《彖傳》有一個完整而獨特的理論,《象傳》卻無
所建樹;二是《象傳》分大象和小象,小象所采剛柔説出于《彖傳》而
不及之。《易傳》的剛柔説又源于《老子》,更主要的是受了黄老道家
的影響,這從馬王堆出土的帛書《黄帝四經》可以看出它們之間有
着清晰思想發展的脈絡。

討論《象傳》,首先有兩點值得注意:一是須將《大象》和《小象》
分别開來討論;二是《象傳》應是獨立于各學派之外的解《易》作品。

《象傳》中的《大象》與《小象》是不同人先後寫出的,李鏡池先
生在《周易探源》中已指出:"《大象》專談政治和修養,也就是《彖
傳》中的人道觀。《小象》則發揮《彖傳》的剛柔説。《大象》和《小
象》的作者可能不是一個人,時代也可能有先後。"尤其值得注意的
是,《大象》與《小象》無論在解易的方式、陳述内容及其思想觀點都
頗不一致,因此,下文將采取較爲嚴格的學術立場,將大小象分别
論述。本文未能顧及《易傳》之作爲超學派的獨立的解易系統,僅側
重在以後人所習用的學派觀點來論析《象傳》中所融合的各家思想
成分。

《大象》解釋《周易》六十四卦每卦的卦名,并述其卦意,共六十
四則;《小象》解釋每卦各爻辭,共三百八十六條。下文逐條叙説《大
象》所蘊含的學派思想成分。

《大象》解釋每卦卦名卦義,多用"君子以"或"先王以"的形式,
爾後格式化地道出一兩句作者對人生修養與政治期望的議論(凡
用"君子以"的語句,都是作者個人的願望與理想的投射;凡用"先
王以"的語句,多是客觀地表達歷史事實的陳述)。有關《大象》義理
學派歸屬的類别,檢查全文,可作如下的分别:

《大象》中凡嚴格屬于儒家思想成分者,有如下各項:

蒙:君子以果行育德。

履:君子以辨上下,定民志。

大有:君子以遏惡揚善,順天休命。

蠱：君子以振命育德。

臨：君子以教思無窮，容保民無疆。

大畜：君子以多識前言往行，以畜其德。

坎：君子以常德行，習教事。

大壯：君子以非禮弗履。

晉：君子自昭明德。

蹇：君子以反身修德。

益：君子以見善則遷，有過則改。

艮：君子以思不出其位。

漸：君子以居賢德善俗。

節：君子以制數度，議德行。

小過：君子以行過乎恭，喪過乎哀，用過乎儉。

以上各條，一般説來，是屬于儒家觀點，但有的也并不盡然，如《大象》釋“大有”、“蠱”、“臨”各條，稷下道家也包含了這種思想特點。

《大象》中屬于法家思想成分者，有如下各項：

噬嗑：先王以明罰勑法。

賁：君子以明庶政，無敢折獄。

解：君子以赦過宥罪。

豐：君子以折獄致刑。

旅：君子以明慎用刑而不留獄。

中孚：君子以議獄緩死。

以上各條，是屬于法家的思想範圍。

如果僅僅由上述所列舉的各項來看，就會如一些學者所認爲的，《象傳》是以儒法思想爲主，這種看法是由于未曾注意到道家思想成分的緣故。如果我們對《象傳》逐條深入考察，就會發現道家的成分實更多于儒法，亦更爲重要。下面容我們依據原文材料以爲論證。

二、"天行健,君子以自强不息"乃道家獨有的思維方式

從哲學角度而言,《象傳》作者的思考力實遠遜于《彖傳》與《繫辭》,而《小象》尤其貧弱。不過,《大象》開頭第一句話"天行健,君子以自强不息"爲當代學者所倍加贊賞,且被贊許爲民族精神。"自强不息"確可視爲殷周以來、先秦諸子之前已凝聚形成的民族精神的一種征信,但不必屬于哪一家哪一派。如果一定要從學派觀點來看,它與墨家精神較爲相合,但進一層從思維方式的角度來考察:由天道("天行健")推衍人事("君子以自强不息")的思維方式,乃是出于道家而不是儒家。

1. 在先秦由天道推衍人事的思維方式是道家獨特的思維方式。自道家創始人老子開始,便標舉人法地,地法天,天法道,道法自然。在人效法天道自然的基準下,托天道以明人事便成爲道家思維方式的一大特徵。這一思維方式由莊學與黄老道家所發揚,且爲《彖傳》與《大象》所繼承。《大象》的特點,是將天道與人事統一起來,其對卦義的解釋,前句講自然現象,後句講人事生活教訓。可以說《大象》的這一思維模式全然是繼承原始道家托天道以明人事的特點。反之,儒家的思維方式是單調而單向的,儒家創始者孔子之思想格局僅限于人倫一隅而罕言天道。

2.《大象》解乾卦,使用"君子"一詞,猶存古義。"君子"一詞,早在儒家孔子誕生以前,就已通行,《易經》中共出現十七處之多,多指有地位的人。而《象傳》中的"君子",并不具有道德的意涵。至于使用"天行"一詞,即出自于道家典籍,而不見于儒家《論》、《孟》作品中。"天行"概念在先秦哲學著作中,首見于帛書《黄帝四經》中《十六經·正亂》篇,且屢見于莊子《天道》、《刻意》。

再則,"天行健"的概念或"自强不息"的精神,已見于《老子》與《黄帝四經》等道家著作中,兹引述如下:

（1）《老子》二十五章有言"周行而不殆"，老子描述的道的周行不殆正與《大象》所說的"天行健"異文同義。

（2）《老子》五章有言"天地之間，其猶橐籥乎？虛而不屈，動而愈出。"這裏描述天地萬物的生生不息，也正與《大象》所說的"自強不息"同一義涵。

（3）《老子》四章有言"道冲而用之或不盈"，這是描述道體是虛狀的，卻涵藏着無盡的創造因子。這觀點也和"天行健"的觀念和"自強不息"的精神相一致。

（4）《老子》三十三章有言"自勝者強"，此言和尼采所謂"超人乃自我征服、自我提升"同義。而《大象》"君子以自強不息"與"自勝者強"的精神正相契合，東漢易學家虞翻在這裏也正是引用《老子》"自勝者強"來注解"自強不息"。

（5）《十六經·正亂》有言："夫天行正信，日月不處，啓然不台（怠），以臨天下。"天行不怠之作爲聖人以臨天下的一種精神指向，與"天行健，君子以自強不息"文義相合。

3. 依帛書《周易》的乾卦《大象》當讀爲："天行，健（鍵），君子以自強不息"（按通行本"健"，帛本爲"鍵"，即"乾"，乾、鍵、健音近而通），坤卦《大象》當讀作："地勢，坤，君子以厚德載物。"《大象》解乾、坤是相對并舉的，前者在于"法天"，後者在于"法地"——"法天"之運行不已與"法地"之廣裕載重，用以象徵理想人格形成之內涵性。

《大象》作者在提示有志之士當"法天"之周行不殆的同時，也當法地之"厚德載物"。按《老子》五十五章有言："含德之厚"，故"厚德"一詞，或源于此。老子重視"處厚"（《老子》三十八章："大丈夫處其厚"），莊子則強調"積厚"（《逍遙遊》）。

《大象》的"法地"，也容易使我們聯想到尼采所肯定的"大地的意義"（尼采代表作《查拉圖斯特拉如是說》宣稱"超人就是大地的意義"）。而《大象》"厚德載物"的思想，也容易使我們想到尼采所贊

揚的"駱駝精神"(見《查》書第一部分《精神三變》)。而尼采所標示
的"駱駝精神"之忍辱負重,與莊子所構繪的"巨鷗精神"之深蓄厚
養,亦可相互發明。

《易》、《老》之相通,以《周易》"坤"義最爲顯著。《易經》坤卦卦
辭有言:"利牝馬之貞","君子有攸往,先迷後得主,利。"《周易》這
裏認爲"牝馬"利占,到了老子,便將"牝"義以哲學化,并提高到"天
下母"的境界。就形上學領域而言,《老子》以"玄牝"來指稱"道",謂
"谷神不死,謂之玄牝,玄牝之門,是謂天地根,綿綿若存,用之不
勤。"(第六章)就現象層次而言,《老子》認爲天下之牝,牝常以靜勝
牡"。至于"先迷後得"的觀點,亦爲老子所發揮。老子一再強調處
下積厚之德,也正蓄涵着《大象》所說的"厚德載物"的義旨。

這裏我們還得指出,馬王堆出土了帛書《周易》和古佚書《黃帝
四經》,從而爲黃老道家的天道"環周論"提供了極其珍貴的古典文
獻。如前所述,以帛書《周易》乾卦《大象》當作"天行,健……",
"健"即乾坤之"乾",而"天行"則爲一獨立概念。"天行"概念在先秦
自然哲學和形而上學領域中是至爲關鍵的,它是由老子"周行而不
殆"、"反者道之動"的天道觀,到黃老道家、《黃帝四經》形成了一個
相當完整系統的天道環周論,這一個從春秋末期老學到戰國中期
黃老之學所建構的天道環周論,又爲《彖》、《象》所繼承(《彖傳》稱
"消息盈虛,天行也"則與莊子學派相通),這其中可以看到一個清
晰的思想綫索的發展。這是我們研究先秦哲學史的一個值得深入
探討的課題。

再則,《大象》之將"法天"與"法地"兩相并舉,這也與黃老道家
思想是一致的。帛書《黃帝四經》有言:"天陽地陰,……諸陽者法
天,……諸陰者法地。"《十六經·立命》:"吾允地廣裕,吾類天大
明。"與《大象》釋乾、坤屬于同一思想脈絡的發展。此外,《文言》也
有類似的說法,也可能是受到《黃帝四經》的影響。總之,無論在思
維方式或其概念使用上,《象傳》之釋乾坤都受到道家學派的深刻

影響。

三、《小象》以老子思想解“乾”、“坤”

《小象》釋“乾”、“坤”兩卦各爻爻辭，多采道家觀點，尤其是《老子》。《小象》釋“乾”說：“‘潛龍勿用’，陽在下也；‘見龍在田’，德施普也；‘終日乾乾’，反復道也；‘或躍在淵’，進無咎也；‘飛龍在天’，大人造也；‘亢龍有悔’，盈不可久也；‘用九’，天德不可爲首也。”兹分條闡述如下：

1. 乾初九《小象》曰：“‘潛龍勿用’，陽在下也。”“潛龍”，比喻有志之士，幽隱待時。老莊之隔離智慧，正是“潛龍勿用”之意。《老子》云：“進道若退”（四十一章），“不敢進寸而退尺”（六十九章），進退之間，老子哲理發人深省。而莊子筆下巨鵾之潛藏溟海，深蓄厚養，也深得潛龍勿用之旨。以此可見，《周易》經傳與老莊志趣相通。

2. 乾九二《小象》曰：“‘見龍在田’，德施普也。”《老子》五十四章有言，“其德乃普”，此處《小象》作者顯然係沿用老義。

3. 乾九三《小象》曰：“‘終日乾乾’，反復道也。”《小象》此處以反復之道解釋九三爻辭，正合《老子》二十五章“周行”之義，而與《老子》第四十五章“反者道之動”相通，但其哲學意涵則不及《老子》。

4. 乾上九《小象》曰：“‘亢龍有悔’，盈不可久。”《老子》深感盈有傾覆之患，故戒人以“不欲盈”（第十五章），警惕人“持而盈之，不如其已。”（第九章）

5.《小象》曰：“‘用九’，天德不可爲首也。”這是《老子》六十七章“不敢爲天下先”之義。而“天德”一詞，累見于道家文獻（如《莊子》的《天地》、《天道》、《刻意》等篇）。

總之，《小象》解釋乾卦六爻爻辭，是有這樣的一個基本觀點，即認爲事物在變化的過程中，發展到極致，就會向它的反面轉化。

因而提出"物極則反"的警惕,這也正是老子哲學的義蘊。

《小象》釋"坤"亦多與《老》義相合,兹逐條引證如下:

1. 坤初六《象》曰:"'履霜堅冰,陰陽凝也;馴致其道,至堅冰也。"《小象》這裏解釋與《經》意同,《正義》:"履踐其霜,微而積漸,故堅冰至。"《小象》這裏講事物的進行有一個由微而積漸的發展過程。而老子的"微明",與此義同。莊子所謂"日漸之德",其義也相通。

2. 坤六二《小象》曰:"六二之動,直以方也;'不習無不利',地道光也。"經意以"直"、"方"、"大"來解釋《易》道,《小象》依經文而着重言地道,而解《易》學家則以老子自然觀點解釋經傳此處文義,如《程氏易傳》説:"不習,謂其自然。在坤道,則莫之爲而爲也。"是則程頤以老子自然無爲作解。孔穎達《周易正義》謂:"……任其自然之性,故云'直以方也'。"《小象》所謂"地道光"即"地道廣"之意,高亨先生《周易大傳今注》説:"光借爲廣,地道廣,謂地道廣大,兼載萬物,無所不容。……言人能取法地道之廣大。"依此,則《小象》此處源于《老子》二十五章"人法地",并與黄老帛書《十六經·立命》"允地廣裕"同義。

3. 坤六四《小象》曰:"'括囊無咎',慎不害也。"此處黄壽祺先生解説:"六四以陰居陰,有謙退自守、慎而又慎之象,這是處位不利能獲'無咎'的重要條件。故爻辭以'括囊'爲喻,《象傳》以'慎不害'設戒。"以"謙退自守"作爲"慎不害"之戒,正合老義。

4. 坤用六《小象》曰:"用六'永貞',以大終也。"《尚氏學》以此爲"言陰極必返陽",這正合老子"物極必反"的規律。

綜觀《小象》全文,哲理性不強,于哲學思考力尤爲貧弱,除"乾"、"坤"兩卦之外,其餘解釋各卦爻辭其義理性極低,學派性也不強,故不贅論。下文則論述《大象》除上述"乾"、"坤"兩卦之外的其餘各卦卦義之道家思想傾向。

四、論《大象》中合于老子而與莊子、黄老思想相通者

（一）《大象》中合于老子思想的部分

1.《屯》卦《大象》説："雲雷，屯；君子以經綸。"按《屯》的上卦爲坎，下卦爲震組合而成，"坎"爲雲，"震"爲雷，雲雷交作，象徵"初生"，《大象》作者訓"屯"爲積聚，并由"屯"卦象而申説：有志之士經緯國家得留意初創之時需積聚之功。《大象》此處與老子"重積德"的治世思想相同。老子"重積"（五十九章），又比喻："九層之臺，起于壘土"（六十四章），而莊子謂"風之積也不厚，則其負大翼也無力"、"水之積也不厚，則其負大舟也無力"（《逍遙游》），喻人們爲學做事需培養積厚之功。《大象》作者的觀點，與老莊同；荀子之重積（如謂："積重之"、"積微者箸"、"積厚者流澤廣"、"聖可積而致"等等），也受老莊的影響。

2.《訟》卦《大象》云："天與水違行，訟。君子以作事謀始。"李鼎祚《周易集解》引荀爽曰："天自西轉，水自東流，上下違行，成訟之象也。"古人觀察自然，見天上的日月星辰都由東向西轉，見地上的水則自西往東流，兩者運行方向相背，成爲矛盾相爭之象，所以説："天與水違行，訟。"《大象》作者觀此象而認爲作事應"謀始"。按"謀始"之義，見于《老子》六十四章："其安易持，其未兆易謀。其脆易泮，其微易散。爲之于未有。治之于未亂。"《大象》所説："作事謀始"，或受老子名言的啓發。

3.《師》卦《大象》云："地中有水，師；君子以容民畜衆。"按《老子》八章以"水"之"善利萬物"而"處衆人之所惡"。《大象》此處以地中水取容民畜衆之義，正與老子旨意相合。

4.《否》卦《大象》云："君子以儉德"，"儉德"被老子列爲"三寶"之一。《易經》的泰卦與否卦是相對立的一組卦，成語所謂"否極泰來"即源于此，泰卦云："小往大來"；"無平不陂，無往不復"；否卦

云:"大往小來。"

《周易》卦辭萌芽于樸素辯證法的觀點,這爲老子所高度發展,建立了空前未有的辯證思想體系。然而《彖》、《象》于此卻未從辯證觀點加以發揮,故從辯證思想而論,《彖》、《象》作者的哲學思考力遠不如老子。《大象》釋"否"云:"君子以儉德闢難,不可榮以祿",這裏可以看出《大象》作者在這三點上受到老子及其道家的影響:一是從"天地不交",推衍出"儉德闢難",如前所述,這種以天道推衍人事的思維方式,已成爲道家獨特的思維方式;二是"儉德"被老子視爲"三寶"之一,見于《老子》六十九章;三是:"不可榮以祿"的提示,正是道家的高尚風格,儒家醉心于榮祿,道家的一派則繼承了《周易》所謂"不事王侯,高尚其事",儒家入世心態之成爲後代官方意識形態,而道家成爲民間心聲的代表者,實有其不同的入世心態。

5.《謙》卦《大象》云:"地中有山,謙。君子以襃多益寡,稱物平施。"

《漢書·藝文志》説:道家合于"易之兼兼,一謙而四益,此其所長也。"這裏突出了《易》、老在"謙"義上的關聯,而《大象》所謂"襃多益寡"正是繼承了老子"損有餘而補不足"(七十七章)的主張。而《大象》所謂"稱物平施"也正是《老子》三十二章"均平"思想的具體表現。

6.《咸》卦《大象》云:"山上有澤,咸。君子以虛受人。"按此受人以"虛"的觀念,無疑是源于老子。《史記》載孔子問于老子,老子以"深藏若虛"勉之;《莊子·天下篇》謂老聃"人皆取實,己獨取虛";在中國哲學史上,老子是第一個提出"虛"和"實"("無"和"有")概念的人,老子"正言若反"的哲理,尤其突出"虛"的作用。老子有言:"天地之間,其猶橐籥乎?虛而不屈,動而愈出。"這個意思是指天地間是呈"虛"狀的,它的作用卻是不窮竭的,因而這個"虛"含有無盡的創造因子。老子提出"致虛極,守靜篤","虛"、"靜"即成爲道家思想的重要特色。"虛"的概念在中國哲學史、美學史、藝術史上都具有極爲深遠的影響,并且成爲人生哲學的一個重要的人格特徵。《老子》十五章描述理想的人格形態謂:"古之善爲道者,……曠兮其若谷,……""虛懷若谷"的成語即源于此。道家的"虛"意指心靈廣大的涵容性,能博采衆議,而與儒家"攻乎异端"、排斥異己形成鮮明對比,這成爲道、儒兩家不同的胸襟與心態,足證《大象》"在虛受人"的觀念含有道家的成分。

7.《明夷》卦《大象》2:"明入地中,明夷。君子以涖衆,用晦而明。"《大象》主張治衆采用晦之道,這本于老子"清靜無爲"的思想。

黄壽祺先生説:"《大象傳》從涖衆的角度,引申出'晦明'施治、其明益顯的普遍意義,這一點實爲古代統治階級總結出來的一種政治藝術,本于《老子》'無爲而無不爲'的思想"(《周易譯注》296頁)。所論甚是。"正言若反"是老子哲學的一大特點,如老子説"明道若昧"、"近道若退"、"大白若辱"、"庶德若不足"(四十一章),又説:"曲則全,枉則直"(二十二章)及"和光同塵"(五十六章)等思想,均屬"用晦"之道。

8.《升》卦《大象》云:"地中生木,升。君子以順德,積小以高大。"《正義》云:"地中生木,始于細微,終于合抱。"正是引用《老子》六十四章文義。同文中老子説:"九層之臺,起于累土;千里之行,始于足下","積小以高大"正承此義。至于《大象》所謂"順德",更與老子思想相合。

9.《井》卦《大象》云:"木上有水,井。君子以勞民勸相。"王弼説:"木上有水,井之象也。上水以養,養而不窮者也。"朱熹説:"木上有水,津潤上行,井之象也。勞民者,以君養民。勸相者,使民相養,省取井養之義。"按朱熹是順王弼《周易注》而作解,着重《彖傳》所説"井養"之義。朱注"以君養民"、"使民相養"釋"勞民勸相"頗有新義,乃合稷下道家之詣。而"井養"之説,與老義相通。井之不盈不竭,取用不盡,正與《老子》四章、五章、六章、四十五章文義相同

——老子所謂"虛而不屈"、"用之不勤"、"沖而用之或不盈"、"大盈
若沖，其用不窮"等，井養之義正承此。

（二）《大象》中與莊子思想相通部分

1.《小畜》卦《大象》云："風行天上，小畜。君子以懿文德。""風
行天上"很容易使我們聯想起《莊子·逍遙游》鵬之乘風飛行。朱熹
的解釋正是，他說："風有氣而無質，能畜而不能久，故爲小畜之象。
懿文德，言未能積厚而遠施也。"朱意"小畜"乃由于風之積也不厚，
而"懿文德"乃在于未能積厚而遠舉，這正是《逍遙游》所喻鵬之遠
舉，須先經過鯤之潛隱以積蓄力量，積厚乃能遠施。

2.《大過》卦《大象》云："澤滅木，大過。君子以獨立不懼，豚世
無悶。""獨立不懼，豚世無悶"是典型的道家的人格形態，儒家則反
之，孔子三月無君則惶惶然不安，孟子不見用于齊，在他離開齊國
時仍是懷著能夠被國君挽留下來的希望，走了三天還沒有走出齊
國。老子晚年的"功成身退"，莊子的終身不仕，是道家兩種不同的
風骨的體現。

3.《困》卦《大象》云："澤無水，困。君子以致命遂志。""致命遂
志"正是莊子式的生活態度。"致命"一詞爲莊子常用，《人間世》說：
"莫若爲致命。"意即順乎自然分際，《天地》說："致命盡情。"即窮究
性命，揮發性情，《天運》說："達夫情而遂天命也"，意即通達情理而
順應自然。這裏"致命"乃是在必然的情境中采取一種順乎自然的
態度。《莊子》中還常見"養志"、"尚志"、"適志"，都與"遂志"相通。
因此，《大象》"致命遂志"的精神是與《莊子》相通的。

4.《睽》卦《大象》云："上火下澤，睽。君子以同而異。""以同而
異"，乃是"求同存異"之義，"求同存異"乃是道家思想的重要特點
之一，老子講"玄同"，主張"有容乃大"，而在"同異"的問題上，莊子
學派的觀點尤其精辟，莊子哲學主要在于從"同"處着眼，他嘗言：
同于"大同"，通于"大通"，主張"萬物齊一"，便是從"以同觀之"中
而來的。他觀察問題，着重于"大同"、"大通"，而又注意"同中存

異"，他深感世俗之人不能存異，指出"世俗之人皆喜人之同乎己，而惡人之異于己。"(《在宥》)他還説："同于己爲是之，異于己而非之(《寓言》)。"因此强調存異、立異。主張"十日并出"，以開放的心胸容納不同的意見。他曾説"獨往獨來，是謂獨有，獨有之人，是謂至真(《在宥》)。"這是對個體殊異性存在的肯定。在《則陽》篇中提出"合異以爲同，散同以爲異"。這裏討論了個體與整體的關係以及整體中保持多樣性與發展個殊性的問題。《大象》"以同而異"的觀點正承襲了莊子"求同存異"的思想内涵。

(三)《大象》中與稷下道家或黄老之學相通部分

　　稷下道家或盛行于齊楚地區的黄老之學的一大特點*是融合性强。黄老之學與莊子學派較大的不同便是莊學揚棄理智、文化而否極人意，黄老則以老學爲主體而拉納儒法思想，并明確肯定上下貴賤之别，這與莊學"齊同萬物"觀點也大不相同。

　　1.《履》卦《大象》云："上天下澤，履。君子以辨上下，定民志。""辨上下，定民志"正合黄老之道。帛書《經法·君正》："壹道同心，上下不□，民無它志，然後可以守單(戰)矣。"《經法·六分》："主主臣臣，上下不□者，其國强。"《十六經·觀》："君臣上下，交得其志。"這裏可以看出黄老是非常重視"辨上下"以定民志的。

　　2.《泰》卦《大象》云："天地交泰，後以財物天地之道，輔相天地之宜，以左右民。"此處所説：裁成天地之規律、輔助天地之所宜，以支配萬民從事生産，反映了稷下道家的思想特點。同時這觀點遍見于稷下論叢《管子》書中。如《管子》所説："聖人必參于天地"、"根天地之氣"、"道天地之常"、"因天地之道"、"尊天地之理"等等，都與《大象》所説同義。稷下道家强調"道在天地之間"(《管子·心術上》)、"效夫天地之際"(《管子·白心》)，也是對天地之道的强調。"聖人若天然，無私覆也，若地然，無私載也。"總之，法天地之道，以佐天地之宜，是黄老學派、稷下道家特有的思維方式。同時也反映了黄老道家的觀點。成書早于《孟》、《莊》的帛書《黄帝四經》一再强調應知"天地之宜"，如《十六經·前道》説："上知天時，下知地利，中知人事。"又如《稱》説："知天之所始，察地之理，聖人麋論天地之紀。"

3.《革》卦《大象》云："澤中有火，革。君子以治歷明時。"朱熹説："四時之變，革之大者。"按麻借爲歷，即後起之曆。"治曆明時"即如高亨先生所説修治曆法以明確時令，以便使人能掌握時令變革之法則，適應時令以安排生產與生活，這觀點是稷下道家所特別重視的。擔任守藏史的老子本屬于史官系統，重視"歷治"爲其執掌所在。黃老道家的重視"歷治"更具體而明確。如帛書《經法·論》中有言："天執一以明三。日信出信入，南北有極，[度之稽也。月信生信]死，進退有常，數之稽也。列星有數，而不失其行，信之稽也。"黃老道家之重視歷算，由此可見一斑。

《革》卦《大象》王弼注曰："歷數時會，存乎變。"朱熹繹王注曰："四時之變，革之大也。"亦此，"歷時"與"變革"的觀念爲《大象》作者釋《革》卦所强調的重點，這也正是稷下道家和黃老學派所重視的。老子强調"動尚時"，帛書《黃帝四經》也一再强調"順四時之度"（《經法·論》）、"并四時以養民功"（《十六經·觀》），并道出"聖人不朽，時反是守"的名言。對于"時"的掌握，先秦諸子莫不關注，而以黃老道家尤爲突出。而"變革"的觀念，亦爲黃老道家最爲强調。稷下道家劃時代的宣稱："故子而代其父曰義也，臣而代其君曰篡也；篡何能歌？武王是也。"（《白心》）這不僅主張社會變革，而且激烈地肯定"革命"的舉動，《黃帝四經》宣稱："我不臧（藏）故，不挾陳，鄉（向）者已去，至得乃興。"此亦爲變革之章。

（四）小結

1.《象傳》成于戰國中期之後，而這一時期哲學思潮以道家居于主導地位，在哲學領域內老學與黃老之影響法家爲眾所周知，以倫理思想爲主體的儒家自孟至荀，其受稷下道家之影響亦趨明顯（荀學及其後的《學》、《庸》實爲儒道互補之作）。就道家陣營而言，自老學至戰國中期的莊子學派，稷下道家與帛書《黄帝四經》，縱觀當時（戰國中後期）學術大勢，戰國中期百家爭鳴，雲集于稷下學宮，稷下各派莫不以老學爲尊，當此之時，南北道家或齊楚道家平行發展而又有所交流，黄老學説則由稷下而向四方擴散。《彖》、《象》或爲楚人游于稷下之作，故深受老莊與黄老道家思想之影響，從天道觀來看，甚而可以説《彖傳》是道家解易之作；而《象傳》則爲融合道、儒、法、墨、陰陽及名家各派思想之作（除本文論及《象傳》中道、儒、法各家思想之外，還有名家思想影響的痕迹。如：《大象》《同人》卦：“類族辨物”，《小象》《大有・九四》：“明辨晢也”，乃名家思想。《小象》釋《家人・九五》：“交相愛也”，乃墨家思想）。時賢有以《象傳》乃以儒、法思想爲主，實則深究其原義，并不盡然。自思維方式及其義理内容之深度而言，《大象》中所含的道家思想成分遠比它家思想具有更爲深刻意義，這方面的論點向爲學界人士及治《易》學者所忽視，這正是本文論述的重點。而《小象》的義理性平弱，學派性不强，僅乾坤兩卦略含哲學觀點，其受老學影響較明顯。

2. 從馬王堆帛書出土之後，對易學傳承系統應給予重新探討。戰國以後，各學派對《易》都有所研究，從義理角度而言，天道乃爲易道重要内容，推天道以明人事也成爲探討《易》學的重要課題。“三極之道”——天、地、人一體觀乃道家哲學的獨特内容。《周易》出于巫史系統，身爲史官的老聃熟知《周易》固與其執掌職司有關，更主要的還是思想性格相近使然。《易》、《老》之相通，在其“究天人之際”及辯證思想，具有一脈相承的關係。《易傳》之所以與道家具有不可分的關係，這是就思想綫索而言。再就傳《易》的文化區域而言，易學盛行于齊楚地區，而魯地則無易學傳承系統，乃是由于魯國之衰，其文化分子也趨于流散之故。易學盛行于齊楚，而齊楚正是老學及其道家淵源之所與發展最爲興旺的區域。《易傳》如《彖傳》與《繫辭》），這也是《易傳》帶有濃厚道家色彩的重要因素。

究實而言，《易》原爲占卜之書，而儒家自孔至荀，均主張爲易者不占，孔、孟、荀等原始儒家之大談詩書而罕言《易》，也是由于易學與儒家思想性格格格不入之故。儒家之研究易乃在荀子之後（荀子之時，《象傳》已成書，荀子《大略》篇曾引《象傳》以説明問題），自戰國至秦漢間，或有不少儒生由于受道家思想影響而研究《周易》，這由馬王堆出土的《二三子問》、《易之義》、《要》等儒學傳承作品其中含有黄老思想成分可證，這也是耐人尋味的。

　　從出土文獻來推測，易學傳承就以地區而言可能有不同系統，從馬王堆出土帛書如《二三子問》、《易之義》、《要》等作品中可以看出楚的有其傳易系統，就晉代汲郡出土的《易》、《陰陽説》則當是另一地區的傳承系統（可能是三晉地區的傳易系統），而《彖》、《象》可能和田何有關——它們成爲了漢《易》所確立的系統。由田何往上追溯，則《象傳》有可能屬于齊的傳承系統。總之戰國之後各家思想漸趨融合之勢，而道家在哲學領域内獨領風騒，故而《易傳》道家思想色彩較深濃，《象傳》尤其是《小象》，事實上是一個獨立的解《易》系統，而《大象》與《小象》在引申乾坤兩卦的義理性上，無論其思維方式或其思想内容均屬道家範疇。對于這個學界長期忽視的觀點，本文在此僅做拾遺補缺之舉，我這種一反衆説的觀點，也聊供學界參考。

　　作者簡介　陳鼓應，1935 年生，福建長汀人。曾任臺灣大學哲學系副教授。現任美國加州大學研究員，北京大學哲學系教授。著有《悲劇哲學家尼采》、《老子注譯及評價》、《莊子今注今譯》、《老莊新論》等。

陰陽五行、八卦在西藏*

王　堯

内容提要　本文就藏語中五行(Khams Lnga)、八卦(Spar—Kha)的來源探索漢藏兩族人民在上古就已經開始了文化、思想交流。引述藏文古籍中有關這一問題的記載,同時介紹敦煌古藏文中有關五行紀年的文獻資料,從而說明多元一體的中華文化的特色。

（一）

　　五行學說在中國由來已久,它是許多舊學問的主心骨,無論是古代科學(天文、醫學)、古代哲學(思想、邏輯)、古代政治學(倫理、綱常)、古代神學(讖緯、卜筮)沒有它就立不起來。這些學問與陰陽五行學說的關係恰是"剪不斷、理還亂"。在秦、漢時期,尤其是漢代(公元前206—公元220)經過董仲舒(前197—前104)一類大儒的抉幽闡微和朝廷的大力推廣,于是成爲社會上統治人們思想的工具。

　　關于五行學說的起始、形成和發展,諸家衆說頗多差異。一般

---

　　*　本文是作者《河圖、洛書在西藏》(刊于《中國文化》第五輯 1991.)的姐妹篇。

認爲：五行，始見于《尚書·甘誓》。《甘誓》是一篇戰爭動員令，據信是後人依據傅聞寫成的，寫作時代有人以爲是商代；也有人以爲是戰國形成。在《墨子·明鬼篇》(下)的引文中作《禹誓》。反正是夏代初年發生的事情。啓(或者禹)發動討伐有扈氏的戰爭，兩條罪狀：一是"威侮五行"，二是"怠棄三正"。

> 大戰于甘，乃召六卿。王曰："嗟！六事之人，予誓告汝：有扈氏威侮五行，怠棄三正，天用剿絶其命，今予惟恭行天之罰。"①

《甘誓》的作者問題，衆説雜陳，龐樸在叙述了《墨子》、《書序》、《呂覽》及郭沫若等不同觀點後，總結性地指出：在"卜辭中是有五行思想的！"他認爲"樸素的五方觀念正就是後來神秘的五行學説的權輿。"又進一步確信："其實某種程度上的神秘性，在卜辭時代已經露頭了。"②

《尚書·洪範》裏有最初的系統的五行叙述：

> 惟十有三祀，王訪于箕子。王乃言曰："嗚呼，箕子，惟天陰騭下民，相協厥居，我不知其彝倫攸叙。"箕子乃言曰："我聞在昔，鯀陻洪水，汨陳其五行。帝乃震怒，不畀洪範九疇，彝倫攸斁。鯀則殛死，禹乃嗣興。天乃錫禹洪範九疇，彝倫攸叙。……一，五行：一曰水，二曰火，三曰木，四曰金，五曰土。水曰潤下，火曰炎上，木曰曲直，金曰從革。……"③

《洪範》成篇的年代也是有很多分岐意見，龐樸的意見是："這種五者并列的五行説，可能正是周初時候的思想。"④劉起釪近創新説，他認爲《洪範原本出于商末，歷西周、春秋、戰國而有所增益和潤

① 據黃侃手批《十三經白文》，上海古籍出版社 1983 年影印本。以下凡《尚書》引文，悉據該本。
② 龐樸：《先秦五行説之嬗變》，載《稂莠集》，1988 年，上海人民出版社出版。
③ 據黃侃手批《十三經白文》。
④ 龐樸：《先秦五行説之嬗變》載《稂莠集》。

色,最后可能經過齊方士的整理或加工①。語言學家俞敏(叔遲)先生在研討《尚書·洪範》"土爰稼穡"句中爰字含義時,提出十分中肯的意見,他説:

> 質樸的先民們在生産力發展到一定的水平的時候,就開始探索宇宙的來源了。印度的哲人們認爲宇宙是用地、水、火、風四種"原素"合成的。漢族的先哲得出了個差不多的結論:"原素"是水、火、木、金、土。最早紀錄這個學説的文獻是《書·洪範》。這篇文章,不像《大誥》那么詰屈聱牙,可還没有《金縢》裏"啓籥見書,乃并是吉"那種《世説新語》味兒的句子。大致可以信它是周初作品,流傳到陰陽五行大流行的戰國,也許經過潤色。②

(二)

藏族接受陰陽五行學説甚早,遠者可以上推到周初,姬、姜兩大部落的流動和轉徙時,姜姓一支留在西北,從事放牧的事業,被稱爲羌人,就是藏族先民某支的祖先。羌人部落有一百多種,其中最爲偏遠的叫"發羌","唐牦",大概是藏族的直接祖先。他們既然與姬姓的華夏部落有過廣泛的接觸,當然具有天然的姻婭淵源。(請參考俞敏(叔遲)先生的一篇别開生面的論文:《漢藏兩族人和話同源探索》。③ 文中有非常精闢入理的分析,把漢文古文獻中有關資料作了一次多層次的展覽和訂正。)本文受條件所限,不打算在此展開討論,故從略。所以五行學説的思想和方法在藏族中流傳也是很久的事。

藏族稱"五行"爲 Khams—Lnga;就是 Shing(木)、me(火)、Sa

---

① 劉起釪:《洪範成書時代考》載《中國社會科學》1980 年 3 期。
② 俞敏:《〈尚書·洪範〉土爰稼穡解》,刊《中國語文》1985 年 1 期。
③ 《北京師範大學學報》1980 年 1 月。

（土）、Lcags（鐵＝金屬、金）、chu（水）。① 又各各分爲陰陽（Pho—
mo，請注意：藏人語言習慣，陽在前而陰在後。即陽陰）合計爲十，
用以對應十天干。② 再與十二地支、即十二生肖相配（這十二生肖
的名稱、位序也是和漢地一致的，稱之爲 lo—rtags bcu—gnyis.）
下面就是漢藏兩種文字的干支對照表：

表一：五行（分陰陽、即十天干）對應表

漢	甲 乙		丙 丁		戊 己		庚 辛		壬 癸		注
藏	Shing 木		me 火		sa 土		Lcags 金		Chu 水		五行，藏語稱之爲
	pho 陽	mo 陰	pho 陽	mo 陰	pho 陽	mo 陰	pho 陽	mo 陰	pho 陽	mo 陰	Khams Lnga.

表二：十二地支、即十二生肖對應表

漢	子	丑	寅	卯	辰	己	午	未	申	酉	戌	亥
藏	byiba	glang	stag	yos	vbrug	sbrul rtag	lug	sprel	bya	khyi	phag	

若用天干與地支來組合（即按甲子、乙丑……的排列），起甲
子，終癸亥，恰合于漢地曆法，以六十年爲一輪。

---

① 《藏漢大辭典》第 224 頁，同條注中還列舉了《奇脈七占》和《臟腑論》
等醫學書籍中所包含五行（元素）的原理。
② 令人感興趣的是在蒙古族中也有相同的系統，《中國蒙古族科學技
術史簡編》一書中寫道："蒙古族稱'木、火、土、金、水'爲'塔本·庫
哈寶惕'（五行），并將'五行'各行都分爲'額日'（公）、'額木'（母）、
如'木'分一公一母，'火'分一公一母。然後把十二獸名與'五行'公、
母依次相配，如：木（公）鼠年、木（母）牛年、火（公）虎年、火（母）兔
年，……組成 60 年爲一組，蒙古人稱作'熱瓊'。蒙古族的十二獸名
紀年法配五行公母的第一年，是從公元 1027 年開始，即火（母）兔
年。"見該書 59 頁，筆者按：其實，所謂"公""母"即"陰"、"陽"。藏
語稱作 pho—mo，亦可譯爲雄、雌、公、母。"熱瓊"一詞正是藏語 rab—
vbyung 的譯音，義爲"勝生"，據云是紀念時輪法傳入西藏的那一
年，即 1027 年，稱爲"極好的出現"。蒙古族在十三世紀接受了藏傳
佛教——喇嘛教後，相應地接受并翻譯了藏族的曆法。

我們知道藏族歷史雖然很古老，(如上述，可以上推到周代)，但，藏文是公元七世紀中葉才創造推行的。遠古的傳說，于史無徵，難以確認，只好從有文字以後的文獻中求證①。

(一)公元823年，即唐穆宗長慶三年樹立于拉薩(古稱邏些)的《舅甥唐蕃和盟碑》，該碑四面勒文，西、北、南三面均爲漢、藏對照，東面純爲藏文。其中有關紀年(即五行、陰陽之曆法應用)的記載：

結大和盟于唐之京師之西，興唐寺前，時大蕃彝泰七年，大唐長慶元年，即陰鐵牛年十月十日也；又盟于吐蕃邏些之東，哲堆園，時大蕃彝泰八年，大唐長慶二年，即陽水虎年五月六日也；其立石于此，爲大蕃彝泰九年，大唐長慶三年，即陰水兔年二月十四日事也。……②

(二)公元1176年，(西夏仁宗李仁孝乾祐七年)，在甘肅甘州張掖立石的《黑水橋碑》，碑陽爲漢文，碑陰爲藏文，文義亦漢藏對照，藏文第十八行云：

---

① 關于藏文創造的歷史，有許多不同的意見，按藏族傳統的説法是公元七世紀中葉由松贊干布贊普的文臣通米·桑布札參照梵文的某一體字母、結合藏語實際而設計、創造的。同時還編寫了文法和正字法。近若干年來，西方的和日本的藏學學者提出一些不同的意見，但始終未能獲得藏學界共同承認。請參看拙文"藏文"，刊于《民族語文》創刊號。

② 拙作《吐蕃金石錄》(1980年，北京文物出版社)收有全文并附照片。李方桂教授等許多前輩做過深人研究，李氏并以專著發表，如下：《古代西藏碑文研究》，中央研究院歷史語言研究所專刊之九十一。李方桂、柯蔚南合著。1987年6月臺灣省臺北市。
A Study of The OLd Tibetan Inscriptions. by FangKuei Li and W. South CobLin. NanKang. Taiwan. Taipei. 1987.

陽火猴年九月二十五日立石。①

以上兩通石刻的藏文史料説明五行學説在曆法運用上，唐、宋之間，藏區已經普遍通行，還可以探索一下敦煌文書，（均爲公元十世紀以前的寫本）

敦煌吐蕃文書寫卷 P. T. 986 號是《尚書》譯文殘卷，存 157 行。原卷出自敦煌千佛洞莫高窟藏經洞，1907 年被法國的伯希和劫去海外，現存于巴黎的法國國家圖書館東方手稿部。筆者在 1982 年研究此卷，撰寫過一篇論文，後，連同另一吐蕃文書 P. T. 1291 號，《戰國策》藏文古譯殘卷的研究論文，收入拙作《敦煌吐蕃文獻選》一書中。由四川民族出版社 1983 年出版。②

（三）《尚書》的藏文譯文包括了《泰誓》兩篇、《牧誓》一篇和《武成》一篇。都屬于《周書》的範圍，這與當時在敦煌一帶流行的漢文本寫本有關。當時藏族的社會經濟、文化和軍事、政治都處于上升時期，一片欣欣向榮，積極進取的景象，人們大量派遣"豪酋子弟，入國子學"，習詩書儀禮，把唐朝的盛世雅言譯成藏文，大大地促進了藏族社會的繁榮和進展。從譯文中我們可以見到五行學説已經深深地進入了藏族人民生活之中，不妨舉幾個例子：

（爲了印刷上的方便，省去藏文原文，僅以選譯的漢文舉例）

藏文選譯爲漢文	《尚書·泰誓》原文
仲春二月四日，陽木鼠日。天色將曙，（武王）乃定與紂交戰。	時甲子昧爽，王朝至于商郊牧野，乃誓。

---

① 請參看拙作：《西夏黑水橋碑考補》，刊于《中央民族學院學報》1978 年，第 1 期。

② 《敦煌吐蕃文獻選》，分藏、漢兩種文字本，同時出版漢文本，四川民族出版社，1983，藏文本，北京民族出版社，1983 年出版，1985 年第二次印刷。兩種文本內容全同。

武決定伐紂時,孟春一月二日,陽水龍之日,新月初昇,其大部仍爲黑暗籠罩,休憩一日。	惟一月壬辰,旁死魄。
初三,陰水蛇之日,登程,引兵伐紂。	癸巳,王朝步自周,于徵伐商。
孟春一月二十八日,(陽土馬之日),渡黄河孟津滅紂。 　　孟夏四月三日,陰土蛇之日,新月初上時武王自商紂之地回豐(鎬)	厥9月,哉生明,王來自商,至于豐。(鎬)
孟夏四月一日,陰火羊之日,祭祀七代祖宗之時,王宮二千里以内居住之諸侯,不召自來。	丁未,祀于周廟,邦甸侯衞,駿奔走,執豆籩。
孟夏四月四日,陽鐵狗之日,置三牲于柴堆之上,舉火燔祭,祀奉上天。	越三日,庚戌,柴、望;大告武成。
其後,仲春二月初四,陽木鼠之日,天將曙時,紂兵如林,列隊布陣交鋒。	甲子、昧爽、受率其旅若林,會于牧野。

從以上幾例,可以清楚見到唐代藏族已經非常熟練地掌握了陰陽五行思想用于曆法換算之中。至于在醫學中應用五行學説,在占卜技術中運用五行學説是很自然的事。茲事體大、當另文研究之。

（三）

　　八卦,在藏語中稱爲 Spar—kha 或 Spar—kha brgyad. 就是漢

語的譯音，後面再加上一個解釋性的"八"字①。

這八卦所代表的八種事物和符號都分別譯爲藏語：乾 Khen，坤
khon，震 zin，艮 gin，離 Li，坎 kham（天）gnam（地）Sa
（雷）gnamlcags（山）ri（火）me（水）chu 兌 dwa，巽 zon．
（澤）mtshivu（風）rlung．②

八卦，在《周易》中的八種基本圖形符號，用"爻"來組成。爻的
一稱爲（陽），爻的一一稱爲（陰），以六爻組成一卦。古人把它看成
闡明事物變化原理的樞要。唐人修《周易正義》時，開頭便説："夫易
者，變化之總名，改換之殊稱。"所以，把它總綜爲"動"和"變"兩大
類的哲學觀念，用來説明社會一切制度儀文器服、一切君臣父子夫
婦之倫理，一切親尊長幼之秩序之變化與不變。古人把八卦的發明
權歸于伏羲；也有人認爲是圖畫文字的起源；也有人歸結于結繩記
事或數字的起源。《史記》太史公自序裏説得明白：

"若西伯拘羑里，演《周易》。"

這一説法大致可信。人們都習慣于認爲八卦是代表了周人文
化的，儘管它也吸收了殷人占卜文化的成分。由于孔子十分喜愛
《周易》，一生都在研究《周易》，寫過十篇文章作爲原書的輔翼，所
以稱爲《十翼》，名氣更大了。藏人的先民（姜/羌）跟周人（姬姓）有
過密切關係，接觸到八卦也是很自然的事。我們不妨比較一下八卦

---

① 《藏漢大辭典》第 1655 頁。
② 乾隆本《五體清文鑒》，是清乾隆時編成雕板印刷的一部滿、漢、藏、
　蒙、維吾爾，五種文字對照詞匯集，是一件非常了不起的工程。1956
　年據宮内藏本，由民族出版社影印重新精裝形式出版。此處所引均
　出自該書。

的古音跟譯成藏語的語音之間是否接近或吻合，來考查傳入藏區的大致時代。

八卦 注音	乾	坤	震	艮	離	坎	兌	巽
現代漢語	Qian	kun	zhen	gen	Li	kan	dui	Xun
中古漢語	渠焉切 gǐɛn	苦昆切 k'uən	章刃切 tʃǐɛn	古恨切 Kən	呂支切 Lie	苦感切 k'ьm	杜外切 duai	蘇困切 Suən
古代漢語 （上古）	群元 gǐan	溪文 k'uən	章文 tǐĕn	見文 kən	來歌 Liǎ	溪談 K'am	定月 duāt	心元 suan
藏語	khen	khon	zin	gin	Li	kham	dwa	zon

（中古漢語，據廣韻；古代漢語據《説文》、《詩經》，悉依郭錫良：《漢字古音手册》北京大學出版社，1986 年出版）

從上可以發現藏語的譯音非常接近上古漢語的音讀。是否可以説"八卦"進入藏區早于隋唐？再看"八卦"二字 báguà 。

中古漢語爲	Poetkwai
上古漢語爲	pětkue
藏語譯音	Sparkha

其中"八"字韻尾—t～-r 的轉換，也是語言學界公認爲中古漢語以前的事。

（四）

在藏文史書中，史學家不憚其煩地指出陰陽五行學説自漢地傳入後，運用在曆法和醫學方面的事實：

蔡巴·公哥多兒吉，在其所著《紅史》(deb－ther dmar－po。1346 年成書)中記載：

嚢日松贊（即松贊干布之父，約爲隋初時人——筆者注）之時,從漢地傳入曆法、醫藥。"① 第五世達賴喇嘛羅桑嘉措所著《西藏王臣史》。
(deb－ther dpyid－kyi rgyal－movi glu－dbyangs 1643 年成書)所記與《紅史》相同②。

　　土觀·曲幾尼瑪,在其所著《宗派源流晶鏡史》(grub－mthav Shel－gyi me－long 1801 年成書)中說:

　　　曆算之學實自漢地傳來,(吾藏人)摒棄印度之地、水、火、風、空等"五大種"說,而采用漢地之木、火、土、金、水等"五行"。③

《五部遺教》(bkav－thang sde－Lnga,相傳爲公元八世紀,赤松德贊贊普時作品,藏地目爲出土古籍[gter－ma])叙述此事更爲具體:

　　　自漢地迎請最爲著名之師摩訶衍那(來蕃),傳授漢地之醫藥、干支及曆法,并由那南氏薩羅君擔任通譯之職。④

下圖是在藏區人們經常佩戴的護身銅鏡。(示意)内圈 9 個藏式數字 1—9,排成一個三三幻方,即上、下、左、右、斜、直,其總和都是 15。藏人稱之爲 pho－brang dgu－gling.九宮。中圓即五行、五方、上南、下北、左東右西,中間的 u,既是數目碼字代表 5,又與藏文"土"sa,寫法一致,一舉雙用,即五行、五方相配,東木、西金、南火、北水、中土。

---

① 《紅史》有東喝·洛桑赤列的注釋訂正藏文本,北京民族出版社 1981 年出版,漢文本由陳慶英、周潤年合譯,西藏人民出版社 1988 年出版,引文見漢文本第 31 頁,藏文本第 35 頁。

② 《西藏王臣史》有北京民族出版社 1956 年鉛印本,由郭和卿譯爲漢文有關此段文字見藏文本第 24 頁,漢文則與注 15 同。

③ 《宗派源流晶鏡史》有甘肅民族出版社 1984 年鉛印本。引文見該書藏文本第十品(漢地孔教、道教之品),劉立千氏漢文譯本由西藏人民出版社出版。

④ 《五部遺教》,有北京民族出版社鉛印藏文本,1986 年出版,引文據德格木刻本 kha,第 60 頁。

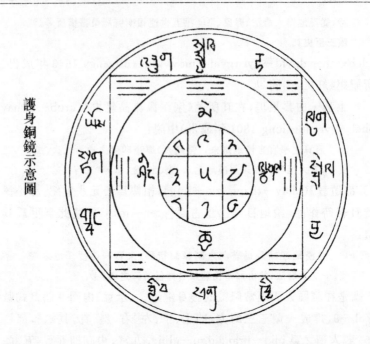

護身銅鏡示意圖

護身銅鏡示意圖

方格內是八卦,分布順序與漢地同。

外圈是十二生肖(均爲圖像,今改寫成文字,取其意而已)。

那末,這一小小銅鏡正是陰陽五行九宮八卦在西藏的具體事物。漢藏人民的思想交流,由來久矣!

作者簡介　　王堯,1928 年生,江蘇省漣水縣人。中央民族學院藏學教授,中國文化書院導師。

楚帛書與道家思想

李學勤

内容提要　一九四二年長沙子彈庫出土的完整楚帛書,中部正書的八行可題爲《四時》篇。篇首關于伏羲氏的叙述,表現了天地分判前混沌狀態的觀點,與道家思想相通。本文由此出發,就道家此項觀點的發展及其對陰陽家的影響試作討論。

　　一九四二年,在湖南長沙子彈庫地方的一座楚墓裏,盜掘發現了帛書。帛書原貯放在竹笥中,基本完整的祇有一件,現由美國沙可樂基金會收藏,就是膾炙人口的楚帛書。這件帛書經過多年來海内外許多學者考察研究,意見漸趨一致,認爲是陰陽數術性質的佚籍①。另外同出的還有若干帛書殘片,有的是占卜記錄②,有的是星占等書,都可歸于數術類,可能分屬于三件帛書③,可惜均已破碎,難于通讀。本文所談的楚帛書,仍然是特指那完整的一件。

　　出土帛書的那座墓,在一九七三年得到清理,編號爲 73 長子

---

① 李學勤:《長沙楚帛書通論》,《楚文化研究論集》第一集,荆楚書社,1987 年。

② 同上:《長沙子彈庫第二帛書探要》,《江漢考古》1990 年第 1 期。

③ 同上:《論長沙子彈庫楚帛書殘片》,《文物》1992 年第 11 期。

M1。由墓中器物可以判斷，下葬的年代是戰國中晚期之際①，大約在公元前三百年左右。帛書年代的下限，自當由此推定，而帛書所蘊含的思想，其產生時間也不能晚于這個時期。這爲我們研究學術史、思想史，提供了一項非常重要的標尺。

近些年，我曾寫過幾篇小文，先把楚帛書劃分爲《四時》、《天象》、《月忌》三篇，逐一加以論述②，隨後還寫了一篇綜論的文字，題爲《長沙楚帛書通論》，其中提到當時陰陽家的分派，楚國陰陽家的傳流，以及陰陽家思想對道家、儒家的影響。按《史記·太史公自序》載司馬談論六家要指，認爲"陰陽之術，大祥而衆忌諱，使人拘而多所畏，然其序四時之大順，不可失也"，而道家爲術正"因陰陽之大順"，采取了陰陽家的優長。他這裏講的，就是黃老一派的道家。不過，仔細分析楚帛書，又可以看出，道家的思想論點對作爲陰陽家著作的帛書也有明顯的影響。這個問題，我前此的小文還沒有觸及過。

帛書依當時慣例，應以周邊所寫的夏季三月即南方爲上。這樣放置，中部正書的八行，即《四時》篇，是帛書三篇的第一篇。該篇有三處長方形的分段符號，説明係由三章組成。第一章叙述包（伏）犧的傳説，第二章叙述炎帝、祝融的傳説，第三章叙述共工的傳説。第一章開頭一段，殘泐較多，還有一些不易釋讀的字，但大意是可知的。根據現在能釋出的，這段文字是：

　　曰故□奄黽虘，出自□靁，居于□□，厥□漁漁，□□□女，夢
夢墨墨，亡章弼弼，□每水□，風雨是于。

綜合各家意見，"曰故……"一句應讀爲"曰古□熊包戲（犧）"，

<hr>

① 湖南省博物館：《長沙子彈庫戰國木槨墓》，《文物》1974年第7期。
② 《論楚帛書中的天象》，《湖南考古輯刊》第一集；《楚帛書中的古史與宇宙觀》，《楚史論叢》初集，湖北人民出版社，1984年；《再論帛書十二神》，《湖南考古輯刊》第四集。

可對照金文史牆盤"曰古文王",《尚書·堯典》"曰若稽古帝堯",
《皋陶謨》"曰若稽古皋陶"等。"熊"字或釋爲"嬴"①,字爲"嬴"字所
從,按"熊"、"嬴"兩字在古書裏有時通混,如清代朱駿聲所論,
"《公》、《穀》'小君頃熊',《左傳》作'敬嬴'",即其一例②。《帝王世
紀》稱包犧一號黄熊氏。"曰古□熊包犧",是古代追述文體常用的
起句形式。

　　下面幾句,描述包犧所出所居,以及當世的情景。"傖傖",饒宗
頤先生讀爲"偊偊",大貌③。"女",讀爲"如"。其後"每",疑爲
"晦"或"海";"於",讀爲"閼"。

　　最值得注意的,是"夢夢墨墨,亡章弼弼"兩句。嚴一萍《楚繒書
新考》曾指出,這同《淮南子·俶真》所説伏羲氏"其道昧昧芒芒"相
一致④。饒宗頤先生説:"《爾雅·釋訓》:'夢夢訰訰,亂也。'孫炎
云:'夢夢,昏昏之亂也。'馬王堆本《道原》:'恒無之初,迥(洞)同大
虛,虛同爲一,恒一而止。濕濕夢夢,未有明晦。'夢夢、墨墨,指天地
混沌之時。《淮南子·精神訓》:'未有天地,窈窈冥冥。'語意略
同。"⑤ 這很明顯是和道家思想有共通之處。

　　認爲在天地分判以前宇宙處于混沌的哲學觀點,在先秦到漢
初的著作中,主要見于道家。仔細推求,還可以看出這種觀點的原
始形態和發展脈絡。由之楚帛書所受影響相當這種哲學觀點發展
的什麽階段,也就容易知道了。

　　我們應該從《老子》一書關于"道"的描寫説起。

---

① 李零:《長沙子彈庫戰國楚帛書研究》,第 64 頁,中華書局,1985
年。

② 《説文通訓定聲》"熊"字。又《逸周書·作雒》"熊盈族",疑原僅"熊"
字,後人注"嬴"("盈"),遂闌入本文。

③ 饒宗頤、曾憲通:《楚帛書》,第 10 頁,中華書局香港分局,1985 年。

④ 嚴一萍:《楚繒書新考》(中),《中國文字》第 27 册。

⑤ 饒宗頤、曾憲通:《楚帛書》,第 11 頁,中華書局香港分局,1985 年。

《老子》王弼注本二十五章云：

> 有物混成，先天地生，寂兮寥兮，獨立不改，周行而不殆，可以
> 爲天下母。吾不知其名，字之曰道，强爲之名曰大。

注云："混然不可得而知，而萬物由之以成，故曰混成也。不知其誰
之子，故先天地生。"這已經表明在天地之前有"寂寥"之道。注云：
"寂寥，無形體也。"揭示了道的特點。

四十二章云：

> 道生一，一生二，二生三，三生萬物。萬物負陰而抱陽，冲氣以
> 爲和。

所説之道在萬物之先，無陰陽之別，與二十五章講的完全符合。

《老子》對道還有許多衆所周知的形容，如十四章説："其上不
皦，其下不昧，繩繩不可名，復歸于無物，是謂無狀之狀，無物之象，
是謂惚恍。"二十一章説："道之爲物，惟恍惟惚。惚兮恍兮，其中有
象；恍兮惚兮，其中有物。窈兮冥兮，其中有精。"這些都是描述那
"先天地生"的混成之物的經典語句，對後來的作品影響極大。不
過，《老子》的道的主要意義恐怕還是本體論的，其宇宙論的意味并
不很明顯。

比較《老子》進了一大步的，是馬王堆帛書《經》篇的《觀》章：

> 黄帝曰：群群……爲一囷，無晦無明，未有陰陽。陰陽未定，吾
> 未有以名。今始判爲兩，分爲陰陽，離爲四[時]……因以爲常。其
> 明者以爲法，而微道是行。行法循……牝壯。牝壯相求，會剛與柔。
> 柔剛相成，牝壯若形，下會于地，上會于天。

所謂"一囷"，整理小組注云："《淮南子·俶真》：'自其同者視之，萬
物一圈也。'囷、圈二字古音相近，'一囷'猶言'一圈'。帛書此句指
所謂陰陽尚未分判之混沌狀態。"① 是很正確的。其對混沌狀態的
描繪，如"未有陰陽"、"未有以名"，顯然脱胎于《老子》所説的道，繼

---

① 國家文物局古文獻研究室：《馬王堆漢墓帛書》（壹），第63頁，文物
出版社，1980年。

承的痕迹殊爲清晰，但這裏所講的已經完全是宇宙發生的次第了。

　　帛書《道原》篇開端便説：

　　　　恒無之初，週(洞)同大虚，虚同爲一，恒一而止。濕濕夢夢，未

　　有明晦，神微周盈，精靜不熙。古未有以，萬物莫以(似)；古無有

　　形，大週(洞)無名。①

最近我有一篇小文提到②，《道原》此段可與上引《老子》第二十五章對照。“恒先之初”即“先天地生”，“虚同爲一，恒一而止”即“獨立而不改，周行而不殆”，“濕濕(應爲‘混混’之誤)夢夢”即“寂兮寥兮”，“大洞無名”即“不知其名”，用語雖有差異，思想卻是一樣。篇中所説“未有明晦”，更可與《經・觀》的“無晦無明”相聯繫。

　　沿襲帛書《道原》而多有改變的，有《文子》的《道原》篇。該篇云：

　　　　老子曰：有物混成，先天地生，惟象無形，窈窈冥冥，寂寥淡

　　漠，不聞其聲。吾强爲之名，字之曰道。

很容易看出它是怎樣對《老子》原文加以綜合隱括。中文所説“窈窈冥冥”，當然是來自《老子》二十一章的“窈冥”，同時似亦吸收了帛書《道原》“混混夢夢”的語意。

　　《文子》最末一篇《上禮》，也有下述有關的話：

　　　　老子曰：上古真人呼吸陰陽，而群生莫不仰其德以和順。當此

　　之時，領理隱密，自成純樸，純樸未散，而萬物大優。及世之衰也，

　　至伏羲氏，昧昧懋懋，皆欲離其童蒙之心，而覺悟乎天地之間，其

　　德煩而不一。及至神農、黃帝，戮領天下，紀綱四時，和調陰陽，于

　　是萬民莫不竦身而思，戴聽而視，故治而不和。……

《淮南子・俶真》有一段話，看來是就《文子・上禮》上引文字作了發揮：

---

①　同前《馬王堆漢墓帛書》(壹)，第 87 頁。

②　李學勤：《〈道原〉的研究》，“中國馬王堆漢墓國際學術討論會”論文，1992 年。

至德之世，甘瞑于溷澖之域，而徙倚于汗漫之宇，提挈天地而委萬物，以鴻濛爲景柱，而浮揚乎無畛崖之際。是故聖人呼吸陰陽之氣，而群生莫不顒顒然仰其德以和順。當此之時，莫之領理，決離隱密而自成，渾渾蒼蒼，純樸未散，旁薄爲一，而萬物大優，是故雖有羿之知而無所用之。及世之衰也，至伏羲氏，其道昧昧芒芒然，吟德懷和，而知乃始昧昧㑣㑣（林林），皆欲離其童蒙之心，而覺視于天地之間，是故其德煩而不能一。乃至神農、黄帝，剖判大宗，窈領天地，襲九窾，重九𤉹（𤉹，即"垠"字），提挈陰陽，嫥挻剛柔，枝解葉貫，萬物百族，使各有經紀條貫，于此萬民睢睢盱盱然，莫不竦身而載聽視，是故治而不能和下。……

《文子》、《淮南子》這些話，略作檢視，便可看出其與帛書《經·觀》和《道原》的關係。例如"昧昧懋懋"即帛書的"混混夢夢"，以及"陰陽"、"剛柔"等語，都是證據，不過《文子》、《淮南子》在思想上又有了較大的轉變，這主要表現在這樣兩點：

其一，《文子》、《淮南》所説，已超越出宇宙論的範圍，而同傳説中的古史結合起來，由上古到伏羲、神農、黄帝（上面未引的還有夏、商及周）。

其二，《文子》、《淮南》所論，突出了從德到知的發展，并以此作爲世風衰薄的表現。這個觀點爲道家所固有，但在前述各家引文中尚未同時呈顯。

據上所説，自《老子》到帛書《經》、《道原》，再到《文子》以及《淮南》，演變的脈絡是明白的。在這些書裏還有別的一些材料，也用不着逐條徵引。

現在，讓我們回過頭來，看一下長沙子彈庫的楚帛書。

楚帛書《四時》篇云：包戲（伏羲）之時"夢夢墨墨，亡章弼弼"（"墨"、"弼"，之部韵），前一句類似《莊子·在宥》的"昏昏默默"。《在宥》原文是：

吾語女（汝）至道，至道之精，窈窈冥冥；至道之極，昏昏默默。

（"精"、"冥"，耕部韵；"極"、"默"，之部韵。）

足證這和"窈冥"是意義相似的話。"章",《家語‧子貢問》注訓爲別,"亡章"就是無別。"弼弼",讀爲"沸沸",《廣雅‧釋訓》與"混混"同義。因此,楚帛書這裏是講包犧之時,至道窈冥,没有差別。儘管没有明説"道"字,涵義卻是相同的。

《四時》篇下文,從陰陽數術的角度,記述了四時形成,日月之行和宵朝、晝夕(夜)的劃分等等。所表達的學説雖然不同,但從整體來看,仍與《觀》章所講混沌狀態"無晦無明,未有陰陽","今始判爲兩,分爲陰陽,離爲四時",《道原》篇所講恒無之初"混混夢夢,未有明晦"等語,互相一致;同《文子》及《淮南》所講伏羲氏時"昧昧懋懋",到神農、黄帝時期,才"紀綱四時,和調陰陽",也是一脈相承的。道家思想于此是明顯地影響了楚帛書《四時》篇的結構。

在本文開頭我們已經談到,子彈庫楚帛書年代的下限在約公元前三百年。它所反映的思想肯定是戰國中期的。如果把這一絕對年代的定點導入本文所論的道家思想由《老子》到《淮南》的發展軌迹中去,就會得出富有興味的結果。

楚帛書《四時》不會早過馬王堆帛書《經》的《觀》章。《觀》章和《老子》一樣,全然没有涉及包犧這樣的傳説人物,只是以黄帝的口吻説出:"今始判爲兩,分爲陰陽,離爲四時",這暗示陰陽之分是在黄帝當代。《文子》的《上禮》篇則在神農、黄帝的前面加上一個伏羲氏,甚至伏羲之時也是"世之衰也",這又比《四時》關于包(伏)犧的説法遲得多了。

《四時》不僅是陰陽家作品,思想流派與《經》等有異,其中的古史傳説亦不一樣。其原因是不是有作者所屬背景的因素,有待專門研究。可以看出的是,《四時》主張包犧之時自"夢夢墨墨"進到了四時的分立,有異于《觀》章的黄帝之説。《四時》的這一點,正好排在《觀》與《文子》之間。我們大膽設想,《文子》的説法或許是受了《四時》(或類似的作品)的影響,也未可知。假如這個意見不錯,《經》以及同出的《黄帝書》其他三篇祇能如唐蘭等先生所説,是不晚于戰國中期的著作。

帛書《經》的《五正》章，同樣與楚帛書相通，有關語句明見於楚帛書的《天象》篇①。看來包括《經》在內的《黃帝書》四篇，即《漢書·藝文志》的《黃帝四經》，在戰國中期頗爲流行，除了促進着道家本身的發展，確對各家都有一定的作用。載籍所記，當時不少著名學者都學黃老之術，并不是夸大的。陰陽數術一派侈言天道，接受道家的影響，實在是意中的事。

作者簡介　李學勤，1933 年生，北京人。現任中國社會科學院歷史研究所所長、研究員，中國先秦史學會會長、中國古文字研究會理事等。主要著作有《殷代地理簡論》、《中國青銅器的奧秘》、《東周與秦代文明》等。

---

① 李學勤：《〈鶡冠子〉與兩種帛書》，《道家文化研究》第一輯，上海古籍出版社，1992 年。

《孫子兵法》所受老子思想的影響

姜國柱

内容提要 《老子》是道家經典,《孫子》為兵家聖書,二者雖分屬于不同的學派,但其間卻有相通之處。就《老子》而言,雖是"言道之書",然內中卻不乏用兵之略,故自古及今,都有人將它列為兵書。《孫子》雖為"言兵之書",但內中卻也蘊涵有豐富的哲理,并以哲學思想為基礎,建立起了完整的軍事思想體系。本文將兩書相通觀念作了一一比較,以證《孫子兵法》所受老子思想的影響。

《老子》爲老子(老聃)所著,《孫子》爲孫子(孫武)所著,老子和孫子其人其書,雖均出于春秋末期,但老子稍早于孔子,孫子則與孔子同時,故老子先于孫子。如果我們仔細將《老子》的兵略與《孫子》的兵法,加以分析比較,便會發現二者有許多相似、相近和相同之處。這并不是無緣的巧合,而是有前後繼承的關係。孫子吸取和發展了老子的用兵觀點。現從《老子》和《孫子》兩書出發,加以申論。

一、域中四大與軍中五事。

老子以"道"爲宇宙最高本體,由"道"之運行而演化爲宇宙萬物,故"道"爲大,爲天下母。老子在肯定"道大"的同時,也承認天、地、人爲大,這便是所謂"域中四大"。他說:"道大、天大、地大、人亦大。域中有四大,而人居其一焉。人法地,地法天,天法道,道法自然。"(《老子》二十五章)"域中四大"的提法,表現出老子以道爲基礎,把天、地、人作爲一個整體來加以思考,反映了老子重視整體的思維特徵。

孫子認識到戰爭是諸種因素組成的綜合物,是有諸種條件起作用的實踐過程;又是關係國家、民族生死存亡的大事。因此,他在論兵時,也十分重視整體思維,把天、地、人等因素融爲一體來思考,從而構建了他的戰爭理論。《孫子》首段就説:"兵者,國之大事,死生之地,存亡之道,不可不察也。故經之以五事,校之以計而索其情:一曰道,二曰天,三曰地,四曰將,五曰法。"(《孫子·計篇》)這種思維特色與《老子》是很接近的,而且,孫子以"道、天、地、將、法"的"五事"謀兵,與老子以"道、天、地、人、自然"論道,在用詞上也十分類似,可能存在淵源關係。

二、無道用兵與用兵保民。

老子目睹春秋末期連年征戰給人民帶來深重災難的現實,認爲"天下無道"而"有甲兵"。爲此,老子反對統治者爲滿足自己的欲望,不顧人民的死活而發動戰爭。他説:"天下有道,卻走馬以糞;天下無道,戎馬生于郊。罪莫大于可欲,禍莫大于不知足,咎莫大于欲得。"(《老子》四十六章)對于以"無道"伐"有道"的"不義之戰",老子強烈反對。他還深刻認識到戰爭的危害,即破壞生産,殺戮無辜,消耗人力物力,使民不聊生。"師之所處,荆棘生焉。大軍之後,必有凶年"。(《老子》三十章)因此,老子把"兵"視爲"凶器","不祥之器",把用兵打仗視爲罪惡之舉。

孫子亦認爲戰爭興師動衆,消耗大量的人力、物力、財力,"帶甲十萬","日費千金",久之則使國家貧窮,百姓財竭,"百姓之費,十去其七","公家之費,十去其六"。爲此他提出,不得已而進行戰爭,亦要速戰速決,"兵貴勝,不貴久"(《孫子·作戰篇》),以減輕人力、物力、財力的消耗。用兵打仗不是爲了侵略他國,掠殺人民,而是以戰止戰,"唯民是保"(《孫子·地形篇》)。孫子的戰以保民觀念與老子的保民反戰思想相近、主旨相同。

三、不爭而勝與不戰而勝。

老子和孫子就其思想宗旨來説，都反對戰爭，尤其是反對"不義之戰"。對于正義戰爭，他們認爲最好以智取勝，不戰而勝。老子説："不爭而善勝，不言而善應，不召而自來，繟然而善謀。"（《老子》七十三章）孫子説："夫用兵之法，全國爲上，破國次之。……是故百戰百勝，非善之善者也；不戰而屈人之兵，善之善者也。故上兵伐謀，其次伐交，其次伐兵，其下攻城。……故善用兵者，屈人之兵而非戰也，拔人之城而非攻也，毀人之國而非久也。必以全爭于天下，故兵不頓而利可全，此謀攻之法也。"（《孫子·謀攻篇》）老子主張"不爭而善勝"，强調"善謀"；孫子主張"不戰而屈人之兵"，强調"謀攻"，二者如出一轍。

四、萬物有對與敵我對立。

老子認識到宇宙中的萬事萬物都存在着相互矛盾的兩個對立面，他提出了一系列的矛盾對立的範疇，諸如：陰陽、剛柔、强弱、興廢、有無、難易、長短、高下、前後、貴賤、善惡、奇正、福禍、利害、動靜、虛實、昭昏、直枉、窪盈、輕重、榮辱、左右、與奪、歙張、損益、親疏、主客、進退等等，老子有時從哲學高度提出這些範疇，有時從軍事角度提出這些範疇。老子還認識到對立面之間是相互依賴、相互轉化的，如説："有無相生，難易相成，長短相形，高下相傾，音聲相和，前後相隨。"（《老子》二章）"禍兮福之所倚，福兮禍之所伏"。（《老子》五十八章）老子看到了事物矛盾對立的普遍性、相依性和轉化性，這些思想給孫子以重要影響。

孫子吸取了老子的辯證法思想，他在運用這些思想分析戰爭時，認識到戰爭就是敵我對立雙方矛盾的激烈鬥爭，它涉及到經濟、政治、天時、地理等各個方面的矛盾，以及這些矛盾的相互依存、相互轉化的關係。基于這種認識，孫子以辯證法的觀點來認識、總結戰爭，提出了一系列的矛盾對立範疇：敵我、主客、彼己、陰陽、動靜、進退、攻守、强弱、速久、勝負、奇正、虛實、勇怯、避就、專分、治亂、利害、優劣、安危、險易、廣狹、遠近、衆寡、勞逸、迂直、内外、卑驕、生死等等。從這些對立的範疇中，我們也可見到孫子與老子的相近、相同。

五、以弱勝强與弱生于强。

老子反對戰爭，主張"不以兵强天下"（《老子》三十章），要"以無事取天下"。《老子》五十七章）但老子并非絶對的反對一切戰爭，他認爲"有道"的正義戰爭，不僅要戰，而且要勝。要勝就要講究戰略、策略。老子以"柔弱勝剛强"的思想爲基礎，提出了以弱勝强的戰斗策略。老子深刻地認識到戰爭形勢變化的多端性和敵我矛盾轉化的複雜性，爲此他强調正確處理敵我雙方的主客、攻守、取予、虛實、强弱等關係的重要性，指明了戰勝强敵最好的方法是以"柔弱勝剛强"。（《老子》三十六章）老子的"以柔克剛"，"以弱勝强"的用兵之略，被孫子所繼承和發揮。孫子説："亂生于治，怯生于勇，弱生于强。治亂，數也；勇怯，勢也；强弱，形也。"（《孫子·勢篇》）孫子關于治亂、勇怯、强弱之間相互依賴、相互轉化的思想，真可謂是老子思想的再版。老子的"以柔克剛"，"以弱勝强"的軍事謀略，同時也爲歷代兵家所推尊和運用。

六、以水喻兵與兵無常勢。

老子尚水，他除了以此説明"柔弱"之水，可以戰勝"剛强"之物的道理外，還認識到戰爭的多變性，在他看來戰爭中敵我態勢、戰場形勢等，都如同水一樣瞬息萬變、變化無常，故他"以水喻兵"，來説明兵無常形的道理，就是説要用靈活的戰略、策略、戰術思想，去認識戰爭，克敵制勝。

孫子發展了老子"以水喻兵"的思想，而提出："兵形相水，水之形避高而趨下，兵之形避實而擊虛。水因地而制流，兵因敵而制勝。故兵無常勢，水無常形，能因敵變化而取勝者，謂之神。"（《孫子·虛實篇》）以水喻兵，旨在説明戰爭變化無常，要因敵而制勝。孫子的"形人而我無形"，"避實擊虛"的思想，與老子的"以水喻兵"、"貴柔守雌"思想是一脈相承的。

七、以奇用兵與奇正相生。

老子把"治國"與"用兵"緊密地聯繫起來，常常在講治國之道的同時，又講用兵之策。但是，老子深知治國之道與用兵之策是不同的，因而提出了"以正治國，以奇用兵"(《老子》五十七章)的方略。所謂"以正治國"，就是以"道"治國，政治寬宏，不侵擾百姓，使民眾清靜無爲，順從自然，返樸歸真。"治大國若烹小鮮，以道涖天下。……夫兩不相傷，故德交歸焉"。(《老子》六十章)所謂"以奇用兵"，就是善于變化，出奇制勝。

老子"以奇用兵"的思想并沒有展開論述。孫子發展了老子這一觀點，把"奇"與"正"作爲一對重要的軍事範疇，并深入地論證。他說："三軍之眾，可使必受敵而無敗者，奇正是也。……凡戰者，以正合，以奇勝。故善出奇者，無窮如天地，不竭如江河。……戰勢不過奇正，奇正之變，不可勝窮也。奇正相生，如循環之無端，孰能窮之哉?"(《孫子·勢篇》)就是說，用兵之術要在"奇正"。所謂"奇正"，一般說來，先出爲正，後出爲奇；守備爲正，突擊爲奇等等。奇與正互含相生，變化無窮，用兵作戰，就要"以正合，以奇勝"。因爲兩軍對陣，無不正，無不奇，故要以奇制勝。孫子的"奇正相生"，變化無窮的思想，顯然是對老子"以正治國，以奇用兵"思想的吸取和發展。老子和孫子的"奇正"思想，爲歷代兵家所發揮、運用。

八、勝而不美與窮寇勿追。

老子力主以道治天下，不以兵强天下，即使不得已而用兵，取得了勝利，亦不要誇耀戰功，爲此他提出了"勝而不美"的主張。他說："兵者不祥之器，非君子之器。不得已而用之，恬淡爲上。勝而不美，而美之者，是樂殺人。"(《老子》三十一章)不能以戰爭殺人爲美事、樂事。不得已而戰，亦要適可而止。他說："善有果而已，不敢以取强。果而勿矜，果而勿伐，果而勿驕，果而不得已，果而勿强。"

(《老子》三十章)這是説，打了勝仗，就要罷兵。如果以兵逞强，就要走向反面。

老子的“戰而有果”的思想，被孫子所繼承和引申。孫子將它概括爲用兵之一法。孫子説：“用兵之法，高陵勿向，背丘勿逆，佯北勿從，鋭卒勿攻，餌兵勿食，歸師勿遏，圍師必闕，窮寇勿迫。此用兵之法也。”(《孫子·軍爭篇》)從此之後，“窮寇勿迫”、“窮寇勿格”、“窮寇勿迫”，被中國歷代兵家奉爲格言。

老子的用兵之略與孫子的用兵之法，通過上述的初步分析比較，我們確實看到二者的緊密關係，相近之處，從這種關係中，我們可以説老子影響了孫子，孫子吸取和發展了老子的思想。

作者簡介 姜國柱，1938 年 4 月生，遼寧蓋州市人。1964 年畢業于遼寧大學哲學系，1981 年畢業于中國社會科學院研究生院哲學系，哲學碩士。現爲中國社會科學院研究生院教授。著有《張載的哲學思想》、《李覯思想研究》、《中國認識論史》、《吴廷翰哲學思想探索》、《兵學與哲學》等。

從竹簡《十問》等看道家與養生

内容提要 道家十分注重養生。長沙馬王堆漢墓出土的竹簡《十問》和《天下至道談》，既是養生專著，又是房中專著。其養生思想體系屬道家者流，或者說屬于黄老一派。其養生要點有四：一是強調養生必須順應自然規律；二是注重服食，包括藥療食補；三是提倡操練氣功導引；四是高度重視房室生活。這四者均服務于道家延年益壽的養生總目標。

　　長沙馬王堆三號漢墓曾出過十四種醫書，包括帛書十種，竹木簡四種，共約三萬多字。這批醫書下葬于漢文帝前元十二年(公元前 168 年)，距今已經兩千一百多年了。其中竹簡《十問》約 2700字，是一部養生專著，也可以說是一部房中養生專著。該書用隸書書寫，其抄寫年代在漢初，最晚不得晚于下葬的當年即公元前 168年。其成書年代當然比抄寫年代要早，根據書中提到秦昭王和齊威王等人名來看，其成書年代的上限最早不得超過戰國晚期。竹簡《天下至道談》約 1500 字，是一部典型的房中養生著作，亦用隸書抄寫，大約是秦漢之際的作品。

　　縱觀《十問》和《天下至道談》，其養生思想體系當屬于道家者流，或者說屬于黄老一派。道家十分注重養生，因爲道家從不追求虛幻的來世，而是非常現實地一心專修今生，只求杜病閑疾，延年

益壽,這是非常富有積極意義的。道家在養生方面,特別注意以下
幾個方面:

一、強調順應自然規律

道家強調養生必須順應天地陰陽四時的變化規律。《老子》説
過:"人法地,地法天,天法道,道法自然。"(二十五章)這實際上是
説,人們應當效法天地自然,順應天地自然。《老子》又説:"治人事
天莫若嗇……是謂深根固柢,長生久視之道。"(五十九章)嗇夫即
農夫,農夫從事耕種不能違背天時,否則莊稼不能生長成熟。人們
養生也是這樣,只有順應自然才能做到深根固柢,才合乎長生久視
之道。

《莊子·大宗師》寫道:"知天之所爲,知人之所爲者,至矣。知
天之所爲者,天而生也,知人之所爲者,以其知之所知,以養其知之
所不知,終其天年而不中道夭者,是知之盛也。"莊子不但主張人們
必須順應自然規律,而且把人事也包括在內,實際上是一種天人相
應的觀點。他認爲人們的智力和認識水平有限,天地間有許多奧秘
包括延年益壽的奧秘人們并不知道,但只要順從天道就可以"終其
天年"。反過來説,倘能做到長壽而不夭折,也就等于掌握了天地自
然的奧秘和養生的規律。

司馬談在《論六家要旨》中曾經説過:"道家使人精神專一,動
合無形,贍足萬物,其爲術也,因陰陽之大順,采儒墨之善,撮名法
之要,與時遷移,應物變化,立俗施事,無所不宜,指約而易操,事少
而功多。"其中"因陰陽之大順"和"應物變化",同樣指的是順應自
然規律,用來指導養生,可以收到"事少而功多"的良效。

和老、莊一樣,竹簡《十問》正是主張順應天地陰陽來養生的。
該書開宗明義就寫道:"黃帝問于天師曰:萬勿(物)何得而行?草木
何得而長?日月何得而明?天師曰:墾(爾)察天之請(情),陰陽爲

正，萬勿（物）失之而不䌛（繼），得之而贏。”所謂“天之情”就是指的自然規律，“萬物失之而不繼”意即萬物如果遠逆它就不能生存；“得之而贏”，順從它就能夠苗壯成長。在這萬物之中，“人”亦包括在內。

《十問》又説：“黃帝問于容成曰：民始蒲淳溜形，何得而生？溜刑成膿（體），何失而死？何曳之人也，有惡有好，有夭有壽？欲聞民氣贏屈施（弛）張之故。容成合（答）曰：君若欲壽，則順察天地之道。天氣月盡月盈，故能長生。地氣歲有寒暑，險易相取，故地久而不腐。君必察天地之請（情），而行之以身。”這裏假托黃帝向容成提出了一系列的問題，人們爲何能生存？又爲什麽會死亡？爲何有善惡壽夭之分？容成的回答很概括：“您如想長壽，則請察看天地自然的變化規律，并且親身加以實踐。”這段話與《老子》所説的“人法地，地法天，天法道，道法自然”，其見解是完全一致的。

《十問》中有“王子巧父問于彭祖曰”一段，其中提到“巫成招以四時爲輔，天地爲經，巫成招與陰陽皆生。陰陽不死，巫成招興（與）相視（似）。有道之士亦如此”。巫成招即務成昭，也就是務成子。這段話的意思是說，務成昭能順應四時的變化，以天地自然作爲法度。務成昭與陰陽同生共存，陰陽不會死亡，務成昭與陰陽相似。凡懂得養生之道的人也都應當如此。

從上舉引文來看，書中所提到的黃帝、天師、彭祖、容成子、務成子等，都是典型的黃老道家人物，其中將黃帝列入道學，正是黃老之學的標志之一。至于天師、彭祖、容成子、務成子，都是傳說中精通養生之道特別是精通房中術的道家代表人物。《漢書·藝文志》曾記載《容成陰道》二十六卷，《務成子陰道》三十六卷，《道藏》中收有《彭祖養性經》，這些文獻雖然大多已經失傳，但從竹簡《十問》保存的部分文字來看，他們都是主張遵循天地陰陽四時之大順的，包括房室生活在內，均不能遠背自然規律。

二、注　重　服　食

秦漢以後的道家十分重視煉丹服食，但在先秦的道家中，一般只注意服食，尚未涉及到煉丹。《老子》有“甘其食，美其服，安其居，樂其俗”（八十章）之說。所謂“甘其食”，并非指甘脆肥膿和山珍海味，而是指飲食適體，即使是粗糧蔬菜也覺得很好，吃什麼都感到味美可口。《莊子》曾說：“古之真人……其食不甘。”認爲養生者絕不追求膏粱厚味，飲食的關鍵在于能夠滋補身體。

在竹簡《十問》中，亦未提及煉丹，而涉及藥療食補的内容不少。如："黄帝問于大成曰：民何失而蘿（顔）色鹿（麓）貍（貍），黑而蒼？民何得而奏（腠）理靡曼，鮮白有光？大成合（答）曰：君欲練色鮮白，則觀尺汙（蠖）之食方，通于陰陽，食蒼則蒼，食黄則黄。唯君所食，以變五色。君必食陰以爲當（常），助以柏實盛良，飲走獸泉英，可以卻老復壯，曼澤有光。"這裏假托黄帝向大成提問，老百姓有何差失而導致容顔又粗又黑又蒼？怎樣才能使肌膚美麗而有光彩？大成回答說，要想長得潔白，請察看樹上的尺蠖，尺蠖吃花葉的方法，與陰陽變化息息相通，吃了青的變青色，吃了黄的變黄色，隨着食物的顔色而變換青、赤、黄、白、黑五色。人也是這樣，應當經常服食滋陰的食品或藥物，加上柏實就很好。飲用牛羊奶或動物陰莖及睾丸熬湯，可以延緩衰老，恢復健康，使容顔煥發而潤澤有光。此處所提倡服食的牛羊奶或動物陰莖睾丸之類，既是滋補食品，同時也是藥物。《名醫别錄》："牛乳，微寒，補虚羸，止渴"；"羊乳，溫，補寒冷虚乏"。《神農本草經》："白馬莖，味咸平，主傷中脈絶，陰不起，强志益氣"；"牡狗陰莖，味咸平，主傷中，陰痿不起，令强熱大，生子，除女子帶下十二疾，一名狗精。"柏實則是純粹的藥物，《神農本草經》言其"久服令人悦澤美色，耳目聰明，不饑不老，輕身延年"。這段對話以“食蒼則蒼，食黄則黄”的論斷，集中説明了飲食及藥物與人體健康的關係極其密切。

《十問》又有文摯與齊威王的一段對話，集中討論了兩點，一是注重睡眠，認爲“一昔(夕)不卧，百日不復”，“故道者敬卧”。二是强調飲食，提倡服食韭菜、鷄卵和醇酒。竹簡認爲，韭菜“其受天氣也蚤(早)，其受地氣也葆”，因而“目不蔡(察)者食之恒明；耳不葱(聰)者，食之恒葱(聰)；春三月食之，苛(疴)疾不昌，筋骨益强，此胃(謂)百草之王”。韭菜既是蔬菜，又是藥物，其莖葉、根、子均可入藥。《名醫别錄》謂韭菜“味辛微温，無毒，歸心，安五臟，除胃中熱，利病人，可久食。子主夢精溺白，根主養髮”。鷄卵爲人所共知的滋補食品，不必細説。至于醇酒，既是飲料，又可入藥。《黄帝内經素問》就收有“湯液醪醴篇”。“醫”字從“酉”，“酉”就是酒，酒與醫藥早已結下了不解之緣，并有“酒爲百藥之長”一説。馬王堆帛書《五十二病方》及《養生方》亦載錄了相當部分的酒劑方。應當指出，酒少飲則有益，多飲則有害，凡重視養生者，切不可多飲酒。

三、提倡操練氣功導引

老子和莊子都很重視氣功導引。《老子》所説“致虚極，守靜篤”(十六章)，“柔弱勝剛强”(三十六章)，都是操練氣功導引所必須遵循的原則。《莊子》曾經指出：“吹嘘呼吸，吐故納新，熊經鳥申，爲壽而已矣。此道(導)引之士，養形之人，彭祖壽考者之所爲也。”(刻意篇)認爲操練氣功導引有利于延年益壽。《莊子》又説：“古之真人……其息深深。真人之息在踵，衆人之息以喉。”認爲古代養生者十分重視深呼吸，并且描述氣功師高度入靜以後，可以不必用口鼻呼吸，而以踵息，這大約就是後世所説的胎息方法。

在馬王堆出土醫書中，既有帛書《卻穀食氣》之類的氣功導引專篇，又有帛畫《導引圖》之類的圖著，本文不擬多談。在竹簡《十問》中，涉及氣功導引的内容亦復不少。如在黄帝與容成的對話中有一段説："息必探（深）而久，新氣易守。宿氣爲老，新氣爲壽。善治氣者，使宿氣夜散，新氣朝最，以徹九徹（竅），而寶六府。食氣有禁，春辟（避）濁陽，夏辟（避）湯風，秋辟（避）霜潃（霧），冬辟（避）凌陰，必去四咎，乃探（深）息以爲壽。"這裏同樣强調做深呼吸，應全部吐出廢陳之氣，盡量吸入新鮮空氣，要使新氣充滿于五臟六腑和四肢九竅，這樣可以使人健康長壽。在一天之内，早上盡量吸入新鮮空氣，夜晚則力求吐盡廢陳之氣。一年四季行氣有宜忌，如春季的濁陽（混濁之氣），夏季的湯風（熱風），秋季的霜霧（露），冬季的凌陰（寒風），均應避開，否則無益有害。

又如在王期與秦昭王的對話中，曾談到"靁（龍）吸以晨，氣刑（形）乃剛"，也是指在清晨做吐故納新的深呼吸。諸如此類，還有不少，這裏就不一一列舉了。

四、高度重視房室生活

道家一貫重視房室生活，《老子》曾説："見素抱樸，少私寡欲"（十九章），把節制情欲作爲指導房室生活的總原則。又説："牝常以靜勝牡"（六十一章），意即男主動，女主靜，女常以靜勝男。"未知牝牡之合而朘作，精之至也。"（五十五章）此句中的"朘"，各本皆作"朘"或"峻"，唯有王弼注本作"全"（當爲"朘"的同音通假字），當以"朘"爲是。"峻"是"朘"的異體字。《説文》：朘，赤子陰也。"朘"本指小兒陰莖，此處就是指男子陰莖。老子在此是説，只要人體精氣充滿，即使不待交合陰莖也會自動勃起來。

《莊子》對房室生活亦有論述，如説："人之所取（最）畏者，衽席之上。飲食之間，而不知戒者過也。"（達生篇）郭象注云："至于色欲之害，動皆之死地，而莫不冒之，斯過之甚也。"可見莊子是十分注重節制色欲的。

在如何對待房事方面，竹簡《天下至道談》與老、莊的看法基本一致,曾説:"故貳生者食也,孫(損)生者色也,是以聖人合男女必有則也。"認爲男女兩性生活既要有節制,又必須講究交合的原則和方法。爲了避免房勞損傷,首先要正確對待房事。竹簡《十問》曾經寫道:"王子巧父問于彭祖曰:人氣何是爲精虖(乎)?彭祖合(答)曰:人氣莫如朘(朘)精。朘(朘)氣宛(菀)閉,百脈生疾;朘(朘)氣不成,不能繁生,故壽盡在朘(朘)。"彭祖認爲,房室生活是人們的正常需要,又是養生的關鍵,當人體發育成熟,精力旺盛,如果長期不過性生活,必將導致精氣鬱閉,反而會使"百脈生疾",因而釀成各種疾病。與此相反,倘若人體尚未發育成熟就過性生活,勢必嚴重摧殘身體,并且對繁衍後代十分不利。即使是健康的成年人,房事也必須有節制,所以彭祖又指出:"赤子驕悍數起,慎勿出入。"意思是説,即使陰莖多次勃起,也不能隨意交接,以便培元固本,護養陰精。

　　爲了合理安排房室生活,竹簡《天下至道談》還提出了"七孫(損)"與"八益"的原則,要求人們運用"八益"而避免"七損"。"八益"的内容是:"一曰治氣,二曰致沫,三曰智(知)時,四曰畜(蓄)氣,五曰和沫,六曰竊(積)氣,七曰寺(待或持)贏,八曰定頃(傾)。"依竹簡所述,所謂"八益",指的是將氣功導引與兩性交媾活動相結合的八個步驟或八種做法。其具體方法是這樣的:早晨起床打坐,伸直脊背,放鬆臀部,收斂肛門,導氣下行至陰部,這叫"治氣"。呼吸新鮮空氣,吞服舌下津液,尻股垂坐裝成騎馬的姿勢,伸直脊背,導氣下行至陰部,使陰液不斷產生,這就叫"致沫"。男女雙方在交合之前應互相愛撫嬉戲,使彼此情和意感,要等到"交欲爲之"。即雙方都產生了强烈的性欲時再行交合,這就叫"知時",也就是掌握最適宜的交合時機。交媾時放鬆脊背,收斂肛門,導氣下行,使陰部精氣充滿,這就叫"蓄氣"。交合不宜粗暴圖快,動作應輕柔舒緩和順,這就叫"和沫"。行房不可貪歡戀戰,房事應及時結束,這就叫"積氣"。房事結束前,當納氣運行于脊背,停止搖動,安靜地等待着,這就叫"待贏"。房事結束時,應將餘精灑盡,及時清洗,這就叫做"定傾"。

"七損"的内容是:"一曰閉,二曰泄,三曰渴(竭),四曰勿(弗),五曰煩,六曰絶,七曰費。"竹簡進而解釋説:"爲之而疾痛,曰内閉;爲之出汗,曰外泄;爲之不已,曰楬(竭);秦(臻)欲之而不能,曰弗;爲之楈(喘)息中亂,曰煩;弗欲强之,曰絶;爲之秦(泰)疾,曰費。"

原來所謂七損,包括這樣七個方面:其一是説,交合時莖痛,精道不通,這叫"内閉";其二,交合時大汗淋灕不止,稱之爲陽氣外泄;其三,交接無度,陰精虚耗,稱之爲"竭";其四,臨到交合時陽萎不舉,這就叫"弗";弗即"艴"的異體字,《玉篇》:"艴,韜髮也",然則艴即束髮的網套之類,多係絲織物,質地柔軟,此處用來形容陽萎不舉。其五,交合時呼吸喘促,神智昏亂,這就叫"煩";其六,一方不樂意,另一方强行交合,在通常情況下是指女方不樂意而男方强行交合,這對女方的身心健康非常有害,如果在此種情況下成孕,也將很不利于優生優育,因而稱爲絶,猶言陷入絶境。其七,交合時急速圖快,絲毫無房室之樂可言,這就叫"費",猶言徒然浪費精力。

竹簡《天下至道談》又概括地指出:"故善用八益,去七孫(損),耳目蒽(聰)明,身膣(體)輕利,陰氣益强,延年益壽,居處樂長。"蓋謂在男女兩性生活中,只要能夠運用八益而避免七損,自然可以獲得房中補益,使人耳目聰明,身體輕便靈活,便可以坐享延年益壽之樂。可見馬王堆漢墓竹簡所論房中術,也是爲道家的養生總目標服務的。

作者簡介 周一謀,又作周貽謀,1934年生,湖南湘鄉人。現任湖南中醫學院中國醫學史教授、圖書館長、長沙馬王堆醫書研究會會長。編著有《中國醫學發展簡史》、《馬王堆醫書考注》、《中國古代房事養生學》等。

老莊玄學與僧肇佛學

洪修平

内容提要 文章分三個部分,分別探討了老莊玄學與僧肇佛學的異中之同、同中之異以及老莊玄學與佛學的相互影響、相互融攝,旨在說明異中有同,乃能更好地相互影響;同中有異,才能更好地相互補充;老莊玄學與僧肇佛學的相似相通并沒有改變它們根本旨趣的差異,正是從有同有異及其相互關係中我們可以更清楚地看到道家文化乃至整個傳統文化在不斷更新中的演進與發展。

印度佛教傳入中國,從宗教理論到修行實踐,乃至組織形式等等,都經歷了一個不斷中國化的過程。從思想文化的層面上看,中國化的佛教理論受老莊道家之學的影響可謂是極爲深刻的,以至于中外學者中有人甚至把一些具有代表性的中國化佛學思想等同于老莊哲學,例如把比較準確地把握了佛教中觀般若思想的僧肇哲學視爲是老莊之學,把禪宗的主要經典《壇經》說成是"披上了佛教外衣的《莊子》",等等。

一

老莊、玄學與僧肇之學形成于不同的歷史時期,其思想來源與構成之要素也不盡相同,因而表現出許多不同的思想特點。但同作爲中華民族的思維成果，它們對宇宙人生的哲學思考，又有着許多相通乃至一致之處。印度佛教本質上是一種講出世的人生哲學，解脫問題是其理論中最根本、最核心的問題。其理想的證得無上智慧的解脫境界，最初祇是主觀精神上的徹底超脫，與老莊道家有相似之處，後來才逐漸被神化①。不難看出，佛教這種消極的人生哲學中實際上又包含着某種對"人"的肯定和對自由人生的向往，透露出企求實現人的永恒價值的積極意義，祇是它把人生過程由現世而延長爲包括過去與未來的"三世"，把人生美好的理想放到了虛無縹渺的未來，但正是這種對"人生"内涵的擴大和對道德行爲自作自受的強調，確保了佛教爲善去惡道德説教的威懾性及其人生理想的恒久魅力，也正是這一點，提供了佛教與中國傳統思想相融合的重要契機。在印度佛教理論體系中始終被壓抑、被窒息着的對人的肯定，在注重現實人生的中國這塊土地上獲得了新的生命力，得到了充分的發揮。強調"無我"的印度佛教最終以"人人皆有佛性"爲主流而在中土得到廣泛流傳，突出主體、張揚自我的禪宗則成爲最典型的中國佛教。禪宗"隨緣任運"，即世俗而求解脫所體現出來的老莊精神，與僧肇哲學有密切的關係。

　　僧肇是東晉時期最著名的佛學家之一，是兩晉時盛行的佛教般若學的集大成者。他師從鳩摩羅什，譯經著論，所著《肇論》是中國古代思想寶庫中不多見的哲學專論。僧肇所弘揚的般若性空學説，在印度佛教中就是以最徹底地否定一切相標榜的。其基本觀點是"萬法皆空"，即認爲人生、社會及世界的一切皆空無自性，虛幻不實，甚至認爲佛道涅槃、彼岸世界也是"空"。這裏的"空"并不是不存在，而是説存在的不真實，是"性空"。僧肇以"不真空論"來概括這種思想，認爲萬法不真故空，不真即空，"猶如幻化人，非無幻

----

① 請參見拙著《禪宗思想的形成與發展》第一章第三節。江蘇古籍出版社，1992 年。

化人，幻化人非真人也"(《肇論·不真空論》)。但是，説一切皆空的根本目的其實還在于顯不可思議、不可言説的諸法"實相"，爲人生解脱作理論論證。正如"解空第一"的僧肇在注《維摩經·弟子品》時所説的"所見不實，則實存于所見之外"。中觀般若學主性空假有、空有相即，在非有非無的遮詮中顯中道實相，雖未明確肯定"實有"，卻已經包含着通向涅槃之有的契機。因此，當這種"真空"理論傳入中國，經僧肇等人的闡揚而達極盛後，很快就過渡到了涅槃"妙有"的理論。真空妙有契合無間，從而更好地滿足了期望從現實苦難中解脱出來的中土人士的需要。僧肇本人雖然由于過早地夭折，未能見到《涅槃經》等而對"妙有"作出理論上的發揮，但他曾明確地表示贊同後秦主姚興對"廓然空寂，無有聖人"的批評，認爲"實如明詔！夫道恍惚杳冥，其中有精。若無聖人，誰與道游?"(《肇論·涅槃無名論》)在發揮般若性空理論時，僧肇并没有抽象地空談玄理，而是處處以般若學説來指導現實的人生，他的論證始終貫穿着"本末一如"、"體用不二"的思想，并以這種中道空觀溝通了出世與人世、此岸與彼岸的聯繫，爲當時人們的"棲神冥累"提供了一種"良方"。《高僧傳·僧肇傳》説:"(僧肇)嘗讀老子道德章，乃嘆曰:美則美矣，然期棲神冥累之方，猶未盡善。後見舊《維摩經》，歡喜頂受，披尋玩味，乃言始知所歸矣，因此出家。"由此我們可以更好地理解僧肇思想的特點及其與老莊的關係。僧肇所反復强調的"非離真而立處，立處即真也"(《肇論·不真空論》)、"神雖世表，終日域中"(《肇論·般若無知論》)、聖人"居動用之域，而止無爲之境;處有名之内，而宅絶言之鄉"(《肇論·答劉遺民書》)等等，與老莊的人生理想境界和超越精神顯然有很大的相通之處，有時僧肇自己乾脆就用"天地與我同根，萬物與我爲一"(《肇論·涅槃無名論》)等老莊的語言來表達自己的理想，但這種老莊式的解脱論與老莊追求"獨與天地精神往來"的超越主義傾向相比，似乎有一種更高層次的超越性，其超脱生死之境而對人生的觀照使老莊玄學

“不爲世俗名利物務所累”的境界得以進一步升華，這種把理想實現于當下的精神不僅在當時吸引了許多人，而且對以後整個中國文人士大夫的人生態度都曾發生過重大的影響。至于對禪宗等中國化佛教的影響那更是鉅大而深刻的，僧肇本人的許多話語就曾直接被當作“禪語”而在禪門中廣爲流傳。而僧肇所傳的般若性空思想，主要地也是通過有和無的辨析來表達的，這與漢魏老莊化的譯經與魏晉玄學的形成發展有很大的關係，體現了老莊玄學與佛學之間的相互影響。

二

老莊玄學和佛教般若學及僧肇之學的相互影響，在有、無概念的運用和辨析中得到了最充分的體現。

佛教般若性空之學最早是由漢末的支讖譯介到我國來的。到魏晉時，般若學在中土達到了極盛，玄學化的六家七宗甚至一度成爲學術思潮的主流。從哲學上看，般若性空之學在一定意義上可説是一種求“真”的本質論，與老莊存在論或玄學本體論并不完全一致。它認爲，因緣和合的萬法没有固定不變的本性或獨立自存的實體，因而皆不真實，是性空，“性空”才是萬法的“實相”。這種理論主要通過破邪來顯正，即通過揭示萬法的虛假性來顯萬法的真實相狀，并不從正面肯定任何東西，并不認爲“空”是虛假萬法之外獨立自存的實體，更不認爲有什麼“空”本體的存在，表現出了與老莊玄學迥異的思想傾向。但由于般若性空理論强調即宇宙人生之“假有”而體認萬法本性之空無，這與談無説有的老莊玄學又有一定的相通之處，因此它藉助于老莊的有、無和玄學的貴無、崇有而得到了傳播、發展和繁興。同時也深深地打上了老莊玄學的烙印。

佛教般若學在中土傳播的最初階段，即已受到了老莊道家思想的影響，支讖譯《道行般若經》大量采用老莊哲學中的有、無、自然等概念來表達般若性空思想。早于"正始玄風"六、七十年的《道行經》中有一個重要概念叫"本無"，它是梵文 Tathatā 的意譯，後來一般譯作"真如"。這一概念在梵文中有兩方面的含義，其一是説如實在那樣，即從肯定的方面説事物的真實狀況或真實性質；其二是否定不如實在的東西，即認爲世俗所認識到的現實事物都不是如實在那樣，這是從否定的方面説事物"性空"的本質。其實上述兩方面的含義在佛教中是相通的。否定不如實在，就包含了肯定如實在的東西之存在，而肯定如實在那樣，也就包含着對没肯定的不如實在的否定。實在是通過不如實在表現出來的。受老子"有"、"無"概念的影響，《道行經》的譯者遂把真如的"性空"之義譯爲"本無"。

在漢語中，"性"具有本性的意義，就此而言，用"本"來表示"性"，不能算錯。漢語的"空"，在表示空無所有、無物存在的意義上，與"無"也没有多大的差別。因此，就"性空"是對世俗世界真實性的否定而言，譯爲"本無"，用"本無"來表示"本性空無"，未尚不可。但是，佛教的"空"在梵文中是 'Sūnya，它的意思與漢語的"無"是不一樣的。漢語的"無"，是相對于"有"而言的，往往是指"非有"；般若學的"空"卻是就真假而言的，它是對萬物虛假本性的揭露。由于性空不離假有，故而"空"兼有"非有非無"兩方面的含義。以"無"譯"空"，既反映了譯者受老莊思想的影響，同時也使人容易把它與老子的"有生于無"之"無"聯繫起來。而漢語的"本"，除了可以表示"本性"之外，還可以組成"本來"、"本末"等詞組，這時候的"本"就具有了與佛教所謂自性之"性"完全不同的含義。如果把"本"理解爲本來之本，把"無"理解爲有無之無，那麼，"本無"就從"性空"之義變成了"本來是無"，"萬法性空"就成了"萬法本來是無"。《道行經》中曾反復强調"一切皆本無"，一切都是"本無所從來，去亦無所至"，雖然把般若學萬法無自性、一切皆空的思想基本表達了出來，但同時也明顯地具有就萬物而推其本來是無的思想

傾向,表現出了老莊思想的痕迹。當時人們熟悉的是老莊的"有生
于無"和兩漢的宇宙生成論,人們實際上往往就是以這種思想去理
解并接受佛教的"本無"的,這顯然與佛經翻譯的老莊化也有一定
的關係。

　　再進一步看,如果把"本無"之本視爲本末之本,那麼"本無"就
具有了演變發展爲主張"以無爲本"的玄學貴無論的可能。事實上,
《道行經》確實已經在哲學的意義上使用"本末"這對範疇了。"本
末"作爲一對範疇,早在先秦兩漢時就已被使用。例如《荀子·富
國》中有"知本末源流"的説法,《鹽鐵論·本議》中也説要"開本末
之途,通有無之用"。但這裏的本末都祇具有經濟、政治上的含義,
還不是哲學上的概括。《道行經》則把"本末"作爲一對哲學範疇,以
"本末空無所有"(《難問品》)來强調一切皆本無的基本思想。"本
末"和"本無"的并用,爲玄學把"本無"理解爲"以無爲本"創造了條
件。我們從漢魏思想的演進中,確實可以看到"本無"從"本性是
空"到"以無爲本"的發展。在三國支謙譯出的《大明度經》①裏不僅
沿用了"本無"一詞,而且還在注文中引入了老莊"無有"的概念來
説明萬法性空如幻的道理:"色與菩薩,于是無有"(《行品》),從而
把本無之無進一步引向了有無之無。同時,《大明度經》也使用了
"本末"這對範疇,反對"釋本崇末"(《覺邪品》)。到正始年間,王弼
正式提出了"崇本息末"(《老子指略》),認爲"天下之物,皆以有爲
生,有之所始,以無爲本"(《老子》四十章注)。裴頠在《崇有論》中指
責貴無論者"靜一守本無"(《晉書》卷35),則第一次在玄學思想體
系中使用了"本無"。這時的"本無",已經從佛教的"本性是空"過渡
到了"本體是無"。

　　《道行經》的"本無",强調的是本性空無,主要是對人們所認識

---

　　① 《大明度經》係《道行經》的改譯,譯出的時間也在"正始"之前(請參
　　　見呂澂著《中國佛學源流略講》第33頁)。

到的一切現象的真實性加以否定，并没有肯定有一個"無"本體；它使用"本末"這對範疇，强調的也是對本和末的雙否定。這與玄學的"以無爲本"肯定現象背後的本體而又不否定現象本身的真實存在以及强調"崇本息末"等，是有很大區別的，這表明佛教般若學與玄學畢竟是兩種不同的思想。但老莊化的譯經對老莊道家思想的進一步發展和玄學思想的形成所發生的影響還是不能忽視的。玄學貴無論對老子思想的新發揮，很可能就是在佛教"本無"等思想的影響下完成的。般若學的"本無"似可視爲從老子的"有生于無"發展到王弼的"以無爲本"的中介環節之一。同時，玄學的形成發展乃至盛行，又反過來促進了佛教般若學的繁興。

從學説思想的發展來看，玄學從王弼的貴無論，經裴頠的崇有論再發展到郭象的獨化論而達到了它的頂峰，也發展到了它的極限。玄學要有新的突破，需要尋找新的出路，吸收新的養料。佛教般若學具有較高的思辨性和超越性，正好能滿足玄學發展的需要。《世説新語・文學》中説，郭象以後，諸名賢解《莊子・逍遙游》，均"不能拔理于郭（象）向（秀）之外"，而名僧支道林以佛解莊，卻能"卓然標新理于二家之表，立異義於衆賢之外，皆是諸名賢尋味之所不得"，因而被譽爲"支理"，受到了當時玄學界的一致推崇和贊賞。這從一個側面充分反映了當時的玄學確實需要從佛學中吸收養料來充實發展自己。因此，隨着般若學依附于玄學而在社會上迅速傳播，人們的理論興趣也越來越多地轉向了佛學，紛紛傾心于對般若性空之學的研究。然而，由于當時《中論》等發揮般若性空之學的佛典尚未譯出，老莊化的《般若經》諸譯本又都"譯理未盡"，使人們很難把握般若學非有非無的思辨方法以理解"空"義，而人們沿襲漢魏以來的"格義"方法解佛，又不可避免地以當時社會上流行的貴無、崇有的玄學來比附佛學，因而"有無殊論，紛然交競"，圍繞着對"空"的不同理解而產生了"六家七宗"等衆多的般若學派。

在玄學氛圍中形成的般若學各派，受到玄學的影響是多方面的。從思想内容上看,般若學各家幾乎都同時受到了貴無、崇有和獨化等玄學各派的影響,其中共同的,也是最根本的,是在玄學有無之辨、把有無分别對待的影響下,都有離開"假有"來談"性空"的傾向,把"空"理解爲是"無",不懂得"空"是非有非無、亦有亦無的道理。

玄學化的般若學雖然没能準確全面地把握般若空義,達到佛教般若學的思辨高度,因而未能完全包容和吸收玄學,玄學也没有能夠藉助佛教般若學而有重大突破,但六家七宗時代的般若學畢竟從心無、物無等不同的角度探討發明了般若"空"義,爲後人進一步理解般若思想創造了條件。僧肇正是在六家七宗般若學的基礎上,藉助于羅什譯出的大小品《般若經》和"三論"(《中論》、《百論》、《十二門論》),通過對般若學各派乃至玄學各家學説的批判總結,既把玄佛合流推向了頂峰,也在客觀上宣告了玄佛合流的終結,開闢了中國佛教哲學相對獨立發展的新階段。僧肇以後,中國學術思想也就從魏晉玄學逐漸過渡到了南北朝隋唐佛學。

貫穿僧肇哲學始終的基本命題是"不真空論",這是針對當時模仿玄學談無説有的般若學各派而提出來的。僧肇在闡發般若性空之義時曾專門批評了當時有代表性的本無宗、即色宗和心無宗三家的觀點,認爲它們或者從"色不自有"來談空(即色),或者以"從無出有"來否定有(本無),有的甚至用"無心于萬物"來解空(心無),這都是不準確的。爲了糾正各家理解上的偏差,僧肇重新提出了"空"來取代"無"。如果説"無"是對"有"存在的否定,那麼"空"則是對"有"虛假本性的揭示。僧肇以"不真"來釋"萬有",以"虛假"取代空無,把當時玄學和佛學的"有無之爭"引向了"真假之辨",從而克服了六家七宗時代般若學割裂有無談空觀的局限性。

在準確把握般若性空之義的基礎上,僧肇運用般若空觀回答并解決了當時玄學所討論的主要問題。以"不真空論"來解説有和無的問題,那就是非有非無,有無皆空思想。以"不真空論"來解説動靜問題,那就是非動非靜,動靜皆空思想。以"不真空論"來解説知與不知的問題,那就是"非有知非無知","不知之知,乃曰一切知"思想。僧肇雖然在談哲學,但他畢竟是一個佛教徒,他的理論是爲佛教解脱論作論證的。因此,他又以"不真空論"來解説涅槃解脱,强調"涅槃非有亦復非無",認爲超越"有無之境,妄想之域"的解脱境是不可思議,不可言説的。"所見不實,則實存于所見之外"在這裏成爲溝通僧肇的哲學思想與宗教信仰的重要橋樑。

由于僧肇比較準確地領會并闡發了般若性空之學的基本思想和方法,因而贏得了羅什大師"秦人解空第一者"的美譽。而由于僧肇在弘揚佛學時融合吸收了大量中國傳統的思想內容和思辨方法,特別是老莊玄學的思想,他往往是通過老莊玄學的概念、命題和結構形式來表達佛理的,因此,他的思想又被一些人視爲是老莊玄學的翻版。當然,我們透過僧肇與老莊玄學表面上的相似,是不難看出它們根本點上的差異的。

三

僧肇在闡揚佛教思想時,充分借用了老莊玄學化的語言和表達方式,并對老莊玄學思想有所發展,但他的基本立足點始終没有離開過佛教,他與老莊玄學的同中之異也是不能忽視的。我們先來看僧肇與老莊。

僧肇曾多次通過名實關係來發揮般若性空之義。本來,佛教般若學雖也常提到"名"、"名相",但一般并不涉及名實相符的問題,因爲在它看來,萬法虛幻,名亦假名,名實俱空無所謂相符。只有超越名實的"空"才是唯一的真實。而僧肇卻從傳統名實論的名實應該相符出發來進行論證,不過他的看法與先秦以來的各種觀點都不一樣,既不是"以名正實",也不是"取名予實",而是從"名不當實,實不當名"中引出了物者非物、名者非名、名實俱歸于一空的結論。在論證名實無當的過程中，僧肇繼承了莊子的相對主義并作了進一步的發揮。莊子曾從"彼亦一是非，此亦一是非"的相對主義出發，認爲事物的彼此之分是無法確定的，"天地一指也，萬物一馬也"（《齊物論》），因而認爲不必人爲地區分名和實的對立。僧肇承襲了這種觀點，也認爲彼此之分是不確定的，他說："中觀云：物無彼此。而人以此爲此，以彼爲彼。彼亦以此爲彼，以彼爲此，此彼莫定乎一名，而惑者懷必然之志。"（《肇論·不真空論》）但他進一步把事物本身的存在與彼此之名并爲一談，通過否定事物的彼此之分而否定了客觀事物的實在性。他的結論是："既悟彼此之非有，有何物而可有哉？故知萬物非真，假號久矣。"（同上）爲了迎合中土人士的口味，使人們更容易接受佛教的理論，僧肇把自己闡發的觀點說成與莊子之論是一個意思，他說："是以《成具》立强名之文，園林託指馬之況。如此，則深遠之言，于何而不在？"（同上）有些人也因此而認爲僧肇是在發揮莊子思想。但我們看到，僧肇實際上把莊子的主觀上不去分別發展成了客觀上無可分別，把莊于"萬物皆一"（《齊物論》）的相對主義齊物論發展成了"齊萬有于一虛"（《肇論·答劉遺民書》）的"不真空論"。莊子的理論基礎是不譴是非的相對主義，僧肇的理論基礎卻是佛教的般若空觀，兩者顯然不能混爲一談。

　　"破"世俗的名與實，目的是爲了"顯"世俗名實之外的真實，這是般若學的一個特點，但由于佛教名言概念的繁瑣晦澀，人們對此往往難以理解。精通老莊的僧肇便藉助于老子"無名"、"無狀"的思想來進行闡釋。他強調以無言無狀的般若聖智去觀照無名無相的性空真諦，以證得超言絕相的涅槃聖境。我們知道，老子雖然認爲"道常無名"，但并不否定萬物的有名，他只是想把道與有名的具體事物區別開來而已。而且，老子從不否定有名的萬物作爲真實的"有"而存在。而僧肇卻通過佛道的"無言無相"、"無名無狀"，從根本上否定了萬物及其名稱的真實性。在對"道"的論述中，我們更可以清楚地看到僧肇對老莊語言的借用和對老莊思想的改造。

在解釋佛教的"菩提"時，僧肇曾充分利用老子對虛玄之道的描繪來發揮般若思想，他說："道之極者，稱曰菩提。……其道虛玄，妙絕常境。聽者無以容其聽，智者無以運其智，辯者無以措其言，像者無以狀其儀。故其爲道也，微妙無相，不可爲有；用之彌勤，不可爲無。……然則無知而無不知，無爲而無不爲者，其唯菩提大覺之道乎？此無名之法，固非名所能名也。不知所以言，故強名曰菩提。"（《維摩經・菩薩品》注）這裏，僧肇雖然借用了老子的語言，但在思想上卻作了改造。例如，微妙無相，用之彌勤，老子是這樣說的："谷神不死，是謂玄牝。玄牝之門，是謂天地根。綿綿若存，用之不勤。"（《老子》六章）老子的意思是說，道（玄牝）雖然微妙不可見，但它生養天地萬物的作用卻是無窮盡的。到了僧肇這裏，"道"卻成了"般若"的異名①。般若，就佛教的通義而論，屬于智，有時爲了區別于世俗的智而又譯爲"聖智"，它與作爲"境"的"真諦"相對。但若就"境智一如"，"境智不二"的意義上說，般若本身就可以同時具有主客觀兩方面的含義：從主觀方面而言，是無所不知的聖智；從客觀方面講，是萬物性空之"真諦"。僧肇用"般若"替換了老子的"道"，就使老子客觀存在的"道"打上了主觀精神的烙印，正因爲此，僧肇強調"菩提大覺之道"不但"無爲而無不爲"，而且還"無知而無不知"。這也就決定了僧肇在認識論上雖然對老子的思想有所繼承，例如他也要求"滌除玄覽"（《長阿含經序》），認爲"不窺户牖而智無不周"（同上）等等，但從根本上說，他與老子的觀道體道是不一樣的，因爲他所理想的"以無知之般若，照彼無相之真諦"實際上最終成了般若的自知自證、自我觀照。對此，僧肇自己曾作過這樣的說

---

① 《肇論・般若無知論》中也曾說："夫聖心者，微妙無相，不可爲有；用之彌勤，不可爲無。不可爲無，故聖智存焉；不可爲有，故名教絕焉。"可見，僧肇所說的菩提、聖心、聖智，都是指"般若"而言。

明:"是以般若之與真諦,言用即同而異,言寂即異而同。同,故無心于彼此;異,故不失于照功。是以辨同者同于異,辨異者異于同,斯則不可得而異,不可得而同也。何者? 内有獨鑒之明,外有萬法之實。萬法雖實,然非照不得。内外相與以成其照功,此則聖所不能同,用也。内雖照而無知,外雖實而無相,内外寂然,相與俱無,此則聖所不能異,寂也。"(《肇論·般若無知論》)這樣,僧肇就在佛教般若學體(寂)用不二思想的基礎上達到了主客觀的統一。

僧肇的這種統一,既改造利用了老莊思想,又發展了佛教理論。老子曾從天地人統一于"道"的立場上表達過物我"玄同"的思想,莊子從相對主義出發對此有進一步的發揮,提出了"天地與我并生,而萬物與我爲一"。僧肇也常常借用老莊"物我爲一"的命題,但表達的卻是冥心真境、有無皆空的佛教思想,他是從萬物"非真非實有"引出了"物我同根"、"物我俱一"的結論。他在發揮般若空觀時曾説:"夫有由心生,心因有起。是非之域,妄想所存。故有無殊論,紛然交競者也。若能空虚其懷,冥心真境,妙存環中,有無一觀者,雖復智周萬物,未始爲有。幽塗無照,未始爲無。故能齊天地爲一旨,而不乖其實,鏡群有以玄通,而物我俱一。物我俱一,故智無照功;不乖其實,故物物自周。"(《維摩經·文殊師利問疾品》注)這裏的"物我俱一"是"相與俱空",是主客觀的泯滅,有時僧肇也稱之爲"智法俱同一空"(同上)。佛教般若學雖然講物我俱空,但一般并不講物我爲一,其有所謂"智境一如"的説法,那是關于彼岸世界的理論,并不涉及世俗的主客觀關係;老莊講物我爲一,卻并不説俱同于一空。僧肇把兩者結合起來,不僅通過老莊的命題宣揚了佛教,而且藉助于老莊的"物我爲一"溝通了佛教關于此岸世界的理論"物我皆空"與彼岸世界的理論"智境一如"。在僧肇這裏,悟解我法皆空,即是"物我爲一"之境,這也就是佛教"智境一如"的聖境了。可見,僧肇與老莊雖然同追求一種不爲世俗物務名利所累的人生超越境界,但他們用以指導人生的理論基礎卻是大不一樣的。老莊在道通爲一的基礎上強調的是"無心執著"，僧肇則在"空觀"的基礎上強調"無可執著"，顯然，後者對精神超越的可能性與必要性論證得更爲徹底了。

我們再來看僧肇與玄學。從形式上看，僧肇所用的概念、命題以及他的思想體系結構、思想方法等都與玄學極爲相近甚至相似，但從内容上看，僧肇的立足點仍然是佛學而不是玄學。

例如玄學談有無問題，或貴無，或崇有。僧肇也談有無問題，卻"契神于有無之間"，他提出的"即萬物之自虚"的空，既是有和無的"統一"——有假象，無自性；又是有和無的雙譴——有非真有，無非絕無。這樣，僧肇最終跳出了"有無殊論"，以佛教的中道空觀結束了玄學多年的紛爭。

再比如，佛教本來并不專門談動和靜、有知和無知的關係問題，而這些卻是當時玄學所討論的主要問題，受時代學術思潮的影響，僧肇也圍繞這些問題發表了見解。但他把王弼"動起于靜"的以靜爲本和郭象"故不暫停，忽已涉新"的變化無常統一于"動靜未始異"的"物不遷論"；又在王弼"聖人體無"的"用智不及無知"和郭象"物來乃鑒，鑒不以心"的"以不知爲宗"的基礎上，進一步提出了"無知而無不知"的"般若無知論"，把玄學的不必知，不去知發展爲佛教的無可知。可見，僧肇雖然使用的是玄學的概念，討論的是玄學的問題，但表達的卻是佛教的般若性空思想。

爲了更好地説明僧肇與玄學的關係，有必要看一下僧肇與郭象的關係。郭象的思想代表着玄學發展的高峰，僧肇對玄學問題的解決，許多都是在郭象思想的基礎上進一步向前發展的。例如僧肇對有無之爭的解決，就是循着郭象綜合"貴無"與"崇有"的思維途徑發展下來的。而最爲典型的是郭象的動靜觀爲僧肇提供了大量的思想資料。僧肇的"物不遷論"，從思路，論證方法乃至語言，都與郭象有極大的相似之處，但兩者所要表達的根本思想顯然還是不一樣的。例如：郭象説"天地萬物，變化日新，與時俱往"；僧肇説"諸

法如電,新新不停",形隨年往。郭象説"天地萬物無時而不移";僧
肇説"諸法乃無一念頃住"。郭象説"故不暫停,忽已涉新","交一臂
而失之";僧肇説"故仲尼曰,回也見新,交臂非故"。這裏,郭象爲了
論證他的"獨化于玄冥之境"而誇大了事物的不斷變化和新舊事物
交替的不停頓性,以至于否定了事物的質具有相對的穩定性,使事
物變成了一個個獨立自存的不可捉摸的東西。而僧肇卻是在論證
他動靜皆空的"物不遷論"。僧肇首先把時間抽象爲一種純粹的存
在,并把它分割爲無數不連貫的瞬間,然後把事物一個個機械地固
定在時間的不同坐標上,使事物隨着時間的劃分而成爲一個個互
相孤立的片斷,最後便采用郭象的論證方法,强調固定在時間坐標
每個點上的事物隨着時間的不停流逝而刹那起滅以否定事物有獨
立自存的自性,從而否定了萬物的真實性:"諸法乃無一念頃住,況
欲久停。無住則如幻,如幻則不實,不實則爲空。"(《維摩經・弟子
品》注)萬物既不真,動靜也就必爲假了。再比如:郭象説"向息非今
息","向者之我,非復今我也,我與今俱往";僧肇説"昔物自在昔",
"今物自在今","是以……梵志曰:吾猶昔人,非昔人也"。郭象説
"古不在今,今事已變";僧肇説"古不至今","今而無古"。郭象在這
裏誇大時間的間斷性以割裂古今的聯繫,主要是想通過否定事物
運動的連續性來否定新舊事物之間有任何聯繫以論證萬物的"獨
化",而僧肇在這裏使用相似的語言表達的卻是"事各性住于一世,
有何物而可去來"的"無物"動靜之佛教"空"論。可見,語言、概念和
命題的相似并未能消除僧肇與玄學在哲學思想上的根本差異。

　　當然,僧肇在運用老莊玄學化的語言并討論老莊玄學所關注
的問題以表達佛教思想的同時,也確實對老莊玄學的思想有所發
揮,有所發展,這也正是佛學依附玄學最終又能取代玄學的重要原
因。先秦道家發展至魏晉與儒學合流的新道家,再經過僧肇等人乃
至隋唐佛教宗派的以佛解道,最終佛道與儒合流而有宋明道學的
繁榮,從這文化的綿延演進中,我們既可以看到老莊道家之學的生

命力和中華文化傳統的內在活力，又可以看到這種生命力和活力是依賴于一代代人不斷吸收新養料重新闡釋、重新發揮乃至進行改造的創造性活動而得以實現的。這也許是我們今天研究傳統文化所應該特別重視的，因爲它能給我們以某種啓示。

　　作者簡介　洪修平，1954 年生，江蘇蘇州人。復旦大學哲學博士。現爲南京大學哲學系副教授。主要著作有《禪宗思想的形成與發展》、《禪宗與玄學》、《中國禪學思想史》等。

周敦頤與道教

容肇祖

因爲周敦頤做過大理學家程顥、程頤的老師,所以後來朱熹在編《伊洛淵源錄》時,將他列在首位,認爲他繼承儒家絶學,延續了孔孟道統。朱子有語云:"自周衰,孟軻氏殁而此道之不屬,至宋受命,五星聚奎,開文明之運,而周子出焉,不由師傳,默契道體,建圖著書,根極領要。"(《周元公集卷三》)《宋史·道學傳》也評論説:"至宋中葉,周敦頤出于舂陵,乃得聖賢不傳之學,作《太極圖説》、《通書》,推明陰陽五行之理,命于天而性于人者,瞭若指掌。"那麽周敦頤是否真象朱子及《宋史》作者所説是承繼了孔孟道統? 抑或他所體驗之道另有所屬? 這裏我們提出幾條看法以就敎于方家。

一、"仙風道氣"(朱子語)

宋人黄山谷有語云:"舂陵周茂叔,人品甚高,胸中灑落如光風霽月,好讀書,雅意林壑,初不爲人窘束,廉于取名而鋭于求志,薄于徼福而厚于得民。"(《周子全書》卷十九)朱熹的老師李延平對這個評語極爲推崇,認爲"此善形容有道者氣象"。如果從周敦頤的人格精神中來探求他的思想傾向,也許更能説明問題,因爲在周敦頤一生著述之中,理論色彩較濃的文章只有極短的兩篇,一篇是著名的《太極圖説》,另一篇就是《通書》。

　　周敦頤一生恬淡無爲，傾慕老莊雲淡風清式的生活風格。他在
《題濂溪書堂》一詩中以山水托志，表明自己的人格理想："廬山我
久愛，買田山之陰。田間有清水，清泚出山心。山心無塵土，白石磷
磷沈。潺湲來數里，到此始澄深。"（《周元公集》卷二）在另一首題爲
《石塘橋晚釣》中，他也表示對爵祿名利的厭倦而期望一種平淡超
脫的生活："濂溪溪上釣，思歸復思歸。釣魚船好睡，寵辱不相隨。肯
爲爵祿重，白髮猶羈縻。"（《周元公集》卷二）

　　因厭倦名利而尋求一種超脫、自由的生活，這在舊式知識分子
中也不少見。這種心情通常發生在仕途失意、前景暗淡之時。但周
敦頤卻不是這樣，他對飄逸灑脫人格的追求透入到他整個骨髓之
中。由此，他不僅厭倦世俗名利，而且還想象如神仙道者一樣飄入
洞中之境："聞有山岩即去尋，亦躋方外入松陰。雖然未是洞中境，
且異人間名利心。"（《周元公集》卷二）在同卷《題鄞州仙都觀》一詩
中亦云："山盤江上虯龍活，殿倚雲中洞府深。欽想真風杳何在？偃
松齊柏共蕭森。"

　　在仕宦之餘，周敦頤四處尋覽古觀仙迹，先後游過惠州羅浮
山、鄞州仙都觀等道教名勝。他游覽這些道教聖地，并非如同一般
文人一樣只做些附庸風雅的憑吊，而是在内心中對道教的"真境"
有着深切的向往。對此《宿山房》一詩有所表露："久厭塵勞樂靜無，
俸微獨乏買山錢。俳徊真境不能去，且寄雲房一榻眠。"（《周元公
集》卷二）關于周敦頤對方外生活的眷戀，時人亦有記載。他的知交
蒲宗孟在爲他做墓銘時就說："吾嘗謂茂叔爲貧而仕，仕而有所爲，
亦大概略久于人，人亦頗知之；然至其孤風遠操，寓懷于塵埃之外，
常有高棲遐遯之意，則世人未必盡知之也。"（《周元公集》卷四）我
們由周敦頤這種飄逸的生命理想，便可知他所企之道、所證之道絕
對不會是理學家所謂的仁義、天理之類的東西，而顯然更接近傳統
道家的大道之體。

　　與後世理學家維護道統，力排佛老的狹隘心態相反，周敦頤樂

與高僧、道人爲友，與他們之間的關係十分融洽。傳說周敦頤與胡宿同師鶴林寺僧壽涯，甚至一起參禪論道。他在官廣南東路提點刑獄時，有《題大顛堂壁》詩云："退之自謂如夫子，《原道》深排佛老非。不識大顛何似者，數書珍重更留衣。"（《周子全書》卷十七）這首詩顯然是譏刺韓愈不明佛老真旨而妄加排斥。不僅如此，他還廣交道門、佛門之俊傑，與他們一道探討形上之道。

有一個問題必須辨明：程顥、程頤早年曾受學于周敦頤，這點沒有疑問。程頤在《明道先生行狀》中說："先生爲學，自十五、六時，聞汝南周茂叔論，遂厭科舉之業，慨然有求道之志。"朱熹在《伊洛淵源錄》中又重提此事："洛人程公珦，攝通守事，視其氣貌非常人，與語，知其爲學知道也。因與爲友，且使其二子往受學。"也正是因爲這種師生淵源，朱子遂把周敦頤視爲理學的鼻祖。後世理學家沿襲朱熹的說法，此事遂成定論。這聽起來有點"師以徒貴"的味道。其實朱子是過于性急，沒有細究此事。這樣就造成了兩種後果：一是歪曲了周敦頤的人格。二是使理學隊伍中摻入了一個准道士。二程雖然在早年受學于周敦頤，但構成其核心思想的"天理論"卻是其自家獨創出來的，這點與周敦頤毫不相干。程顥曾說過："吾學雖有所授受，天理二字卻是自家體貼出來。"（《二程集·外書》）二程尤其是程頤不太願意多提與周敦頤的師承關係。程明道談到周敦頤，也只是說："昔受學于茂叔，令尋仲尼，顏子樂處，所樂何事？"（《周元公集卷三》）但他後來尋到的孔顏樂處，倘若茂叔再生，恐怕也難以首肯。

二、道教《先天太極圖》與周敦頤對它的創釋

周敦頤著有《太極圖說》，這也是他一生中極爲重要的一部作品。《太極圖說》有圖有說，其圖卻并非周敦頤的創造。道教有《先天太極圖》，收在《道藏》洞玄部靈圖類，稱爲《上方大洞真元妙經

圖》。此圖據説是靈寶君、洞天教主神示的靈圖。道教組織嚴密,非教門中人是很不容易見到這些靈圖的。那麼,周敦頤既然不是出家道士,又何以得而見之？這個問題很奇怪,朱震在《進周易表》中説出了其中的緣故。他認爲周敦頤與宋道士陳摶等有師承關係。宋高宗紹興四年(1134)朱震在《進周易表》中説:"陳摶傳种放,种放傳穆修,穆以《太極圖》傳周敦頤。"按照朱震的這個説法,周敦頤就應當是陳摶的三傳弟子。清代學者毛奇齡對道教的《先天太極圖》與周敦頤的《太極圖》作了考證。他認爲兩個太極圖是相同的。他説:"夫隋唐(指《道藏》的《先天太極圖》)、趙宋(指周敦頤的《太極圖》)不相接也,方士畫于前,儒臣進于後,不相謀也。一人《道藏》,一人綸館,又未嘗相通也。而兩圖踪迹,合若一轍,誰爲之者?"(《西河合集・太極圖説遺議》),在毛奇齡看來,周敦頤的《太極圖》是源于道教。

　　道教的思想來源,主要是由道家思想演變形成的。道教徒由道家的無神論或一神論觀點(崇奉老子),逐漸演變而爲多神的宗教。道教的《先天太極圖》是在學術上有突出貢獻的思想,它描述了宇宙的起源和發生發展的原理,它還雜有融合道家和儒家(五行)思想的迹象。《先天太極圖》就其圖形構成是一人,但解釋其圖象的則又是一人。它闡明了宇宙發生發展,以至萬物有機的組合和變化的思想。但是以後一些道士的解釋失去了原有圖形的真意,失卻對宇宙發生發展的學術思想意識,抹去"五行"而加入"八卦",這是他們的錯誤。現就原圖作如下的分析:

　　下面道教的《先天太極圖》,最上一圈是空的,即"無"(是"陰靜"),第二圈是"太極"(太極形象),第三圈是陽動,第四圈是"水、火、木、金、土",即五行交錯形狀。最下二圈下注"萬物化生"。

　　道教的《先天太極圖》是由道家的自然主義宇宙觀産生出來的。《老子》四十章"天下萬物生于有,有生于無"。四十二章説:"道生一,一生二,二生三,三生萬物。萬物負陰而抱陽,冲氣以爲和。"

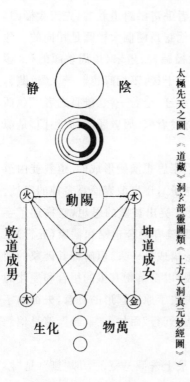

静　　　　陰

動陽

乾道成男

坤道成女

生化　　物萬

太極先天之圖（《道藏》洞玄部靈圖類《上方大洞真元妙經圖》）

陽動　　　陰靜

火　　　　　水

土

木　　　　　金

乾道成男

坤道成女

生化物萬

太極圖（《周敦頤集》《太極圖說》）附

《淮南子·天文篇》對這解釋説:"道始于一,一而不生,分而爲陰陽,陰陽合而萬物生,故曰一生二,二生三,三生萬物。"老子説的"道",就是後來説的"太極"。《老子》和《淮南子》對"萬物化生",從無而有,由太始或太極而後有陰陽,而後有五行,而後有萬物化生,是我國古代宇宙演化論的最早闡述。如《淮南子·精神篇》説:"古未有天地之時,惟(俞樾説"惘字之誤")像無形,窈窈冥冥,芒芠漠閔,澒濛鴻洞,莫知其門。有二神混生(高誘注:"二神",陰陽之神也),經天營地,孔乎莫知其所終極,滔乎莫知其所止息,于是乃別爲陰陽,離爲八極,剛柔相成,萬物乃形,煩氣爲蟲,精氣爲人。"《淮南子·天文篇》又説:"天地未形,馮馮翼翼,洞洞灟灟,故曰太始(原作"昭",王念孫校以爲應作"始"),太始生虛霩,虛霩生宇宙,宇宙生氣,氣有垠涯,清陽者薄靡而爲天,重濁者凝滯而爲地。清妙之合專(摶)易,重濁之凝竭難,故天先成而地後定。天地之襲(合)精爲陰陽,陰陽之專爲精爲四時,四時之散精爲萬物。積陽之熱氣久者生火,火氣之精者爲日;積陰之寒氣久者爲水,水氣之精者爲月。"以上可見,道家已略微推論到五行發生萬物的學説,但卻尚未形成一個宇宙發生發展的有機系統的圖表,後來道教徒做進一步思考,開始把完整的宇宙發生發展的學術理論用《先天太極圖》的圖形表達出來。但《先天太極圖》作成之時,并没有作圖形的解釋,《道藏》中所引道教徒對《先天太極圖》的解釋是這樣説的:"粵有太易之神,太始之氣,太初之精,太素之形,太極之道,無古無今,無始無終也。故《易》有太極,是生兩儀,兩儀生四象,四象生八卦,八卦定吉凶,吉凶生大業。'言萬物皆有太極,兩儀、四象之象,四象、八卦具而未動,謂之太極。太極也者,天地之大本耶!天地分太極,萬物分天地。"道教徒這裏僅僅解釋太極分爲天地,而没有觸及到宇宙發生發展至萬物變化的主要道理。按《先天太極圖》中有"五行",以"五行"爲中間階段而到萬物變化無窮,對宇宙論的發生發展的理論是有一定積極意義。這不能不説道教徒對《先天太極圖》的完整系統思想的無知，因而他們的解釋是遺漏了《先天太極圖》中内含的"五行"這個重要部分。"八卦"是説卦象，和"五行"不同，"天、地、風、雷、水、火、山、澤"，不能作爲物質原素去代替"五行"。

周敦頤的《太極圖説》，闡述了宇宙的起源和發生發展的變化，在那時是突出的學術思想。周敦頤説：

> 無極而太極。太極動而生陽，動極而靜，靜而生陰。靜極復動。一動一靜，互爲其根，分陰分陽，兩儀立焉。陽變陰合，而生水、火、木、金、土。五氣順布，四時行焉。五行，一陰陽也；陰陽，一太極也；太極，本無極也。五行之生也，各一其性。無極之真，二五之精，妙合而凝。"乾道成男，坤道成女"，二氣交感，化生萬物。萬物生生，而變化無窮焉。

周敦頤認爲，宇宙萬物是從無極而太極，從太極而五行，五行的發生發展變化交錯，而發生各種各樣的變化，所謂萬物化生。這是具有樸素唯物主義思想的合理因素的宇宙論。

這裏有一個問題值得提出來特別討論。按照周敦頤的解釋，宇宙萬物演化的模式是自無極→太極→五行→萬物，可以看出他是主張宇宙根始于無極。如上所述，這個思想和傳統道家的思想如出一轍，因此應該承認周敦頤的基本宇宙觀更接近道教。這個意思，當時的人就已經指出過，宋人潘之定在《濂溪雜詠》中即云："當年太極揭爲圖，萬有皆生于一無。動靜互根誰是主？誠于靜處下工夫。"但是，後來朱熹等人爲了構造出一個道統來，便對周敦頤"無極而太極"的思想重加解釋。結果在理學界掀起了一場軒然大波，以至于被陸九淵譏爲"叠床上之床，架屋上之屋"。

朱熹既然因爲二程的緣故把周敦頤封爲理學開山祖師，但是又羞于承認《太極圖説》與道教的淵源關係，于是就對《無極圖説》中"無極而太極"一句加解釋。他認爲："無極即是無極，太極即是有理。""無極而太極，猶日'莫之爲而爲，莫之致而至。'又如曰：'無爲之爲。'皆語勢之當然，非謂別有一物也。其意則固若曰：非如皇極、民極、屋極之有方所、形象，而但有此理之至極耳。"(《陸九淵集附錄》)又"不言無極，則太極同于一物，而不足爲萬化根本；不言太極，則無極淪于空寂，而不能爲萬化根本"。(《陸九淵集·書》)這樣說來，"無極而太極"就沒有太極根源于無極的意思而變成了無形而有理，結果還是成了"理本論"。朱熹的這種解釋明眼人一看就知道很勉强，所以當時陸九淵批評他："尊兄只管言來言去，轉加糊塗，此其所謂輕于立論，徒爲多說，而未必果當于理也。"(《陸九淵集·書》)陸九淵因爲沒有道統方面的顧慮，所以他能一針見血指出"無極而太極""此老氏宗旨也"。可惜後來朱學壓倒陸學，直到如今理學中仍然是濂洛關閩并稱。這真是天大的誤會。

　　周敦頤從他的樸素唯物主義宇宙論，進而建立了他的人生哲學。他說：

　　　　唯人也，得其秀而最靈。形既生矣，神發智矣，五性感動而善惡分，萬事出矣。聖人定之以中正仁義而主靜（無欲故靜），立人極焉。故聖人與天地合其德，日月合其明，四時合其序，鬼神合其吉凶。

周敦頤認識到人類是萬物之靈，其發生發展須要符合宇宙的發生發展。這樣他就把人的知識和社會道德的發生發展視爲有相同的模式。他把社會道德和宇宙萬物的發展聯繫起來，都說成是從"太極"（"理"）發展而來。所謂聖人是與"天地合其德"，就是他認爲"仁義中正"的道德，必須從主靜的無欲去修爲，這是繼承傳統道教的清靜無欲的教旨。這個思想也是他的一貫主張，他在《養心亭說》一文中闡述得更詳細。他以人道比附天道，以主靜無欲來說明人如何進行道德修養，這就由宇宙觀開出了他的人生哲學。

　　他說："孟子曰：養莫善于寡欲，其爲人也寡欲，雖有不存焉者寡矣；其爲人也多欲，雖有存焉者寡矣。予謂養心不止于寡焉而存耳。蓋寡焉以至于無，無則誠立明通。誠立賢也，明通聖也。"(《周元公集卷二》)周敦頤在這裏對孟子"寡欲養善"的思想有所突破，認爲應該由寡欲更推進一步，至于無欲。無欲則誠立明通，至于聖道。以無欲做爲通達大道之門，這種思想不見于早期儒家，倒是傳統道家對此闡述得很充分，《老子》，《莊子》書中，此類思想甚多。這麼說來，周敦頤提及的聖人倒是頗有幾分仙風道骨。

不過周敦頤的這個主張受到戴震的批評，他說："自宋以來始相沿成俗，則以理爲'如有物焉，得于天而具于心，'固以心之意見當之也。"(《孟子字義疏證》)戴震以爲道德之理是從人的思想考察、分析和經驗產生的，不是生而具有的，是"由學習可以增益其不足而至于聖智"。周敦頤的道德學說是爲封建統治者服務的理論。他認爲人們要遵照封建道德的準則，即"仁義中正"去做事，把這說成是出于人的自然本性的，這是一種先驗的道德意識。戴震認爲"理"的產生，是由于人的觀察、考慮、分析而來的。他說："理者，察之而幾徵必區以別之名也。是故謂之分理。……得其分則有條而不紊，謂之條理。……夫以理爲如有物焉，得于天而具于心，未有不以意見當之者也。"周敦頤的《太極圖說》對道德規範的修爲方法，是靜和無欲，這是從道教中得來的。他用"五行"來說明世界萬物的起源和發生發展的多樣性和統一性，是具有樸素唯物主義因素的宇宙論，但他用這個宇宙論去構成他的倫理學時，卻認爲倫理道德觀念是先天具有的，而使他陷入道德先驗論的唯心主義泥坑，并使其宇宙演化論神秘化了。

作者簡介　容肇祖，字元胎，1897 年生，廣東東莞人。1926 年畢業于北京大學哲學系。現任中國社會科學院哲學研究所研究員。著有《中國文學史大綱》、《韓非子考證》、《李卓吾評傳》、《魏晉的自然主義》、《明代思想史》等。

氣質之性源于道教説

李 中

内容提要 氣質之性是宋明理學核心問題之一,它的淵源一直不明,本文證明,它實源于道教。具體證據,請參閲正文。

張載、二程講氣質之性,朱熹認爲"極有功于聖門,有補于後學","張程之説立,則諸子之説泯"(《朱子語類》卷四)。依朱熹所説,氣質之性,"前此未曾有人説到此"。無論是儒經、孔、孟,還是荀子、揚雄、韓愈,都"不曾説得氣質之性"(同上)。因此,它實是張程,主要是張載的創造。氣質之性説,奠定了理學人性論的基礎。

張岱年先生認爲:"張子的性論,最不易了解,因其合宇宙之性與人性爲一。"張岱年先生雖然説它是"綜合孟荀學説",但又指出"孟子講擴充,與善反不同"(《中國哲學大綱》第四章)。這就是説,它不單是綜合孟荀,而是另有所本。

近年來道教研究逐漸開展,人們又發現張伯端《玉清金筍青華秘文金室内煉丹訣》中也講氣質之性,其文字和張載所言幾一字不差。那麽,是張載來自道教,還是道教來自張載?迄無定論。

筆者考察,張載的氣質之性説實源于道教,兹簡述如下:

一、道教煉養理論的發展

道士煉服金丹,目的是攝取其不敗朽的性質。《抱朴子·仙藥篇》說:

> 玉經曰:服金者壽如金,服玉者壽如玉。

基于這種理由,金丹派曾攻擊服食草木藥者,認爲草木藥不能使人長生不死:

> 且草木藥,埋之即朽,煮之即爛,燒之即焦,不能自生,焉能生人。(《黄帝九鼎神丹經》卷一)

基于同樣理論,道士們逐漸把水銀、丹砂當作仙藥中最好的一種。唐代《張真人金石靈砂論》說:"真人云,不貴黄白,而重還丹。"理由是:"神仙變化,皆猶砂汞。"砂汞不僅不敗朽,而且可變化,這是金玉所没有的性質。

與服煉金玉砂汞并行,還有内修一派的理論。内修派起初是熊經烏伸、吐納導引之類,漢魏六朝時,逐漸演變爲以服氣胎息爲主。

服氣理論最早見于《淮南子》:

> 食水者善游能寒,食土者無心而慧……食氣者神明而壽,食穀者知慧而夭,不食者不死而神。(《淮南子·地形訓》)

這裏的"食氣者"大約指烏龜。《史記·龜策列傳》講到有作爲床腳幾十年不食、不死的烏龜;東漢末年有張廣定女學烏龜"伸頸吞氣"三年不死的傳說(《抱朴子内篇·對俗篇》)。這樣的"食氣"、"吞氣"一般是大呼大吸,吐納導引,即今天所說的動功,如馬王堆帛書《導引圖》所示者。

這種食氣說被認爲是服食"外氣"。《周易參同契》攻擊它"吐正吸外邪"。後來,它就逐漸被服食"内氣"的胎息說代替了。

然而,無論是服外氣還是服内氣,都不能使人長生不死,不過卻促使人們對服氣理論加以研究。研究結果認爲,服氣不是服外氣,也不是服内氣,而是服食元氣。

《河上公老子注》第四十二章曾經説過:"萬物之中皆有元氣,得以和柔,若胸中有臟,骨中有髓,草木中有空虚。和氣潛通,故得長生也。"這裏講到元氣對萬物生命的作用,元氣在,物就不死。那麽,反過來説,要想不死,就要不斷補充元氣。道教《存神煉氣銘》説:"神氣若俱,長生不死。若欲安神,須煉元氣……"被認爲隋唐之際成書的《洞玄靈寶玄門大義》中,服氣的理論又有發展:

> 服光化爲光,服六氣化爲六氣……服元氣化爲元氣,與天地合體。

孟安排的《道教義樞》也説:

> 服光所以變爲光,服六氣所以化爲六氣……

自然,服元氣也化爲元氣。

萬物都來自元氣,化爲元氣,就是復歸本元,這就是後來道教"返本還元"理論的由來。至此爲止,以服氣爲主要修煉方式的道派采納了金丹派的理論形式。金丹派服食金玉砂汞,爲的是攝取金玉砂汞不敗朽會變化的性質;服氣派服食元氣,也是要讓自己變爲元氣,以便聚則成形,散則爲氣,隱顯自如,在天地間自由往來。

由于煉服金丹不能長生,金丹派也向服氣派靠攏了。他們之所以服食金丹鉛汞,因爲裏面含有元氣。《龍虎還丹訣》道:"真鉛者,取其礦石中燒出,未曾炷抽伏治者,元氣足……"《鉛汞甲庚至寶集成》:"出山真鉛,要極軟嫩者,元氣足……"《大丹記》説:"龍者汞也,虎者銀也……二氣各得天地之元氣也。"這樣,"還丹"的意思就是"反本"。(《玉清内書》)煉服金丹,就是"返本還元之道",而"凡萬物返歸本元,乃長生變化也"(《鉛汞甲庚至寶集成》)。金丹派和服氣派的理論,匯合在一起了。

二、道性本來清靜

道教創始,即把老子奉爲教主。《老子》思想的重要内容之一,

是"道生萬物"。反過來說，則萬物中都有道，《莊子》書中已經得出
了這個結論。依此推論，萬物都有得道的可能。至于人，更不比說。
道教信奉老子哲學，自身就包括了人人都可得道成仙的思想。

　　能否成仙，和能否成佛一樣，是個宗教修煉的根據問題。佛教
從竺道生起，就得出了"一闡提人皆可成佛"的結論，認爲人人都有
佛性。受佛教影響，道教也得出了"人人皆有道性"的結論。《洞玄
靈寶本相運度刼期經》載：

　　　　大千之載，一切衆生，皆有道性。

《太上洞玄靈寶智慧定志通微經》載："造化之始，胎稟是同。各因氤
氳之氣，凝而成神，神本澄清，湛然無雜……，"其意也是一切衆生，
皆有道性。

　　隋末唐初，兩本關于道教教義的綜合性著作也說：

　　　　夫道者圓通之妙稱，聖者玄覺之至名，一切有形，皆含道性。

　　《道門經法相承次序》）

　　　　道性以清虛自然爲體，一切含識，乃至畜生果木石者，皆有道

　　性也。《道教義樞》）

到了唐代，一切衆生皆有道性，成爲道教的普遍意見。唐玄宗說：
"夫人之正性，本自澄清。"(《老子疏》第43章)"虛極者，妙本也。言
人受生，皆稟虛極妙本"。(《老子注》第16章)這就是說，不僅人人
皆有道性，而且道性本來是清靜的"稟道之性，本來清靜"，"人生而
靜，天之性者，《樂記》篇之詞也，言性本清靜，無欲無營"。(杜光庭
《道德真經廣聖義》卷15、卷6)

　　講性本來清靜，顯是受了佛教影響。但從道教方面說，也是"道
生萬物"的必然推論。

　　與"道生萬物"同時，道教也接受了漢代的元氣說，認爲元氣生
萬物：

　　　　人者，萬物之中至靈，與天地俱生于虛無之始，元氣結而成

　　形。(《太上老君玄道真經》)

凡人本從元氣成身……。(《真元妙道要略》)

元氣者,是天地虚無之氣。天地虚無之氣,即化生萬物玄元之

始也。(《陶真人内丹賦》)

在這個意義上,元氣和道同格、同義。稟道而生與稟元氣而生也同格、同義。道性本來清靜,也就是元氣之性本來清靜。

那么,本來清靜的性,爲什么一結成形,就産生了惡呢?南北朝時,佛教就向道教提出了這樣的問題:

且皇帝土象之日,經于三年,上真氣入,乃能言語,此上清之

氣與太上同源論。先未有惡善,何爲入土象中,即墮八難,爲蠻夷

乎。(甄鸞《笑道論·結土爲人》)

到了唐代,也不斷提出類似問題。在佛道辯論中,道士李榮立"道生"義。佛教方面反駁:道生善,爲何又生惡?唐代道教曾從不同角度探討了這些問題。比如説,是由于心的妄想,妄起貪求。由于人心好動,擾亂了寧靜的本性。由于外物的引誘,由于情欲的不能自已等等。但是,心是人的心,人由道和元氣所生,心自然也是來自道和元氣,爲什么就不能守靜無爲呢?問題并没有解決。至于情欲,唐代道教知道它源于性,"性之所遷謂之情"(杜光庭《道德真經廣聖義》卷18)。但是,安靜的性爲什么要動要遷,生出這個使人不得安寧的情欲呢? 問題又回到了原來的地方。

但唐代道教也都一致承認,失去本性的轉折點,是人的成形:

人受生,皆稟虚極妙本,是謂真性。及受形以後,六根受染,五

欲奔馳,則真性離散,失妙本矣。(唐玄宗《道德真經疏》第16章)

問題歸結到爲什么一旦成形,就會丢失本性,和道或元氣不同。《道體論》指出了道和物的差别是,道無生死,物有生死,所以需要修道。那么,道和道所生的物,爲什么不同呢?《道體論》説:

譬如魚因水生,還因水死,生死在魚,而水無變異。

所謂"魚因水生",不是今天意識中的"魚生活在水裏",而是"魚是水變的",就像陶器是土作的一樣。作者用水和水生的物不同,來證明道和道生的物不同。

唐末，譚峭《化書》説得更爲明確：

> 水至清，而結冰不清；神至明，而結形不明。（《化書·神道》）

無論這個證明能否成立，都表明唐代道教在努力解決這樣一個理論問題：爲什麼人在成形以前和成形以後，性質根本不同。成形以前，有個虛靜靈妙的本性，成形以後，虛靜的本性丟失。

丟失了虛靜的本性，成了一種什麼性質呢？唐代道教沒有回答，回答這個問題的，是宋代的道士。

三、張伯端的氣質之性説

張伯端生活于北宋，是道教南宗的創始人。反本還元，也是他修道的基本理論。《悟真篇》説：

> 勸君窮取生身處，
>
> 返本還元是藥王。

他的《玉清金筍青華秘文内煉丹訣》專門討論了心神與氣質之性的問題。張伯端説，心者，神之舍，衆妙之理，萬物的主宰。性在乎是，命在乎是。學道之士，應先了解這一個心字。因爲心能靜，則金丹可坐而致。靜，就是心不外馳，或者是"事至則理，退則休"。

爲了説明這種修煉理論的根據，張伯端追溯了人的生成。他説，人的精神有兩種，一是元神，二是欲神。元神是先天以來一點靈光，是先天之性；欲神，就是氣稟之性。氣稟之性在形成氣質以後：

> 形而後有氣質之性，善反之，則天地之性存焉。自爲氣質之性所蔽之後，如雲拖月。氣質之性雖定，先天之性則無有。然元性微而質性彰，如君臣之不明，而小人用事以蠱國也。

張伯端還解釋道，父母構我形體之時，我具備了氣質之性；將要出生的時候，元性才進入我的身體。由于父母是因爲情欲而生了我，所以人在接物時，總是由于氣質之性而產生情欲。一般的百姓，是氣質之性勝本元之性。氣質之性，隨着人的發育而增長。如慢慢劇除氣質之性，可使本元之性顯現，"氣質盡而本元始見"，復歸元性。復歸元性，就生元氣，"元氣生則元精産"，這是事物相互感應之理。元性就是元神，元神、元氣、元精合而爲一就是金丹。

張伯端的金丹論，歸根結底，就是克服氣質之性，復歸元性，即復歸先天的本性。

很明顯，氣質之性説乃是道教煉養理論順理成章的發展。起初，方士們説的仙人就是肉體不朽且能飛升變化的人。當這種願望日益渺茫時，他們又希望通過服食，攝取元氣，使自己變成元氣，以達到不朽不死的目的。當他們認識到這種願望也不能實現的時候，實際的物質修煉過程就變成了心靈的修養。唐代道教已經提出："修道即修心，修心即修道"。(《太上老君元道真經》)這樣的話被後來的道士們多次地加以重復，成爲道教修煉的主導理論。張伯端的《悟真篇》後叙更是明確指出，只要"明心見性"，即使不加修煉，即可頓超彼岸，得道成仙。這樣，那本是復歸元氣的修煉理論也成了僅僅復歸元性而已。

四、張載的氣質之性説

張載説，人物生死，就是氣之聚散。這是《莊子》中就有而在漢代又大大發展了的思想。但人物有生死，氣無生滅，則是張載的貢獻。而張載説的氣，和漢代人言氣，卻略有不同。

張載説："太虚即氣"，而且這氣是清通無礙神妙的：

太虚爲清，清則無礙，無礙故神。(《正蒙·太和》)

氣之性本虚而神。(《正蒙·乾稱下》)

在這裏，張載的太虚、氣相當于道教的元氣。

道教元氣説自然也是來自漢代，但道教對漢代的元氣説進行了"清洗"。漢代人説元氣，不過把元作爲開始："元氣未分，渾沌爲一。"(《論衡·談天》)因此，元氣之中，有陽，也有陰；有輕清，也有重濁。只有道教，特別是唐代道教，才特別强調元氣的虛極靈妙：

> 清者元也，靜者氣也。
>
> 道者，虛無之氣也。
>
> 元氣清靜，不可常名也。
>
> （杜光庭《太上老君說常清靜經注》）

在道教中，元氣不再包含那濁陰之氣。因爲道教修煉，爲的是復歸元氣，或者成純陽之體①，好天上地上，都通達無礙。這就不能僅把元氣作爲渾沌未分的始氣，而要加以淨化，使元氣成爲不含陰、濁的至清、至虛、至靜的氣。在至清至虛這一點上，元氣與純陽同義。這樣，張載的太虛之氣，與道教的元氣性質相同。因此，表面看來，張載的太虛之氣不過是接續了傳統的氣論，實則它經過了道教的洗禮。

張載認爲，人的本性，就是這太虛之氣的本性：

> 由太虛，有天之名……合虛與氣，有性之名。《正蒙·太和》

"氣之性本虛而神"（《正蒙·乾稱下》）。所以人性本善。這種本善的性，就是天地之性，或叫作天命之性。這個性，就是唐代道教所說的虛極妙本或虛靜本性，就是張伯端的先天之性、元性、天地之性。

或者說，張載講人性本善，應溯源孟子，與道教何干？不能說張載人性論和孟子無干，但他的人性論和孟子卻有許多根本的區別。

孟子講人性，是人的性。所以他反對告子的生之爲性。這個人，是已經形成、并存在于社會之中的人。孟子所舉的例子，也是見孺子入井之類的社會現象。他所說的仁義理智四端，也是對此類現象的概括。因此，孟子的人性論，乃是人之爲人以後的人性論。

張載的氣質之性說卻認爲，人在未成爲人以前，在元氣或太虛之氣的狀態中，性才是善的，是"虛而神"的。一旦成形以後，就成了氣質之性：

---

① 元陽、純陽、重陽等道號，反映了道教的修煉理論。

　　　　形而後有氣質之性。(《正蒙・誠明》)

這個氣質之性，君子是不把它當作性的：

　　　　故氣質之性，君子有弗性者也。(《正蒙・誠明》)

張載所說的天地之性，也就是張岱年先生所指出的"宇宙之性"，在孟子那裏是不存在的。人成爲人以後，孟子認爲性爲善，張載說這是氣質之性，而氣質之性則是惡。

　　這樣，張載就把人性分成了兩截：人生爲人之前，是純善的天地之性，但此時人未成爲人；人成爲人之後，有了氣質之性。而這樣的理論，正是道教的基本理論。

　　氣質之性可以返回天地之性：

　　　　善反之，則天地之性存焉。(《正蒙・誠明》)

和張伯端相比，張伯端論氣質之性，有道教的修煉理論爲基礎，又有一套詳細而嚴密的論證。而張載此說，僅是摘取要點而已。不論張載是否抄自張伯端，都不能否認，張載的氣質之性說來自道教，因而張載曾研究道教多年，之後才歸復六經的。

　　"反"的手段，張伯端已經訴諸心靈修養，張載更不能講道教的煉養，他把"反"的手段訴諸儒家的"學"：

　　　　爲學大益，在自求變化氣質，不爾皆爲人之弊，卒無所發明，
　　　不得見聖人之奧。故學者先須變化氣質，變化氣質與虛心相表裏。
　　(《經學理窟・義理》)

并且認爲：

　　　　人之氣質美惡與貴賤夭壽之理，皆是所受定分。如氣質惡者，
　　　學即能移。(《經學理窟・氣質》)

在這裏，張載引孟子"居移氣、養移體"作爲自己的根據。這只能表明他援道入儒的苦心，決不表明變化氣質說源于孟子。

五、程朱氣質之性說

　　朱熹說，"程子論性所以有功于名教者，以其發明氣質之性

也”，又説道氣質之性説“起于張程”。他舉程子有關氣質之性的言論，只是“論性不論氣不備，論氣不論性不明”。（以上均見《朱子語類》卷四）。

程伊川説過，性相近，“此只是言氣質之性”（《二程集》207頁）①。然這裏所説的“氣質之性”，只相當于氣稟之性。

依二程的意思，“性即理也”（《二程集》292頁），“天命之謂性，此言性之理也”（《二程集》313頁）。而生之謂性，只是講的稟受。他們也把性區分爲二：一是理，一是氣稟。理是善的，所以性本善。氣稟有清濁，故顯出善惡之別。把惡的來源歸于氣。

然而張載所説本善的天地之性，也是氣之性，只是未聚成形質以前的氣之性。二程把本善、天命之性看作是理，這是張程的根本不同。張載説氣質之性有美惡，這是氣本身的美惡。而二程則認爲，性之善惡，決定于氣對理的遮蔽程度。因爲，善的是理，惡的是氣。比起張載，二程更圓滿地解釋了人性善惡問題。

朱熹的人性論，主要是繼承二程。但他明確把氣稟之性叫作氣質之性，并表彰氣質之性説有功于聖門。實則他把性比作水，把氣質比作容器，他所堅持的，乃是二程的“性即理”，氣稟或氣質的美惡，只看其對理的遮蔽程度而已。他的代表性説法是：

> 論天地之性，則專指理言；論氣質之性，則以理與氣雜而言之。（《朱子語類》卷四）

至此爲止，氣質之性説在理學那裏，已被充分消化，變成了自己的東西。但追根溯源，則是源于道教。

宋以前的道教文獻中，常常把道當成氣，甚至把“道氣”作爲一個概念。這樣，得道和復歸元氣乃是一個意思。張載的太虛，就是元氣，他没有在其中區分什麼，這是道教的傳統，道教也没有在其中細加分別。

---

① 中華書局《二程集》作“性質之性”。

　　然而，道教一面講道生萬物，一面講元氣生萬物，道和元氣實際上并不是一個東西，道教雖然没有細加區分，但往往朦朧地意識到這一點。張伯端論氣質之性時，就講到元氣、元神、元精，他似乎意識到元氣和元神不同，而且也提到氣質之性遮蔽天地之性，如雲掩月。這些朦朧的意識，張載也未及細加分别。在二程那裏，則把氣與理分開了。到了朱熹，不僅堅持了這種區分，而且明確講氣質之性的遮蔽作用。這就把道教的氣質之性説發展得更爲完備。然而飲水思源，不應忘記道教對中國古代人性論發展的貢獻。

　　作者簡介　李申，1946年生，河南孟津人。中國社會科學院宗教研究所副研究員。著有《中國古代哲學與自然科學》等。

"理一分殊"思想源流論

任澤峰

内容提要 本文認為,宋代理學家提出的"理一分殊"命題,不完全源淵于佛教華嚴宗和禪宗的思想,而是承繼中國古代哲學的本體論,吸收佛教的理論思維,經過幾個理論環節的發展,纔構建起的一個理學本體論綱領,其思維源流一直可追溯到先秦道家的思想。全文通過對老莊道論、玄學有無之辯、佛教法性、事理學說及理學家與道家思想關係的論述,闡明了從道家"道通為一"的思想,向理學家"理一分殊"思想過渡的艱難曲折的思維歷程。

"理一分殊"是宋代理學的一個極重要的本體論命題,也可以説是理學家天理論的核心綱領。傳統研究中,人們多注意它與唐代華嚴宗和禪宗理論的思想淵源關係,而忽視了這一命題對中國古代哲學本體思維的繼承性。事實上,發端于先秦時代的老莊道論已經開啓了其思想淵源,中經與玄學思潮、佛教理論的融合"理一分殊"作爲理學天理論的核心命題,以其"體用一源,顯微無間"的思辯性完成了本體論的構建。

一

理學家建立其思想體系,大多得益于對《易傳》的研習。無論是

先驅者周敦頤、張載，還是集大成者二程、朱熹，易學功夫頗深，皆
有易理之傳世之作。而《易傳》易道本體的確立，明顯吸收了道家的
探討方式。因此，老子道論對于中國古代哲學本體論思維的發軔，
具有創造性的理論意義。

　　從思維發展史的角度言，"理—分殊"所包含的理論內容，在于
闡述本體與現象、本原與萬物的關係問題，理學家以一系列概念、
範疇為基礎展開了其精致的本體論論證。在中國古代，本體與現象
關係之探討，首先是從老莊道論展開，逐漸由萬物"迹"的追尋向
"所以迹"深化。

　　當老子把傳統中可言說的道，經理性思維而抽象為恒常之道
的時候，表示了中國古代哲學關于本體思維的一種自覺。老子從宇
宙發生論的角度探討了本原與萬物的關係問題。在老子看來，不可
能從具體"有名"的事物及其關聯中給出確定不移的東西，要追究
宇宙、人生的終極依據，必須從宇宙的終極根源中考察。"無名，天
地之始"（《老子》一章），這種宇宙的終極根源超越任何規定，它即
是"道"。"道"是自然界萬物的始源，它"先天地生"，"獨立而不改，
周行而不殆，可以為天下母"。"道"依自身為依據展開其創生萬物
的歷程，萬物蓬勃的生長，都是"道"潛在力之不斷創發的一種表
現。同時，"道"又是萬物變化發展的最終歸宿："萬物并作，吾以觀
復，夫物芸芸，各復歸其根。"（《老子》十六章）"道"具有一種超越萬
物的本根性。因此，老子提出的本體"道"，一方面是自足的，它總是
在完無虧損的運動中回歸到自身；另一方面，它又與具體存在物構
成一定聯繫，"萬物恃之以生而不辭，功成而不名有，衣養萬物而不
為主"。（《老子》三十四章）"道"在客觀上與具體事物具有聯繫，但
在本質上不依賴于具體存在物，它不從具體存在中規定自身，而是
由它出發規定具體存在。老子的道論客觀地說是一種生成論，是對
本原與萬物關係"迹"的描述。

　　莊子的道論雖依然維持着老子的世界終極統一義，但在本體

與現象關係問題上的探討更深入一步，并有將"道"本質化的趨向。
首先，莊子以"氣"來補充、豐富和發展了老子"道"是宇宙本體、萬
物本原的思想，確立了"道"與萬物關係的中間環節。莊子説："天地
者，形之大者也；陰陽者，氣之大者也，道爲之公。"（《莊子·則陽》）
萬物由"氣"以成，"處于天地之間"的人之生死，亦"氣"之聚散。莊
子在《知北游》中提出的"通天下一氣耳"，實質上是對老子"道"爲
"萬物之宗"思想的進一步發展，它從生成論的角度明確了萬物統
一于本原"道"的思想。其次，莊子的"道"作爲世界的統一體，它較
老子更加側重于"道"的終極本質的探討。莊子認爲，"道"作爲本體
通過"氣"的生化過程而屬于具體存在的本質。《天地篇》言："有一
而未形，物得以生，謂之德；未形者所起，且然無間，謂之命；留動而
生物，物成生理，謂之形；形體保神，各有儀則，謂之性。"《則陽篇》
言："萬物殊理，而道不私。"現象界的存在物雖千差萬別，但萬物所
寄之"理"、所得之"性"卻有其共通性，即皆源于"道"。"道"是事物
成爲其自身的本質依據，具體事物的存在本身就説明着"道"，故在
《知北游》中，當東郭子問莊子"所謂道惡乎在"時，莊子回答説，道
"無逃乎物"，"無所不在"——"在螻蟻"、"在稊稗"、"在瓦甓"、"在
屎溺。"普天下之萬物皆是"道"之寓所，皆是"道"本質的顯現。
"道"是萬物的普遍本質，它落實到紛紜萬物，就成了諸種事物之
"性"。依此，莊子進一步提出了"道通爲一"的觀點。具體存在雖紛
紜萬象，但它們都是"道"的顯現，從性質、根源處講皆是同質的，具
有總體的本質。

　　可以説，莊子"道通爲一"的思想雖帶有相對主義的色彩，但它
在論述"道"與萬物關係時提出的"萬物殊理，道爲之公"的思想，實
質上開啓了理學家倡導的萬理歸于一理的思維淵源。當然，從"道
通爲一"的思想向"理一分殊"的發展，需要從"迹"向"所以迹"、從
生成論向本體論、從對本原與萬物關係的論述向本質與現象關係
探索的理論轉變。

道家的"道"論開闢了一條説明世界的新的方式,它對中國古代本體學説的發展,具有淵源性的價值意義。在這之後《易傳》確立的易道本體,其理論框架皆采取了道家的思維方式,如論本原之太極説、道器觀;論生成之陰陽氣化論、自然循環論,都直接取源于道家思想。《易傳》是理學家與道家關聯的重要的中間環節,理學的重要命題,如道、無極、太極、陰陽、動静、性命等皆取用于《易傳》而溯源于道家,道家思想對儒學本體論發展的影響是深遠的。

二

從西漢末葉開始,儒道兼綜,《易》、《老》互通,逐漸演變成爲經學思潮中的一種流行風尚。魏晉時期,以研習《老子》、《莊子》、《周易》而開創的一代玄風,在中國思維發展史上引起了一場劃時代的大變革。從實質上説,魏晉玄學是一種明内聖外王道的天人之學,它用哲學本體論取代了兩漢時期的神學目的論,是以道家的理論方式爲儒家名教提供形而上學論證的嘗試,它在儒學本體論的建構中起了承先啓後的作用。在治學方法上,玄學家采取了以道釋儒的思維路綫,承接了原始道家的有無之辯,并把它從一種宇宙生成論提昇到本體論的高度,完成了本體思維發展中由"迹"向"所以迹"的理論轉變。

玄學肇始于正始年間,何晏、王弼提出了"貴無"學説。貴無論在本體思維上與老莊道論一脈相承,他們以爲天下雜多紛擾的"萬有"一定有一個終極的依據,"天下之物,皆以有爲生,有之所始,以無爲本"。(《老子注》二十章)貴無論不像老莊那樣一味非毀名教,而是企圖通過本末、一多、有無之辯重整封建綱常名教,爲名教尋求一種本體論的依據。貴無派所言之"無"、"有",不過是自然與名教的哲學抽象,自然指的是天道,名教則是指封建宗法等級制度和道德規範。同時,貴無派也不像老莊那樣側重從本體説明本體,而是强調本體的顯現必須借助于有形有象的具體事物。何晏認爲，本體與現象是相互聯結的，"善有元，事有會，天下殊途而同歸，百慮而一致"（《論語注·衞靈公》）。本體是萬象會通而成的，萬理歸于一理。王弼更是强調本體與現象的體用關係，"夫無不可以無明，必因于有，故常于有物之極，而必明其所由之宗也"（《大衍義》）。"四象不形，則大象無以暢；五音不聲，則大音無以至"（《老子指略》）。王弼認爲，本體與現象的關係是不可分的，如果没有現象，本體的作用便無從表現，現象也必須依賴于本體，才能有所宗主。

貴無派以有無、本末之辯展開的本體論，仍然没有完全脱離宇宙的無窮追溯的缺陷，從思維發展的角度講，尚未達到"體用一如"、"體用一源"的高度，名教與自然也僅只做到了外部的鬆散的聯結。後來的理學家正是吸取了貴無派的教訓，提出了"體用一源"、"理一分殊"的思想，把"明于本數"與"繫于末度"凝結爲一個命題，可以説是對玄學本體論的超越。

郭象的本體觀可以説是玄學發展的必然結果，貴無派"崇本息末"的思想所導致的阮籍、稽康"越名教、任自然"的思想，以及裴頠重名教、輕自然的思想就是其本體論内在矛盾的外在化。玄學本體論的進一步發展，面臨着觸納具體存在的屬性，從而統一實體與屬性的理論難題。

郭象認爲，任何把本體視爲事物的終極根源的企圖都是錯誤的。從生化角度言，"無"没有對"有"的任何優位，"有"是唯一的存在。萬物都是自生自化的，"物之生也，莫不塊然自生，得生之難，而猶上不資于天，下不待于知，突然得此生矣"（《莊子注·天地》）。自在的事物不需要一個超存在保證，自身即是自足的存在。本體不需要在事物之外的因果中追尋，萬物自身即是存在與屬性的統一體。"彼我相因，形影俱生，雖復玄閤，而非待也。明斯理也，將使萬物各反所宗于體中，而不待乎外"（《莊子注·齊物論》）。事物之間没有必然的本質聯緊，天地萬物存在的本身就是其存在的根據。萬物都有各自之"自性","物各有性,性各有極"之"性",即是"此物之所以爲此物者".事物的屬性是完滿自足的,"若各據其性分,物冥其極,則形大未爲有餘,形小不爲不足".(同上)現實社會和自然存在都是自性完滿的存在,馬之爲馬,牛之爲牛,君之爲君,臣之爲臣,各有其不得不然,都是合理的。

　　郭象的獨化論雖帶有偶然論的神秘主義色彩,但他在具體存在的屬性的探討中,在具體事物中達到了"體用一源"的思維水平,并把儒家的政治倫理實踐提升到了本體論的高度。郭象留下的只在于如何把無數單個的實體與屬性的統一體納入一個普遍的本質中。這一任務在理學本體論中,以"理一分殊"的思辯性,將本原與萬物、本體與現象"顯微無間"地結合在一起。

<h2 style="text-align:center">三</h2>

　　宋明理學是在經學、佛教、道教三教合一的基礎上孕育發展起來的。它以儒家思想的内容爲主干,同時吸收了佛學和道教(包括道家)的理論思維,爲現實封建等級制度和倫理道德的合理性,提供了一種精致的形而上學的論證。著名理學家周敦頤、張載、二程、朱熹等,治學的路綫皆是泛濫于釋老、返歸于六經。這一普遍現象決定了理學思想中不可避免地滲透了佛學、道家的思想因素。

　　"理一分殊"是理學天理一元論的重要命題,它首先由程頤提出,朱熹從本體論的角度作了進一步的發揮,認爲總天地萬物的理,祇是一個理,分開來,每個事物都各自有一個理,然千差萬殊的事物都是那個理一的體現。理學家的這種思想受佛教華嚴宗和禪宗的影響很大,華嚴論一多、海印三昧、明水波之喻;禪宗之論一與一切,均表明了"理一分殊"的理論涵義。

　　華嚴宗和禪宗是肇起于唐代的兩個影響頗大的中國化的佛教派系。在本體思維上,他們在玄學有無之辯的基礎上,進一步探討了本體與現象的關係問題。華嚴宗以如來藏自性清淨心爲基點，通過月印萬川、一多相即、事理無礙等邏輯思辯形式，構建了由本體到現象、現象與現象的完整體係。華嚴宗人從"六相圓融"中得出無盡緣起，認爲一切諸法都是相互爲體，相互爲用，舉一塵即理即事，談一事亦因亦果，緣一法而起萬法，緣萬法入一法。華嚴宗關于事理圓融的思想曾有許多形象的比喻。《華嚴五教止觀》曰："高下相形是波，濕性平等是水，即水以成波，波水一而不礙殊，水波殊而不礙一。"這即是華嚴宗論事理關係著名的水波之喻。華嚴宗通過本體與現象"即體即用"的論述，核心便在于明確"心心即佛，無一心而非佛；處處證真，無一塵而非佛國"（《答順宗心要法門》）的華嚴佛教理想。之後，禪宗把華嚴宗所揭示的事理無礙說進一步具體化。《永嘉證道歌》曰："一性圓通一切性，一法遍含一切法，一月普現一切水，一切水月一月攝。"《傳心法要》云："一即一切，一切即一……萬類之中，個個是佛。譬如一團水銀，分散諸處，顆顆皆圓，若不分時，秖是一。"

佛學心性本體論以其極強的思辯性超越了玄學的有無、本末之辯，在本體思維中達到了"體用一源、顯微無間"的理論高度。理學家在構建其本體論中，在一定程度上吸收了佛教的理論思維。如程頤評華嚴事理學說時曾言："一言以蔽之，不過曰萬理歸于一理也。""未得道他不是"。（《河南程氏遺書》卷十八）朱熹在闡述其"理一分殊"時，更是常以佛教水月、鏡燈之喻以明己意。

可以說，佛教理論所具有的強烈思辯性對理學的產生了深刻的影響。但由于佛教本體論的基礎與內涵都直接與儒家傳統的存在論、價值論迥然不同，佛家的心性法不可能直接轉化爲儒家的心性論，它需要一個理論上的價值還原，需要重新確立存在的基礎與價值。因此，理學對佛教本體論是批判繼承，而非簡單比附。

理學家針砭佛教本體論，確立儒家形上學的一條途徑便是闡發傳統本體論，通過對《易傳》的闡釋來構建儒家本體學說。而《易傳》易道本體的確立，又受到道家老莊思想的深刻影響，理學本體論與道家思想相關聯便也是不可避免的。在理學家"理一分殊"的思想中，包含了大量的頗俱道家色彩的宇宙生成論内容，深刻反映出"理一分殊"的思想并不完全淵源于佛教本體論。

朱熹的"理一分殊"理論，是從周敦頤的《易通》推闡出來的。朱熹説："周子謂：'五殊二實，二本則一。一實萬分，萬一各正，大小有定。'自下推而上去，五行只是二氣，二氣又只是一理。自上推而下來，只是此一個理，萬物分之以爲體。萬物之中又各具一理，所謂'乾道變化，各正性命'，然總又只是一個理。"（《朱子語類》卷九十四）朱熹解釋《易通》的"一實萬分"就是"理一分殊"，"萬一各正"就是"物物各具一太極"。而周敦頤的宇宙生成論，又是脱胎于《老子》的"道生一，一生二，二生三，三生萬物"（《老子》四十二章》）的思想。

張載本體論的道家思想痕迹也很明顯，他的氣本體論的許多思想皆源于莊子。如張載論氣與萬物關係時所言："散則爲殊，人莫知其一也；合則混然，人不見其殊也。形聚爲物，形潰反原。"（《易説‧繫辭下》）頗似于莊子"通天下一氣耳"、"合則成體，散則成始"的思想。張載的《西銘》備受二程、朱熹的推崇，認爲"句句皆是理一分殊"，但其核心思想"民，吾同胞；物，吾與也"，充滿了道家莊子"與物爲春"的自然精神，當然在其思想中也增添了封建倫理道德的内容。

二程、朱熹的理氣論實質上采取了道家的思維模式。他們確立的"理"→"氣"→"萬物"的宇宙生成結構，與老莊"道"→"氣"→"萬物"的發生論如出一轍。而且，"天理"所具有的超驗性頗似于"道"的形上品格。如朱熹論述"理"是"未有天地之先，畢竟是先有此理"、"萬一山河大地都陷了，畢竟理卻在這裏"（《朱子語類》卷一），明顯受老子"先天地生"、"獨立而不改"的"道"論的影響，而不同于佛家的性空本體。

　　誠然,理學思想的核心在于爲封建等級宗法制度與倫理道德作形而上的哲學論證,它與道家思想的價值觀、人生觀迥然不一;但理學本體論的建立,在一定程度上得益于道家思想是無可非議的。朱熹曾有言評論老莊:"今觀老子書,自有許多話説,人如何不愛!""莊子比邵子見較高、氣較豪"。"莊子曾做秀才,書都讀來,所以他説話卻説得也是"。(《朱子語類》卷一百二十五)老莊斥名教、倡自然的氣勢固爲儒家所不容,但理學家與道家思想之關係由此可見。

　　總之,本文認爲,宋代理學家"理一分殊"的命題,不完全淵源于佛教華嚴宗、禪宗的思想,而是承繼由老莊開闢的傳統本體論路綫,立足于玄學本體論前提,參照、吸收了佛教本體論的思維方式而形成的儒學本體論體系。

　　作者簡介　任澤峰,1966 年生,内蒙古人。歷史學碩士。現爲中國人民大學哲學系博士生。撰有《先秦儒道政治意識比較》等文。

傅山哲學中的老莊思想

魏宗禹

内容提要 傅山推崇老莊之學,尤重莊學。後加入道教,自稱為老莊之徒,自覺繼承道家學派的思想文化傳統。他對老莊的"道法自然"、"無為而治"、"泰初有無"、"隱而不隱"等命題,都作了認真的研究與闡發,對道家傳統思想作了發展。但傅山思想與老莊之學,畢竟分屬於他們各自不同的時代,傅山研究老莊的思想,蘊藏着中國早期的啟蒙意識。本文着重説明傅山思想與道家思想的聯繫與區別,揭示明清時期道家思想在發展中的風貌。

傅山是明清之際的一位大學問家,傅山哲學思想中精闢的方面,大都與老莊思想相聯繫,這是值得重視與研究的。

傅山推崇老莊,常以老莊之徒自命。如他説:"老夫學老莊者也"(《書張維遇志狀後》);"吾師莊先生"(《雜著二‧傅史》);"吾漆園家學"(《王二彌先生遺稿序》)等等。從中可見他對老莊尊重的程度。他還説:

> 癸巳(1653 年)之冬,自汾州移寓土堂,行李只有《南華經》,時時在目。"(《霜紅龕墨寶》)

這年傅山 47 歲,他由汾州(今汾陽縣)移居太原西郊土堂村,只帶着一部莊子的書。他又説:

> 三日不讀《老子》,不覺舌本軟。疇昔但習其語,五十以後細注

《老子》，而覺前輩精于此學者，徒費多少舌頭，舌頭總是軟底。何
故？正坐猜度，玄牝不著耳！（《雜記》五）
這些記載生動說明，傅山對老莊的思想是很推崇的。

老莊哲學蘊意精深，是古代哲學的瑰寶。就他們的爲人而言，
對人間刻意追求的功名利祿淡薄。生活在明清之際的傅山與老莊
的境遇十分相似，因此其思想境界容易相通，所以老莊的治學、處
世之道給他留下很深的印記，以致他在清兵入關之時加入了道教，
自號“朱衣道人”，以“貧道”自稱。以此，他成爲明清之際道家學派
著名的代表人物之一。

傅山推崇老莊的處世哲學，但并不完全贊賞，他主張“隱而不
隱”；老莊主張“道法自然”、“質不可爲”，但他更主張在遵循客觀規
律即道的前提下，充分發揮“妙于用客”即人的能動性的作用。他在
道家學派中，是一個具有辯證思維的積極面貌的人物。這裏着重從
宇宙觀、認識論與辯證思維等三個方面，闡述傅山哲學中的老莊思
想，并通過他們之間思想的聯繫與區別，説明道家思想的發展。

一、傅山在宇宙本原説中的老莊思想

傅山的宇宙本原説，是從以下兩種觀點繼承和發展來的：一個
是老莊的“泰初有無”説，一個是道學宇宙觀中氣本論因素。傅山指
出在“泰初”時期，宇宙空間呈“太虛”狀，是一個不存在具體事物的
混沌未分形態。他説：

泰太異乎？不異也。天爲一大，太爲大一。一即天一生水之一。
一，水也，氣也。泰上從大，下從水，水即一也。中加卄而爲泰，老子
所謂“抱一”也。卄有反卄之義，不敢失其一也。于太之不用卄者，
有天人之分耳。（《讀子一·莊子》）

這是傅山對《莊子·天地》篇中“泰初有無”段解説中闡述的。傅山
試圖應用對文字的訓詁銓釋揭開宇宙本原的秘密。他説，泰與太這

兩個字,在古文中是同本同義。泰字的古文作"孞",上爲大,下爲水。泰、太的區別在于有無艸,指天時有艸用泰,指人時無艸用太。泰是上大下水,太是上大下一,此一也就是水,所以泰與太没有差異。從而説明"泰初"時期,宇宙空間便是一,便是水,便是氣,也就是説是混沌未分的氣。

　　傅山的這個觀點,是借鑒于莊子哲學的。依《莊子・外篇》,莊子的宇宙生成圖式爲:泰初(道、無、芒芴)→氣(一)→萬物。對此,傅山給予改進,將這個"未形之一"之一,直接解釋并規定爲"水"或"氣","一,水也,氣也。"排除了一與氣相脱離的缺陷,使老莊"泰初有無"之説,與元氣論結合起來,氣便成爲宇宙的本原。同時,他對"泰初有無"之無,作出自己的解釋。他説:

　　　　陰陽交泰之初,何所有乎?有無而已,別無所有。……郭注"無
　　不能生物",昧于始矣。老子説:"天地萬物生于有,有生于無。"此
　　段是莊生實有下手處,昔人混混説去。(《讀子一・莊子》)

傅山認爲在泰初是有無的統一,既是"別無所有",又是別有所無,所以説是"有無而已",有無的辯證統一。傅山指出,對老莊這個問題的理解,關鍵在于對"無"的内涵的認識。莊子認爲無并非是虚無,而是"無而有者,無可得而名,確乎其有一"。(同上)就是説所謂"無",是與"有"聯繫在一起的,因爲其没有固定的形態,所以没有名稱概念,但確定這是一,一則是真實的客觀存在。這個"無可得而名",也就是老子所説的"無"、"無名"和"未知其名之物"同義。這樣,傅山在闡述莊子"泰初有無"之中,賦予有無兩種涵義:泰初之無,没有具體形態,没有名稱;泰初之有,有一即有水、有氣,有從氣中産生的天地萬物。由此,他指出郭象對莊子的"泰初有無"的理解,對"有生于無"的理解是不正確的。郭象説"無不能生有","物生之自得"。他認爲在泰初之時,具體事物是"突然而自得以生矣"。這就是他所謂的"獨化"了。郭象認爲天地萬物的生成和變化發展,不存在任何的客觀條件,也没有因果聯繫,既不"資于無",又"無所資

助”，完全是突然、決然獨生自得。郭象的“獨化”説雖然抛弃了造物
主的説教，卻又陷入了一種神秘主義的困惑之中。傅山對郭象的這
種觀點，在郭象《莊子·天地注》的“突然而得此生矣”、“夫無不能
生物，而雲物得以生”等語旁，重劃以黑綫，以示異議，指出郭象在
宇宙本原説中的錯誤，在于“昧于始”，就是不懂得具體事物是從含
有有的無中而來的道理，從而再次肯定老莊“天地萬物生于有，有
生于無”的命題，説明宇宙萬物都是從“泰初有無”之中産生的，都
經歷了從無到有、從小到大的發展和成長的階段。

傅山還指出對于“有生于無”這一宇宙本原説，“昔人混混説
去”，都缺乏正確的理解，這種指責是有事實爲憑的。其中影響最大
的有兩種觀點，一種是玄學的“貴無”説，一種是從裴頠開始的“崇
有論”。

魏晉時期王弼的“以無爲本”的命題，認爲有不能“兼有”，只有
無才能包容一切事物，王弼説：“天下之物，皆以有爲生，有之所始，
以無爲本。”(《老子注·四十章》)王弼認爲無是根本，有非根本，將
無與有的統一割裂了，把無視爲超越一切相對存在的絶對。

裴頠的“崇有論”與王弼的貴無正相反。他的整篇論説，都是黜
無崇有。他説：“夫至無者，無以能生，故始生者自生也。”(《晉書·
裴頠傳》引)這種觀點，與王弼犯了同樣的割裂有無統一的錯誤，同
郭象的“突然而自得以生”的“獨化”相通。裴頠這種絶對地排斥無
的觀點，在理學家一些思想家中得到肯定和發揮。

張載和王夫之在理學家中最富辯證思維，但是他們一涉及老
莊泰初有無之説，便堅決否定，張載用“淺妄”指斥，王夫之用“甚
陋”、“甚矣言無之陋也”鞭撻，并以“釋老”等同對待，這正如傅山批
評郭象所言之“昧于始”一樣，他們對泰初有無之無缺乏實質性的
理解，因而在宇宙本原説方面，陷入了形而上學的困境之中。在古
代哲學家中，傅山卻從這個長期的思維迷茫中走了出來。

還有，傅山對“生”字，從文字學的意義方面進行銓解，説明這

一問題。他說：

> 一是水。土下皆水。水是氣。所以能載十，故從十從一而爲土。
> 土濕者以一在下也，其聲叶五。十即×之正寫者，若十下無一，則
> 乾燥不生矣。生之從土，以此也。(《雜記》三)

傅山以"生"字爲例，說明具體事物是從無即一中產生的。古文的
"生"作"⼳"，《說文》說："進也。象艸木出土上。"所以生字從土。土
又從十從一，一即水即氣。土得水或氣故而生物。如果一無水無氣，
由于乾燥，焉能產生萬物。所以泰初爲一，即泰初有水有氣，從而
產生了萬物。在這裏傅山將"生"同"一"聯繫起來，進一步論證了一
即生、即氣，說明泰初之一，泰初之氣是產生萬物的必要條件，萬物
就是從"泰初有無"中產生的，有就是從泰初的這種無中產生的。

由此可見，傅山"有生于無"的觀點，是老莊"泰初有無"說與氣
一元論相結合而形成的宇宙本原的新觀點，這是總結古學中的一
個重要觀點，也是他宇宙本原說的一個重要觀點。而這個重要觀
點，是借鑒、依托老莊哲學建立的。

二、傅山在認識論中的老莊思想

傅山對認識客觀世界的論述，應用了"知有所待"、"以客爲
主"、"是非顧在"等重要命題，這些觀點主要是從老莊哲學中闡發
而來。

"知有所待"是莊子的觀點。他在《大宗師》中說："夫知有所待
而後當，其所待者特未定也。"他認爲知識是在對認識對象認識之
後，方能判斷它是否正確。但他又認爲所待的事物卻又是不可確定
的。這就含有不可知論的因素了。傅山對此則說：

> 《大宗師》"知有所待"，而謂"當其所待者，特未定也"。解者都
> 猜以意見，……知有所待，待此身耳。若此知未到身上時，向甚處
> 着落？(《孫郅藏傅山手稿照片》)

傅山認爲"知"是建立在感性認識基礎之上的,如果感覺器官與客觀事物没有接觸,主客觀之間没有聯繫,"無所待",便不會有知。傅山將莊子的"特未定"改換爲"待此身",明確認爲感覺器官與認識對象的聯繫,便會産生認識的觀點,無疑是由物到感覺的正確反映論。

傅山還指出認識不能停留在"知"的水平上,"學本義覺,而學之鄙者無覺"。(《學解》)他在對莊子"不忘其所始,不求其所終,受而喜之,忘而復之"(《大宗師》)一語批注説:

> 惟忘始能復。受而喜之尚覺,忘而復之則不覺矣。(《莊子大宗
> 師批注》)

傅山指出"覺"是在"受"時産生,是在感性認識的基礎上産生的。而"復"是恢復原有的認識的一種表現,不是一種新的"覺"。在這個意義上他同意郭象注中所説的"復之不由于識乃至"的觀點,認爲恢復原有的認識,不是新的認識。從中可見,傅山重視新的"覺",就是重視在感性認識的基礎上産生的新的理性思維。這種"以見而覺"的認識,由于對認識對象本質有所知,所以才能稱之爲真正有所識。

傅山在論述認識論中的主客觀辯證法時,提出了"妙于用客"的觀點。他説:

> 用兵有言,吾不敢爲主而爲客,不敢進寸而退尺。是謂"行無行,攘無臂,仍無敵,執無兵"。禍莫大于輕敵,輕敵幾喪吾寶。故抗兵相加,哀者勝矣。
>
> 仍,從人從乃,如乘切,因也。《廣韻》又重也,就也,邠也。大概在此文但取"因"義也,即"爲客也"之義。然兵亦有客變而爲主、主又變而爲客之時。總之,妙于用客也。
>
> 哀字對樂字,看即明白矣。兵豈得樂以用之?樂則輕敵,與佳兵章同。(均見《孫郅藏傅山手稿照片》)

在這些論述中説明,傅山對老子論主客觀關係有繼承有發展。他指出老子思想中重"因"即重視"爲客",因而提出"哀者勝"、"柔弱勝

剛強"的命題。對此傅山是贊同的。但他不同意輕視"爲主"的一面，
他認爲"有客變而爲主、主又變而爲客之時"。要辯證地看待主客觀
關係，不能不顧客體變化，而死守"爲主"的形而上學觀點，也不能
不顧主體的作用，而聽任客體的消極觀點，從而得出"妙于用客"的
觀點，就是要在"爲客"的基礎之上，充分發揮"爲主"的作用。

傅山認爲："聰明知識，用不用間。"(《治學篇》)知識應該爲實
用，言論應該爲行，并以此作爲衡量一切知識、學問與言論的準繩。
他對《老子·上士閗道節》評論説：

山于此章，恰要以下士爲得道之人。何也？勤行者、崇有者也。

《讀子一·老子十三章解》

傅山的這個觀點，是從《老子》四十一章閗發而來，他不同意老子
的："上士閗道，勤而行之；中士閗道，若存若亡；下士閗道，大笑
之。"他認爲道是自然之道，道在器中，只有參與實踐的"下士"，由
于他們"勤行"、"崇有"，所以才是"得道之人"。由於傅山注重勤行、
崇有，認爲知必行、行必果，須有實功，所以自號"大笑下士"。

傅山在認識論中，對認識的是非標準即真理性的認識作了有
意義的探索，提出了"是非顧在"的觀點。他的這個觀點，是在對莊
子的"齊是非"閗述中提出的。莊子在《大宗師》中説："與其譽堯而
非桀也，不如兩忘而化其道。"對此傅山批注説："堯桀畢竟兩忘不
得。"并作眉批説：

堯必竟非不得，桀必竟譽不得。譽之如堯，非之如桀，毀譽之
心如此。堯不用譽，桀不用毀，是非顧在也。(《莊子·大宗師》批
注)

莊子認爲對人的評價于其有毀譽之分，不如將其兩忘，而通于一個
無是無非的大道之中。莊子由真理性認識的相對性，走向"齊是
非"的境地。傅山不同意這種觀點，他認爲是非、毀譽是客觀存在，
它們既不能混同，也不容顛倒。堯桀這類歷史人物的評價，是以其
歷史功過這些客觀事實爲標準的。絕不能以"齊是非"而"兩忘"。因

爲"是非顧在",這是客觀存在的。

莊子還以"成心"説明"齊是非"的必然性。他説:"夫隨其成心而師之,誰獨且無師乎?"(《齊物論》)傅山對此眉批説:

> "成心"是下文"是非之心"。此言道不容成心也,講道者人各
> 自爲説,所以成心也。(《莊子・齊物論》批注)

還旁批説:

> 各自有師而付之自當,然則心可有其成乎?(同上)

莊子認爲是非是由"成心"即人的主觀認識造成,這種"成心"可能有偏見,從而產生以是爲非或以非爲是的是非顛倒的錯誤認識。莊子看到了在認識過程中存在著不可避免的局限性。傅山認爲儘管如此,也不能成爲否定客觀是非標準的依據。因爲"成心"中的偏見,與道即真理性的標準是不相容的,道是客觀的自然的,它不依"成心"即人的主觀意志爲轉移。因此,道不可能受"成心"影響,"成心"也不可能左右道。所以他指出"是非豈得無之"(同上)。

傅山從"知有所待"到"是非顧在"等論述,都是從老莊思想中發展出來,并形成了自己的觀點。

三、傅山道論中的老莊思想

"道"是老莊思想體系中的最高範疇,其內涵有二:一是"萬物之宗";一是"反者道之動,弱者道之用"。莊子對此很重視,他説道是"無所不在"(《知北遊》),萬物没有能離開道者;又説"道本無封",道永遠處于運動變化之中。傅山就是在老莊論道的基礎上,對道的內涵作了自己的論述。他説:

> 道合首止爲文,人之頂踵之義也。物之而有非物者傅焉,非物
> 之物,道之爲物也,恍惚象物,象,似之矣,而不可得,而確之,以窺
> 冥之精非假,而或然或不然者。(《老子二十一章解》)

在這裏他對道也作了兩層解釋。一是"道合首止"之義。這是來源

于莊子之説。莊子在《天地篇》中説：“凡有首有趾、無心無耳者衆，有形者與無形無狀而皆存者盡無。”郭象注“首趾”之義説：“猶始終也。無心無耳，言其自化。”傅山不同意這種解釋，他在《莊子批注》中説，他同意莊子文中釋“首趾”爲“動止”的看法，認爲由首與止組成道這個字，其含義不是“始終”，而是物質的運動，就是説，道是物質運動的規律。二是道是“恍惚象物”。這是來源于老子之説。對此他認爲道雖不可得，但確實存在，是真非假，其“似之矣”，是説道具有物質性意義。他在《莊子批注》中明確而形象地説：“道之所在，金之在礦也。顯顯隱隱，任讀者遇之。”

“道本無封”的觀點，傅山是從莊子那裏借鑒而來。莊子説：“夫道未始有封，言未始有常，爲是而有界也。”（《齊物論》）對此，傅山作眉批説：

> 道本無封，言本無常，而界何從生？只爲一個“是”而存界。蓋物各自而遂，彼我之界斬矣。“言未始有常”五字，千古立言之妙，文章之士定足知之！微文章之士、道學之士益發不知。“言未始有常”，此言是道言也，非漫然之言。（《莊子·齊物論》批注）

傅山指出，道作爲物質運動的客觀規律，它無止境地向前發展着，因而它是“無封”、“無界”的。傅山稱贊莊子的無封、無常之説是“千古立言之妙”。但他又反對“有界”之説，認爲道學中存在着類似這樣的觀點，是“漫然之言”，是沒有根據的主觀隨意性的形而上學觀點。傅山的思維就是這樣從莊子的“道無封”、“言無常”中“斬界”而出，標明了明清之際理論思維向前推移的趨勢。

莊子在論道中還説：“一而不可不易者，道也。”（《在宥篇》）一是永恒不變之意，易是變化之意。莊子認爲，道的本質是永恒的，但又是不斷變化的。他將變與不變相統一的特性歸之于道。對此，傅山深表同意，并在莊子的“方可與物化，而未始有恒”（《天地篇》）句作了兩條眉批説：

> “方且與物化，而未始有恒”。若不至上文來，則“與物化而未

始有恒"一句,卻是至道矣。

　　"方且與物化而未始有恒"與"鼠肝蟲臂"之説何異？讀至此才
　知"與物化者,一不化者也",是其學之有所以然處。與禪宗真空實
　相教有合也。(《莊子・天地篇》批注)

傅山認爲,莊子的"方可與物化,而未始有恒",從其總體意義而言,
是説明道是變與常的統一,由此可以説是"至道",是非常正確的;
但就這一句話而言,莊子所强調的是隨物變化之道,含有忽視恒一
不變之道的意思。傅山吸取莊子此言的合理性,結合他在《在宥
篇》中所言的"一不可不易者,道也"等觀點,在這裏概括爲"與物化
者,一不化者也",即"道是一與化的統一"的觀點,説明道既有隨化
的一面,又有不隨化的一面,這種化與不化的統一,就是客觀事物
運動的規律,即道的基本特徵所在。傅山同時指出,這種觀點與禪
宗"真空實相"有合,所謂"有合",就是佛家在論空中,是以變幻的
假相與不變的實相并存,這種模式與"道是一與化統一"是相合的。
儘管佛學真假顛倒,其論述的目的是要落脚于空的,但這個思維方
法還是值得重視的。

　　傅山重視"道是一與化統一"的觀點,他對《老子》中類似觀點
也有論述。《老子》二十一章中説,道雖無形,但有產生萬物的功能,
在一切事物中表現出它的有形的屬性,這種屬性便是"德"。傅山對
此很重視,説:

　　著矣哉,的之指,因卒不可的。而擬之,而如可因之持之,一不
　化者也。(《讀子一・老子二十一章解》)

傅山對《老子》二十一章,以"一不化"來理解,同時又別解爲"的之
指,因卒不可的。"這種別解,源于《中庸》。《中庸》三十三章有言曰:
"君子之道,暗然而曰章。小人之道,的然而曰亡。君子之道,淡而
不厭,簡而文,溫而理,知遠之近,知風之自,知微之顯,可與人德
矣。"傅山的解釋中,表明他看到儒家與道家論"道德"中,儘管有的
從人倫物理、有的從宇宙發展論述,但他們的思維方法是相通或相

似的。“的之指，因卒不可的”的意思，顯然是對《中庸》這句話的思維方法的概括。《中庸》“的然而日亡”，既含顯著存在之意，又含“日亡”之意，因爲有“日亡”而趨于不顯，因此就需“擬之”、“持之”、“因之”。這就是老子所言“道之爲物”“惟恍惟惚”，但其中“有物”、“有精”、“有情”、“有信”，并一直傳遞下來。對此，傅山還接着闡述説：

　　釋容以大，德能容，文之詁于《（爾）雅》，非《老（子）》之義也。

《老（子）》義，形容而已。分其得于道者，而形以造，形所從者非穭也，從道來也。（《讀子·老子二十一章解》）

他指出《老子》中所闡述的觀點，《爾雅》中有之。《爾雅》釋“荷”説：“其華菡萏，其實蓮，其根藕，其中的。”“的”者“蓮中子也”。在釋“草”又言，荷因時而卒，但由于有“其中的”，故而傳之不絕。他又指出，此“的”的産生，“非穭”是道，穭是自生之稻。這裏取其自生之意，説明一切生物所以延綿不斷，非其自生所爲，而是“一與化的統一”的結果。對此，他還説：

　　自初有一人以至于今，傳之不息，以至于有我之身者，其何物也耶？此道也。物也，有非物之傳爲，非物之物，道之爲物也。（同上）

人類進化至今，就是遵循着“一與化統一”的規律發展，如同荷中之“的”人中之“父”，即既變而又不變的道。傅山總結老莊之學的這個觀點，説明道是變與不變的統一。其變有兩層含義，一是道爲事物運動的規律，離物便無道；一是事物處于永恒的變化之中，“非物之物”的道也是如此的。其不變也有兩層含義，一是事物運動有其質的規定性，它只有漸變，而無著變，而道亦然；二是自然處于永恒的變化之中，作爲“自然之道”，自然也是處于永恒的變化之中。傅山哲學中的老莊思想説明，他的許多重要哲學觀點，是從繼承與完善老莊思想中形成的，它們之間存在着密切的聯繫；同時也表明這畢竟是兩個不同時代的哲學，傅山之學是具有一定市民意識的明清之際的哲學，可見它們之間又存在着重要的明顯差別。

作者簡介　魏宗禹，1933 年生，山西繁峙人。山西大學哲學系教授。著有《傅山思想研究》等。

照徹幽暗，破獄度人

——論燈儀的形成及其社會思想內容

陳耀庭

内容提要 燈儀是道教齋醮中常見的科儀，大約形成于北宋年間。由于它寄托着道教徒對于光明的追求，對于苦難的抗議和對于婦女痛苦的同情，包含豐富的思想内容，因此，從南宋至今的八百餘年中一直演習不衰。

燈，是道教科儀中一種使用十分頻繁的法器。

壇場布設中，要安置燈。

祭獻供品中，要使用燈。

在科儀中，燈如同香一樣重要。唐末道士杜光庭編訂的《太上黃籙齋儀》稱："凡修齋行道，以燒香燃燈最爲急務。香者，傳心達信，上感真靈；燈者，破暗燭幽，下開泉夜。所以科云：燒香燃燈，上照諸天福堂，下照長夜地獄。苦魂滯魄，乘此光明，方得解脱。"①因此，燈在道教科儀中的意義是象徵性的。

應該説，世界上崇拜火或者重視燈的象徵意義的宗教，不止道

---

① 《道藏》第九册，367頁，文物出版社、上海書店、天津古籍出版社聯合出版，1988年。

教一種。而道教不僅將燈作爲醮壇法器，而且形成了以燈爲主的燈儀。

三朝行道和拜表科儀中，有專門的分燈内容。

三籙道場中，又有各種意義和功能的燈儀。

這些燈儀，在南宋以後的道教醮壇上曾經廣泛演習和流傳，至今仍爲廣大信教群衆所喜聞樂見。儘管那壇場的燈隨着時代的進步，由燭燈、油盞燈、煤油燈、汽油燈、白熾電燈發展到了目前港臺地區使用的彩色電燈和霓虹燈。

燈儀的形成

中國古代祭儀中有火祭的記載，《周禮》稱"凡祭祀，則祭爟"①，爟就是火，但是并無燈儀。據文獻記載，大約秦漢時的帝王宮室中就已有了"青玉五枝燈"、"百華燈樹"和"芳苡燈"等，但是尚未得到廣泛流傳。早期道教的儀式中，也并無采用燈的記載。

兩晉南北朝時期，燈開始進入士大夫階層的生活。西晉傅玄有《燈銘》稱"晃晃華燈，含滋炳靈，素膏流液，玄炷亭亭"②，北周庾信有《燈賦》稱"輝輝朱燼，焰焰紅榮，乍九光而連采，或雙花而并明"③。梁江淹也有《燈賦》，述及大王之燈"銅華金擎，錯質鏤形，碧爲雲氣，玉爲仙靈，雙流爲枝，艷帳充庭"，述及庶人之燈"非銀非珠，無藻無綷，心不貴麗，器窮于樸"④。可見燈之使用已漸普及。

道教也在南北朝時期將燈引進了齋醮壇場。南朝劉宋道士陸修靜在《洞玄靈寶齋說光燭戒罰燈祝願儀》中述及醮壇執事就有

---

① 《十三經注疏》，843頁，中華書局，1980年。

② 《初學記》，616頁，中華書局，1962年。

③ 《六朝文絜》卷一，第8頁，中華書局，四部備要本。

④ 《江文通集》卷一，第17頁，中華書局，四部備要本。

"侍燈"之職，稱其職能爲"景臨西方，備辦燈具，依法安置，光焰火然，恒使明朗"，并稱如使"燈火中滅，罰香一斤"①。北周武帝宇文邕編集的道教類書《無上秘要》述及三皇齋等各種齋法時，各有醮壇設燈的記載。例如，三皇齋設壇方二丈四尺，四方各列九燈，共三十六枚；金籙齋法在四季燃燈時數量各有不同，少則三燈，多則一千二百燈；太真上、中、下元品燃燈也有不同，其中，上元齋法燃燈上極九十燈，中可六十燈，下可三十燈，中下元齋法燃燈數略少，另外還須在太歲、年命上二處燃燈，令晝夜恒明，餘燈則白日不須明，如逢天雨僅于齋堂燃太歲、本命二燈便足，餘者可缺；盟真齋"于家中庭，安一長燈，令高九尺，于一燈上燃九燈火，每令光明，上照九玄諸天福堂，下照九地無極世界"，以使"九幽之中，長徒餓鬼，責役死魂，身受光明，普見命根"②。因此，燈在醮壇上的作用僅僅是照徹幽暗的象徵。據《無上秘要》的記載，道士在齋儀中，除了繞燈、禮燈以外，已經將燈同內修之術相結合，認爲燃燈能使神歸于形，其書引《洞真天關三圖七星移度經》稱，"子學神真之道，處虛宮之上、瓊房之內，不知明燈以自映通玄光于五臟之內，因得明矣，形體之神因得歸也。子若能暮明燈于本命，朝明燈于行年，恒明燈于太歲上，三處願念，即體澄氣正，真光內照，萬神朗清，元君奉法，施行三年，即致夜光"，"行之九年，身體光明，徹視萬里"③。另外，也將禮燈之法同念誦和叩齒等儀式方術結合起來，其書引《洞真智慧大戒經》，有"明燈頌"五言二十六句以及叩齒三通的提示，稱"徒燃燈而不知此誦，六天魔府不過人死命，八方諸天不遣玉童玉女，飛天神人不降于子矣。十方三界，不度兆仙名于東華南宮，不受子七祖父

---

① 《道藏要籍選刊》第八册，507頁，上海古籍出版社 1989 年。
② 《道藏要籍選刊》第十册，176頁，196頁，212 至 213 頁，189頁。
③ 《道藏要籍選刊》第十册，222頁。

母化生之道"①。

唐末五代時,道教科儀有了完整的禮燈儀。杜光庭編集的《無上黄籙大齋立成儀》卷十九有"禮燈儀"一節,内引《上元金籙簡文真仙品》多則,稱"燃燈威儀,功德至重,上照諸天,下明諸地,八方九夜,并見光明。見此燈者,皆得罪滅福生。燃燈之主,其福甚深,九祖父母,上生天堂,去離憂苦,永出九幽,逍遙上元仙宫之中,見在安泰,子孫興昌,門户清肅,萬災不干,存亡開度,生死荷恩,功德無量,所向從心,于家于國,咸獲利貞,九夜三塗,并登真道"。據載,禮燈儀要在道户上燃二燈,在本命上燃三燈,在行年上燃七燈,在太歲上燃一燈,在大墓上燃三燈,在小墓上燃五燈,在中庭燃九幽之燈,在夾門燃二燈,在地户燃二十四燈,在八方燃八燈,在四面中央燃九燈,在十方燃十燈,在四面燃二十八燈,在天門燃三十六燈,在五方燃五燈,共計燃燈一百五十二盞。"衆官弟子等旋繞燈下,依位咒之,每咒畢,衆官弟子皆禮"②。因此,禮燈儀的演習需時甚費。

在唐宋之間,道教科儀對于燃點壇場各燈之火又作出規定,并且敷衍出了一個"分燈"科儀。據《上清靈寶大法》稱,"夫欲薦拔陰靈照破幽暗之燈,須得慧光之法,方能降三光之慧,以接凡火之光,方能追攝受度。如無此法,只是凡火之光不能超脱矣"③。分燈之火,從正午的陽燧(凹面鏡)中取得,點燃一燈,置于壇場的元始天尊前。在演習分燈儀時,再分點壇場各燈,以應"自一而三,從三至九,九九變化而生萬光,焕映萬天,照明九地。内外朗徹,以襲其明",然後"鳴金振玉,以和合陰陽,而生萬化"④。《靈寶玉鑒》卷一還指出"齋法中,每以燃燈爲首,所以法天象地。故每遇建齋,必于

---

① 《道藏要籍選刊》第十册,223頁。
② 《道藏》第九册,501頁。
③ 《道藏》第三十一册,210頁。
④ 《道藏要籍選刊》第八册,628頁。

宿建之夕請光分燈，以法日月星斗之懸象，令壇所内外洞明，上下交映"，"燃燈造化，豈小補哉"①。由此可知，分燈成了道教必行的重要科儀。分燈儀可以作爲一種獨立的完整科儀進行演習，也可以被包含在其它科儀如進表之中，作爲進表儀的一部份。現存獨立的分燈科儀經本是光緒己丑年(1889年)的抄本《金籙分燈卷簾科儀全集》，書存倫敦大英博物館，臺灣地區也存有類似抄本流傳②。

以禮燈爲内容的道經，明《道藏》中收有《上清洞玄明燈上經》一種，經稱"明燈，上象星辰，次曜七祖，賾妙難宣，修之三年，白日升天"③。經中有《禮燈五頌》及《行燈頌》、《明燈頌》多首，其文多與《無上秘要》引《洞真智慧大戒經》相同，并且不包括分燈之内容，因此，可以推測此經出于唐代以前，是唐代以前唯一的燈儀經本。大約在北宋末年的靈寶齋法中，出現了一些與破獄有關的黄籙類燈儀，如九幽獄燈等。元明時期，大量燈儀被編撰演習，并使用于金籙、玉籙道場之中。明朱權的《天皇至道太清玉册》卷五畫列的燈儀圖，計有十一種，諸如：玉皇燈圖，周天燈圖，本命燈圖，北斗燈圖，南斗燈圖，十二曜燈圖，九天玉樞燈圖，火德燈圖，九宫八卦土燈圖，血湖地獄燈圖，煉度燈圖，等等。朱權稱"醮壇所用燈圖，古有一百餘樣，其式繁多"④。可見，有明一代，燈儀得到了廣泛的流傳，并且一直傳承到了今天。

可以毫不夸張地説，從南宋至今，燈儀同煉度儀一樣，一直是道教科儀中經常演習的主要儀式。

① 《道藏要籍選刊》第八册，553頁。
② (法)施丹人《分燈》，法文本，法國遠東研究院，1975年。
③ 《道藏》第六册，250頁。
④ 《道藏》第三十六册，409頁。

燈儀的構成和異同

明正續《道藏》收有各種燈儀經本達十九種，即：《玉皇十七慈光燈儀》，《上清十一大曜燈儀》，《南斗延壽燈儀》，《北斗七元星燈儀》，《北斗本命延壽燈儀》，《三官燈儀》，《玄帝燈儀》，《九天三茅司命仙燈儀》，《萬靈燈儀》，《五顯靈觀大帝燈儀》，《土司燈儀》，《東廚司命燈儀》，《正一瘟司辟毒神燈儀》，《離明瑞象燈儀》，《黄籙九陽梵氣燈儀》，《黄籙九厄燈儀》，《黄籙破獄燈儀》，《黄籙五苦輪燈儀》和《洪恩靈濟真君七政星燈儀》等。大致可分爲金籙類燈儀和黄籙類燈儀兩大類。

金籙類燈儀的程式，大致是：入壇，啓白（通意），皈命和贊頌，諷經，宣疏，回向。各燈儀的主要內容和區別，在皈命和贊頌部份。例如：《三茅燈儀》，歸命太玄妙道冲虛聖佑真應真君，贊咏冲虛聖佑真君；歸命定祿右禁至道冲靜德佑妙應真君，贊咏冲靖德佑真君；歸命三宮保命微妙冲惠仁佑神應真君，贊咏冲惠仁佑真君。其歸命文辭是散文體，贊咏文辭是詩體①。《玄帝燈儀》則是重複三次歸命北極鎮天真武玄天上帝，重複三次贊咏。三次文辭略異②。歸命文辭也是散文體，贊咏文辭也是詩體。散文體用于念誦，詩體當是唱贊。各儀的唱念錯簡有致，加上燈儀壇場燈燭輝煌，完整地表現了金籙燈儀的上照諸天法堂的功能。

黄籙類燈儀的程式，大致是：入壇，啓白（通意），舉天尊之號和贊頌，諷經，宣疏，回向。在舉天尊之號和贊頌部份，都同破獄拔亡有關。例如：《破獄燈儀》，舉玉寶皇上尊，破東方風雷地獄；舉好生度命尊，破東南方銅柱地獄；舉玄真萬福尊，破南方火翳地獄；舉太

① 《道藏》第三册，573頁。
② 《道藏》第三册，572頁。

靈虛皇尊,破西南屠割地獄;舉太妙至極尊,破西方金剛地獄;舉無量太華尊,破西北方火車地獄;舉玄上玉晨尊,破北方溟冷地獄;舉度仙上聖尊,破東北方鑊湯地獄;舉上下方救苦尊,破中央普掠地獄①。《五苦輪燈儀》,以舉尋聲救苦天尊開始,舉轉輪聖王天尊結束,中破五輪迴之苦,即五輪迴之道:色累苦心門,受累苦神門,貪累苦形門,華競苦精門,身累苦魂門等②。在散體文辭間有詩體文辭,其念唱結合的方式與金籙類燈儀類同。

　　金籙類燈儀多爲祈願和贊頌,演習方式較爲簡單。黃籙類燈儀由于有破獄内容,演習則甚爲複雜。據《靈寶無量度人上經大法》,"昔祖師所説三元簡文,燃燈科式,最爲禁重,而重陰一照,萬苦停辛,鐵獄無窮,蒙光開爽。黃籙科九幽科儀,有旵耀輪燈、九厄神燈,九獄神燈,破昏暗于長夜,照苦爽于三途,假天象之慧力,分上聖之威光,照徹寒扃,普開冥埌,當于燃燈之初法。"③法師于日中時分,以符咒從陽燧取火,點天尊前明燭一炬。入夜,法師與侍燈在天尊前分請燈光于壇,"燃燈光,照徹于冥陰,使幽爽立席于開泰",然後,行攝召之法,明九幽之獄而能破其幽暗,可度亡魂。九幽者指"北斗九元之所化幽獄也,分布九維,東曰幽冥,南曰幽陰,西曰幽夜,北曰幽酆,東北曰幽都,東南曰幽治,西南曰幽關,西北曰幽府,中央曰幽獄"。法師破幽之法,就是"左手掐中指中,隨方化身,取本方氣而吹彈",自存爲破獄各方之高真,同時,在東方步丁罡九步,南方三步,西方七步,北方五步,四維并五步,中央則丁罡一十二步。當代江南道士演習九幽燈儀,在破獄時,法師由南起順時針繞壇一周,執靈寶策杖,在各方罡步後,以策杖擊地,意爲破獄,"八方都畢,至中央,并燒二符二幡","掐玉清訣,存黃色之雲霞于一方,

---

① 《道藏》第三册,591頁。
② 《道藏》第三册,594頁。
③ 《道藏》第三册,892頁。

存自己作天尊之形儀。每獄皆叩齒九通于咒前後,如此,則地獄開,亡爽登真也"。最後,禱以收燈祝文,稱"請覭金蓮之焰,恭願亡過某千生罪垢,隨落燼以俱消;萬劫殃纏,逐傾光而盡滅。身度光明之界,永離黑暗之鄉"①。

　　燈儀的壇場布置,由于其儀演習于晚間,燈火輝煌,因而十分壯觀。元代馬祖常有詩句稱"炬焰天無夜,熏焚樹有烟"②,不過,各種燈儀壇場的歷代布置及其彼此間的布置均不盡一致。金籙類燈儀的壇場,有的"于中庭燃九燈于竿上,以照九幽,壇四面各燃九燈,合三十六燈"③;有的在壇中立一梓輪,上中下三層,上層燈十二,中層燈十六,下層燈二十一,共四十九盞;有的在壇中築--沙壇,外方內圓如車輪,共三圈,外圈燈二十四,中圈燈十五,內圈燈九,中央又燃燈一,共四十九盞④。黃籙類燈儀由于壇場上要有地獄的象徵,因此壇場規模較大。有的以土九石作壇九所,每壇二尺見方,合之,壇共六尺見方,每壇燈三炬,九壇共燈二十七炬⑤。後世黃籙功德因爲壇場狹小,火燭不便,所以有的改用白米鋪設燈壇。據《道書援神契》稱,"古者倉頡制字而天雨粟,鬼夜哭。故道法劃地爲獄,以米爲界。後世凡鋪燈,皆用米,本諸此也"⑥。因此,鋪燈壇用米當亦係古法,至少已有七百餘年的歷史。

①《道藏》第三冊,894至895頁。
②《古今圖書集成》第五十一冊,62008頁,中華書局、巴蜀書社聯合出版.1985年.
③《道藏要籍選刊》第八冊,431頁。
④《道藏》第三冊,900頁。
⑤《道藏》第三冊,895頁。
⑥《道藏》第三十二冊,145頁。

燈儀的社會思想內容

燈在世界上的許多宗教裏都是光明的象徵。一般認爲，道教的
燈儀受到過佛教燃燈的影響，佛教就將燃燈視爲得福和獻身的功
德。唐代的佛教類書《法苑珠林》卷四十八就有"燃燈篇"稱，"日舒
則夜卷，月生則陰滅，燈之破暗猶慧之銷障。是以虔躬燈王，克成彌
陀之尊；致力續明，遂受定光之號；茅照輕緣，乃獲身色之暉；燭施
微因，爰果眼根之淨。況乃振此大智，開彼勝光者哉。是以育王臨
終之日，總造八萬四千之燈，普照八萬四千之塔"。這些燈"製窮機
巧，體極殊妙"，"灼爍電搖，氛氳華列，倒影渌水，籠光碧樹"。當燈
點燃時，"曄曄交焰，似朝霞之鏤白日；昭昭聯暉，若恒星之繡天漢。
睇金鋪以忘夜，臨玉砌而疑曉"。燃燈是"無盡之福常照盛明之徵"。
另外，《法苑珠林》又引《菩薩本行經》稱，佛作大國王時，讓左右持
刀挖己身，"以身爲燈，不求世榮"，并以此獻身之功德"願求無上正
真之道"①。

道教在尚無燈儀時就已有了追求光明的教義思想內容。早期
道教的《太平經》就把得道和光明連結在一起，稱"失道光滅"。光明
又和神靈在一起，是長壽之根本，稱"靜以生光明，光明所以候神
也。能通神明，有以道爲鄰，且得長生久存"。《太平經》的時代，燈
還沒有進入尋常百姓家，因此，《太平經》中的光明指的是日月星三
光的光明，經稱"帝王行道德興盛，日大明，少道德少明；皇后行道
德，月大光明，少道德少光明；眾賢行道德，星曆大耀，少道德少耀。
四根俱行道德，天下安寧，瑞應出，大光遠"②。魏晉南北朝時期，燈
進入了道教科儀，被視爲日月星三光的延續，是神靈取三光給以光

---

① 《法苑珠林》，568頁，商務印書館，四部叢刊本。
② 《太平經合校》，第16、14、303頁，中華書局，1960年。

明的結果。《要修科儀戒律鈔》引《登真隱訣》稱"真人攝日暉以通
照，役月精以朗幽"①，因此，燈具有"照耀諸天，續明破暗，下通九
幽地獄，上映無極福堂"②的功能。《無上秘要》卷六十六"明燈品"
有"明燈頌"就稱，"太上散十方，華燈通精誠。諸天皆亦然，諸地悉
朗明。我身亦光徹，五臟生華榮。炎景照太無，遐想繁玉清"③。所
謂"我身亦光徹，五臟生華榮"，當指燈輝不僅照耀天堂地獄，也可
以使禮燈之人蒙受恩澤，因爲，道教將燈儀視作修道的一項內容，
前引《洞真天關三圖七星移度經》就稱一日三處禮燈願念，"即體澄
氣正，真光內照，萬神朗清，元君奉法"④。由此可見，燈和燈儀在道
教科儀中，具有明顯的道教教義思想的特徵，同佛教燃燈的意義并
不相同，儘管一般認爲道教的燈儀受到過佛教的影響。

　　其次，黃籙類燈儀多同光照地獄、拔度幽魂有關。世界上的許
多宗教都有地獄之說，都稱陽世作惡之人死後必入地獄。中國古代
的宗教觀念及早期道教，雖有人死後成魂，"魂神歸岱山"的說法，
但對陰世的敘述卻語焉不詳。佛教有輪迴之說，是其教義的重要組
成部份。地獄就是六道輪迴之惡道的一種。佛教傳入中國後，道教
在南北朝時吸收佛教的地獄之說并與泰山神主生死之說相結合，
豐富了自身教義中關于陰世的內容。齊梁道士陶弘景的《真誥》就
有"種罪天網上，受毒地獄下"，"今佛家作地獄中主煞者亦牛首"等
句⑤。唐代道教類書《三洞珠囊》有"二十四地獄品"引《太真科》稱
"宛利天下酆都之山，在北方癸地，山上有八地獄"，"中央有八地
獄"，"山下有八地獄"，"獄有十二椽吏，金頭鐵面，巨天力士，各二

----

① 《道藏要籍選刊》第八冊，430頁。
② 《道藏》第三十冊，937頁。
③ 《道藏要籍選刊》第十冊，222頁。
④ 《道藏要籍選刊》第十冊，222頁。
⑤ 《道藏要籍選刊》第四冊，583、657頁。

千四百人，把金槌鐵杖，玄科死魂，以治罪罰"①。無論是佛教道教或是其它宗教，在地獄裏有罪死魂所受刑罰的描述，都是極爲恐怖可怕的。《法苑珠林》卷十一稱"刀林聳日，劍嶺參天，沸鑊騰波，炎爐起焰，鐵城晝掩，銅柱夜燃"②。如果要解脱死魂受罰，佛教經典提出的方法有三，一是生前皈依佛門，從善除惡；二是臨終時受三歸，懺悔罪孽；三是亡後由衆僧誦經超度。道教經典除了同佛教一樣有此三法以外，在北宋末年還以燈儀形式提出，要從根本上擊破地獄，拔度幽魂出獄，這不能不認爲是道教的"我命在我不在天"的思想又一發展。

據《無上黃籙大齋立成儀》卷三十七，破獄燈儀的程序是"先詣獄燈所排立，次法事，次高功齋官上香，次高功啓白告符，次宣破獄告文，次當職道士宣九獄燈儀，次高功依儀逐獄行持策杖發符破獄如本儀，次囘向念善"③。燈儀中，有"元始威章拔魂寶籙"稱"道君有命，敕付崐崙，破毀鐵圍羅酆幽陰。十方三界無極神，三官九署十二河源，解釋亡過某魂洎億劫衆親，疾除罪薄，落滅惡根，不得拘留，時刻升遷，萬神護送，徑詣人天，隨品受化，更生福鄉"，其籙告命于酆都幽獄冥官，態度威嚴，口氣凌厲，勢如高屋建瓴。其後，高功法師持策杖在各獄燈前，步罡掐訣念"敕赦咒"，稱"無上玄元，太上道君，教臣行符，照破幽獄，死魂出離，急急如太上律令"，并且存想"地獄化爲坦途，衆魂乘此寶光，皆得度化"④，高功在此儀中儼然成了地獄幽魂的解放者。

地獄和天堂一樣，在各種宗教中它們的設定都是神聖而不可侵犯的。人們如果視天堂地獄爲子虛烏有，當然會對破獄燈儀的構

---

① 《道藏要籍選刊》第十册，339頁。
② 《法苑珠林》，117頁。
③ 《道藏》第九册，592頁。
④ 《道藏要籍選刊》第八册，753至754頁。

想付之一笑。然而，人們如果將其視作在當時社會條件下，人們對于社會罪惡的抗議的曲折反映，那麼無疑會對道教徒借助法術以擺脫苦難的願望和要求，產生由衷的感嘆和欽佩，儘管這一破獄是局部的、暫時的、幻想的并且仍須天堂的幫助。

值得注意的是，北宋時期出現的破獄燈儀中，另有一種專爲女性亡靈設立的破血湖燈儀。血湖是地獄之一。《上清靈寶大法》稱"大鐵圍山之南，有硤石獄，其形皆黑，旁有火焰，下有血湖。在東南一大石間大小尖中開一縫，罪人出入，自有百藥毒汁灌身心。獄號血湖，產死婦人，億劫沉墮，苦不可勝，穢惡之甚，獄中有百萬鬼卒，晝夜考掠，乃翻體大神、擲尸大神、食心唻腦鬼王之類也"①。明《道藏》中收有《元始天尊濟度血湖尊經》、《太一救苦天尊說拔度血湖寶懺》，二部經懺大約都出于北宋年間，并且都詳列了女子在當時社會生活和疾病生育中的種種磨難，有"命絕産死"，有"墮子落胎，因而悶絕"，有"母存子喪"，有"母喪子存"，有"母子俱喪"，有"男女未分而俱死"，有"胚胎方成而遽死"，有"染患而將臨産月"，有"懷娠而失墮高低"，有"藥餌誤毒而中傷"，有"癩疽痢疾而身殞"，有"崩漏至死"，有"淋瀝而亡"，有"懷胞胎而竟不分娩"，有"生男女而月內傾亡"，有"因血病至死"，有"被刀刃所傷未盡天年乃爲夭傷"，有"身殁干戈之下，魂飛矢石之場"，有"抱惡病而告終"，有"犯王法而受戮"。儘管道經把這些磨難歸咎于"夙生冤對，受報兹身"，但是，在北宋這個禮教紲索對于婦女日益抽緊的社會條件下，詳盡而刻意地列舉婦女所受磨難這一事實本身，就反映了道教對婦女的同情。我們也可以而且應該將女魂在血湖地獄中所受的各種"煎煮身心"的苦難視爲當時婦女現實所受煎熬的曲折反映②。

早期道教的《太平經》本就把婦女置于與男子平等的地位上，

---

① 《道藏》第三十一册，4頁。
② 《道藏》第二册，36頁；第九册，892頁。

稱"男女者，乃陰陽之本也"，"夫男者乃承天統，女者承地統，今乃斷絕地統，令使不得復相傳生，其後多出絕滅無後世，其罪何重也"①。五斗米道也有多名著名的女祭酒，居重要的教職。唐代道士孫思邈精研醫道，把婦女疾病的治療放在醫家之首。可見，道教對婦女的痛苦一直十分重視。因此，在北宋時期出現"太上垂教産亡之苦"的破血湖燈儀是不足爲怪的。《靈寶玉鑒》曾經贊頌破血湖燈儀的"玉元追度"云，"以森羅淨靈之源，濯其舊染之污，以真陽至善之光，以覺其本然之性。紫英以明其道，玉符以遷其神，俾其妄緣幻影如落地之花，妙體真身若當天之月。了無滓礙，等一虛空，何不利有哉"②。任何一個稍具中國文學常識并且熟悉道教經典文風的人，都可以體會到這一贊頌中包含的對于中國古代婦女的滿腔同情并爲之震動。

附帶需要指出的是，地獄之説無疑來自佛教，但是血湖地獄及對其之蕩滌和破除，恐怕是道教的創造和發展。

綜上所述，燈儀是一種已經流傳八百餘年而且包含有豐富思想内容的道教科儀，它寄託着歷代道教徒對于光明的追求、對于苦難的抗議和對于婦女痛苦的同情。只要社會上仍然存在黑暗和污穢的陰暗面，人們對于光明的追求就不會停止，道教徒的燈儀演習就不會終止。燈儀仍將會流傳下去，以滿足道教徒在精神上對于理想的向往、對于污穢的鞭撻和對于現實苦難的解脱，這是應該得到所有人的同情和理解的，因爲，它是不依人的意志爲轉移的宗教存在和發展的規律。儘管筆者希望人們都能夠現實地用自己的雙手去創造美好的世界、去清除地上的污穢、去迎接光明普照全人間的那一天的到來。

---

① 《太平經合校》第38頁。
② 《道藏要籍選刊》第八册，772頁。

作者簡介　陳耀庭，1939年生，上海人。現任上海社會科學院宗教研究所所長，副研究員。近期著作有《上海道教史》等。

再論墨家與道教

秦彥士

墨家思想本來是一種積極的現實主義哲學，但道教卻將墨子列爲神仙，《墨子》全書也被收入《道藏》。一種最講實際的入世思想何以會影響出世的宗教，這的確是一個很值得我們探討的問題。

首先我們知道墨子是殷人後裔。商王國所建同姓小方國有"目夷"，《史記·殷本紀》說："契爲子姓，其後分封，以國爲姓，有⋯⋯目夷氏。"據童書業先生《春秋左傳研究》一書考證，"墨子實爲目夷子後裔"。顧頡剛先生《禪讓傳說起于墨家考》也說："他是公子目夷之後，原是宋國的宗族"[1]。所以清代著名學者俞正燮認爲"墨以殷後，多感激，不法周而法古。"(《癸巳類稿》卷十四)作爲殷人之後，墨子思想中本來就包含了不少原始宗教的成分。《明鬼》即引《商書》曰："嗚呼！古者有夏，方未有禍之時，百獸貞蟲，允及飛鳥，莫不比方，矧隹(惟)人面，胡敢異心。山川鬼神，亦莫敢不寧。若能工允，隹天下之合，下土之葆。"以此作爲鬼神誠有的依據。後期墨家分派之後，能談辯的一部分墨者繼續發揮墨子的鬼神報應思想，孫詒讓所輯《隨巢子》、《田俅子》、《纒子》佚文皆多言鬼神賞善罰惡之事。後來的墨者甚至與方士有合流的趨勢。《墨子·迎敵祠》云："收賢

---

[1] 詳見張知寒《再談墨子里籍應在今之滕州》所引童書業、顧頡剛、王獻唐諸先生考證，見《墨子研究論叢》(一)。

大夫及有方技者若工，弟之。"此篇又多言陰陽、五行、巫卜，大都與方士之言合，故畢沅注"凡望氣，有大將氣，有小將氣，有往氣，有敗氣"諸句即謂"今其法存《通典·兵》，風雲氣候雜占也。"《鹽鐵論·論誹篇》又載"文學曰：昔秦以武力吞天下，而斯高以妖孽累其禍……儒墨既喪焉。"始皇坑儒生術士，而"文學"以爲儒墨既喪，則所坑術士中亦有墨者在。此外戰國後期的稷下學派混合諸子及五行、方術，其中慎到等人并對墨子思想有直接發揮，所以有人說"戰國末稷下思潮與墨子宗教說教，混合方術與神仙，成爲道教先聲"①。章太炎先生也說道教"本諸墨氏，源遠流長"（《黃巾道士緣起說》）。

墨家能夠影響道教，甚至與道教合流，這與它們所代表的階級和思想有密切關係。墨子出生"賤民"，墨家思想作爲"役夫之道"，代表了下層民衆的願望，因此它面對"饑者不得食，寒者不得衣，勞者不得息"的不合理現實所提出的大同理想和對貪鄙統治者的嚴厲批判，一開始就在道教典籍中得到明顯反映。《化胡經十二戒》第二戒說："守仁不煞，愍濟群生，慈愛廣救，潤及一切"，這和《太平經》所說的"常力周窮救急，助天地愛物，助人君養民，救窮不止"都是發揮的墨子兼愛勸善之義。墨子尚賢，《抱朴子》則有《貴賢》專論，《雲笈七籤》有《老子說一百八十戒》，其百五十七戒曰："若人他處，必先問賢人善士，不得自負。"《太平經》也說："賜國家千金，不若與其一要言可以治者也；與國雙璧，不若進二大賢也。夫要言大賢珍道，乃能使帝王安枕而治，大樂而治太平。"直到當代，針對《四庫全書提要》對道藏收錄《墨子》一書的非難，今人陳攖寧先生反駁說："老子三寶：一曰慈，二曰儉，三曰不敢爲天下先。墨子皆得之。兼愛非攻，慈旨也；節用節葬，儉旨也；《備城門》、《備高臨》……等篇，皆極盡守衛之能事，自處于被動地位，而對于先發制人之戰略，則絕口不談，是真能篤實奉行不敢爲天下先之古訓者。"

---

① 王家祐《讀文通先師論道教札記》。

　　除了共同性的思想原則之外，墨家的發展變化觀與五行學說還對道教養生觀產生了不小的影響。墨家的變化觀不僅注意對自然變化的觀察，它還特別強調人爲變化的重要性。《墨子·經上》說："爲：存、亡、易、蕩、治、化。"《經說上》解釋說："爲，早臺，存也；病，亡也；買粥，易也；霄盡，蕩也；順長，治也。"即認爲亭臺的由無到有，治病的由有到無，買賣交易，消盡蕩散這些變化都是人爲努力造成的。墨家強調人爲的變化，看到人在改造自然中的重大作用，後來道教氣功養生家在修仙煉道的過程中吸收和發揮了這種觀點。這裏我們必須提到《漢書·藝文志》在論述墨家時所説的"順四時而行，是以非命"這句費解的話。何以"順四時而行"即能"非命"呢？古人認爲天人是相通的，人身這個小宇宙與自然這個大宇宙遵循着同樣的規律在運動。人能順應四時，則氣調而無疾，反之則生禍殃。《禮記·月令》即云"孟春"如"行秋令"，則"其民大疫"，"行冬令"則"民多癰疾"。《國語·周語》闡述云："夫天地成而聚于高，歸物于下。疏爲川谷以導其氣，陂塘汙庳以鍾其美。是故聚不阤崩，而物有所歸，氣不沈滯而亦不散越。是以民生有財用，而死有所葬。然則無夭昏札瘥之憂，而無饑寒乏匱之患。故上下能相固以待不虞。古之聖王，唯此之慎。"這就是"度于天地，而順于時動"的大義。《荀子》亦言"養備動時，則天不能病"。墨子"順四時而行"也就是"動時"之意。如果人能順時而動，則自然不會受到外界的干擾而患疾病。古人總以爲禍患疾病也是命的表現，所以能順四時而行則天不能病，當然也就能非命了。後來道教氣功養生家承襲墨子的變化觀，提出了"我命在我不在天"的能動理論，在探索自然與生命的漫長途徑中作出了卓越貢獻。

　　墨家的五行辯證學説更對道教內丹家發生了明顯影響。《墨經》"五行毋常勝"的主張與鄒衍的五行説有很大差異。鄒衍的五行説是一個循環固定的系列：木生火，火生土，土生金，金生水，水生木；反之，水勝火，火勝金，金勝木，木勝土，土勝水。這就是所謂"常生常勝"。後期墨家打破了這種固定的"五行常勝説",提出了"五行毋常勝"的新主張。

《墨子·經下》説:"五行毋常勝,説在宜。"《經説下》對此解釋説:"金、水、土、木、火、離。然火爍金,火多也。金靡炭,金多也。金之府水,火離木。若識麋與魚之数,唯所利。"即認爲五行相勝與否不是一成不變的,而是因其質量的多少和不同機運發生變化。後來漢唐的外丹家尤其是宋元内丹派都吸取了這種觀點。《周易參同契》説:"丹砂木金,得金乃并,金水合處,木火爲侣。"即以墨家五行附麗説立論。在此基礎上《參同契》進一步提出了"五行錯王"的學説,謂"五行錯王,相據以生,火性銷金,金伐木榮。"俞琰解釋説,"金生木,木生火,此常道之順五行也。今以丹法言之,則木與火爲侣,火反生木,金與水合處,水反生金。故曰五行錯王。"①在張伯端的《悟真篇》中又叫作"五行顛倒術"。《悟真篇》卷二十七七言絕句之一曰:"震龍汞自出離鄉,兑虎鉛生在坎方。二物總由兒産母,五行全要入中央。"注引無名子曰:"汞爲震龍,屬木,木爲火母,火爲木子,此常道之順五行也。然朱砂屬火,爲離,汞自砂中生,卻是火反生木,故曰兒産母,此五行之顛倒術也。"所謂"五行順兮,常道有生有滅,五行逆兮,丹體常靈常在",正是高度概括了内丹修煉的一個基本原則。總之,從《周易參同契》的"五行錯王"到《悟真篇》的"五行顛倒術",其思想源頭都是墨家的"五行毋常勝"説。

由于有這種思想淵源關係,道教氣功家在其理論著作中就有了《墨子丹法》、《墨子閉氣行氣法》,前者見《抱朴子》,後者見《雲笈七籤》卷五十九《諸家氣法》,其法云:"行氣名煉氣,一名氣息。其法:正偃卧,握固,漱口咽之,三日行氣,鼻但納氣,口但出氣,徐縮鼻引之,且莫極滿,極滿者難還。初還之時,入五息已,一息可吐也。每口吐氣欲止,輒一咽之,乃復鼻内氣。不爾者,或令頻凡内氣則氣

---

① 《周易參同契發揮》卷中。

上升,吐氣則氣下流,自流周身也……若行之能久,自覺氣從手足通,則能閉氣不息,便長生矣。"張榮明《中國古代氣功與先秦哲學》一書考證說:"倘如墨子與氣功有關,原因有二:一、墨家崇奉夏禹,禹足迹遍天下,曾見煉氣功之飲食之民。禹步有"三步一作閉氣"的方法。二、夏禹"菲飲食而致孝乎鬼神",有濃厚的巫氣味。墨家主張"尊天事鬼",似與巫的關係更爲密切。而上古的巫正是擅長氣功導引術的。因此,墨家氣功亦有得自巫系統的可能。"此說似多測度成分,但我們看葛洪的著述,則這種猜測亦并非毫無道理。《抱朴子・外篇・博喻》:"出處有冰炭之殊,躁靜有飛沉之異,是以墨翟以重繭怡顏,箕叟以遺世得意。"

當然墨家對道教更直接的影響還是它的鬼神觀念。先秦思想家當中,孔子是不語怪力亂神的,《易經》、《管子》言鬼只是指精氣,墨子才明確說鬼是人死之精,可以賞善罰惡。它無處不在,"鬼神之明,不可爲幽間廣澤山林深谷,鬼神之明必知之。鬼神之罰,不可爲富貴衆强、勇力强武、堅甲利兵,鬼神之罰必勝之。"即使連桀紂這樣威虐無道的暴君也不能幸免:"昔夏王桀貴爲天子,富有天下,有勇力之人推哆大戲,生列兕虎,指畫殺人,人民之衆兆億,候盈厥澤陵,然不能以此圉鬼神之誅。"(《明鬼下》)對于生活在社會底層的下民百姓來說,還有什麽比這更爲有力的思想武器呢?道教當然要接過這種思想武器,幻想出種種扶弱濟貧、除暴消災的超人鬼神。墨家的天志鬼神思想不僅代表了民衆對理想世界的追求和懲惡揚善的美好願望,同時也具有爲下層平民爭取社會地位的意義。因爲在周代,祀天者爲貴族專有,子産論貴族伯有之爲鬼就說它"其爲物也弘矣,其爲精也多矣","能爲鬼,不亦宜乎?"(《左傳・昭公七年》)相反,庶民則如荀子所言是"恃手而食","不得入宗廟"。墨子針鋒相對地提出,有鬼大家祭,平民也有份,這同樣反映了墨子的確是"得愚民之欲,而不合知者之心"(《論衡》)。道教把墨子的天志明鬼與儒家的天人感應結合起來,尤其强調鬼神的報應思想。《太

平經》卷一百《著東壁》説："陽善者，人即相冗答而解。陰善者，乃天
地諸神知之，故倍增也。積德者，富人愛好之，其善自日來也。人之
所譽，鬼神亦然，因而助佑之。"《後漢書·劉根傳》就曾記載了劉根
召致太守史祈祖父亡靈以示懲戒的故事，章太炎先生説"劉根托于
墨子，頗近之矣。"葛洪在反駁無鬼論時甚至直接引證《墨子·明
鬼》中的典故（見《抱朴子·論仙卷》）。墨子的神鬼思想還深入到民
間，《五代史·唐家人傳》就記載魏州民自言有墨子術，"能役鬼神，
化丹砂水銀"。以致墨子的身世也被神化，説墨子姓翟名烏，其母夢
日中赤烏入室，驚覺生烏，遂名之（見伊世珍《瑯嬛記》引《賈子説
林》）。陶宏景《真誥·稽神樞》亦稱"墨狄子服金丹而告終。"墨子儼
然成了一位羽化的高道，與道教徒有了非常親密的關係。

　　正是由于道教理論家對墨家思想的極大興趣和對墨子偉大人
格的欽敬，《道藏》遂將《墨子》悉數收入。由于正統道藏以前所修的
藏經都已不復存在，《墨子》何時收入道藏很難考見，我們只能根據
一些不完全的記載，推測出一個大致綫索。最早在道教典籍中提到
墨子的是晉代葛洪，在《抱朴子·遐覽篇》中所記載的道教文籍中
首次提及《墨子枕中五行記》五卷，《金丹篇》又輯錄了《墨子丹法》。
其《神仙傳》則列墨子爲"地仙"，這并非毫無道理的附會。《抱朴子·
對俗卷》就説："人欲地仙，當立三百善。"正因爲墨子以救世爲己
任，才受到道教的敬仰和喜愛，他那種汲汲爲義的精神和摹頂放踵
利天下的事迹遂使之成爲傳奇式的英雄，這種救苦救難的超人當
然就要顯現靈氣。葛洪《神仙傳》在引述了他止楚攻宋的故事後，遂
將他神化，言墨子八十有二，乃從赤松子游，入周狄山，精思道法，
後"遇神仙得素書，乃撰集其要以爲《五行記》，乃得地仙"。將墨子
正式列入道教神仙之後，《墨子》輯入道藏就是順理成章的事了。

　　據《混元聖紀》卷八記載，周武帝建德三年曾經"除浮屠教，悉
毀經像。又下議欲廢道教"，後突遇"黄衣使者"現身説法，并告示
"太上有敕"，于是"帝驚懼累日"，後乃下詔曰："至道弘深，混成無

際，體包空有，理極玄幽，但岐路既分，源流愈遠，淳灘樸散，形器斯乖。遂使三墨八儒，朱紫交競，九流七略，異説相騰。道隱小成，其來舊矣。不有會歸，爭袪靡息。今可立通道觀于都城。聖哲微言，先賢典訓，金科玉篆，秘頤玄文，可以濟養黎元，扶成教養者，并宜弘闡，一以貫之。”“乃命裒九流之書，摘其合于道者并付道藏。”又據甄鸞《笑道論·諸子道書》所載，有“北天和五年玄都觀道士上經目，增入諸子、論，共二千四十卷”。《南齊書·高逸·顧歡傳》還有“道士與道人戰儒墨，道人與道士辯是非”的話。據以上諸種材料推斷，很可能太約在南北朝時道教典籍就已收入《墨子》，而最直接的證據就是明代正統道藏收入的《墨子》全書。這一事實明確地證明了道教是把代表平民利益的墨家作爲自己思想的組成部分。由于道教徒把墨子當作救苦濟貧的神仙，《道藏》抄錄和刊刻者們遂懷着一種宗教的熱忱，把他們并不完全理解的《墨子》一字不異地工錄下來。這不僅使道教增加了更多民主性的精華，也在保存這部作爲異端的中國奇書上立下了不可磨滅的功績（魏晉以後《墨子》兩度亡佚部分篇目，如果不是《道藏》輯存，也許我們今天就再也見不到《墨子》這五十三篇珍貴的文章了）。

墨家和道教懷着一種“極終的關懷”探討人類怎樣才能擺脱苦難求得幸福，在爲着理想世界奮鬥的過程中，道教終于選擇了墨家集團這種宗教團體性質的模式作爲自己的組織形式。早期墨家在其領袖的領導之下“勤生薄死，以赴天下之急”，這種“赴火蹈刃，死不還踵”的救世組織後來發展成爲墨家鉅子集團。這種近于宗教組織的團體内部成員都忠于墨家教義，忠于領袖鉅子，他們互助互愛，在一系列活動中留下了舍身取義的美名。後來墨家集團雖然在統治者鎮壓下消失了（司馬遷就曾嘆息説“儒墨皆排擯不載，自秦以前匹夫之俠湮没無聞，余甚恨之”），但他們那種俠義精神卻在民間代代相傳。《史記·游俠列傳》稱頌：“今之游俠，其行雖不軌于正義，然其言必信，其行必果，已諾必誠，不愛其軀，赴士之扼困。既已

存亡生死矣，而不矜其能，羞伐其德。"證以《墨子》中墨者言行以及
《呂氏春秋》、《淮南子》等書對墨家弟子行爲的記載，我們可以明顯
看出後世的俠士正和墨俠精神一脈相承。《史記》所舉的任俠人物
就是《墨經》所説的"士，損己而益所爲"的武俠，而大俠郭解處理姊
侄一事則完全與腹䵍行墨者之法同類。故候外廬先生即説："墨俠
正是游俠，其後轉入民間宗教。後來道家從廟堂之上打下來，轉爲
漢朝的道教，成爲農民暴動的旗幟，似有與墨俠匯流的可能。"從一
些零星史料中我們還可以尋繹到二者聯繫的綫索。據《鹽鐵論‧晁
錯篇》記載，漢初尚有墨者在活動："日者，淮南衡山修文學，招四方
游士，山東儒墨咸聚于江淮之間，講議集論，著書數十篇。然卒于背
義不臣，謀叛誅及宗族。"《游俠列傳》則記大俠劇孟及"王孟亦以俠
稱江淮之間"，"是時濟南䦏氏、陳周庸亦以豪聞。景帝聞之，使使盡
誅此屬。"可見墨俠與游俠皆因所謂"不軌于正義"而慘遭統治者鎮
壓。然而墨家後來雖湮没無聞，但此後一方面有俠士不斷在活動，
另一方面又出現了以民衆信仰爲基礎的各種有形集團，如黄老道、
善道、鬼道等，在此基礎上遂形成太平道與五斗朱道。道教當然與
道家有更直接的淵源關係，但道家本身即"采儒墨之善"，漢初又演
變爲黄老術。據《史記‧封禪書》等載，黄帝"成仙"以後，當時的道
家甚至成爲囊括老莊、儒、墨、名、法及神仙、方仙的綜合體。到東漢
末年，由于國家昏亂與大規模的饑饉和疾疫流行，貧苦民衆陷入極
大痛苦恐怖之中，于是俠士個人的反抗就在宗教旗幟下發展爲大
規模的農民反叛浪潮，這樣"以身之所惡，成人之所急"的墨俠精神
就溶匯到道教集團中去了。從一星半點的史料中，我們還可以明顯
看到被誣爲"妖賊""教匪"的早期道教實行的正是與墨家集團同樣
的大同生活原則。據《後漢書‧劉焉傳》記載："（張道）陵學道鵠鳴
山，造作道書以惑百姓。受其道者，輒出米五斗，故謂之米賊。陵傳
于衡，衡傳于魯……其來學者，初名鬼卒，後號祭酒。祭酒各領部
衆，衆多者名理頭。皆教以誠信，不聽欺妄。有病但令首過而已。諸

祭酒各起義舍于路……懸置米肉，以給行旅。食者量腹取足，過多則鬼能病之。犯法者先加三原，然後行刑。不置長吏，以祭酒爲理。民夷信向……韓遂、馬超之亂，關西民奔魯者萬家。"後來張魯遭曹操進攻，放棄漢中之地逃散時，認爲蓄積的"寶貨糧食屬天下萬民，以私心破棄有遼天道"，最後"封藏而去"，這種真摯的宗教精神同樣具有墨家理想。這段珍貴的史料可以幫助我們更好地理解墨家與道教的關係：一、早期道教的信徒多爲下層百姓，道教救民水火使之成爲民衆救星。二、道教首領以次相傳，與墨家鉅子制相同。三、教徒內部實行自食其力財產公有的大同原則。四、對有過失者以道德感化爲主，(《淮南子》曰："墨子弟子百八十人，皆可使赴火蹈刃，化之所至也。")不主嚴刑峻法。五、相信鬼神賞善罰惡，即以宗教信仰作爲鞏固本集團的思想武器。凡此種種都體現了墨家集團有道相教有財相分，"以自苦爲極"的宗教救世精神。故章太炎先生《黃巾道士緣起説》即認爲："黃巾道士，其術遠法巫師，近出墨翟。"有人甚至推論"靈寶派亦自正一天師分立，合南中《正一法文》、《三皇内文》、《五符靈寶》等經與劉根所傳《墨子枕中五行記》爲道，略別上清派。""中原與東疆墨俠暗流衍爲靈鬼禍福的太平經集團"①。

　　總之道教繼承墨家的理想，從而形成了自己鮮明的特色：他們具有以正義力量去抵御惡勢力的傳統，這與基督教的"勿以暴力抗惡"有明顯區別；道教承襲墨家爲理想獻身的救世精神，無論黃巾起義的英勇反抗還是邱處機萬里西行的壯舉，都在人類歷史上寫下了光輝的一頁；道教吸取墨家的變化觀與五行説，在氣功養生學的探索中以積極主動的精神去追求人類的健康長壽，力爭把握自

① 見王家祐《道教論稿》。作者還説墨家"借群團之平等博愛以救天下。又合名、法家而非議儒流，具最先的宗教組織形式。自董仲舒儒教崇于朝廷，墨家則消聲于仕官，遂由游俠而深入民間，衍爲民間道團。"

身生命的自由途徑。道教氣功對當代人類仍是一筆寶貴的財富。以上諸多方面都顯示了墨家思想對中國文化源遠流長的影響。

當代宗教家貝格爾説：“宗教是人建立神聖世界的活動”，無論墨家還是道教都試圖用全副熱情去探尋和建立一種理想的社會模式。不論他們探索的結果如何，他們那種忘我犧牲的追求精神至今仍激勵着人類去追求那難以探尋而又無限美好的未來。

作者簡介　秦彦士，四川資陽人，1950 年生。文學碩士。現為四川師範大學中國古代文學研究所講師。

道教與玄學歧異簡論

劉仲宇

內容提要 玄學和道教有過一段共生的歷史,二者又都和先秦的道家思想有深厚淵源,所以容易將它們混淆。其實,二者的性質是不同的。首先,玄學是個哲學流派,它奉老莊為圭臬,發展了老莊哲學,而道教祖述黃老,將黃帝、老子當作至尊天神;玄學家將《老子》、《莊子》作為談玄的依據,而魏晉道教并不重視此二書,他們所遵奉的是托名黃、老的仙經。其次,玄學家將"道"看做哲學意義上的宇宙本體,論"道"是談玄的重要內容;而道教則奉道為最高信仰,并認為道即尊神,修道的目的為與道合真羽化登仙。再次,玄學家和道教徒都服食金石藥,但前者所服限於寒石散,服散的目的一為治病二為追求"神明開朗"的風度;後者側重服餌金丹,目的是長生不老、白日飛昇。上述歧異的背後,則是一般的哲學思潮和宗教派別之間在生活情趣、終極目的、形神觀、宇宙論諸方面的深刻分歧。

道教與玄學,有過一段共生的歷史。玄學盛于魏晉,流風及于南朝,而魏晉南北朝恰巧也是道教定型和扎根于中國社會的重要時期。因此,毫無疑問的是,同樣地形成于中國文化的土壤中又曾在同一時期的同一舞臺上扮演重要角色的道教與玄學,會有各種聯繫與糾葛。二者在思想淵源上、行為方式上,有若干共同的、或形式上相似的特點。玄學家與某些上層道教徒也有交往，不免相互影響。然而，僅就魏晉南北朝的數百年間考察①，卻可明顯看到，二者的相同之點多數是表面的，一深入底蘊，兩者的歧異之處就鮮明地呈現出來。

一、同是尊老　取捨各異

玄學奉《老》、《莊》、《易》爲三玄，它與先秦道家的淵源關係是衆所周知的，道教在漢時即奉老子爲"太上"、"老君"，張道陵一派五斗米道且有《老子想爾注》傳世。南北朝時，北方道教仍奉老子爲教主，南方道教雖突出了元始天尊的崇高，但也不排斥老子在神仙譜系中的特殊地位。如此看來玄、道都是站在老子的旗幟下面了。然而只要仔細觀察，便會發現二者的尊老在實質上是很不相同的。

首先，玄學的尊重老子，是將他當做睿智的哲人；道教則是將之尊爲神仙宗主。傳説王弼十餘歲時，裴徽曾問他："夫無者誠萬物之所資也，然聖人莫肯致言，而老子申之無已者何？"弼曰，"聖人體無，無又不可以訓，故不説也。老子是有者也，故恒言其所不足。"②這裏的老子是處于孔子之下的，尚未達到"體無"的境界。實際上，玄學家阮籍、王弼等都認爲老子是"上賢亞聖之人"③，即是説，將之視作地位低于孔子的一個歷史人物。這也是玄學家的一般觀點。而在道教中，老子卻是神仙班頭、道教教主。五斗米道稱做"太上老

---

① 這兒討論的道教，只限于魏晉南北朝，即與玄學共生的那段時期，稍及漢末三國的個別道派。唐以後，隨着道教對形而上問題的興趣加濃，原來玄學的某些內容也匯進了道教哲學，對于此點，本文未加討論。

② 《晉書・何劭王弼傳》。此則亦見《世説新語・文學篇》，"老子"作"老莊"。

③ 參看唐・陸希聲《道德經傳序》。

君"，以後寇謙之改革天師道，也是托着老君的名義。三國時吳著名道士葛玄更稱"老子體自然而然，生乎太無之先，起乎無因，經歷天地終始不可稱載。終乎無終，窮乎無窮，極乎無極，故無極也。與大道而淪化，爲天地而立根，布炁于十方，抱道德之至淳。"（《道德經序》，《全三國文》卷七十五。）如此看來，老子實是最高的尊神，還在宇宙的原初狀態（太無）之先就存在，他的出現不依賴于任何條件（起乎無因），經過天地的成壞即歷"劫"無數。顯然，這兒說的老子，與真實的歷史人物是完全不同的。葛玄從孫葛洪與玄看法不同，認爲老子之先還有師傅，并非天生神異，而且對于《老子》其書頗有微言，但對老子之爲神爲仙仍加肯定，説他"稟氣與常人不同，應爲道主，故能爲天神所濟，衆仙所從"（《神仙傳·老子》）。道教的這些説法，是沿襲了東漢以來視老子爲"神王之宗，飛仙之主"（邊韶《老子銘》）的傳説，加以發展而成的。這一點，與玄學完全相反。

　　其次，玄學重視的是"老莊"，道教尊奉的爲"黃老"，在内容上也很不一樣。玄學家常將老、莊連舉，老莊幾成一個專用名詞，"何晏、王弼等祖述老莊"，爲史家定論。莊子的思想在玄學中的影響其實不遜于老子。《世説新語·言語》劉孝標注引《孫放別傳》云："放字齊莊，監君次子也。年八歲，太尉庾公召見之。放清秀，欲觀試，乃授紙筆令書，放便自疏名字。公題後問之曰：'爲欲慕莊周邪？'放書答曰：'意欲慕之。'公曰：'何故不慕仲尼而慕莊周？'放曰：'仲尼生而知之，非希企所及；至于莊周，是其次者，故慕耳。'公謂賓客曰，'王輔嗣應答，恐不能勝之！'"放字齊莊，自然是企慕莊周的爲人了，而他所理解的莊周，是次于孔子的賢人，與王弼對老子的評價相當，庾公（亮）肯定"王輔嗣應答恐不能勝之"，直是同意其看法。所以莊子在玄學家眼中，與老子同居"上賢亞聖"之列。至于在學説上引《莊》注《老》、以《莊》注《老》，比比皆是。

　　道教尊奉的是"黃老"而不是"老莊"，尤其對莊子不抱好感。還在東漢時魏伯陽就闡述過"黃老養性"之旨，葛洪則稱"黃老玄聖，深識獨見，"都是以黃、老連稱。道教徒開始注《莊》，是唐朝的事。魏晉南北朝的數百年間注《老》的道教徒不少，而注《莊》的絕無一人。儘管《莊子》書中對真人、神人、至人的描寫爲道教徒所接受，但整個《莊子》思想並不受重視，有的道教徒甚至對之排斥。莊子的地位也不高，《真靈位業圖》只給了一個小小的韋編郎的仙職。直到玄學在社會上影響普及、"老莊"成爲道家代名詞被一般人所接受後，道士才有使用"老莊"一詞以對抗佛教的。當然，這兒的"黃老"也不是西漢初的黃老之學，而是將黃帝、老子都看成神仙。西漢以降，黃帝就被當做臨爐煉丹的仙人，不少煉丹和養生的著作都以黃帝的名義在流傳，在《太平經》、《參同契》這些不同道派的經典中，都可以明顯看到黃老的宇宙觀與神仙思想的結合。因此，道教的祖述黃老，出于神仙家的神學世界觀。葛洪稱"黃老玄聖"，具體內容是"開祕文于名山，受仙經于神人，曝埃塵以遣累，凌大遐以高躋，金石不能與之齊聖，龜鶴不能與之等壽。念有志于將來，愍信者之無文，垂以方法，炳然著明，小脩則小得，大爲則大驗。"（《抱朴子內篇·微旨》）黃老是以神仙祖師的面目出現的。

　　對道家人物和學說的不同取捨，根本在于玄學和道教在人生的追求上是很不一樣的。玄學的追求可以說是完全現實的，對生死采取因循自然的態度。他們的談玄說虛，討論名教與自然等等，也是一種哲學上、學理上的探討，富含哲理的《老子》、《莊子》于是受到極大的歡迎。而道教則以長生不老躋身神仙隊伍爲最高理想，僅僅《老》《莊》的哲理，并不能完全解決"成仙"的具體途徑。因此，透過對老莊的不同態度，折射的是玄學與道教在人生理想上的重大分歧。這在葛洪、王羲之諸人對《老子》《莊子》的批評中表現非常鮮明。

　　《抱朴子內篇·釋滯》云："又五千文雖出老子，然皆泛論較略耳。其中了不肯首尾全舉其事，有可承按者也。但暗誦此經，而不得要道，直爲徒勞耳，又況不及者乎！至于文子、莊子及關令尹喜之徒,其屬文筆,雖祖述黃老,憲章玄虛,但演其大旨,永無至言。或復齊生死,謂無異以存活爲徭役,以殂殁爲休息,其去神仙,已千億里矣,豈足耽玩哉?"這兒的矛頭主要指向莊子。稍後的王羲之也説:"死生亦大矣,豈不痛哉!固知一死生爲虛誕,齊彭殤爲妄作。後之視今亦猶今之視昔,悲夫!"(《蘭亭集序》)"一死生"、"齊彭殤"都是莊子的著名命題,王羲之將之斥爲"虛誕"、"妄作",正表現了道教徒重生、貴生的立場。

案"齊生死"是《莊子》的基本思想之一,對此,玄學家大抵是持肯定態度的。郭象《莊子·養生主》注説:"夫死生之變,猶春秋冬夏四時行耳。""故死生之狀雖異,其于各安所遇,一也。"他也講究養生,但認爲"夫養生非求過分,蓋全理儘年而已矣"。所以在玄學家中,能看破生死、擺去物累是被推崇的。劉伶"死便埋我"的任酒使氣,阮孚在發出"平生能著幾兩屐"的嘆喟時"神色閑暢",都表現了這種人生態度。

誠然,玄學家與道教徒共生于魏晉南北朝,相互間的交往和影響是自然而然的。玄學家中少數人物,也曾接受過道教的神仙思想,但一般説來,并未得到其他玄學家的普遍贊同,在理論和實踐上,也有自相矛盾之處。最爲典型的就是嵇康和阮籍。

嵇康曾從道士孫登游,所著《養生論》中,肯定修煉得法,可以"與羨門比壽王喬爭年",相信神仙實有。他的朋友向秀便大不以爲然,著論以難之,認爲長生之説殆影響之論,可言而不可得",從事長生修煉,乃是"背情失性,不本天理也",(《全晉文》卷七十二)向秀之論,倒是爲多數玄學家所贊成的。阮籍亦曾登蘇門山見孫登,歸著《大人先生傳》,將蘇門先生描寫成"駕八龍,曜日月,載雲旗"的"真人",似乎是服膺神仙之説的了。但所著《達莊論》,爲了維護莊子之説,又不得不回擊別人對"齊禍福而一死生"的責難,稱"入謂之幽,出謂之章。一氣盛衰,變化而不傷",竭力回護"殤子爲壽,彭祖爲夭"的命題,齊生死,泯是非,"以死生爲一貫,是非爲一條。"

據他的理論,其主旨畢竟與道教不同。既相信有孫登一流的真人,又要維護他祖述老莊的立場,未免在理論上、情感上都存在矛盾,而在實際上,還是站在莊子齊生死的立場,重精神而遺形骸。他在《詠懷詩》中發出"焉得松喬,頤神太素? 逍遙區外,登我年祚"的向往,但又稱"自然有成理,生死道無常",不是一言而否定成了仙道永生不死之説麼? 玄學家清醒的理性與宗教的迷狂畢竟是大不相同的。

因此,道教徒對莊子的批評,也可看作是對同時代的玄學的批評。自然,他們也不能不遭到來自玄學的反批評。《列子·天瑞篇》説:"生者,理之必終者也。終者不得不終,亦如生者之不得不生。而欲恒其生,畫(盡)其終,惑于數也。"此話簡直是正衝着道教的主張而言。張湛注也明言"生不可絕,死不可御"。更爲直接的批評則發自陶淵明。他在《形、影、神》詩序中説:"貴賤賢愚,莫不營營以惜生,斯甚惑焉。"這兒的矛頭所向是十分耐人尋味的。陶淵明雖是一名隱士,而且處于佛教、道教盛行的環境中,但在生活情趣上、理想追求上,與佛道二教分歧很深。《形、影、神》對"營營以惜生"的批評,顯然包括了道教在內的,且看詩中説:"三皇大聖人,今復在何處? 彭祖愛永年,欲留不得住!"三皇和彭祖,都是道教徒傳之已久的得道高仙,陶淵明輕輕一筆將他們從神仙名單中勾去,實際上是順此將長生不死的可能抹掉。而他自己的主張"縱浪大化中,不喜亦不懼。應盡便須盡,無復獨多慮",倒是得着了《莊子》的傳統,爲當時的玄學生死觀的典型表現。

由此可見,玄學和道教對于道家思想的不同解釋、不同取捨,表現的是二者對人生最終目的的不同追求和理想。

二、共爲崇道 實質相左

玄學作爲一種社會思潮或哲學思潮,儘管對老莊哲學作出了新解釋,但這種解釋是沿着老莊原來的哲學路標進一步向前而取得的,它沒有改變《老》《莊》思想作爲哲學的性質。但道教不然。我們在前面提及,黄帝、老子在道教中成了神仙的宗主,與此相適應,對道家哲學的解釋也完全神學化了。二者的差別,鮮明地表現在對"道"、"玄"等基本概念的理解上。限于篇幅,只略論二者對"道"這一範疇的理解上的重大差別。

"道"在道家宇宙論中無疑是最高的和最核心的範疇,因而玄學家對它的解釋傾注了很大的熱情。王弼主張"以無爲本",用"無"解釋"道";郭象也以為道"無所不在,而所在皆無",但強調"明無不待有而無也"(《莊子注·大宗師》),都突出了"道"作爲某種自然存在的、無形無象的本體的含義。

"道"在道教中則是最高的信仰。它既是一個生天生地的本原,又是神格化了的最高實體,亦即道教所崇拜的尊神。還在東漢末的《老子想爾注》中已經將太上老君與"道"等同起來,認爲"一者,道也","一散形爲氣,聚形爲太上老君。常治崑崙,或言虛無,或言自然,或言無名,皆同一耳"。東晉葛巢甫所傳的《元始無量度人上品妙經》(案:此經簡稱《度人經》,爲明《道藏》首經)則説:"無無上真,元始祖劫,化生諸天,開明三景,是爲天根,上無復祖,唯道爲身。""道"與最高尊神元始天尊是一而二、二而一的。《洞玄靈寶自然九天生神章經》進一步説:"天寶君者,則大洞之尊神,天寶丈人則天寶君之祖氣也。丈人是混洞太無元高上玉虛之氣。""靈寶君者,則洞玄之尊神,靈寶丈人則靈寶君之祖氣也,丈人是赤混太無元玄上紫虛之氣。""神寶君者,則洞神之尊神,神寶丈人則神寶君之祖氣也。丈人是冥寂玄通元無上清虛之氣。"此經顯然是陸脩靜總括三洞之後始出,但仍不晚于六朝。它將道教對"道"的神學解釋進一步豐富和完善起來。所謂三"元",代表宇宙演化的三個最早的階段,所化之境即三清境,三"寶君"即三清尊神。這樣,道即三清、三清即道化身,道與尊神的統一更爲清楚了。

由此可見，道教的"道"與玄學家純以虛、無等哲學概念作解釋不同，它同時又是人格神。所以道經往往稱"道言"。道而能言，即是已經人格化的緣故。

道教將道與尊神等同，它所理解的宇宙，是以尊神爲最高秩序的宇宙，也是一個以三寶君的"祖炁"爲起點的宇宙。後者表明了道教的宇宙，是一個在道的支配下演化着的宇宙。這一點，與玄學也是大異其趣。

王弼貴無，以無爲本，道與物間的關係爲本末關係，所以將《老子》理解成"崇本息末"之書。裴頠崇有，認爲"總混群本，終極之道也"，(《崇有論》)道不過是事物本質的總稱。他們對道所支配的宇宙演化，都不表現什麼興趣。王弼注《老》，自然不能完全繞過老子有關宇宙演化的詞句，但卻作了本體論而非演化論的解釋。如《老子》："道生一，一生二，二生三，三生萬物"。王弼注："萬物萬形，其歸一也，何由致一？由于無也。由無乃一，一可謂無。已謂之一，豈得無言乎？有言有一，非二如何？有一有二，遂生乎三。從無之有，數盡于斯，過此以往，非道之流。"這裏不再討論由道化生萬物的次序節目，而改爲討論萬物歸一、一即爲無的問題。

道教不僅一般地強調着宇宙演化，而且要求掌握這種演化的規律，逆着演化的過程，達到與道合真的目的。《洞神八帝妙精經》曰："三皇所授，要在三一。太一、真一、玄一是謂三一者也，號爲三元。元炁生神，神炁降人，人成神矣。"三一爲道的別名。由宇宙本原道化三一，三一降人而人成神。那麼，關鍵是守住三一。守住三一，即爲含德。德者，得也，也就是得道。久之，人便回復到宇宙本原——道，達到返樸歸真合于大道。這種逆宇宙演化、掌握宇宙演化規律的思想在各道派中具體表現不一，但卻是各種道術尤其是各種內煉方術的共同的理論基礎。這一點與玄學家的因循自然也是完全不同的。

由此看來，玄學和道教對宇宙演化的不同立場，包含了對"得道"的不同理解。一般説來，玄學家在對道作本體論的理解的同時，強調體道和循道而行，功夫做在現實生活中。這在王弼，便歸結于崇本息末。他認爲《老子》一書，"其大歸也，論太始之原以明自然之性，演幽冥之極以定惑罔之迷，因而不爲，損而不施；崇本以息末，守母以存子；賤夫巧術，爲在未有；無責于人，必求諸己。此其大要也"。(《老子指略》)顯然這兒説的"大要"，乃是從名教與自然、施政設事與無爲達道的關係着眼的。對于道，也有所謂"得"的問題，因爲《老子》中德與道是相關的概念，論道不能闕德。王弼認爲："道者物之所由也；德者物之所得也。"然而又認爲："何以得德？由乎道也。何以盡德？以無爲用。"(《老子注》)所謂"盡德"，亦即以無爲用，説來説去，仍是崇本息末之義。郭象論體道而行，則從玄冥獨化的觀點出發，認爲物各自化，道無可得。《莊子·大宗師》言及狶韋氏以下對道"得之"，郭注云："道，無能也。此言得之于道，乃所以明其自得耳。自得耳，道不能使之得；我之未得，又不可以爲得也。然則凡得之者，外不資于道，内不由于己，掘然自得而獨化也。夫生之難也，猶獨化而自得之矣，既得其生，又何患于生之不得而爲之哉！故夫爲生故不足以全生，以其生之不由于己爲也。而爲之則傷其生也。"既然"外不資于道，内不由于己，掘然自得而獨化"，所以引伸到人或事物的生成上來，便認爲，"爲生不足以全其生"。這一點恰恰是刺着了道教對于"得道"所作的神仙家解釋的痛處的。

　　道教的"得道"即所謂"與道合真"，乃是從形神的脩煉着眼的。可能出于六朝道流所托的《老子河上公章句》第六十四章云："聖人學人所不能學：人學智詐，聖人學自然；人學治世，聖人學治身，守道真。"可見其志趣與王弼崇本息末、郭象玄冥獨化的思想大相徑庭。而所謂"守道真"，便是通過脩煉達到與道合德，"德不差忒則長生久壽，歸身于無窮極也。"(《老子河上公章句·反樸第二十八》)又説，"人能保身中之道，使精氣不勞，五神不苦，則可以長久"(同上，《守道第五十九》)。拳拳于心的，都是將得道與長生久視聯繫起來。約當晉時流傳于世的《黃庭經》云："至道不煩訣存真"，而其存真之訣乃是存想萬神，即"爲道者莫不煉存形神，克成羽化，以致長生"（李千乘《太上黃庭中景經注》）。所謂"仙人道士非有神，積精累氣以爲真"（《黃庭内景經》），即是通過自身脩煉以得道成真。

道教對得道的理解在形體的脩煉，所以千方百計探求這脩煉之術，高道的形象，往往是盛稱其"有道術"。上引《黃庭經》及前面提及的葛洪爲代表的金丹之術，就是魏晉時道術的重要代表，另外服符、祭禱也有相當市場。劉宋後，作爲通神懺悔祈求的齋醮科儀越加成熟，漸漸提高了它在道術中的地位。當時著名道士陸脩靜認爲，所以要行醮法，是"因事息事，禁戒以閑内寇，威儀以防外賊，禮誦役身口，乘動以返靜"，即因之使神氣不授，長存于身，達到能虛能靜的境界，"則與道合"（《洞玄靈寶齋說光燭戒罰燈祝願儀》）。

玄學家體道是偏向于本體論、認識論的。儘管玄學家中有言盡意、言不盡意的爭論，但對如何體道總要有所討論，或在生活中有所體現。所以他們要談玄，要清談，殷仲堪所謂"三日不讀《道德經》，便覺舌本間强"（《世說新語・棲逸》），正是將《老子》當做談資。《老》、《莊》、《易》三玄都是他們思想的根本，也是清談的内容。而道教的得道，以脩真爲務，對于言談頗爲輕視。這一點，在阮籍見孫登時表現十分典型。據說籍往蘇門山見孫登，"箕踞相對。籍商略終古，上陳黃農玄寂之道，下考三代盛德之美，以問之，仡然不應。復叙有爲之教，棲神導氣之術以觀之，彼猶如前凝矚不轉"。孫登爲隱棲脩道之士，并不以言談爲能，即使道家脩煉之術，也認爲可受而不可傳，貴于實行而無貴乎言說。阮籍言之滔滔，正清談家本色，卻偏是如水激石，正所謂道不同不相爲謀，未免話不投機了。玄學家除談玄之外，在生活上采取率真放達的態度，竹林七賢就是放達的代表。在他們以後，元康名士更是爲放達而放達。這一點，作爲兩晉道教重要代表的葛洪就很看不慣。他在批評《老》《莊》對學仙者不中用的同時，又說《莊子》："其寓言譬喻猶有可采，以供給碎用，充御卒乏。致使末世利口之奸佞，無行之弊子，得以《老》《莊》爲窟藪，不亦惜乎！"(《抱朴子内篇・釋滯》)顯然，他所斥的利口奸佞、無行弊子，正是那班放達的清談家，抱朴子對他們的鄙夷和憤慨竟達到無法忍耐而溢于言表了。葛洪的意見，代表了相當一部分道教徒的立場。

總之玄學道教皆崇道，但卻分向兩個方向。儘管二者皆將道奉爲世界本原，但在玄學家那兒，它是哲學意義上的本體；而在道教中卻是與最高尊神相等同。玄學以"體道"爲上聖，道教則力求得道成飛仙。

三、一樣服藥　旨趣不同

煉製和服餌長生不老之藥，是道教的一大特色。而玄學家中也頗有服食金石藥的，而且一度成爲時尚。不過，同是服藥，旨趣卻有不同。

道教的服食，是追求形體的長生不老，這是衆所周知的。而玄學的服藥，卻另有追求。試看何晏這位玄學家中服藥祖師的說法："服五石散非唯治病，亦覺神明開朗。"(《世説新語・言語》)即是説，他服散的目的一在治病，另外就是爲達到"神明開朗"的風采。

案玄學家服的五石散，又名寒食散，方原出漢代名醫張仲景。何晏所服的"五石更生散"，其基本成分是白石英、紫石英、赤石脂、石鍾乳及石硫黄。據王奎克先生考證，其方中尚有礜石(砷黄鐵礦 FeAsS)①。這種散服後的反應，隋巢元方曾描述過："人進食多，是一候；氣下顔色和悦，是二候；頭、面、身瘙癢，是三候；策策惡風，是

____

① 王奎克：《"五石散"新考》，收入《中國古代化學史研究》，北京大學出版社，1985年8月第1版。

四候；朕朕欲寐，是五候也。"(《諸病源候總論》卷六)這裏說的五候，第一、二候，是初服時受藥物刺激，短期內確有提高體質的效果。何晏說的治病和神明開朗，即是指此了。何晏其人傷于酒色，身體虛勞，如管輅所說的，"魂不守宅，血不華色，精爽烟浮，容若槁木"①，服五石散應是爲求體質的健壯，以適應其腐化生活。考慮到當時尚玄談的，基本上都處于貴族階層，酒色淘空身子在所不免，服散的流行，未始與此無關。不過更大的緣由恐怕還是第二候"氣下顏色和悅"，因爲這正是"神明開朗"的風采。以後隨著何晏"首獲神效，由是大行于世，服者相尋"②。服散、行散、發散成了魏晉名士生活中的重要內容，頗有形諸吟詠的，甚至有假裝"散發"似地以示自己與名士同科的。但他們追求的，無非是一種風度，一種時髦。魏晉清談的一項重要內容，是品評人物，而風度是其重要標準。服散的目的，對大多數仿效者來說，無非在人物品評中獲得一個好口彩。所以，玄學家的服食五石散，與道教徒製煉和服餌金丹，旨趣是完全不同的。

　　玄學家中雖服食成風，但所服大抵以五石散爲限，對于其他金石藥，畢竟問津者少，并沒有在服藥本身上化費太大的精力。至于道教徒的服食，從藥物種類上看，不限于五石散，甚至主要不是五石散，儘管五石也是煉丹的重要原料。《抱朴子內篇》中所載的服食方十分豐富，但卻未錄五石散方。葛洪所最推重的是九鼎丹即《黃帝九鼎神丹經》所載之方，次爲太清神丹等。其方從左慈、葛玄、鄭隱到葛洪一脈相傳，而它的源頭，仍在左慈以前，大約可追溯到西漢。因爲道教服食所求在成仙，"五石散"充其量只能治病和短期提高體質，不能滿足其要求。而爲達成仙的目的不能不廣搜奇方異藥，不少道教徒一生浸淫其間，甚至不得不走隱遁的道路。如東漢

---

① 《三國志·魏志·管輅傳》裴松之注引《輅別傳》。
② 《世說新語·言語》梁劉孝標注引秦丞相《寒食散論》。

的魏伯陽、左慈、三國葛玄、晉的鄭隱等，都是或隱居不仕，或仕而
再隱，都汲汲以煉成大丹爲務。葛洪積軍功有封爵，但因聞説勾漏
出好丹砂，寧願要求出仕勾漏令，到邈遠蠻荒之地去，只因廣州刺
史的阻止，没有去得成。即使常與玄學家爲伍的五斗米道徒王羲
之、早期上清派的許邁，也是"採藥石不遠千里"，與玄學家的相聚
口談浮虚尚不相同。

更深一步看，玄學家與道教徒在服藥中的不同旨趣，和二者在
形神觀上的差異有關。

一般説來，道教是相信可以使形神永駐的，問題在於找出一種
辦法，使形神永久相即不離。陶宏景曾説："凡質象所結，不過形神。
形神合時，是人是物。形神若離，則是靈是鬼。""假令爲仙者以藥石
煉其形，以精靈瑩其神，以和氣灌其質，以善德解其纏，衆法共通，
無礙無滯，欲合則乘雲駕龍，欲離則尸解化質，不離不合則或存或
亡。"(《答朝士訪佛道二教體相書》，《華陽陶隱居集》卷上。)陶宏景
的這些話表現了道教形神觀的基本特點。這種特點在魏晉時已經
十分穩固。例如大約出于晉代的《西昇經》就討論過形神問題。它
相信"我命在我，不屬天地"，希望"我不視不聽不知，神不出身，與
道同久"。在《西昇經》的作者看來，"形神合同，固爲長久"，幾是天
經地義的事。這是道教形神觀的基本傾向。一些道派的燒煉金丹，
又一些道派的服符佩籙，或者二者的結合，蓋都爲"形神俱妙，與道
合真"！而服金丹和其他大藥，所走的路子即是陶宏景説的"以藥石
煉其形"了。更早一些的葛洪認爲："形者神之宅也。故譬之于堤，
堤壞則水不留矣；方之于燭，燭靡則火不居矣。"(《抱朴子内篇·至
理》)那意思是如果精神用完了，人就到了大限，而精神是居于形體
之中的，形體出了毛病便如決了大堤，燒盡蠟燭，精神也隨之潰散
熄滅。解決的辦法，是要使這大堤永遠堅固不壞，那方兒，便是服食
金丹："夫金丹之爲物，燒之愈久，變化愈妙。黄金入火，百煉不銷，
埋之，畢天不朽。服此二物，煉人身體，故能使人不老不死。此蓋假

求于外物以自堅固，有如脂之養火而不可滅，銅青塗腳，入水不腐，此是借銅之勁以捍其肉也。金丹入身中，沾洽榮衛，非但銅青之外傅也。"（同上，《金丹》）據此不難看出，服藥的真正追求在形神的永固了。

道教這種形神可固的觀念，是其白日飛升的主旨的理論基礎。它的形成，部分地吸取了道家學説，卻又表現了與道家的區別。漢司馬談曾閬述過道家的形神觀："凡人所生者神也，所托者形也。神大用則竭，形大勞則弊，形神離則死。死者不可復生，離者不可復返，故聖人重之。"（見《史記·太史公自序》）從我們前引葛洪、陶宏景等人的觀點看，道教徒繼承了道家的形神觀，而且正以它作爲論證必須使形神永固的前提。但與道家不同的是，道教認爲可以想辦法使形神永遠不分離，以打破自然生命的局限，達到長生永駐的目的。而玄學則基本上沿襲司馬談所表述的道家形神觀。他們并不相信形神可以永固，不相信形體可以永駐。他們實際的追求，是更重精神而輕形骸的。這就是郭象説的："德充于内，物應于外。外内玄合，信若符命，而遺其形骸。"（《莊子注·德充符》）他們不相信養形可以存生。《莊子·達生》："世之人以爲養形足以存生，而養形固不足以存生，則世奚足爲哉！雖不足爲而不可不爲者，其爲不免矣。"郭象注云："故彌養之而彌失之……養之彌厚而死地彌至。"所以他的主張是對于養形一道"莫若放而任之"。追求神全而遺形骸，反對養形，主張任其自然，是玄學形神觀的一般傾向。

前面曾提到陶淵明對道教"營營惜生"的批評，他的批評正是從玄學因任自然的形神觀出發的。他的《形、影、神》詩，假設人體形、影和神相互對話的形式，批判了佛教的"形盡神不滅"的觀點，同時又批判了道教"形神永駐"的信念。從形看來，"適見在世中，奄去靡歸期"，永駐于世是不可能的，即"我無騰化術，必爾不復疑"。從影看來，"存生不可言，衛生每苦拙"，它與形體相伴不離的日子也不可能永久，"此同既難長，黯爾與時滅"。所以最終借神之言而釋之，勘形、影理解"大鈞無私力"的高深哲理，正視"老少同一死"的事實，采取"應盡便須盡，無復獨多慮"的豁達態度。玄學從這種形神觀出發，服藥的主旨便不會是道教式的追求"形神永固"，而只求在治病的同時"神明開朗"了。但此風流傳既久，後事者竟將服藥本身看成一種風度，盲目地加以仿效了。

　　以上從三個方面考察了道教與玄學的歧異。如果細加探討，自然還可涉及更多的方面。但僅此簡略的探討，已足可見道教、玄學實質大不相同。弄清這些不同，有助於理解道教、玄學這些中國文化史上的大派別各自的特質，從而澄清思想史研究的一些模糊説法。

　　作者簡介　劉仲宇，1946 年生，上海教育學院副研究員。主要著作有《中國道教文化透視》等。

兩漢宇宙期與道教的産生

馬良懷

内容提要 兩漢屬于我國歷史上的宇宙期之一,自然災異頻繁迭起,其中以東漢後期(安帝以降)最為劇烈。層出不窮的自然災異,導致了天人感應神學的衰落和人與天之間關係的斷裂,迫使人們急切地想與某種神秘的東西和強而有力的團體發生聯繫,以此來稀釋、消解心中的焦慮和恐懼,應付自然災異的頻繁襲擊,于是便誕生了《太平經》和太平道、五斗米道等道教組織。本文的主要內容在于詳細考察東漢後期的自然災異與道教産生之間的因果關係。

道教産生于東漢後期,原因甚多,其中之一是與當時的自然狀況有着密切的關係。

一

兩漢屬于我國歷史上的宇宙期之一。所謂宇宙期,就是指整個太陽系在圍繞銀河系中心旋轉時,處在一個較特殊的宇宙環境之中,或由于引力、電磁場、宇宙空間物質密度等等的變化,或由于其運行位置靠近較多超新星爆發的區域,使宇宙綫強度顯著增加,進而壓抑太陽的活動,使太陽活動處于低潮,由此而引起氣象、地象的劇烈變化,導致自然災異的頻繁發生①。

　　兩漢時期,自然災害頻頻出現,其中以東漢後期最爲劇烈。自安帝至獻帝,東漢王朝始終置於諸多災害的包圍之中,山崩、地震、狂風、水旱、蝗螟、冰雹、饑荒、瘟疫,此起彼伏,群發夾攻。筆者根據《後漢書》的有關記載,將這一時期的最主要的自然災害的發生情況列舉如下:

　　1. 地震:安帝即位的第一年(永初元年,公元 107 年),遂發生了"郡國十八地震"之事,此後,安帝便與地震結下了不解之緣,在位十九年,就發生了 23 次地震。而自安帝至獻帝年間,共發生地震達 56 次之多。同時,這一時期地震的規模也很大,如安帝元初六年,"京師及郡國四十二地震,或坼裂,水泉涌出。"② 順帝漢安二年,"涼州地百八十震。""山谷坼裂,壞敗城寺,殺害民庶"。③

　　2. 雨水災:此災分爲兩個方面,一是長久淫雨,致使莊稼受損,如安帝永寧元年"郡國三十三淫雨傷稼"④。順帝永建三年"冀州淫雨傷稼"⑤。靈帝建寧元年"霖雨六十餘日"⑥等等。二是暴雨、洪水、海水對人類的危害,如安帝永初四年"三郡大水"⑦。順帝永和元年夏"洛陽暴水,殺千餘人"⑧。桓帝永康元年秋,"六州大水,勃海海溢。詔州郡賜溺死者七歲以上錢,人二千;一家皆被害者,悉爲收斂"⑨ 等等均屬此類。這一時期的雨水之災達 34 次。

―――――――――――

① 參見高建國《兩漢宇宙期的初步探討》,載《歷史自然學進展》,第二十二頁,海洋出版社,1987 年版;徐道一等《明清宇宙期》,載《大自然探索》,1984 年 4 期。

② 《後漢書》卷五《安帝紀》。

③ 《後漢書》卷六《順帝紀》。、

④⑤⑥ 《後漢書》志第十三《五行一》。

⑦ 《後漢書》卷六《順帝紀》。

⑧ 《後漢書》卷三十上《楊厚傳》。

⑨ 《後漢書》卷七《桓帝紀》。

3. 旱蝗：安帝至獻帝年間，共發生了 25 次大旱災，緊緊與此相伴的是蝗災的泛濫，僅以安帝永初年間爲例，四年，"六州蝗"；五年，"九州蝗"；六年，"十州蝗"；七年，"蝗蟲飛過雒陽"①。

4. 饑荒：這一時期的大饑荒雖然只發生 10 次，但爲害程度卻十分酷烈。如安帝永初三年"三月，京師大饑，民相食"。"并、涼三州大饑，人相食"②。桓帝元嘉元年，"任城、梁國饑，民相食"。永壽元年二月，"司隸、冀州饑，人相食"。延熹九年，"豫州饑死者什四五，至有滅户者"③。獻帝建安二年，"是歲饑，江淮間民相食"④。

5. 瘟疫：自安帝元初六年四月會稽郡爆發大瘟疫後，瘟疫就像一頭無法擺脱的惡魔，同東漢王朝死死地糾纏在一起。安帝延光四年，順帝永建四年，桓帝建和三年、元嘉元年、延熹四年、靈帝建寧四年、熹平二年、元和二年、五年、中平二年，獻帝建安二十二年，頻頻出現，致使"家家有强屍之痛，室室有號泣之哀，或闔門而殪，或舉族而喪"⑤，給社會帶來了巨大的災難和恐懼。

東漢安帝至獻帝年間的自然災害具有時間長（前後達一百一十餘年），次數多，規模龐大，多種災害同時迸發等特點，現援引數例以證之：

安帝永初元年，"郡國四十一縣三百一十五雨水，四瀆溢，傷秋稼，壞城郭，殺人民"⑥。"郡國八旱，分遣議郎請雨"⑦。元初六年，"二月乙巳，京師及郡國四十二地震，或坼裂，水泉涌出。""夏四月，會稽大疫，遣光祿大夫將太醫循行疾病，賜棺木，除田租、口賦。"

---

① ② 《後漢書》卷五《安帝紀》。

③ 《後漢書》卷七《桓帝紀》。

④ 《後漢書》卷九《獻帝紀》。

⑤ 《後漢書》志第十七《五行志五》注。

⑥ 《後漢書》志第十一《天文中》。

⑦ 《後漢書》志第十三《五行志》注引《古今注》。

"沛國、勃海大風、雨雹。五月,京師旱。"十二月,"郡國八地震"①。

桓帝建和三年大瘟疫,"京師廝舍,死者相枕,郡縣阡佰,處處有之"。永興元年七月,"郡國三十二蝗。河水溢,百姓饑窮,流冗道路,至有數十萬户,冀州尤甚"②。

獻帝興平元年六月,"丁丑,地震;戊寅,又震……大蝗。"七月,"三輔大旱,自四月至于是月。……是時穀一斛五十萬,豆麥一斛二十萬,人相食啖,白骨委積"③。

縱觀中外歷史,凡是一場大的災難(如瘟疫、戰爭、饑荒、大地震等等)降臨之時,都會引起人們巨大的恐懼,由此而對社會心理乃至社會生活造成極大的影響。如有人曾經研究揭示,歐洲自爆發1348—1349年間的黑死病之後,致使普遍存在着原罪感的歐洲人罪惡感日益加重,紛紛皈依教會贖罪,由此帶來了基督教的蓬勃發展。爲了贖罪,就要不斷地行善積德,甚至要進修道院,這不是每個人都能承受得了的精神壓力,于是產生了馬丁·路德的宗教改革。他倡"憑信得救",簡化繁瑣的宗教儀式,迅速得到人們的歡迎和擁護,使改革獲得了成功。簡言之,歐洲中世紀基督教的盛行,馬丁·路德宗教改革的成功,都與當時大瘟疫的長久不斷地襲擊有密切的聯繫。同樣,東漢後期頻繁叠起的自然災害,也對當時的社會造成了巨大的影響,其中的一個重要表現就是導致了天人感應神學的崩潰,進而誘發了道教的產生。

自漢武帝罷黜百家,獨尊儒術之後,董仲舒所建構的天人感應神學遂占據了思想領域中的統治地位。董仲舒"竭力把人事政治與天道運行附會而强有力地組合在一起,其中特別是把陰陽家作爲骨骼的體系構架分外地凸現出來,以陰陽五行(天)與王道政治

---

① 《後漢書》卷五《安帝紀》。
② 《後漢書》卷七《桓帝紀》。
③ 《後漢書》卷九《獻帝紀》。

（人）互相一致而彼此影響即‘天人感應’作爲理論軸心，一切環繞它而展開”①。而自然災異則是上天與人類進行溝通的一種表現形式。

天人感應神學認爲，人與天之間并不發生直接的聯繫，二者之間的關係是由天的“大使者”——皇帝來予以溝通的，而這種溝通聯繫既非語言告誡，亦非某種神秘的啓示，而是通過自然現象的變化來實現的。皇帝如果政治清明，天就高興，于是就風調雨順，五穀豐登；皇帝如果昏庸無道，統治腐朽敗壞，天就發怒，就會頻降災異來譴告皇帝，令其糾正過失。《春秋繁露·必仁必智》云：

> 凡災異之本，盡生於國家之失。國家之失乃始萌芽，而天出災異以譴告之。譴告之而不知變，乃見怪異以驚駭之。驚駭之尚不知畏恐，其殃咎乃至。

正是在這種理論的影響下，頻繁叠起的自然災異鬧得東漢後期的皇帝們格外地恐惶不安，于是便按照天人感應神學的理論，煞費苦心地多方努力，彌補過失，企圖求得上天的原諒，以此消除上天的譴告，其主要辦法有二：一是策免大臣以塞天咎。《後漢書》卷四十四《徐防傳》云：安帝元初元年，“郡國被水災，比州淹没，死者以千數，災異數降。西羌反叛，殺略人吏。京師淫風，盜賊傷稼穡。”太尉徐防以此策免，“凡三公以災異策免始自防也。”此後，策免三公便成了皇帝應付災異的常用手段。第二種辦法就是一旦災異出現便下詔賑貸貧困，察舉賢良，大赦天下以求得上天的寬恕，現僅錄一份安帝的詔書便可窺見一斑。永初五年詔曰：

> 朕以不德，奉郊廟，承大業，不能興和降善，爲人祈福。災異蜂起，寇賊縱橫，夷狄猾夏，戎事不息，百姓匱乏，疲于征伐。重以蝗蟲滋生，害及成麥，秋稼方收，甚可悼也。朕以不明，統理失中，亦未獲忠良以毗闕政。……其令三公、特進、侯、中二千石、二千石、

---

① 李澤厚《中國古代思想史論·秦漢思想簡論》。

郡守、諸侯相舉賢良方正,有道術、達于政化、能直言極諫之士,各
一人,及至孝與眾卓異者,并遣詣公車,朕將親覽焉①。

儘管東漢後期的皇帝們按照天人感應神學的理論作出了許多消災
的努力,但上天并不體察他們的苦心,各種災異依然屢現蜂出,由
此而導致了天人感應神學的瓦解。

二

人是一種具有高度思維能力的"萬物之靈",當人的自我意識
將自身從自然、社會中獨立出來之時,也就將自己放到了與自然、
社會相分離的位置上,在光怪陸離、變幻莫測的自然、社會以及人
生的面前,人們會禁不住產生一種渺小自卑,無能爲力的感受,本
能地期望與某種神秘的東西發生聯繫,以求得心理上的安慰和情
緒上的穩定。當天人感應神學占居着思想領域中的統治地位的時
候,人們是通過皇帝與神秘的天發生聯繫來穩定心理情緒的。但
是,隨着天人感應神學的崩潰瓦解,人與天的聯繫也就被無情地割
斷了,而頻頻出現的猙獰恐怖的自然災異又逼迫着人們急切地想
與某種神秘的東西發生聯繫,以此來擺脫難以忍受的恐懼和焦慮。
于是,皇宮裏出現了"黃老、浮屠之祠"②,而民間則誕生了道教。

一說起道教,人們首先想到的自然是它的第一部經典《太平
經》,而這部產生于東漢後期的道教經典,從某種意義上說,恰好就
是自然災異逼迫出來的產物:

今天地陰陽,内獨盡失其所,故病害萬物。帝王其治不和,水
旱無常,盜賊數起,反更急其刑罰,或增之重益紛紛,連結不解,民
皆上呼天,縣官治乖亂,失節無常,萬物失傷,上感動蒼天,三光勃

---

① 《後漢書》卷五《安帝紀》。

② 《後漢書》卷三十下《襄楷傳》。

亂多變,列星亂行,……天威一發,不可禁也。獲罪于天,令人夭
死。①

《太平經》中的這段話,實際上是東漢後期社會的真實記錄,這是一
個"災不絕,害日多,人壽日少,萬物常亂"②的時代。因此,對自然
災異的思考也就成了該書的主要内容。

　　當天人感應神學的理論體系遭到瓦解之後,人們首先必須對
日益頻繁巨大的自然災異作出一種解釋,而《太平經》的作者在對
此問題的解釋上并没有超出天人感應這一思維定型,認爲自然災
異的頻繁出現是由于人們"獲罪于天"所致。不過,《太平經》中的天
人感應的思想與董仲舒所建構的天人感應神學的理論又存在着巨
大的差異。天人感應神學思想認爲,上天頻降自然災異,是對皇帝
一人的譴告,是由于"國家之失"造成的。而《太平經》則認爲,上天
之所以降災,是由于長久以來衆人的諸多過失導致陰陽失調所造
成的,是長久積怨的總爆發,并非皇帝一人之過。爲此,《太平經》提
出了"承負説":

　　　　人但座先人君王人師父教化小小失正,失正言,失自養之正
　　道,遂相效學,後生者日益劇,其故爲此。積久傳相教,俱不得其
　　實,天下悉邪,不能相禁止。故災變萬種興起,不可勝紀,此所由來
　　者積久復久。愚人無知,反以過時君,以責時人,曾不重被冤結
　　耶?③

　　　　中古以來,多失治之綱紀,遂相承負,後生者遂得其流災尤
　　劇,實由君臣民失計,不知深思念,善相愛相通,并力同心,反更相
　　愁苦。夫君乃一人耳,又可處深隱,四遠冤結,實閉不通,治不得天
　　心,災變怪異,委積而不出。天地所欲言,人君不得知之,大咎在
　　此,不三并力,聰明絶,邪氣結不理。上爲皇天大讎,下爲地大咎,

----

① 《太平經合校》,第23頁,中華書局,1960年版。
② 《太平經合校》,第328頁,中華書局,1960年版。
③ 《太平經合校》,第59—60頁,中華書局,1960年版。

爲帝王大憂,災紛紛不解,爲民大害,爲凡物大疾病。爲是獨積久
矣,非獨今下古人過所致也。①

解釋固然是十分必要的,但僅僅只是解釋又是遠遠不夠的,問題的
關鍵是如何應付目前頻繁而巨大的自然災異,并如何將其消除。而
對天人感應的不同解釋,遂導致了消解自然災異方法上的差別。

面對着層出不窮的自然災異,首要的任務是要設法讓人們與
某種神秘的東西發生聯繫,以此來排遣人們心頭的焦慮和恐懼,使
人們的心理情緒得到穩定。在天人感應神學那里,天是人間的庇護
者,人們通過皇帝與天取得聯繫來作爲精神上的支柱,以此來應付
人生中的種種困境。但是,隨着天人感應神學的崩潰瓦解,人與天
的關係也就斷裂了。不僅如此,更糟糕的是由于人們長久的過失而
"獲罪于天",使上天發怒而不斷降災,天也就由人間的庇護者變成
了懲罰者,所以,人們已不可能再以天來作爲依賴對象了。在古代
中國,社會倒是人們長久依賴的對象,但遺憾的是當時的社會十分
腐朽黑暗,難以將人們連結成一個相互依賴的整體。這樣一來,人
便成了一種孤獨渺小的存在。那麼,在此起彼伏,猙獰恐怖的自然
災異面前,人們將以甚麼來穩定自己的心理呢?爲此,《太平經》提
出了"思一"、"守一"之説,讓人們與神秘的"一"相溝通,這是因爲:

　　一者,數之始也;一者,生之道也;一者,元氣所起也;一者,天
　之綱紀也。故使守思一,從上更下也。夫萬物凡事過于大,末不反
　本也,殊迷不解,故更反本也。②

"思一"、"守一"雖然能夠稀釋、消解人們心頭的焦慮和恐懼,爲人
們抵禦自然災異提供一種精神支柱,但卻難以消除自然災異的襲
擊。而《太平經》認爲,東漢後期之所以"災變萬種",頻繁蜂出,其主
要原因在于長久以來衆人的過失而導致陰陽失調所造成的,而并

---

① 《太平經合校》,第 151 頁,中華書局,1960 年版。
② 《太平經合校》,第 60 頁,中華書局,1960 年。

非皇帝一人的過失。既然如此,消除自然災異當然也就不是皇帝一人的事情了,而是要依靠全社會的力量,依靠君、臣、民三方面的密切配合來調正陰陽關係。"君導天氣而下通,臣導地氣而上通,民導中氣而上通。"① "若三相通,并力同心",便可"立平大樂,立無災"②。

作爲一部道教經典,《太平經》顯得有點雜亂無章,不成體系。但是,對于東漢後期的自然災異,《太平經》卻予以了深刻的思考和多方的解說,內容非常豐富。或許,後者才是《太平經》作者的用心所在。也正是在這一意義上,《太平經》與其說是道教經典,毋寧說是東漢後期人們用來抵禦自然災異的理論武器。

東漢後期"不可勝紀"的自然災異,不只是同道教的第一部經典——《太平經》有着密切的關係,而且也是產生出道教組織的直接誘因。

地震、水旱、蝗螟、瘟疫,受害最深的當然要數社會低層的貧民百姓,在頻繁凶猛的自然災害面前,人們深感個體的渺小和無能爲力,而當時的社會又不能賦予人們戰勝自然災害的精神力量和物質條件,難以成爲人們抵禦自然災害的支柱和後盾。于是,廣大的貧民百姓便自動地組織起來,依靠衆人的力量來與自然災異相抗衡,道教團體因此而開始萌芽誕生。

順帝年間,客居蜀地的張陵學道于鶴鳴山中,造作符書,招收教徒,凡受其道者皆需交米五斗,此後道教便傳播開來:

> 陵傳子衡,衡傳子魯,魯遂自號"師君"。其來學者,初名爲"鬼卒",後號"祭酒"。祭酒各領部衆,衆多者名曰"理頭"。皆校以誠信,不聽欺妄,有病但令首過而已。諸祭酒各起義舍于路,同之傳亭,縣置米肉以給行旅。食者量腹取足,過多則鬼能病之。犯法者先加三原,然後行刑。不置長吏,以祭酒爲理,民夷信向。③

---

① ② 《太平經合校》,第 151、152 頁。
③ 《後漢書》卷七十五《劉焉傳》。

層出不窮的自然災害和腐朽黑暗的社會現實，使人們喪失了對朝
廷的信任和依賴，于是出現了這種自發組織的政教合一的道教組
織。不過，這一組織的宗教色彩并不濃厚，既無精密的教義，亦無嚴
格的教規，作爲一種宗教組織，顯得相當的原始和粗糙。它的主要
内容和目的，在于以一種形式將衆人聚集起來，相互依賴，互相幫
助，企圖通過衆人的團結互助和一種神秘的力量來與群發叠起的
災害相抗衡。

至靈帝時，各種自然災害更加頻繁，巨大的死亡引起了人們更
大的恐慌，道教因此而得到了迅速的發展。此時除了蜀地的張魯之
外，三輔的駱曜、河北的張角、漢中的張修等人也先後創立教派：

> 駱曜教民緬匿法，角爲太平道，修爲五斗米道。太平道師持九
> 節杖，爲符祝。教病人叩頭思過，因以符水飲之。病或自愈者，則云
> 此人信道，其或不愈，則云不信道。修法略與角同，加施淨室，使病
> 人處其中思過。又使人爲奸令禁酒，主以《老子》五千文，使都習，
> 號"奸令"爲鬼吏，主爲病者請禱。……使者出米五斗以爲常，故號
> "五斗米師"也。……小人昏愚，競共事之。①

由此可見，靈帝時道教各派的道術雖有差異，但要解決的主要問題
卻是一致的，這就是如何消除疾病對人的爲害。而這裏的"病"當與
瘟疫大有關係，因爲靈帝時瘟疫對人類的侵襲最爲頻繁酷烈，東漢
後期的十一次瘟疫，就有五次發生于這一時期。張角等人之所以要
以治病的方式去組織農民起義軍，其原因也在于此。從此以後，卻
病養身便成了道教的一個重要内容，同時也成了道教與世界其它
宗教相區別的一個顯著標志，而這一標志的形成則與東漢後期瘟
疫的大流行是有密切關係的。

道教產生于東漢後期，而東漢後期又是一個自然災異"萬種興

---

① 《後漢書》卷七十五《劉焉傳》注引《典略》。

起，不可勝紀"① 的年代，我想，這恐怕不是一種偶然的歷史巧合。

　　作者簡介　馬良懷，1953 年生，湖北當陽人。1989 年畢業于廈門大學，歷史學博士，現為華中師大歷史系講師。著有《崩潰與重建中的困惑——魏晉風度研究》等。

①《太平經合校》，第 60 頁，中華書局，1960 年版。

昊天上帝、天皇大帝和元始天尊

——儒教的最高神和道教的最高神

[日] 福永光司

内容提要 從先秦時代的"道家",到魏晉以後"道教"的演變,是中國文化研究中一個重要課題。本文注意到道家的"老子",後來演變成爲道教"元始天尊",甚至居于儒家"昊天上帝"之上這一歷史現象,從文獻資料、祭祀禮儀等角度,追溯了從漢代到唐代,道家、道教偶像變化的歷史軌迹;對于爲什麼會有這樣的演變,這樣的變化在中國文化史上有怎樣的意義,進行了獨到的探討。

一 前 言

公元十二世紀,南宋的朱熹(1130—1200)認爲當時道教的宗教儀禮中,把儒教禮典的最高神"昊天上帝"置于道教最高神"元始天尊"之下不妥當,有如下的非難:

> 道家之學出于老子,其所謂三清,蓋傲釋氏三身而爲之爾。佛氏所謂三身:法身者,釋迦之本性也;報身者,釋迦之德業也;肉身者,釋迦之真身而實有之人也。今之宗其教者,遂分爲三像而駢列之,則既失其指矣。而道家之徒欲傲其所爲,遂尊老子爲三清:元始天尊,太上道君、太上老君。而昊天上帝反坐其下,悖戾僭逆,莫此爲甚。(《朱子語類》卷一二五"論道教")

　　朱熹對此的非難是從儒家立場出發的,而與此相類,從佛教立場進行的非難,則有西曆七世紀唐代的法琳(572——640)。他説:

　　　若言以老子爲教主者,老子非是帝王。若爲得稱教主,若言別有天尊爲教主者,案五經正典,三皇已來周公孔子等,不云別有天尊住在天上,垂教布化,爲道家主。竝是三張以下僞經,妄説天尊,上爲道主。(《辨正論》卷二)

　　　《孝經》云,周公有至孝之心,乃宗祀后稷以配天,天謂五方天,帝爲昊天上帝,以祖父配,祭于明堂及圜丘南郊等,本非道家之神,亦非道家所行之法。(《辨正論》卷二)

　　　《寶玄經》云,自然應化,有十種號。一號自然,二號無極,三號大道,四號至真,五號太上,六號老君,七號高皇,八號天尊,九號玉帝,十號陛下。

　　　天尊之號,出自佛經;陛下之名,肇于秦始。(《辨正論》卷二)

　　根據朱熹和法琳的説法,道教最高神元始天尊是吸取了佛教教理而造出的新神,是爲了否定正統的中國最高神"昊天上帝"而恣意虛構的產物。而且,據法琳所説,那恣意虛構者,是"三張"(即二世紀末、三世紀初新興宗教——天師道的教祖:張陵、張衡、張魯)的末流,是他們僞造了穢雜的道教經典。

　　然而,即使説元始天尊的成立,多有賴于佛教的教理,是三張末流恣意虛構的產物,但它作爲道教的最高神新興出現并定着下來,也應當看到有相當的必然性和必要性吧!道教的最高神爲什麼不能是昊天上帝?昊天上帝和元始天尊作爲最高神,有怎樣的性質差別?昊天上帝以外,比元始天尊更早的最高神存在還是不存在?元始天尊出現的時期和其具體的過程究竟是怎樣的?所謂的"三清説"——元始天尊、太上道君和太上老君的三神分化——的成立,可以上溯到什麼時代? 對于這些問題,想試作考察,這就是拙論的打算。

二 道教三清說的成立和元始天尊的出現

這裏,首先想檢討三清說成立的狀況,再由此追溯元始天尊出現時期的上限。

公元十世紀,南唐劉崇遠的《新開宴石山記》中有曰:白州(廣西省)宴石山的道觀中,置有"黑金鑄玉皇(元始天尊)、道君(太上道君)、老君(太上老君)、天地水三官"的像①,同時期的徐鉉(917—992)在《筠州(江西省)清江縣重修三清觀記》中記載:"開成中(836—840年間)始賜號三清之觀……中興已還……道士吳宗元……建三清之殿,造虛皇(元始天尊)之臺。"(《全唐文》卷八八三)又,唐末五代的道士杜光庭(850—933)在《王屋山聖迹記》中也記載:道教聖地王屋山清虛小有洞中,"昔唐建三清殿及清虛觀"。(同上卷九三四)據這些記載可知,從唐代末期到五代十國時期,各地道教寺院中,已經在祭祀"三清",即元始天尊、太上道君、太上老君三神,而且已有將此三神置鑄神像安置的狀況。

唐代道教的極盛期,是八世紀玄宗的開元天寶年間。在當時受玄宗的勅命,制作道教的一切經目錄,把道教的教理歸納爲"道化"、"天尊"、"法界"、"居處"、"開度"、"經法"六章,撰寫了《一切道經音義》及《妙門由起》的道士史崇,論述了對抗佛教三身說的真身、應身、法身、化身、報身"五身說",認爲:

元始天尊、太上道君、高上老子,(作爲應身的)應號雖異,本源不殊。《妙門由起序》》

他還在上述《妙門由起·明天尊章》中,引用了把元始天尊作

---

① 《全唐文》卷八六一《新開宴石山記》:"亦以黑金鑄玉皇道君、老君、天地水三官,并塑左空右玄真人、玉童玉女,左右龍虎君、玄中大法師設于室內。"

爲現在、太極天尊作爲未來、高上玉皇天尊作爲過去形態的《靈寶齋儀》的三尊說①，以及把"元始天尊"、"老子"和"太一元君"這三聖視爲同一人，具體地解說了這三聖真形圖描繪方法的《無上真人（尹喜）内傳》中的文字②。其中，太一元君在《抱朴子・金丹篇》有"老子之師"的記載，與太上道君爲同一神格③。而玄宗皇帝《賜李含光號玄靜先生勅》中載有："仰啓三清尊君。"（《全唐文》卷三十六）崔國輔《九日侍宴應制詩》中有"金籙三清降，瓊宴五老巡"句，凡此等等可以確認，在玄宗時代的道教儀禮中"三清"的存在。

　　玄宗時代史崇的"五身說"以及他引用的《靈寶齋儀》、《無上真人内傳》的三尊說（或三聖說），與當時道教的三清說，雖被作爲一般教理而確立，但可推測，它們在理論上多少還存在一些差異。如再進一步上溯到高宗時代道士李淳風（602—670）《金鎖流珠引序》中記叙的神統譜，其差異就更大了：

　　　（此《金鎖流珠引》）即元始天尊傳太上大道君也，……道君傳紫清太素高虚洞曜三元上道君、君傳紫晨太微天道君、君傳紫明太微九道高元玉晨道君，……玉晨道君傳，……玄晨元君，……（傳）太真元君，……（傳）中央黄老君，……（傳）東霞扶桑丹林大帝上道君，君住扶桑，傳二十真人，中土絶傳。

　　　紫晨太微天帝道君傳上清太平金闕帝晨後聖玄元玉皇上道君。前聖太上道君稱萬道之主，號曰虚皇。後聖太上老君稱萬道之君，號曰玉皇。（《道藏・太玄部》第六三一册）

---

① 《妙門由起・明天尊第二》。順便提一下，《雲笈七籤》卷三《道教三洞宗元》裏有曰："三世天尊者，過去元始天尊，見在太上玉皇天尊，未來金闕玉晨天尊。"

② 同上。

③ 《抱朴子・極言篇》："黄帝及老子奉事太乙元君以受要訣。"同書《金丹篇》："元君者，老子之師也。"還有，甄鸞《笑道論》中也有："《文始傳》云，太上老子，太一元君，此二聖亦可爲一身。"

在這段文字中，元始天尊、太上道君、太上老君的名字已分別
可見，但以太上道君爲“前聖”，以太上老君爲“後聖”，似還未將三
神作爲同一神格而一體化，將三神一起稱之爲“三清”的名稱也未
可見。而同樣是高宗時代的顯慶元年（656）成書、上述文字的作者
李淳風也參與編纂的《隋書經籍志》“道經”條中，儘管概説了道教
的教理儀禮，并對元始天尊作了詳細解説，曰：

> （天尊）所度皆諸天仙上品，有太上老君、太上丈人、天真皇
> 人、五方天帝及諸仙官。（《隋書經籍志》“道經”）

卻完全没有言及將天尊、道君、老君三位一體的“三清説”，殆可有
力地證明上述推測。

現存最詳細地介紹唐初道教教理的文獻，就是拙論開頭已經
引用了的法琳的《辨正論》十卷以及《破邪論》二卷。《破邪論》是對
高祖武德四年（621）太史令傅奕（555—639）上奏的《減省寺塔僧尼
益國利民》一文的反駁①，《辨正論》則是作爲武德九年道士李仲卿
批判佛教的《十異九迷論》的反論而撰寫的②。法琳在這些著作中，
從佛教的立場出發，對當時流行的道教經典內容的愚昧妄謬進行
了具體的批判，在所論及的道教經典裏，《太上洞玄靈寶黄籙簡文
威儀經》中有：

> 元始天尊告太上大道君曰：下元黄籙靈仙品、功過開度，其文
> 在靈仙宫中。（《辨正論》卷八《出道偽謬篇》）

《太玄真一本際經·護國品》中有：

---

① 《廣弘明集》卷七《叙列代王臣滯惑解下》的傅奕條中有曰：“皇運初，
授太史令。武德四年，上減省寺塔僧尼益國利民事十一條。”
② 《集古今佛道論衡》卷丙《道士李仲卿等造論毁佛，法琳法師著辨正
論以抗事》中載：“武德九年，清虚觀道士李仲卿、劉進喜，猜忌佛法，
恒加訕謗，與傅奕唇齒結構，誅剪釋宗。卿著《十異九迷論》，喜著《顯
正論》，仍托傅氏（奕）上聞天聽，……乃因劉、李二論，造《辨正論》以
擬之，一帙八卷。”

是時元始天尊成就五方國土,度一切人。(《辨正論》卷八《出
道偽謬篇》)

《靈寶真文度人本行經》中有:

(太上道君)托胎洪氏……度人無量,元始天尊以我因緣,賜
我太上之號,在玄都玉京。(《辨正論》卷八《出道偽謬篇》)

等等記載。元始天尊以及太上道君的名稱,在各處多有所見。而同
時,在《升玄内教經》中有:

道言,五品五氣周流八極,或號元始,或號老君,或號太上,或
號如來。(《辨正論》卷八《出道偽謬篇》)

《道家内侍律》中有:

老子曰,我師教我《金丹經》……呼吸玉池人玄冥,行道半守
升太清。(《辨正論》卷八《出道偽謬篇》)

這樣的記載。據此可知,在唐初,雖説元始天尊、太上道君、太上老
君三神的名稱確實業已成立,也可以看到"三清説"萌芽之類的東
西,但從元始天尊和如來被視爲同一的這一點上,可以窺測到與佛
教的密切關連,暗示了作爲宗教絶對者的元始天尊的出所。

唐代法琳的《辨正論》,繼承了北周天和五年(570)成書的甄鸞
的《笑道論》[1],這從《辨正論》中引用《笑道論》甚爲明顯、多可見到
言及甄鸞之處;特別是從《辨正論》卷七《出道教偽謬篇》的論述,幾
乎就是照樣全部沿襲了《笑道論》的文字等處,顯然可以看出[2]。在
《笑道論》中也廣泛地徵引了當時見存的道教經典,有關元始天尊、

---

[1] 《廣弘明集》卷九《笑道論·序》:"大周天和五年二月十五日,前司隸
母極縣開國伯臣甄鸞啓。"

[2] 《辨正論》卷七《出道偽謬篇》的八章中,第二《隨劫生死》章對《笑道
論》第二七《隨劫生死》,第三《改佛經爲道經》章對《笑道論》第二九
《改佛爲道》章,還有第四《偷佛法四果十地》章,第五《道經未出言出
章》,第六《道士合氣》章,第八《諸子爲道書》章,分別對《笑道論》的
第三十《偷佛因果》章,第三一《經未出言出》章,第三五《道士合氣》
章,第三六《諸子爲道書》章,幾乎都是按原樣沿襲。

太上道君、太上老君的種種記述，到處可見。比如，《靈寶罪根品》中曰：

> 太上道君禮元始天尊，問十善等法，于是天尊命召神仙，各説因緣。（《笑道論》"氣爲天人"章）

《諸天內音八字文》曰：

> 梵形者，元始天尊于龍漢之世號也，至赤明年，號觀音矣。（同書，"觀音侍老"章）

《三天正法經》曰：

> 九氣既分，九真天王乃至三元夫人、三元之君、太上道君，于是而形。（同書，"結土爲人"章）

《度人本行經》曰：

> 太上道君居大羅之上，災所不及。（同書，"崑侖飛浮"章）

《文始傳》曰：

> 太上老子、太一元君，此二聖亦可爲一身。（甄鸞的解説曰，老君爲太上萬真之主。同書，"服丹金色"章）

等等，俱是其例。

《笑道論》中所引道教經典關于元始天尊、太上道君、太上老君的記述，雖説也可以在把"太上老子"和"太一元君"，即"太上老君"和"太上道君"作爲一身的解釋中，看到發展成後來三清説的萌芽性的內容，但從把元始天尊和觀音菩薩視爲同一（《笑道論》中，還有當時的道士把觀世音和金剛藏兩個菩薩作侍從來鑄造老君尊像的記述，同書"觀音侍老"章）。多雜有"十善等法"，"因緣"、"梵形"等佛教用語等處來看，可以認爲和《辨正論》所引的道教經典相比，與佛教有着更密切的關係。

元始天尊的稱號，在年代大致可確定的文獻中所見者，以六世紀後半北周甄鸞的《笑道論》爲上限，這以前，在梁代陶弘景（452—536）的道教著作《真誥》、《登真隱訣》，還有北魏寇謙之（？—448）解説道教教理的《魏書·釋老志》等著述中，"元始天尊"的稱號全然未見。雖説被認爲是陶弘景所撰的《真靈位業圖》中，有以虛皇道

君爲最高神,應號"元始天尊"①,《隋書·經籍志》"道經"條中,有
從北魏太武帝在道壇受符籙開始(太平眞君3年,即442年以後),
皇帝即位時必須受符籙成爲故事,"刻天尊及諸仙之像而供養焉"
等的記載②,但是,把《位業圖》作爲陶弘景所撰,這是有疑問的③,
而北魏道壇的天尊,是否就是元始天尊也不明確。順便說一下,載
有這條記事的《隋書·經籍志》的"道經"條,本自于《魏書·釋老
志》,而在《釋老志》中,"天尊"之語全然未見,反之在説明太武帝當
時道教的教理時,是以"無極至尊"作爲最高神。在撰寫《隋書經籍
志》的唐初,把"天尊"這樣的詞新加進去的情況,是應當充分加以
考慮的吧!還有,唐代道宣(596—667)《廣弘明集》卷一等所引作者
未詳的《漢法本内傳》中,作爲後漢明帝時之事,載有五岳的道士們
對于"太極大道元始天尊,衆仙百靈"的上啓文,但是,將此視爲後
世假托捏造的記事,殆無大過吧!④

① 《道藏·洞眞部》譜籙類(第七三册)。
② 《隋書經籍志》"道經"條:"後魏之世……太武親備法駕而受符籙焉。
　自是道業大行,每帝即位,必受符籙,以爲故事。刻天尊及諸仙之像
　而供養焉。"
③ 在有關陶弘景道教的著作《眞誥》、《登眞隱訣》中,元始天尊等處于
　上位之神的名字全然未見;《位業圖》的現行本,曾經唐末五代道士
　閭丘方遠的校定;第二位中位的"上清高聖太上玉晨元皇大道君·爲
　萬道之主",還有第二位右位的"右聖金闕帝晨後聖玄元道君"等名
　稱和李淳風《金鎮流珠引序》的名稱一樣;以上是主要理由。還有《辨
　正論》卷七引《陶隱居内傳》曰:"在茅山中,立佛道二堂,隔日朝禮,
　佛堂有像,道堂無像。"評曰:"所以然者,道本無形,但是元氣。"
④ 《漢法本内傳》,唐釋智昇《續集古今佛道論衡》中作"凡五卷",并列
　舉各卷品目,載有第三卷"道士度脱品"的全文,但在《廣弘明集》卷
　一中,引用此書的道宣自己有"有人疑此傳近出,本無角力之事"的
　辨析。還有,文中可見《太極左仙公神仙本起内傳》,《明眞科齋儀》等
　書名,畢竟不能把這視爲記載漢明帝時事實的作品。

　　如上所述，元始天尊的稱號，就年代大致確實的資料而言，以六世紀的後半，北周時代爲上限。而與此相關聯，引人注目的是，天尊這樣的説法，在六世紀以前，與道教的文獻相比，不如説在佛教的文獻中更被經常使用的事實。被視爲漢東方朔所著的《海内十州記》中有：“陛下好道思微，甄心内向，則天尊下降，并授寶秘”的記載。現行本《海内十州記》成立的年代不明。北周武帝天和五年（570）所寫的《大周二教鐘銘》（《廣弘明集》卷二十八）中，“波若（般若）無底，重玄有門……欲求正覺，莫會天尊”的“天尊”，或可以視作在頌揚佛教天尊時，也兼及了道教，但梁代沈約（441—513）的《懺悔文》（《廣弘明集》卷二十八）中，“上白諸佛衆聖……校身之諸失，歸命天尊”的“天尊”，則明確地是指佛教的天尊。而在五世紀，宋求那跋陀羅譯的《過去現在因果經》（《大正藏・三》621，a）中有“若出家，則天人爲尊”；四世紀西晉法立、法炬共譯而成的《佛説諸德福田經》（《大正藏・十六》777，a）中有“唯願天尊（世尊），敷揚惠訓”。還有，三世紀曹魏康僧鎧譯的《佛説無量壽經》（《大正藏・十二》266・c）中有“今日行天尊如來之德，”等等。據此，天尊之語，在古時，當只在佛教中使用，法琳説：“天尊之號，出自佛教經典”（前引文）；唐郭行真在龍朔元年（661）的上奏文中説：“梁魏已上，未聞道有儀形，周齊已下，弘誘開于氓俗。”① 應當説，都是有根據的指責。

　　此外，“元始天尊”的“元始”一詞，古時《淮南子・天文訓》中有“天一元始”；漢武帝《郊祀歌》（《漢書・禮樂志》）中有“皇祐元始”；《太平經》卷一〇三中有：“道之元，離其太初不得完，”《抱朴子・至理篇》中可見“飛元始練形”；還有，漢平帝時代，王朝的年號也用之，是中國人耳聞目睹、使它加上哲學性、宗教性意味也具有可能性的詞語（這在第五章中詳述）。“元始”一詞，和意味着天上世界至

―――――――――

　　① 見唐道宣《集古今佛道論衡》卷丁。

尊的"天尊"一詞結合起來，道教中最高神"元始天尊"稱號的成立，是在公元六世紀之際，即從東魏(534—550)、西魏(535—557)開始，到北齊(550—577)、北周(557—581)這數十年間。這樣的看法，殆無大過吧！

三　昊天上帝及其祭祀

中國古代，最初可見到"昊天上帝"一語的，是在《詩·大雅·雲漢》這首詩中。即：

> 昊天上帝，則不我虞；敬恭神明，宜無悔怒。

"昊天"，正如鄭玄所云，是"天之大號"，(《詩·周頌·昊天有成命》的鄭《箋》)，因爲"上帝"，是"天上世界的皇帝"之意，所以"昊天上帝"也可以單單稱爲"上帝"。《詩經》中多可見到的"皇矣上帝"(《大雅·皇矣》)、"上帝既命"(《大雅·文王》)，《尚書》中的"予畏上帝"(《湯誓》)、"不敢替上帝命"(《大誥》)等等的"上帝"，便是如此。昊天上帝還如《詩經·王風·黍離》的《毛傳》所云：

> 尊而君之，則稱皇天；元氣廣大，則稱昊天。

也可稱"皇天上帝"，還可以稱"皇皇后帝"。《尚書·召誥》中有曰："皇天上帝！改厥元子，茲大國殷之命"，《詩經·魯頌·閟宮》的詩中有"皇皇后帝……享以騂犧"等等，便是其例。

這個昊天上帝或上帝，是位于萬物之上的主宰，常以公平無私之心，審視下民的行爲，與之禍福的宇宙最高神，這一點，從"上帝臨女，無貳爾心"(《大雅·大明》)，"其德不回，上帝是依"(《魯頌·閟宮》)，"上帝是皇，……降福穰穰"(《周頌·執競》)等詩句，以及"上帝……天之最尊者"(馬融《舜典》"類于上帝"之注)、"皇天，至尊之號"(《爾雅·釋天》之疏)、"天(之上帝)，百神大君"(《春秋繁露·郊祀篇》)等等的注釋中，可以明確。而這個最高神，自古以來便是祭祀的對象，這從《尚書·舜典》"類于上帝，禋祀六宗"，以及前引《詩經・閟宮》中,對皇皇后帝"享祀不忒"等記載中也可知曉。
將這種祭祀作爲儒教的禮典而體系化、規範化的,是《周禮・春官
・大宗伯》條中如下的文字:

> 以禋祀祀昊天上帝,以實柴祀日月星辰,槱燎祀司中、司命、
> 風師、雨師,以血祭祭社稷、五祀、五嶽,以貍沉祭山林、川澤,以疈
> 辜祭四方百物。

這裏,對昊天上帝的祭祀,被置于對日月星辰、司中司命(文昌宮的
第五、第四星)、風師雨師(箕星和畢星)、社稷五祀(五官之神)五
嶽,山林川澤、四方百物的天地八百萬神祭祀的最高位,規定爲是
帝王必須親自進行的最重要的禮典。而這種作爲最高神昊天上帝
的祭祀,在前漢平帝元始五年(A、D5)、由特別重視《周禮》的王莽
的建議,其具體的祭祀儀禮被制度化(見《漢書・郊祀志》),進而在
後漢光武帝建元二年(A、D.26),通過在國都洛陽城南七里處舉行
的郊祭,作爲國家祭祀而定着下來(見《後漢書・祭祀志》)。以後,
又經過若干的曲折,而被歷代王朝一直繼承着①。無論是在把道教
的元始天尊視爲三張的僞經妄説而加以辨正的法琳所處的唐代,
還是在同樣把以元始天尊爲中心的三清宗教禮儀視爲悖禮僭逆而
加以非難的朱熹所處的宋代,毫無疑問,對昊天上帝的祭祀,作爲
郊祀,是由國家的元首來進行的。在此,想通過成書于開元二十年
(732)的《大唐開元禮》,對唐代全盛期,玄宗時代昊天上帝的祭祀
狀況,略作一瞥。

　在《大唐開元禮》中,所有的國家祭祀,分爲大祀、中祀、小祀三
種,而昊天上帝的祭祀,不用説,被置于大祀的首位。該祭祀,一年
舉行四次。第一是在冬至日,于圜丘壇上舉行的祀禮,即所謂郊祭。
第二是在正月上辛日,同樣于圜丘壇上舉行的祀禮,即所謂祈穀
祭。第三是在孟夏之月,也是在圜丘壇上舉行的祀禮,即所謂雩祭。

---

① 詳細情況,請參照《通典》卷四二"郊天"條載歷代沿革。

第四是在季秋之月,于明堂舉行的祀禮,即所謂大享之祭。關于其
儀禮的詳細情況,被分爲"齋戒"、"陳設"、"省牲器"、"鑾駕出宮"、
"奠玉帛"、"進熟"、"鑾駕還宮"等項目,具體地加以記載。關于神
位,在"序例"條中,"祝文有司攝事"條中,有種種記載,而在這裏引
人注目的是,昊天上帝被祭祀的次數與唐初制定的《貞觀禮》《大
唐儀禮》相比,有很大的不同。在《貞觀禮》中,對昊天上帝的祭祀,
只有在冬至日于圜丘壇上舉行的郊祭這一回。和《開元禮》不同,在
正月上辛日祭祀的,不是昊天上帝,而是感生帝,即據説王朝始祖
感其靈氣而誕生的青帝靈威仰,赤帝赤熛怒、黄帝含樞紐、白帝白
招拒、黑帝葉光紀這"五方之帝"中的一帝。還有,孟夏的祈穀祭以
及季秋的明堂大享的祭祀中被祀的,是"五方之帝"和"五帝"(《禮
記·月令》中的大皞、炎帝、黄帝、少皞、顓頊),還有五官(同上所載
的句芒、祝融、后土、蓐收、玄冥)(參照《大唐開元禮》卷一《序例》以
及《大唐郊祀錄》卷四、卷五)。

　　這種差異的根據究竟何在呢?那是因爲,《貞觀禮》中對昊天上
帝的祭祀,是以後漢鄭玄的禮學爲根據;與此相對,《開元禮》則是
以折衷了鄭玄和魏代王肅(195—256)的禮學,并加上從高宗時代
在唐朝宮廷中得勢的道教神學爲根據。

　　《貞觀禮》的編纂者之一孔穎達(574—648),也是成書于貞觀
年間的《五經正義》的撰者,其中的一書《禮記正義》,就是沿襲了鄭
玄的禮學,祖述其解釋的産物。鄭玄禮學中關于昊天上帝學説的特
徵,是折衷了儒家經典中所見的昊天上帝和當時流行的緯書之説,
將它和神格化的北辰星——紫微宮的天皇大帝視爲同樣之物①。
這樣的解釋,和他的經學之師馬融(79—166)注《尚書·舜典》"類
于上帝"的"上帝"曰:"上帝,太一神,在紫微宮",把《史記·封禪

---

① 《周禮·春官·大宗伯》"以禋祀祀昊天上帝"注:"玄謂,昊天上帝,
　冬至于圜丘所祀天皇大帝。"

書》等處可見的太一神信仰納入經典解釋中的情況類似。而鄭玄還
進一步把在《周禮・小宗伯》等處所見的"五帝"，用緯書之說來解
釋，把天上太微宮五帝座的星，作爲神格化了的蒼帝靈威仰、赤帝
赤熛怒、黃帝含樞紐、白帝白招拒、黑帝葉光紀①。而且王朝的始
祖，都是感于這太微宮五帝座的某一個星而誕生的。《禮記・大
傳》"王者禘其祖之所自出，以其祖配之"的"所自出"，就被解釋成
爲五帝座之星的精氣之意②。這就是所謂鄭玄學說中的感生帝理
論。這樣，他就把《孝經》的"郊祀后稷以配天"的"天"，解釋作蒼帝
靈威仰，同書中"明堂宗祀文王以配上帝"的"上帝"，泛解作蒼帝靈
威仰等五帝③。總之，根據鄭玄的學說，天上的世界中，有着作爲紫
微宮天皇大帝的昊天上帝和作爲太微宮五帝座星神的五方之帝
（上帝），五方之帝通過感生的原理，和地上世界的帝王密切對應。
這就是所謂鄭玄的"六天說。"④《貞觀禮》對于天的祭祀，就是本之
于鄭玄的這種六天說。

　與此相對，《開元禮》中對天的祭祀，採用了批判鄭玄六天說的
王肅等的學說。他們認爲，星辰在上帝的位置之下，祭祀的方法也
和上帝不同，因此，不能把紫微宮神格化的天皇大帝和昊天上帝作
爲同樣的神格；太微宮五帝座神格化了的靈威仰等五帝，也是和在

---

① 《周禮・春官・小宗伯》"兆五帝于四郊"注："五帝，蒼曰靈威仰、太
　　昊食焉。赤曰赤熛怒，炎帝食焉。黃曰含樞紐，黃帝食焉。白曰白招
　　拒，少昊食焉。黑曰計光紀，顓頊食焉。黃帝亦于南郊。"

② 《禮記・大傳》"王者禘其祖之所自出"注曰："王者之先祖，皆感大微
　　五帝之精以生，蒼則靈威仰、赤則赤熛怒……皆用正歲之正月郊祀
　　之。"而鄭玄的此注，實本之于《春秋緯保乾圖》(《太平御覽・皇王部
　　一》所引)"天子至尊也，神精與天地通，血氣含五帝精"等。

③ 同上，"以其祖配之"注中引。

④ 《通典》卷四三"郊天"條，引永徽二年長孫無忌等的奏議文曰："鄭玄
　　六天之意，圜丘祀昊天上帝、南郊祀太微感帝、明堂祭五天帝"。

祈穀祭、雩祭、明堂大享的祭祀中的上帝不同的。上帝和昊天上帝
則是完全相同的的神格，把上帝以及天分爲六的鄭玄的"六天説"，
是完全没有根據的①。因而，冬至日的郊祭以外，在正月上辛日的
祈穀祭、孟夏的雩祭和季秋明堂大享的祭祀中，也祭祀昊天上帝
了。

　　然而，在此我們必須注意的是，批判鄭玄的六天説，把昊天上
帝的祭祀從《貞觀禮》的一年一回改爲四回，并非始于《開元禮》。在
這以前，于高宗時代編纂的《顯慶禮》中已經改變了②，《開元禮》只
是照樣繼承其説。而且，《顯慶禮》編纂時的天子高宗，《開元禮》編
纂時的天子玄宗，都是熱烈的道教的信徒。特别高宗，他是生前自
稱天皇，死後被諡爲天皇大帝的天子③。另一方面，天皇大帝的稱
號，從唐玄宗時代開始，也被作爲王朝遠祖老子（太上老君）的尊號
使用④。這些事實，和《顯慶禮》、《開元禮》中對昊天上帝祭祀的改
變有怎樣的關係？對高宗和老子使用的天皇大帝的稱號，和鄭玄將
其與昊天上帝等同視之的紫微宫的天皇大帝有怎樣的關係？還有，
進而和被視爲與太上老君（老子）一體的神格、道教的最高神"元始
天尊"又有怎樣的關係呢？ 對于這些問題，下面也想稍作考察。

① 關于鄭玄和王肅學説中昊天上帝祭祀的差異，唐王涇《大唐郊祀錄》
　　卷四、卷五載有簡要的解説，可參閱。
② 《大唐開元禮》卷一《序例》中，以《貞觀禮》爲大唐前禮，《顯慶禮》爲
　　大唐後禮，列舉了兩者的不同點。
③ 《舊唐書·高宗本紀》"咸亨五年"條："皇帝稱天帝，皇后稱天后。"又
　　《新唐書·高宗本紀》"弘光元年"："正月甲午，幸奉天宫……十月癸
　　亥，幸奏天宫……十二月丁巳，改元大赦，是夕皇帝崩于貞觀殿，年
　　五十六，諡曰天皇大帝。天寶八載，改諡天皇大聖皇帝。"
④ 《舊唐書·玄宗本紀》"天寶十三載"條："二月癸酉，帝親朝獻太清
　　宫、上玄元皇帝尊號曰，大聖祖高上大道金闕玄元天皇大帝。"

四　天皇大帝和天皇氏

“天皇大帝”一語最初所見，是在中國古代的讖緯書中。讖緯書，是以公元前三世紀左右，戰國末期開始興盛的具有星占術性質的天文學爲基盤，將其和陰陽五行，律曆術數的思想相結合，又納入了儒家《易》的哲學，道家神仙思想，民間土俗信仰等多種内容，具有強烈宗教神秘色彩的一批思想文獻。天皇大帝在這些讖緯書中，先作爲宇宙的最高神出現。據緯書的一種《春秋緯合誠圖》所載：

> 天皇大帝，北辰星也。含元秉陽，舒精吐光，居紫宫中，制御四方。（《初學記》卷二六器物部）

而在《春秋佐助期》中，則稱北辰之星是天皇大帝的神格化，稱爲耀魄寶；天上的紫宫，爲其治所。（《史記·封禪書》的《索隱》）

而如果綜合《淮南·天文訓》中“紫宫者，太一之居”，《史記·天官書》中“中宫，天極星，其一明者，太一常居也”，《春秋緯文耀鉤》中“中宫大帝，其精北極星，含元出氣，流精生一”，《春秋緯合誠圖》中“紫微，太帝室，太一之精也”[1] 等等的記載，那麼，天皇大帝＝北辰星（北極星）＝太一（神）＝中宫大帝這樣的圖式自然也就成立了。鄭玄《易緯乾鑿度》注“太一取其數以行九宫”曰：

> 太一，北辰神名。其所居曰太一，常行八卦日辰間曰天一。

只不過是沿襲了上述諸說的解釋。

《論語》中，孔子有曰：“譬如北辰，居其所而眾星共之。”（《爲政》）這裏説的“北辰”星，在公元二世紀、漢初時代，作爲宇宙的最高神而被神格化，被稱爲太一神，以及天皇大帝。由于作爲最高神

---

[1] 《春秋文耀鉤》見《史記·天官書》的《索隱》引。《春秋合誠圖》見《文選·西都賦》注引。

是唯一絕對的，必然就被與儒家經典中可見的"昊天上帝"等同視之。如前所述，馬融把《尚書·舜典》中的"上帝"注作太一神，鄭玄也把《周禮·大宗伯》中的"昊天上帝"注作在冬至日于圜丘祭祀的天皇大帝，就是如此。

　　漢代的天皇大帝，在鄭玄半個世紀以前的張衡（78—139）的《思玄賦》（《文選》卷十五）中，已經描寫了向天上世界的飛翔，吟唱道："覿天皇于瓊宮"。順帝時代所作的王逸《楚辭注》中，注《遠游》"旬始造而觀清都"曰："得升五帝寺舍，遂至天皇居所，旬始，天皇名。"此外，有後漢建安十年（205）紀年的神獸鏡的銘文中，祈祝當官榮達，子孫繁昌，刻有"五帝"、"天皇"的字樣①。可知，在當時，天皇大帝具有甚爲濃厚的神仙色彩，成爲支配人類命運，民衆生活禍福的宗教性信仰的對象。

　　生于鄭玄故鄉、山東高密附近瑯邪的宮崇，在後漢順帝時，據說從其師干吉那里受的《太平清領書》（《太平經》），"以陰陽五行思想爲根本，多取巫覡雜語"，是在批判當時社會腐敗墮落的同時，本于宗教性的理想，想要強調實現"太平"世界的所謂"神書"（《後漢書·襄楷傳》）。其中談到仙人、真人、神人升天居住的北極宮。比如："仙不止人真，成真不止人神，神不止乃與皇天同形，故上神舍于北極紫宮中也，與天上帝同象也。"（《太平經·丁部》）又曰："吾統迺緊于地，命屬崑崙，今天師命迺在天北極紫宮"（《太平經》卷四十）等等，便是其例。在這裏，北極紫宮的最高神被稱爲"天上帝"，這個紫宮的上帝也就是天皇大帝，這一點，只要對照上述緯書的記述和鄭玄的論説，便可明白。

　　用最明確的語言，記述天皇大帝具有宇宙中宗教性最高神性質的，是《晉書·天文志》。其記述被認爲是本之于公元三世紀后半

————————————

　　① 據梅原末治《漢三國六朝紀年鏡圖説》。又，參照拙作《道教中的鏡和劍》（《東方學報（京都）》，第四五册，79頁）。

葉,晉武帝太史令陳卓的著作(《隋書經籍志》著錄作《天文集占》十卷)曰:

> 中宮北極五星、鉤陳六星,皆在紫宮中。北極,北辰最尊者也
> ……鉤陳,後宮也,大帝之正妃也,大帝之帝居也。鉤陳□中一星
> 曰天皇大帝,其神曰耀魄寶,主御群靈,執萬神圖。(《晉書·天文
> 志》)①

在這裏,"主御群靈,執萬神圖",作爲神靈世界元首的天皇大帝,確實保有作爲宗教性最高神的地位,東晉末期,有着"靈寶"這樣道教性質幼字的桓玄,元興二年(403),篡奪帝位,在城南七里舉行郊祭時,把即位記作"作告天皇后帝祝文。"這裏的"天皇后帝"②,也是把具有類似强烈宗教性質的天皇大帝和《詩經·閟宮》詩中的"皇皇后帝"一體化了的宇宙最高神的稱號。還有,天監元年(502)即皇帝位的梁武帝蕭衍,即位那年及隔年正月上辛日,于南郊的祭祀中,在壇上祭祀的也是天皇大帝③。

與梁武帝時代相同的茅山道士陶弘景,(452—536),據説,他把道教的祭祀儀禮,撰成十卷《衆醮儀》。(《辨正論·卷二》)關于那種祭祀儀禮(即醮法),唐代的法琳有如下叙述:

> 先奏章,請喚將軍吏兵、道士等皆執手版,向神稱臣,叩頭再拜,求恩乞福……紫微、太微、少微等總謂天皇三官。案,古來先儒云,天皇大帝者,是紫微尊神,一名耀魄寶……爲天之主,衆星所尊。左有天一神,右有太一神,爲左右將,如今左右丞相也,主承事

---

① 《晉書·天文志》"天文經星"條:"武帝時,太史令陳卓,總甘、石、巫咸三家所著星圖,大凡二百八十三官,一千四百六十四星以爲定紀,今略其昭昭,以備天官云。"

② 《晉書·桓玄傳》:"玄乃於城南七里立郊,登壇篡位,……榜爲文,告天皇后帝之……"。

③ 《通典》卷四:"郊天"條:"梁武帝即位,南郊爲壇,在國之南。常與北郊,間歲正月,皇帝致齋于萬壽殿。上辛行事,用特牛一,祀天皇大帝于壇上。"

天皇,人命所屬。(天皇大帝)尊中之尊,依《尚書》、《周禮》,國家自
有祭法,皆天子親所敬事。(《辨正論》卷二)

陶弘景的茅山道教中,像法琳所批判的那種祭祀天皇三官的
"三張穢術",在實際上是否舉行,似還有進一步檢討的餘地。還有,
法琳作爲古來儒者説的太一神、天一神系天皇大帝左右將軍的説
明,也和前述後漢馬融及鄭玄的解釋不同①。但是,僅就在陶弘景
時代,三張一派的道士們之間,像法琳批判的那種道教的醮法是舉
行的這一點而言,殆可以説是事實吧!這樣説,是因爲在《隋書經籍
志》中,也解説了當時道教的醮法:

夜中,于星辰之下,陳設酒脯餅餌幣物,歷祀天皇太一,祀五
星列宿,爲書如上章之儀以奏之,名之爲醮。(《隋書·經籍志》"道
教"條)

可見,在六世紀的梁代,天皇大帝,無論是在帝王舉行的祀典中,還
是在道教舉行的宗教性祭祀的儀禮中,作爲支配國家運命、個人壽
夭禍福的"尊中之尊",占有着宇宙最高神的地位。

但是,作爲最高神的天皇大帝,不久便把那樣的地位讓給了元
始天尊。元始天尊的出現,如前所述,可推定爲是在六世紀以後,從
東魏、西魏到北齊、北周之際。而天皇大帝的降等,應考慮如下的情
況。那就是,可以認爲與從一世紀開始大量出現的讖緯書中,把北
辰星神格化了的紫宮天皇大帝并行,對《易》"三才"(天地人)中的
"天"神格化了的天皇、或者《史記》等書中所見的古代傳説帝王"三
皇"中的天皇加以神秘化。比如,《易緯坤靈圖》中有曰:

天地成位,君臣道生。粤有天皇,天皇氏之先與乾曜合元……
地皇出于雄耳龍門之獄,人皇出于刑馬山提地之國。(《古微書》卷

---

① 法琳的記述,和《晉書·天文志》:"天一星在紫宮門右星南,天帝之
神也。主戰斗,知人吉凶者也。太一星在天一南相近,亦天帝神也。主
使十六神,知風雨水旱、兵革饑饉、疾疫災害所在之國也"的説法類
似。

　　　五引）

又《春秋緯命曆序》中有曰：

　　　　天地初立、有天皇氏十二頭，澹泊無所施爲，而裕自化。木德
　　　王，歲起攝提，兄弟十二人立，各一萬八千歲。地皇十一頭，火德
　　　王……亦各萬八千歲。人皇九頭，乘雲車，駕六羽，出谷口，分長九
　　　州，各立城邑，凡一百五十世，合四萬五千六百年。（《古微書》卷十
　　　三）

等等，便是如此。讖緯書中所見的這些天皇，進而被宗教性地神秘
化。比如，《太平經·興帝王篇》中曰："今天上皇之氣已到，天皇氣
生物，乃當天倍其初天地。"（《後漢書·襄楷傳》注引）這裏說到"天
皇"；或與神仙術結合，《抱朴子·遐覽篇》曰："道經三皇內文，有天
地人三卷"，《地真篇》曰："昔，黃帝東到青丘，過風山見紫府先生，
受三皇內文以劾召萬神"，這裏出現"天皇內文"；而同樣，被認爲是
葛洪所著的《枕中書》中，則曰：

　　　　《真書》曰，昔二儀未分，溟涬鴻濛，未有成形，天地日月未具，
　　　狀如雞子，混沌元黃，已有盤古真人，天地之精，自號元始天王，游
　　　乎其中，溟涬經四劫……復經四劫，二儀始分，相去三萬六千里
　　　……元始天王在天中心之上，名曰玉京山，山中宮殿，竝金玉飾之
　　　……復經二劫，忽生太元玉女……號曰太元聖母，元始君下游見
　　　之，乃與通氣結精，招還上宮……元始君經一劫乃一施太元母，生
　　　天皇十三頭，治三萬六千歲，書爲扶桑大帝東王公，號曰元陽父，
　　　又生九光元女，號曰太真西王母……天皇受號十三頭，後生地皇，
　　　地皇十一頭，地皇生人皇九頭，各治三萬六千歲……所傳三皇天
　　　文，是此所宣，故能召請天上大聖及地下神靈，無所不制。（《漢魏
　　　叢書》本）

也有"天皇"；它們都處在這種作爲三皇之一的天皇的延長綫上，并
可以與之系譜相聯的吧！當然，作爲最高神的紫宮的天皇大帝和這
種作爲三皇之一的天皇，不能說沒有被有意識或無意識地交錯混
淆的情況。比如，被視爲漢代東方朔所著的《神異經·中荒經》中，

在把《淮南子‧地形訓》等處可見的崑崙山中的天帝之居作爲天皇
之宮來説明的同時,又使之與地皇之宮、人皇之宮相對應,便是其
例。① 但是,作爲三皇之一的天皇和將北極星神格化的天皇大帝,
如前所述,無論是在其成立的經緯上,還是在其思想的性格上,本
來的系譜是不同的。在《易緯坤靈圖》中,記有作爲天皇進一步根源
的乾曜,在《太平經》中,載有比天皇更高的上皇,進而在《枕中書》
所引的《真書》中,作爲扶桑大帝東王公天皇氏的父母,記有盤古真
人(即元始天王)和太元玉女以及太元聖母。總之,三皇之一的天
皇,正如古時《史記‧始皇本紀》中,它作爲地上帝王的稱號而被議
論的那樣,②處于和地皇、人皇相對的地位,并非是作爲宇宙最高
神而占有絕對性地位的東西,因而,爲了要超越這種天皇的相對
性,在《易》的哲學中,與作爲兩儀(天地)根源的太極相當的絕對
者,在《老子》的哲學中,與作爲"人法地,地法天,天法道"的終極實
在的"道"相當的超越者,就成了新的要求。《枕中書》所引《真書》中
的元始天王,就是適應這種要求而出現的最高神。元始天尊,也可
以視爲是將此元始天王,在六世紀以後,受到面臨極盛期的中國佛
教影響的同時,作爲道教新的最高神而誕生出來的神靈吧!

---

① 《神異經》(《漢魏叢書》本)的《中荒經》曰:"崑崙之山有銅柱焉,其高
入天,所謂天柱也。……仙人九府治之……九府玉童玉女與天地同
休息……東方有宮,青石爲牆……題曰天地長男之宮。西方有宮,白
石爲牆……題曰天地少女之宮。中央有宮,以金爲牆……題曰天皇
之宮。南方有宮,以赤石爲牆……有銀牓曰天皇中女之宮。北方有
宮,以黑石爲牆,題曰天地中男之宮。東南有宮,黃石爲牆……題曰
天地少男之宮,西北有宮,黃銅爲牆……題曰地皇之宮。"還有,"人
皇之宮",文中雖未見,但此文係本于《易緯乾鑿度》的鄭玄注,如津
田左右吉氏《天皇考》已考證的那樣,可推測殆係脱落。
② 《史記‧始皇本紀》"二十六年"條:"今名號不更,無以稱成功,傳後
世,其議帝號。丞相綰……廷尉斯等皆曰……臣等謹與博士議曰,古
有天皇,有地皇,有泰皇,泰皇最貴,臣等昧死,上尊號,王爲泰皇。"

五　元始天王和元始天尊(太上老君，太上道君)

元始天王是先于元始天尊的最高神，這一點，從前引《枕中書》中《真書》的記載"元始天王在天中心之上，名曰玉京山"等資料可知①。而六世紀後半，北周甄鸞《笑道論》中也解説道教的教理，有曰：

> 元始天王及太上道君諸天神人，皆結自然清元之氣而化爲之本，非修戒而成者也。②

這裏元始天王也和太上道君組合在一起，并處在它的上位。由此可見，它是和元始天尊同一的神格，天王是天尊以前的名稱。還有，在《四庫提要》推定成于魏晉之際的《漢武帝内傳》中③。西王母對武帝講説"益精易形之道"，曰："此元始天王在丹房中所説微言。"在這裏，元始天王似是把老子神格化的東西，這也和《枕中書》的元始天王相同，可以看作是仙界的最高神。

本來"天王"一詞，是古代在《春秋》中所見稱呼周天子之語，而在《史記·天官書》中，把這個"天王"移到了天上的世界，有"心爲明堂，大星天王"，"大角者，天王帝廷"等等説法。而到了《春秋緯説

---

① 《枕中書》説明元始天王的治所曰："元始天王在天中心之上，名曰玉京山，山中宫殿，并金玉飾之。"又《真記》曰："元都玉京七寶山，週週九萬里，在大羅之上，城上七寶樓，宫内七寶室，有上中下三宫，如一宫城……上宫是盤古真人元始天王、太元聖母所治。"《笑道論》引《度人本行經》也曰："元始天尊以我因緣、賜我太上之號，在玄都玉京。"同書所引《文始傳》中有曰："太上在玉京山七寶宫，出諸天上。"

② "化爲之本"，《辨正論》卷二引《太上玄妙經》作"自然者，道之真也……精聚化爲其身。""化爲其身"與之同義。

③ 現行本《漢武帝内傳》，題作"漢班固撰"，如據《四庫提要》"小説家·異聞類"的考證："則此書在齊梁之前，其始魏晉文士所爲乎。"

題辭》,則曰:"房心爲明堂,天王布政之宫"①,天王是天上世界王
者的地位,變得更加明確。(漢譯佛典中,多可見"天王"、"四天王"
等語,也是把這些詞語作爲譯語來使用的結果。)

而把儒家經典《春秋》中所見的"天王"和"元",用《老子》"道"
的哲學作形而上的解釋者,是前漢的董仲舒(前 176—104)。在《春
秋繁露·玉英篇》中,有"謂一元者,大始也","元爲萬物之本……
在天地之前"等説法。而公元三世紀,魏晉時代阮籍(210—263)有
曰:

> 道者,法自然而爲化,侯王能守之,萬物將自化;《易》謂之太
> 極,《春秋》謂之元,《老子》謂之道。②

是沿襲了董仲舒對《春秋》的"元"進行的老子式的解釋,進而想把
《老子》的"道"和《易》的"太極"加以一體化的嘗試。這位阮籍還説:
"天不若道,道不若神。神者,自然之根也。"(《大人先生傳》)在這
裏,認爲"道"的根源是"神",明確地表示了把"神"置于比"道"更優
先地位的想法。

阮籍這種把"神"作爲"道"的根源的想法,還可以和王弼
(226—249)注《老子》第二十五章"天法道、道法自然"曰:

> 道則有所由,有所由然後謂之爲道,然則是道稱中之大也,不
> 若無稱之大也。

認爲"道"未必是最高至上實在的解釋相聯緊。總之,這就是要把老
莊的道的哲學,用"一陰一陽之謂道","陰陽不測之謂神"(《易·繋
辭傳上》)等《易》哲學的"道"和"神",來加以折中性的解釋。在這
裏,我們應考慮到,王弼在注《老子》的同時又注《易》,阮籍也在著
《通老論》的同時著《通易論》這樣的事實。

另一方面,在比王弼、阮籍稍前的張魯天師道教團中,解釋《老

---

① 《史記·天官書》的《索隱》引。
② 《太平御覽》卷一引阮籍《通老論》。

子》，有如下説法：

> 道人行備，道神歸之。（第三十三章）
>
> 功與名，身之仇，功名就，身即滅，故道誡之。（第九章）
>
> 鋭者心方欲圖惡，忿者怒也，皆非道所喜……故道誡之，重教
> 之丁寧。（第四章）。①

明顯地顯示了把《老子》的"道"神秘化、擬人化的傾向。進而，在此
稍前讖緯書的《易》的解釋中，比如《易緯乾鑿度》（卷上），有如下的
説法：

> 有形生于無形……故曰，有太易、有太初、有太始、有太素也。
> 太易者，未見氣也。太初者，氣之始也。太始者，形之始也。太素者，
> 質之始也。氣形質具而未離，故曰渾淪……視之不見，聽之不聞，
> 循之不得，故曰易也。易無形畔，易變而爲一，一變而爲七，七變而
> 爲九，九者，氣變之究也。

這樣，把《易》的哲學和《老子》的哲學，作爲氣生成論而一體化，以
生成萬物的"太始"、"太初"作爲問題。

　　從公元二世紀到公元三世紀，《老子》所説的"道"，被與《春秋》
的"元"一體化，通過《易》的"神"被神靈化，并和《易緯》的"氣"生成
論，有着密切的聯繫。而像這樣作爲萬物"元始"，以"神"爲自然根
源的老子的"道"，進而被神秘化，擬人化。作爲在原始道家中"神鬼
神帝"（即以"鬼"爲神，以"帝"爲神）終極實在的"道"②，卻被作爲

---

① 《老子想爾注》（《斯坦因文書》六八二五號）。把《想爾注》作爲張魯教
　　團對《老子》的解釋，是饒宗頤氏《老子想爾注校牋》之説。今大致從
　　此説。順便説一下，"道神"之詞，在隋唐時期，被與"道君"、"天尊"同
　　義使用。比如，《辨正論》卷六有"不聞别有道神處太玄都"，"不云别
　　有道神能宰萬物，使之生也。"同書卷八："諸天及道神等所住宮殿樓
　　閣金闕玉城……"，"古來通儒以氣爲道、無别道神。"

② 《莊子·大宗師》："夫道，有情有信，無爲無形……自本自根。未有天
　　地，自古以固存。神鬼神帝，生天生地，在太極之先而不爲高，在六極
　　之下而不爲深，先天地生而不爲久，長于上古而不老。"

上帝而神格化，作爲鬼神而神秘化，在這相反過程的思想展開中，逐漸醸成了産生出新的宗教最高神的精神土壤。在這種精神土壤中，首先被確立的超越性的神格，就是"道"的哲學的始祖——老子。

公元165年所寫的邊韶《老子銘》中，老子已經被極其神格化了的事實，前人已經指出了①，而在三世紀，將《老子》作爲聖經的張魯的教團，是這樣解釋其十一章中"抱一"的：

　　一在天地外，人在天地間，但往來人身中耳。都皮裏悉是，非獨一處，一散形爲氣，聚形爲太上老君，常治崑崙，或言虚無，或言自然，或言無名，皆同一耳。（《老子想爾注》，《斯坦因文書》六八二五號）

在這段文字中，老子被神秘化，稱爲"太上老君"，這"太上老君"，由虚無自然之氣的結聚而出現，被視爲是以崑崙山爲治所的超越者。在這裏，用氣之聚來説明太上老君，與前面所述的，認爲元始天王及太上道君都是由自然清元之氣結聚化成的《笑道論》的記述，同出一轍，暗示出元始天王和太上道君、太上老君本原上的一體性。還有"太上老君常治崑崙"這樣的説法，成爲把元始天尊的住所玉京山、大羅山設于崑崙山上空的初期道教經典《造天地記》記述的原型。太上老君的别號爲"虚無"、"自然"、"無名"，這也可以看作列

---

① 邊韶的《老子銘》，載《隷釋》卷三。文中曰："延熹八年（165）八月甲子，皇上尚德弘道……夢見老子，尊而祀之，于時陳相邊韶，典國之禮……敢演而銘之。""延熹"是後漢桓帝的年號，關于老子的神格化（神仙化），文中作爲"世之好道者"之論，有曰："老子離合於混沌之氣，與三光爲始終，觀天作讖，降升斗星。隨日九變，與時消息，規矩三光、四靈在旁。存想丹田，大一紫房。道成身化，蟬蜕渡世，自羲農以來，世爲聖者作師。"特别是"降升斗星"、"四靈在旁"、"大一紫房"等語，引人注目。詳細請參照楠山春樹氏《關于邊韶老子銘》（《東方宗教》第十一號）。

舉出元始天尊十種稱號："自然"，"無極"、"大道"、"至真"、"太上"、
"老君"等引《靈寶經》記述的原型。

　　關于張魯天師教團中這樣的太上老君，在四世紀初，晉代葛洪
《抱朴子》裏也可看到，以"諦念老君真形"作爲道術的記載(《雜應
篇》)。進而，在《魏書釋老志》中，載有五世紀初，北魏明元皇帝神瑞
二年(415)，太上老君乘雲駕龍，導從百靈、仙人、玉女，左右侍衛，
集于山頂，賜道士寇謙之《雲中音誦新科誡》二十卷的記事①。六世
紀后半葉甄鸞寫的《笑道論》、七世紀初法琳寫的《辨正論》等作品
引用的道教經典中，多可見有關"老君"、"太上老子"、"太上老君"
等的記述。到了唐代，關于"太上老君"、"太上道君"、"元始天尊"三
聖的記事就變得更多，進而達到了將這三聖作爲一體的三清說得
以成立的地步，這在前面已經論述過了。還有，在唐代特別引人注
目的是，太宗貞觀十一年(637)發布詔書，將老子作爲"國家的本
系，"②接着，高宗乾封元年(666)，對亳州(安徽省)的老君廟追賜
封號爲"太上玄元皇帝"③，玄宗天寶二年(743)，上"大聖祖元玄元
皇帝"，到十三年又上"大聖祖高上大道金闕玄元天皇大帝"尊號等
事態(參照第 366 頁注④)。

　　元始天王的稱號，就這樣附隨着"道"哲學始祖老子的神格化，
作爲"道"本身的神格化而出現。"道"本身擬人化的表現，早在《莊

---

① 《魏書·釋老志》"道經"條："以神瑞二年十月乙卯，忽遇大神，乘雲
　駕龍，道從百靈、仙人、玉女，左右侍衛，集止山頂。稱太上老君。謂謙
　之曰，往年辛亥年，嵩岳鎮靈集仙宮主，表天曹稱，自天師張陵去世
　已來，地上曠誠……授汝天師，賜汝《雲中音誦新科之誡》二十卷。"
　文中的"曠誠"，《廣弘明集》卷二作"曠職"。

② 《廣弘明集》卷二五《令道士在僧前詔并表》："伏見詔書，國家本系，
　出自柱下。尊祖之風，形于前典。"

③ 《舊唐書·高宗本紀》"乾封元年"條："二月己未，次亳州，幸老君廟，
　追號曰太上玄元皇帝。"

子·齊物論》中已可見"真宰"、"真君",在《老子想爾注》中可見"道神",而"道君",乃至于"太上道君"的名稱,成立得似相當遲。"道君"之語,在《老子想爾注》(第三十五章)"太平符瑞……致之者道君也"(《斯坦因文書》六八二五號)中雖可見,但那是有道君主的意思,并非"道"本身的神格化。《魏書·釋老志》、《隋書經籍志》全都未見"道君"、"太上道君"之語。而《漢武帝内傳》中可見"三天太上道君""太上中黄道君"等名稱,《真誥·甄命授第一》中有"太極道君"等。太上道君名稱的大量可見,是在《笑道論》所引《靈寶罪根品》、《三元正法經》、《度人本行經》、《文始傳》等道教經典中。在這些經典中,太上道君被作爲元始天尊的弟子、住在大羅天、玉京;是老子的老師。但據《抱朴子·極言篇》所引《神仙經》,則曰:"老子奉事太乙元君以受要訣",前引《枕中書》則作"太上真人,元始天王之弟子;金闕老子,太上真人之弟子也。"《抱朴子》的"太乙元君"以及《枕中書》的"太上真人",相當于上述道教經典中的太上道君。因而也許可以認爲,太上道君的出現比元始天王的出現要稍遲,而元始天王的出現比太上老君的出現那就要更晚了吧!

六　"天"和"道"——昊天上帝和元始天尊

公元二世紀,鄭玄的禮學把昊天上帝和天皇大帝等同視之。天皇大帝作爲和昊天上帝一體的最高神,在國家的祀典中,作爲"百神之大君"、"尊中之尊"而保持有至上的地位。東晉的桓玄和梁代的武帝作爲帝王而祭祀天皇后帝、天皇大帝,便是其證(前面已述及)。但是,在另一方面,也有着天皇大帝的神體,原來是北辰星,星是天的一部分,和天本身不同這樣的批判(前面已述及)。還有,天是和地、人相對的概念,只有《老子》的"道",《易》的"太極",《春秋》的"元"(元始)才是天的根源這種想法也存在。這樣的批判和思考,不久,便産生了把老子的"道"用神仙讖緯思想神秘化的"道神",這

道神因神仙術、盤古傳説等，進而形成神格化了的元始天王。元始
天王更進而受佛教思想的影響作爲元始天尊出現，天皇大帝便把
那最高神的位置讓給了元始天尊，作爲司掌人間禍福壽夭運命的
北極大神，成爲處于新的道教最高神"元始天尊"下位的隸屬。

　　但是，元始天尊原來是老子的"道"神格化的產物，如作爲道教
的最高神置于天皇大帝位置之上的話，那麼，這以前被視爲與天皇
大帝同一體的昊天上帝在道教中也就被置于元始天尊的位置之
下①。昊天上帝與作爲北辰星的天皇大帝相比，可以説，身爲昊天
而有着更高的位置。昊天上帝之所以仍屬于天這樣的範疇，那是因
爲"道"被看作"天"之法，是先于天地而生的至高不滅的實在之故。
天皇大帝出自本來具有星占術性質的古代天文學，與神仙讖緯思
想深有聯繫，具有顯著的神秘性。與此相對，昊天上帝在儒家的經
典中有着存在的根據，在儒教的禮典中，它保持着神聖性，是現世
帝王必須親自祀祭，具有顯著政治性質的最高神。正如漢代以後歷
代王朝所作的那樣，唐代王朝也是如此，任何帝王只要君臨中國，
就不能無視儒教的禮典。太宗時代的《貞觀禮》，高宗時代的《顯慶
禮》，玄宗時代的《開元禮》，依次制定、改制禮典的舉動，最明確地
顯示了這一點。反之，天皇大帝在當時政治的世界中，已不是國家
禮典的最高神，在宗教的世界中，也只是隸屬于元始天尊的北極大
神。天皇大帝的地位明顯地下降了。雖這麼説，但由于這個大帝依
然保持有天皇的名稱，故可把地上的帝王和超越性世界相聯結；又
由于在證明現世帝王權力神聖性的同時，也作爲道教的大神，故保
證了在帝王死後的世界裏作爲神仙的高上地位。作爲道教熱烈信
奉者的高宗，生前自己使用天皇的稱號，死後也被贈以天皇大帝的

————————

　①　比如《笑道論》引《文始傳》："老子與尹喜游天上，入九重白門，天帝
　　　見老便拜……老子曰，太上尊貴，剋日引見。太上在玉京山七寶宮，
　　　出諸天上。"

諡號，可以説也就是由于以上的理由吧！現存的《高宗天皇帝諡議》文中，也有：“長居北極之尊，永契南山之壽”，“雲輿在御，仙路方遙”等等的文字①。

玄宗天寶十三年(754)，對于這以前作爲唐王朝的遠祖而被贈以“玄元皇帝”稱號的老子，因“我遠祖元元皇帝、道家所號太上老君者也，”② 進而被加上了“高上大道金闕玄元天皇大帝”的尊號（前已述及）。其中有“天皇大帝”四字，可以認爲，也是强烈地意識到玄宗的祖父高宗的諡號“天皇大帝”吧！在這裏，地上世界唐王室李氏和其遠祖老子(李伯陽)的關係，按其原樣被移到了道教的神仙世界，形成了高宗因和遠祖太上老君共有“天皇大帝”的稱號，保證了他在神仙世界中高的地位，在死後世界中永遠生存的構造。而在把太上老君和元始天尊一體化的道教三清説已經成立的天寶末年，唐王朝把老子作爲遠祖，也就是把作爲道教之神的太上老君作爲遠祖，而這也就意味着，通過以太上老君作爲其身分的道教最高神“元始天尊”，唐代帝王以及國家的命運可得到保護。

唐朝的王室通過以老子(太上老君)作爲遠祖，和道教的最高神“元始天尊”相聯緊，把帝王權力的神聖性和國家的存立，座落在宗教性的“道”的權威之上，與此同時，也開拓了使現世的帝王地位在死後的道教神仙世界中得以確保之路。在另一方面，作爲君臨現實世界的帝王，仍采用儒教主導的哲學，依照儒教的禮典，進行對昊天上帝的祭祀，在具有明顯政治色彩的“天”中，尋求其統治哲學的根據。政治的問題專靠儒教，宗教的問題則單由道教，而在其終極，則是想把現實政治世界置于宗教永久世界的根據之上，這是唐

---

① 《唐大詔令集》卷十三《高宗天皇大帝諡議》：“長居北極之尊，永契南山之壽……豈謂十枝墜景，遽論悲谷之暉……雲輿在御，仙路方遙。”

② 《全唐文》卷四一載玄宗《慶唐觀紀聖銘并序》。

王室的基本態度,至少可以說,是對道教有着熱烈信仰的高宗和玄宗的基本態度吧!

但是,在把唐王室的始祖作爲老子,給老子以"玄元皇帝"、"高上大道金闕玄元天皇大帝"等尊號,把他和道教的太上老君聯繫起來,進而和與太上老君一體化了的元始天尊聯繫起來時,鄭玄的六天說,特別是感生帝的理論便褪色了。因爲王朝和帝王的神聖性的根據,即使不特地從太微五帝座的星去尋求,以太上老君乃至元始天尊的宗教超越性作爲根據,也就足夠了。在《貞觀禮》中作爲祈穀祭主神的感生帝,作爲雩祭和明堂大享祭主神的五方之帝,在高宗時代的《顯慶禮》、玄宗時代的《開元禮》中,都被改爲昊天上帝,這可以說與鄭玄、王肅的禮學論爭有很大關聯,在其後面也可以看到唐王朝和道教的密切關係吧!

昊天上帝的祭祀,是使唐王朝爲地上世界的帝王這一點得以確認,爲了作爲地上的帝王統治中國而不可缺的禮典,但對于感生帝的祭祀,則可以代之以與元始天尊在終極上是一體的對玄元皇帝的祭祀。孟夏的雩祭、季秋的明堂大享祭如都以昊天上帝作爲祭祀的主神,那作爲接受天上帝王(昊天上帝)天命的地上帝王親自舉行的國家典禮,也就是最合適的了。高宗《顯慶禮》、玄宗《開元禮》中對于天的祭祀的改制,雖可認爲在其深層有這樣的情況,但在實際的祭祀中,因"行之自久"這樣的理由,《貞觀禮》的舊制也仍被一併使用。

在以老子爲始祖的唐代,國家公認的祭祀的最高神,是儒教的昊天上帝和道教的元始天尊(三清)。這二神的祭祀,前者作爲國家的禮典,後者作爲道教祭祀儀禮來舉行,帝王作爲國家的元首而參預這一點,則是共同的。兩者雖采取了唐人所喜愛的"併行"這樣的形式,然而作爲將這種併行在根底上統一起來的理念,可以說就是《老子》所說的"地法天,天法道。"唐王朝的帝王們,通過對儒教最高神"昊天上帝"的祭祀以法"天",而通過對道教最高神"元始天尊”的祭祀以法“道”。

（李慶　譯）

養生和飛升*

——魏晉時期道家和道教生死觀的一個側面

李 慶

内容提要 本文分析了魏晉時期的養生論和神仙理論的内容以及道教與玄學思潮中的生死觀念、養生方法在形式上的類似和在思想深層的不同。

東漢以後的數百年間,是一個死神籠罩着社會的時代。動蕩的社會,造成了"白骨露于野,千里無鷄鳴"、"出門無所見,白骨蔽平原"的悲慘景况。另一方面,以"天人感應"爲特點的經學體系的瓦解,佛經的導入,刺激了各種社會思潮的發展,社會把生命的存續,把生和死的問題擺到了人們的面前,面對着帶有異國色彩的菩薩説教,人們對此要作出自己的回答。魏晉時代的養生説和在這個時代逐漸成熟起來的道教神仙理論,便是面對上述挑戰的回應。

一 越名教而任自然——以《養生論》爲中心

魏晉之際的思想流變,按照余英時的説法,可以分爲三個小段

---

* 本文係筆者所撰《中國文化中人的觀念》中有關生死論中的一節。

落：

　　曹魏的正始時代(240—248)，名教與自然的問題在思想史上
正式出現，何晏、王弼是最先提出這個問題的人。嵇康(223—
262)、阮籍(210—263)等所謂"竹林七賢"代表名教與自然正面衝
突的時代，而以嵇康被殺爲其終點。西晉統一以後，名教與自然則
轉入調和的階段，其理論上的表現則有郭象的《莊子注》(在惠帝
時，290—306)，和裴頠的《崇有論》(約撰于297)。①

何晏、王弼以及郭象、裴頠的論述，主要是圍繞着宇宙生存論、自然
觀方面來進行的；而嵇康等人的論述，則比較側重于人生論。圍繞
着嵇康《養生論》的爭論，反映了當時關于生死問題的看法。

　　嵇康的《養生論》作爲玄學的"三理"之一，是當時人們經常關
注的問題②。它作于何時，并不明確。根據嵇喜撰的《嵇康傳》云：
"家世儒學"，康"長而好老莊之業，恬靜無欲，性好服食，常采御上
藥，善屬文物，彈琴咏詩，自足于懷抱之中。"③可見，他是在年長以
後才屬意于老莊之學。此外，嵇康有《答二郭詩》，中曰：

　　但願養性命，終己靡有他。

爲什麼會這樣呢？那是因爲：

　　良辰不我期，當年值紛華。坎壈趣世務，常恐姿網羅。

用現在的話説，那就是：好日子已經過去了，面臨險惡世態，生怕墜

---

① 見余英時《士與中國文化》(上海人民出版社，1988)所刊《名教思想
　與魏晉士風的演變》一文的第一節《何謂名教》。
② 《世説新語·文學篇》中載："舊云王丞相(導)過江左，止道《聲無哀
　樂》、《養生》、《言盡意》三理而已。然宛轉關生，無所不入。"可見《養
　生論》在東晉時代，是士人們關注的問題。
③ 見《三國志·魏志·王粲傳》注引嵇喜《嵇康傳》，又見《全晉文》卷六
　十五。

入網羅，故只願保全性命，安渡殘生①。聯繫到嵇康的生平世態②，我們對于《養生論》的寫作時間，或可以作出一些推論：它不會寫于嵇氏早年身爲曹氏宗室依附于曹爽集團之際，而當作于司馬氏

---

① 《答二郭詩》，見《嵇康集》，又見逯欽立編《全魏詩卷九》。

② 關于嵇康的生平家世，侯外廬主編《中國思想通史》第二卷第十五章《嵇康的心聲二物論詭辨思想》中，曾有所考證，然略有可商榷處。又可見何啓民撰《竹林七賢研究》(臺灣學生書局，臺北，1976)中《嵇康研究》一節。据考證，嵇康乃是曹操之子沛王林的孫女婿。其間關係可用下圖表示：

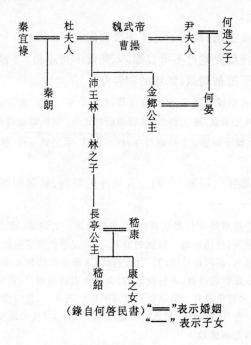

(錄自何啓民書)"＝＝"表示婚姻
"━"表示子女

由于這樣的關係，在曹魏和司馬氏政權交替之際，處于曹氏宗族範圍內的嵇康其面臨的危險，也就可想而知了。

執掌大權以後。在失意和危險之中,感到了生命存在的必要,才逐步自覺或不自覺地超脱了儒學禮教的束縛,從一種新的角度,去認識生命和死亡,去考慮人生的方式①。

嵇康提出"養生論",并不是偶然的。當時社會思潮從總體方面來説,乃是脱出了經學的框架,在重新構築社會理念。嵇康的思想,正是這一過程的組成部分。從養生思想本身來説,早在《黄帝内經》、《淮南子》、漢末的《太平經》等典籍中,都已存在,而且王充也曾作過養生之書十數篇②,然而,嵇康的《養生論》,并不僅僅是原來那些内容的重複,他有着自己的特色。要説明這一點,我們或應當先看一下《養生論》的主要内容以及圍繞這篇東西,嵇康和向秀的爭論情况。

嵇康《養生論》論述了那些主要問題呢?

第一,神仙究竟可不可以學,不死可不可以得?《養生論》的開頭,就提出了這個問題,嵇康的回答是:

> 夫神仙雖不目見,然記籍所載,前史所傳。較而論之,其必有矣。似特受異氣,禀之自然,非積學所能致也。至于導養得理,以盡性命,上獲千餘歲,下可數百年,可有之耳。而世皆不精,故莫能得之。

這個問題,是漢代以來,人們一直關注的問題。就連桓譚、王充那樣

---

① 關于嵇康等人是否信奉禮教,歷來有不同的説法,這也可以進一步地研究。魯迅認爲:"嵇阮的罪名,一向説他們毁壞禮教。但據我個人的意見,這判斷是錯的。魏晉時代,崇奉禮教的看來似乎很不錯,而實在是毁壞禮教,不信禮教的。表面上毁壞禮教者,實則倒是承認禮教,太相信禮教。"嵇康等人,"至于他們的本心,恐怕倒是相信禮教,當作寶貝,比曹操、司馬懿要迂執得多"。(見《魏晉風度及文章與藥及酒之關係》)

② 《太平御覽》卷七百二十,《方術部一》引《會稽典録》曰:"王充年漸七十,乃作養生之書凡十六篇。養氣自守,閉明塞聰,愛精自輔,服藥導引,庶幾獲道"。

的人物，對于養生長壽，都是相信的①。與嵇康同時的阮籍撰《大人先生傳》稱"大人先生"：

> 莫知其生年之數，……養性延壽，與自然齊光……

他實際對于長壽之説也是相信的。

嵇康這樣的回答，實際上反映了當時社會上對于生死和長壽的一般見解。應當説，他只是一般地肯定了這種可能性。"其必有矣"，是一種建立在對前人之説基礎上的推定，而"非積學所能致，""故莫能得之，"則反映了可能性在現實中并未成爲現實。從字面上看，我們當然可以説，他對此是相信和肯定的，但如果聯繫到他所處的環境，他必須謹慎地對待前人之論，不便于故發奇論的立場，他上述的慎重説法，深層有没有一絲懷疑的潛流存在呢？恐怕也不能完全否定吧？

第二，談到了養生的基本原理：《養生論》引用神農説曰：

> 上藥養命，中藥養性者，誠知性命之理，因輔養以通也。
>
> 外物以累心不存，神氣以醇白獨著，曠然無憂患，寂然無思慮。又守之以一，養之以和。和理日濟，同乎大順。

質言之，他認爲養生包括自身的内在修養和外加的食品藥品兩個方面，二者相濟，長壽可期。

第三，分析了之所以不能養生的原因。他指出有兩種情況：一種是：

> 飲食不節，以生百病。好色不倦，以致乏絶。風寒所災，百毒所傷，中道夭于衆難。

這是一種很明顯的不合理情況，衆人也皆知之。而另一種情況，則是"措身失理，亡之于微。"

> 積微成損，積損成衰，從衰得白，從白得老，從老得終。

---

① 同上，引桓譚《新論》曰："曲陽侯王根，迎方士西門君惠，從其學養生卻老之術。君惠曰，龜鶴稱三千歲，以人之才，何乃不如蟲鳥耶？"又見上注王充事。

這樣的衰亡，由于受損不明顯，一般人咸謂之"自然"，"縱少覺悟，咸嘆恨于所遇之初而不知慎衆險于未兆。"

嵇康認爲這是一個更爲值得注意的傾向。

第四，强調了生命的重要。認爲：

> 君子知形持神以立，神須形以存。悟生理之易失，知一過之害生。故修性以保神，安心以全身。

這裏所涉及的"形"和"神"，乃是當時人對于生命存在形態的基本認識，在後面我們還將論及。而嵇康認爲，形神是不可分開的。只有有了"形"，"神"才有寄存之處，而"神"的保養，也是爲了"全身"。他的養生論建築在對現實生命加以重視的基礎之上，這是他和以往的神仙説以及佛教教義的最大區別之處。

嵇康的《養生論》，引起了各種議論，也引起了同爲"竹林七賢"的向秀的不理解，所以作了《難養生論》加以辯駁，[1]其中最主要的不同意見是兩個：

(1) 關于能不能有千百年之壽命。向秀是否定，至少是不相信這一點的。他提出，如果按照嵇康的説法，

> 導養得理，以盡性命，上獲千餘歲，下可數百。

但是，這樣的説法，

> 若信可然，當有得者，此人何在？目未之見。此殆影響之論，可言而不可得。

---

[1] 向秀的《難養生論》，見《全晉文》卷七十二。關于向秀撰《難養生論》的態度和動機，也是一個頗有爭論的問題。明代的李卓吾就對向秀有過非議，近年，錢穆在《記魏晉玄學三宗》，湯用彤在《向郭義之莊周與孔子》，余英時在《漢晉之際士之新自覺與新思潮》(收入《士與中國文化》)中，也對此作過論述。而另一方面，王仲犖在《魏晉南北朝》第十章中，認爲向秀是"故與康'辭難往復，蓋欲發康高致也'"，認爲《難養生論》"不代表向秀本來的思想。倘若向秀本來就堅持《難養生論》中這些論點，恐怕嵇康早已同他絕交了。"這也是可以進一步討論的問題。

也就是認爲嵇康之説，是并没有實際事實根據的空浮想象。

（2）關于養生的方法。與此相關，還進一步地涉及到如何對待現實生活的問題。他認爲，嵇康所主張的：

> 絶五穀，去滋味，寡情欲，抑富貴。

是不可取的。認爲，如果是那樣，作爲"有生之最靈者"的人，和草木又有什麽兩樣呢？他還認爲：生死存亡，

> 顧天命有限，非物所加耳。且生之爲樂，以恩愛相接，天理人倫，燕婉娱心，榮華悦志，服饗滋味，以宣五情，納御聲色，以達性氣，此天理之自然，人之所宜，三王所不易也。

這裏一方面不難看到殘存着先秦以來傳統式的"天命"的影子，但大膽的重視現實生活，注重現實生命力渲泄滿足的觀念，卻表現得更加鮮明强烈。

對于向秀的責難，嵇康又寫了《答向子期難養生論》的這一篇長文，對此進行了進一步的闡述。文中涉及問題比較多，而關于生死和養生，他認爲：

一，千百年之壽，是可以得的。之所以"目未之見"，乃是因爲，這樣的人：

> 欲校之以形，則與人不異，欲驗之以年，則朝菌無以知晦朔，蟪蛄無以識靈龜。然則千歲雖在市朝，固非小年之所辨矣。

説實在的話，這裏的辨駁有點牽强。然而也突現出一個很有意思的地方：在嵇康心目中的長壽之人，并非什麽神奇鬼怪，而是現實的、和普通人一樣的人。這一點和以前的諸種長生之説，和佛教描述的內容，顯然不一樣。

二，進一步地論述了養生的困難之處，歸納成爲"五難"：

> 養生有五難：名利不滅，此一難也。喜怒不除，此二難也。聲色不去，此三難也。滋味不絶，此四難也。神慮轉發，此五難也。五難必存，雖心希難老，口誦至言，咀嚼英華，呼吸太陽，不能不夭其年也。五者無于胸中，則信順日濟，玄得日全，不祈喜而有福，不求壽而自延，此養生大理之所效也。

也就是説,他面對向秀有關應當以恩愛、燕婉、榮華、服饗來"宣五情","達性氣"之説,并没有退讓,而是堅持養生需要心理上的修養和服食藥餌這兩方面共同努力的看法,并對修養的内涵,作了更詳盡明確的論述。那麽,他是不是完全否定聲色飲食呢? 不!

三,強調養生并不是否定聲色飲食,而是要求適度,用嵇康原來的話説,就是要"和"。他説:

> 今不使不室不食,但欲令室食得理耳。
>
> 使智上于恬,性足于和,然後神以默醇,體以和成,去累除害,
> 與彼更生。

嵇康所認爲"得理",就是"和"。這裏,已經由養生論,從生死問題涉及到了和欲望的關係,對此,我們在下面一章中,還要再論述。而從上面的論述來看,他和向秀論爭的焦點,不在于要不要"室"、"食"(即色、食),而在于對于其適度,即滿足程度認識的區別。

從以上的分析來看,嵇康和向秀雖然進行了頗爲激烈的論爭,不管他們自覺地認識到與否,他們論爭的前提是共同的:對個人生命的重視。無論是嵇康的服藥養性,以求長生,還是向秀的聲色享樂,以順天理,他們的基本着眼點,就是現實的形體的存在。他們都認爲自己的主張是合乎"自然"的,他們都在努力地超越着傳統的儒家"禮法"的束縛。"越名教而任自然",正是他們這種生活態度,或者説當時相當一批知識人生活態度的寫照。

近年有的研究者認爲,嵇康的養生,"其最終目的并不僅在于求自然生命之延長,而尤在于獲得内在之自足自樂,不爲外物所累。"又認爲:"叔夜養生,神重于形。"[1]筆者以爲,這可以進一步探討。毫無疑問,嵇康確實講求内心的曠達,不爲外物所累。但是否把"神"放到了比"形"更重要的地位呢? 是以形爲基點,形神并重、

---

[1] 見前引余英時《漢晉之際士之新自覺與新思潮》第二節《養生與老莊》。

還是"神重于形"呢？不然的話，僅僅是精神觀念上的越"名教"，那他們思維方式的本身，即以形役于神這一點，和"名教"對人的要求，和"名教"的思維方式不就頗爲相同了嗎？

稽康和向秀論爭中，還有一個共同之處，那就是對于現實生命的延續和滿足，他們都不依賴于外在的力量，而是依靠現實的自身的努力。他們并不認同那些神仙或菩薩的點化、普渡。這一點是他們不同于當時已經流行的佛教以及已具一定規模的道教之所在。稽康講求飲藥、養氣等養生的方式，但俱不是由外在救世主的施與。

當然，在注重生命存在的同時，對于死亡，對于生命的失去，他們并沒有作更深人的回答。向秀頗保留有傳統儒學説教的影子，認爲"命"定。而稽康或許存在一點懷疑，對于"長壽"不死，是采取一定程度上承認其可能性的態度。他雖然也涉及到了"形""神"的關係，但并未展開進一步的論述。這個與如何認識死亡有密切關係的問題，還未成爲社會議論的焦點，它的解決，還有待時日。

不論怎麼説，稽康和向秀的爭論，使社會上關注了這一問題。稽康是由儒學而入道家，向秀則頗以儒意而注莊子，他們的上述爭論，反映了從不同角度在進行着的儒家和道家的結合，也可以説，是在經學衰敗以後，儒家和道家這些本土傳統思想，面對外來佛教的挑戰，在生死觀上某種程度的合流。而稽康養生思想中突現出來的種種養生方式，特別是服藥、養氣、練形方面的方式，和同樣是沿續了道家思想的道教神仙家的養生術，有不少相通之處，也可以説它是處于漢代以來各種養生説和神仙家養生術的中介點上。

二　神仙的飛升

正當佛教、玄學在中國流布之際，扎根于中國本土的宗教也在發展，這就是道教。

　　道教産生之際，就面臨着社會上生和死的問題，①而道教關于
生命的認識，基本上是沿襲了老莊，尤其是《莊子》中用氣的聚散來
説明生死現象的學説。

　　前面一節中我們已經説過，先秦道家的生死觀，由于《莊子》中
導入了"氣"的概念而變得明確起來。道教則在這一條思路上，延續
發展下來。比如，《太平經》中講到人的形成時説：

　　　　夫天地人本同一元氣，分爲三體，

　　　　三氣共一，爲神根本也。一爲精，一爲神，一爲氣，此三者共一

　　　　位也，本天地人之氣。

《老子想爾注》中曰：

　　　　樸道本氣也，人行道歸樸，與道合。

　　　　一在天地之外，人在天地之内，但往來人身中耳。一，散形爲

　　　　氣，聚形爲太上老君，……

此書中關于"氣"、"道"等概念的論述，比較混亂，而就基本的傾向
言，乃認爲"一"、"道"，這些最本源的抽象概念，實際上就是"氣"。

　　葛洪在《抱朴子·至理》中説：

　　　　夫人在氣中，氣在人中，自天地至于萬物，無不須氣以生。

　　陶弘景在《真誥·甄命授》中，也談到了氣是萬物最根本的東
西：

　　　　道者混然，是生元炁（"氣"），元炁成然後有太極，太極則天地

　　　　之父母，道之奥也。

此外，在《雲笈七籤》所收的《元氣論》中也曰：

　　　　元氣先清上升爲天，元氣後濁降下爲地，夫情性形命，稟自元

　　　　氣。

凡此等等，都説明道教認爲"氣"是構成生命的最基本元素。

－－－－－－－－

①　參見湯一介《略論早期道教關于生死、神形問題的理論》，刊于《中國
　　無神論文集》（中國無神論學會編，湖北人民出版社出版，1982年
　　版）。

　　這樣的認識,嚴格説來,并不是什麽新的創見,先秦諸子以及後來的《淮南子》、《春秋繁露》、《白虎通》以及種種緯書中,也都有這樣的記述。道教中關于“氣”的論述的特點,在于把“氣”的性質加以進一步的規定,把“氣”内在化,神格化了。前面所引的《老子想爾注》中,已有把氣視爲“太上老君”之説,在《抱朴子》中,又有内氣、外氣之分。《至理篇》中講到:“善行氣者,内以養身,外以卻惡。”這或可視爲“内氣”觀念的端倪,而在《雜應》中,則明確地提出了“内氣”的概念①。

　　“内氣”、“外氣”之分的想法,在後來道教的各種典籍中可以看到,比如《服氣十章》中,有“外服氣”、“内服氣”之説;在《胎息精微論》及後來的《人倫大統賦》中,又進而把“内氣”分成“小人之氣”和“非小人之氣”②。這裏表現出將“氣”内在化的傾向,也就是使它脱離原來的作爲萬物原質的客體性質,而使之與人的品質聯繋起來。

　　這種内在化的氣的思想,吸收了中醫系統有關方位和器官相匹配的想法,進一步具體化,因而產生了所謂“泥丸九宫”之説。在《登真隱訣》中有曰:

　　　　凡頭有九宫,請先説之。兩眉間上卻人三分爲守雙田,卻人一寸爲明堂宫,卻人二寸爲洞房宫,卻人三寸爲丹田宫,卻人四寸爲流珠宫,卻人五寸爲玉帝宫。明堂上一寸爲天庭宫,洞房上一寸爲極真宫,丹田上一寸爲玄丹宫,流珠宫上一寸爲太皇宫,凡一頭中有九宫也。③

① 福井文雅在《儒、道、佛三教中的氣》一文中,認爲,《抱朴子》中没有内氣和外氣之分,也没有對于内氣的詳細叙述(此文收入《氣的思想——中國自然觀和人的觀念的展開》一書,中譯本,上海人民出版社,1990)。但這一看法,似可進一步研究,至少,筆者以爲,不能説《抱朴子》中還没有内氣和外氣的區分。

② 見《氣的思想》所收上引福井文雅文。

③ 此引文見陶弘景《登真隱訣》卷上(三丁)。

而在陶弘景的注中,更明確地記出了每一宮中司神的存在,表現了在體內有"神"的觀念。如果説,這裏僅僅是指頭部,那麽,在《黄庭内景經》中,則具體到人的五官:

> 泥丸百節皆有神,發神蒼草字太元,腦神精根字泥丸,眼神明
>
> 上字英玄,鼻神玉壟字靈堅,耳神空閑字幽田,舌神通命字正倫,
>
> 齒神崿鋒字羅千,一面之神宗泥丸,泥丸九真皆有房……。

還不止如此,在《修真十書·心神章》中,各個內臟器官也都神靈化了,有曰:

> 心之神爲丹元,字守靈,
>
> 肺之神爲皓華,字虛成,
>
> 肝之神爲龍烟,字含明,
>
> 腎之神爲玄冥,字育英,
>
> 脾之神爲常在,字魂停,
>
> 膽之神爲龍曜,字威明。①

其他如《上清衆經諸真聖秘》等處,②也有類似的記載,説法大同小異而已。

　　這種體內的神仙説,是"氣"的觀念人體內在化的結果。這裏的諸神,如果聯繋到《老子想爾注》中,把氣作爲太上老君,在《抱朴子》中"自天地至于萬物,無不須氣以生者"的説法,以及《大洞真經》中所稱"回炁(氣)泥丸,我合九仙",③《赤書玉訣妙經》中"始老君從九氣青天中,下降室內,須臾化生青氣"④等等的記述,它們和氣的密切關係,是十分顯然的。

---

① 見《道藏》卷一百三十,菜十一。

② 見《道藏》卷一百九十八,有三,十丁。其中記載的神的名稱略有出入,比如"肺之神名素靈生,字道平","心之神名煥陽昌,字道明"等,大同小異,在本質上并没有過多的不同,故從略。

③ 見《大洞真經》卷三,一五 b。《道藏》本。

④ 見《赤書玉訣妙經》卷上。《道藏》本。

　　如果説,傳統的氣的觀念,包含着構成萬物的本源和人的内在
精神兩方面要素的話,那麼,道教中,則把"氣"内在化,注重于對人
體的關係,并由此而建立了自己的神格體系。佛教的學説,(尤其是
早期的大乘空宗)注重于抽象的思辨,注重于未來的淨土,擯棄苦
難甚至被認爲醜陋的現實形體,而道教則朝相反的方向,用"氣"爲
基點,從具體的人體中,發想出了一個奇異的世界。也正是以此爲
基礎,道教中的養生術才得以展開。後來全真教的王重陽提出"立
教十五論",其中包括打坐,降心,練性等,也是把體内的神仙説和
道教的戒律、性命修養論相結合,在世俗世界的展開。可以説,這種
由氣的觀念内在化而形成的體内神仙説,是道教理論中人的生命
觀念最基本的内容。

　　與此密切相關,道教自然認爲人的不死是可能的。比如,《太平
經》中説:"古今要道,皆言守一,可長存而不老。""神明精氣,不得
去離其身,則不知老,不知死矣。"《老子想爾注》説:"歸志于道,唯
願長生。"《抱朴子》在《論仙篇》中提到:

　　　　萬物云云,何所不有,況列仙人,盈于竹素矣,不死之道,曷爲
　　無之?
還有的道教教義中,甚至把神、人分成九等①,都説明了道教中講
求神仙、不死的傾向。

　　在此想對葛洪《抱朴子》中關于"死"的論述稍作一點説明。葛
洪雖然認爲不死之道是存在的,但他又認爲:

　　　　命之修短,實由所值。受氣結胎,各有星宿……
　　　　命屬生星,則其人必好仙道。好仙道者,求之亦必得也。命屬

---

① 其説見《三天内解經》,又見《九天生神章經》中的區分。前引《氣的思
　　想》一書所收麥谷邦夫撰《道家道教中的氣》。而把神、人分成九等,
　　在《太平經》中也已可見到,劃分爲:①無形委氣之神人,②大神人,
　　③真人,④仙人,⑤大道人,⑥聖人,⑦賢人,⑧凡民,⑨奴婢,九等。
　　這當然是現實社會的反映。而這中間①到⑤等,也就是神仙。

> 死星,則其人亦不信仙道。不信仙道,則亦不自修其事也。(《抱朴
> 子·內篇·塞難》)

這裏,他提出了能"不死"的前提條件,乃是"受氣結胎",換句話説,能成仙與否,都是命中注定的,文中,我們不難看出儒家的"死生有命",以及兩漢時期諸種"天人感應"説的影子。不僅如此,《抱朴子》中甚至還談到,如果人不接受後天的教育,也"無由免死"。在《勤求》篇中説:

> 夫人生先受精神于天地,後禀氣血于父母,然不得明師告之
> 以度世之道,則無由免死。

在這裏,我們或許可以看到作爲神仙家、道教理論家的葛洪的另一個側面。他在《抱朴子·自叙》中,曾經談到自己即屬"道家",又屬"儒家"①,所以上引的論述,不能説完全就是道教的看法,而是魏晉時代複雜的文化交融現象在葛洪身上,在《抱朴子》中的反映,應當另作探討。

　　道教是在神仙可爲,長生可求的基點上,來展開自己的理論,來推行自己爲了達此目的而進行的養生術的。

　　爲了長生,爲了飛升爲仙,道教和注重"死",注重來世的佛教不同,十分重視現實的養生。誠如葛洪所説:

> 道家之所至秘而重者,莫過乎長生之方也。

那麼,道教中養生成仙之法,主要有那些呢?

　　靜心養氣。道教認爲人的生命是由氣形成的,因而養生之道的根本,就是保養體內的元氣。故《太平經》説:

> 養生之道,要在養氣。

而養氣之要,在于靜心。《太平經》曰:

---

① 葛洪在《抱朴子·自叙》云:"其內篇言神仙、方藥、鬼怪、變化、養生、延年、禳邪、卻禍之事,屬道家,其外篇言人間得失,世事臧否,屬儒家。"

養生之道，安身養生，不欲喜怒也，人無憂，故自壽也。

《抱朴子》雖然不以"養氣"爲成仙的主要方式，但也主張"能恬能靜"，認爲：

> 仙者，唯須篤志至信，勤而不息，能恬能靜，便可得之。(《抱朴
> 子·內篇·勤求》)

《太平御覽》引《八素經》，其中的"太極真人"曰：

> 古人爲道也，玄寂靜神，念真存元。

《道藏》所收《真龍虎九仙經》中記"天真皇人"對"黄帝"所説："子欲修其身，先須靜其意。"下有"葉氏"注：

> 凡修長生久視者，先忘意，無七件事，方始得成。

這裏所説的"七件事"，是指："無散亂，無煩怒，無起著，無妄想，無貪愛，無邪婬，無放逸"。

很顯然，這種靜心養氣的方法，是從道家主張的"無爲"、"無欲"發展出來的。這與其説是一種具體的動作，還不如説是一種心性的修練，強調的是內心感情和精神的平衡，也就是要擯棄塵世的煩雜，而求得內心的平靜，以達保養元氣，長生久視的目的。

行氣導引。這種方法，在漢代以前便已存在，近年在馬王堆三號漢墓出土的帛書中，就有當時人的《導引圖》，可以使我們比較清楚地看到這種運動的形態①。相傳華佗有《五禽戲》這樣的健身法②，《道藏》中陶弘景《養性延命錄》有專門論及"導引按摩"一節，對《五禽戲》作了説明。《道藏》中還有《太清導引養生經》、《太上老君養生訣》等，也都對"導引"作了具體的説明。

《抱朴子·雜應》中講到了這種"導引"的作用：

> 養生之盡理者，既將服神藥，又行氣不懈，朝夕導引，以宣動

---

① 見《考古》雜志，1975 年第 1 期所收。又《文物》雜志 1975 年第六期有描圖可參見。

② 陶弘景在《養性延命錄》中引述。近年多有各種關于"五禽戲"的研究文字。參見前引《道教》一書所收坂出祥伸著《長生術》一節。

榮衛，使無輒閡。

也就是使"氣"在體内不停滯頓積地不斷運行，以提高人的抵抗力和增强精力。這樣的方法，雖說被打上了神仙的色彩，但對于人體機能的認識，有其科學之處。

胎息吐納。所謂"胎息"，就是要努力回復到像在母胎中呼吸那樣。《抱朴子·釋滯》説：

> 得胎息者，能不以鼻口嘘吸，如在胞胎之中。

關于吐納，《太上三元經》曰：

> 真人道士，常吐納以和六液。①

又《太洞玉經》曰：

> 日食玄根之氣者，使體中清朗，神明八聰，身有日映，面有玉
> 澤……所謂吐納自然之太和，御九精之靈氣者也。

可以説，這是一種呼吸的方法。其目的，是盡可能地保持充溢的元氣、清氣；而排除對生命不利的污穢之氣，使身體處于精力充沛的狀態。而關于胎息吐納的具體方法，各家説法也不完全一樣，比如《養生要伏氣經》曰：

> 從夜半至日中爲生氣時，正偃僕，瞑目握固（握固者，如嬰兒
> 之卷手），閉目不息，于心中數至二百，乃口吐氣出之。②

又比如《修養雜訣要》認爲：

> 每至旦，面向午，展兩手于膝上，徐按百節，口吐濁氣，鼻引清
> 氣，所以吐故納新。③

而還有的記載，則要求在吐納之時，須"吞景咽液"④。關于這種方法，《雲笈七籤》所收的《諸家氣法》有所記載。質言之，要考慮時間

---

① 見《太平御覽》卷六百六十八《道部十·養生》所收。
② 《太平御覽》卷七百二十《方術部一·養生》。
③ 同上。
④ 見《抱朴子内篇·雜應》。又見《太平御覽》卷六百六十八《道部十·養生》所收《太洞玉經》條下。

因素,要有一定的姿勢,同時還要和唾液的吞咽相配合。

辟穀。就是不吃五穀。在《莊子》中,就有所謂藐姑山的神人不食五穀,吸風飲露的記載,而在道教中,基于生命是由元氣構成的認識,也有辟穀以求長壽之說。比如在《著生論》中說:

> 穀濟于生,終誤于命,食穀味雖生,蘊穀氣還死。①

也就是認爲"穀氣"將有害于生,所以主張"懸糧絕粒"以此方法成爲神仙。

煉丹。煉丹,包括内丹和外丹這樣兩個方面。所謂内丹,就是要在體内煉就一粒金丹,置于臍下丹田,據說這樣便可以不死。這恐怕是和養氣、行氣導引等有關的一種氣功方法。

外丹,則是用最原始的冶煉方法,將各種礦物冶煉形成"金丹"以服用之。早在漢代,據《漢書・楚元王傳》所附《劉向傳》記載,淮南王便已有煉丹成仙之說。②《抱朴子》强調,"以還丹金液爲大要",引《黄帝九鼎神丹經》說:黄帝服了仙丹,"遂以升仙",而"九丹者,長生之要,非凡人所當聞也。"

關于煉丹的具體方法,陶弘景的《登真隱訣》中,有所記載,其大要爲:要登壇盟誓以受煉丹之法,名山深僻、臨水之處爲煉丹場,丹釜須用瓦釜,煉前要先齋戒百日,發火要選在 9 月 9 日平旦,而且以一定的時日爲佳,煉時須"斷絕人事"等等,而後代各派,恐有出入,但煉丹有一定的程式、戒律,恐怕是可以肯定的。

至于服用外丹的效用,《太平御覽》收錄的《仙經》中語云:

> 丹爲金,服之,上士也。茹芝、導引、咽氣者,中士也。食餌草木者,下士也。

---

① 《太平御覽》卷七百二十《方術部一・養生》。

② 煉丹其實和冶煉術有密切的關係,關于中國冶煉技術和冶煉爐的狀況,可見劉雲彩著《中國古代高爐的起源和演變》一書。而《劉向傳》言當時淮南王的情况曰:淮南有《枕中》、《鴻寶》、《苑秘書》,言神仙使鬼神爲金之術。

在相當一部分道教的經典中(金丹教系),把煉丹服丹視爲比一般的導引、服藥更爲重要的地位。

服食仙藥。這裏的仙藥,有不少種類。比如,《抱朴子‧至理》中,就認爲服食靈芝之類的仙藥,是"長生之本",認爲:

> 五芝者,有石芝,有木芝,有草芝,有肉芝,有菌芝。
>
> 若得石象芝,擣之三萬六千杵,服方寸匕(匙)日三,盡一斤,
>
> 則得千歲,十斤則萬歲,亦可分人服也。①

在《真誥》中記載,武當山道士戴孟,漢明帝時人,

> 入華山,餌芝術,黃精、雲母、丹砂。②

而《上元寶經》載,則有服食茯苓、胡麻者。③

按照道教的觀念,靈芝、伏苓等物,乃是吸取了天地精靈之氣而成,故服之,可以增補體內元氣,以達到長生不老,成仙升天的目的。

房中采補。也就是房中術。道教對于生命的基本認識是"氣"。氣有陰陽之分,由此,合乎邏輯地就聯繫到人身的陰陽,聯繫到男女之性④。漢代以來頗爲流行的"房中術",和道家以及道教的這種認識,有一定關係。《抱朴子‧釋滯》中,對房中術作了説明,也就是認爲,性生活對于人的健康極爲重要。"幽閉怨曠",壓抑禁止,或"任情肆意",都于人有損。而作爲具體的方法,《道藏》中所收的《素

---

① 見《抱朴子‧內篇‧明本》。

② 見《太平御覽》卷六百七十《道部十二‧服餌中》所錄。

③ 見《太平御覽》,卷六百七十一《道部十三,服餌下》。

④ 關于道家和性的聯繫,其實早就有不少研究者提出過。比如,日本加藤常賢在其所著的《中國古代文化の研究》(加藤常賢先生論文集刊行會編,二松學舍大學出版,東京,1980)所收《東洋の自然即應思想の根源——老子書を通しう》一文中,就提出,老子所説的"道",就包含着男性的性活動和男女交合之意。關于這樣的説法正確與否,當然還可以研究,而道家的著作,確實有和性有關的內容。

女經》、《玉房秘訣》等都作了叙述,就其主要而言,有如下兩種:

一,是"寶精愛氣"①,即保存精液。《素女經》和《養生延命錄》中,有片斷的記載。就是通過性的刺激,來促進人的生命力旺盛,以不射精(Coitus reservatus)和女性的性高潮(Orgasmus)來達到保養性命的目的②。

二, 即是所謂的"還精于腦",據《道藏》中《太上黄庭外景玉經》,以及另外作者不詳的《玉房指要》等記載,乃是指在性交過程中,即將射精之際,在陰囊和膀胱之間施加壓力,同時叩齒,長呼吸,使精不得出,據説可"還于腦",而求得長壽的效果③。

尸解。如果説前面所列,是保養身體,以求長壽或成仙的方法,那么,尸解則是具體由人變爲神仙的方式,

《太平經》中談到過尸解的情况:

> 或有尸解分形,骨體以分,尸在一身,精神爲人尸。使人見之,
> 皆見已死,後有知者,見其在也,此尸解人也。

也就是説,尸解,是人的精神和肉體相分離的狀態。但在葛洪那裏,情况相類,他引用《仙經》曰:

> 上士舉形升虛,謂之天仙,中士游名山,謂之地仙,下士先死
> 后蜕,謂之尸解。

---

① 《抱朴子内篇·對俗》有曰:"寶精愛氣,最其急也。"
② 關于這方面道教的著述,可見《雲笈七籤》卷五十八所收的《養生延命錄》(此書《道藏》也收錄,和近人葉德輝所輯的《素女經》等。其實,在通俗小説中反映道教此種養生保命思想的地方也不少,比如,《四游記》中"呂洞賓戲白牡丹"的故事,《二刻拍案驚奇》中《甄監生浪吞秘藥,春花婢誤泄風情》一節中,都可以看到。
③ 參見李約瑟著《中國科學技術發展史》第二卷《思想史》裏《道家與道教》一節。又據李約瑟稱,他在四川時,曾對道家的"采陰補陽説"進行了一些社會調查,有90%以上的中國人相信這一點。此方面的具體方法,還可參見上引福井康順等編《道教》一書中所收坂出祥伸撰《長生術》一節。

尸解只是"下士"死後神形相離而成仙的方式。

陶宏景在《真誥》中認爲：

> 受大戒者，死滅度鍊，神上補天官，謂之尸解。

而在《登真隱訣》中談到人在尸解時的狀況：

> 尸解者，當死之時，或刀兵水火痛楚之切不異世人也，既死之
> 後，其神方得仙逝，形不能去爾。

而《太平御覽》收錄的《寶劍上經》中的記載，更爲奇異：

> 尸解之法，有死而更生者，有頭斷從一旁出者，有形亡而無骨
> 者。

總之，尸解，是指得道之人，身體的一部分，或者是人的精神，從原
來的形體中，飛升脱逸而去，以得永生。

綜上所述，我們對道教的生死觀以及求得不死的方法作了粗
略的概括，現在或可以略作小結。

道教是扎根于傳統本土文化的宗教。它的生死觀念和先秦的
道家，秦漢以來的神仙説，讖緯説，以及傳統的中醫理論，有相當密
切的關係，它吸取了這中間的種種思想材料，加以神學化，構築了
自己的宗教理論。

道教的思想的道家，尤其和魏晉時代流行的玄學思潮中的生
死觀念、養生方法形式類似，但在思想深層并不相同。道教本質上
是要把人變成神仙，使脱出了經學束縛的人，再進入神的圈内。而
魏晉時代玄學思潮中的不少人物，則是現實的人，他們或者也仍受
到傳統觀念的束縛，但要求自我充實、自我發展的傾向，則是十分
鮮明的。

道教的生死觀念、養生方法，是内斂的。它的着眼點，不像儒學
那樣，面向祖先，追戀過去；而是面向個人。以個人生命的延續爲目
的，以個人形體的各個側面，作爲探究的方向。因而，雖説它在本質
上帶有濃烈的神學色彩，在形式上，對生命現象進行了大量的探

究，在某種程度上，開拓了傳統文化中被禁囿了的園地，比如對于性和養生關係的探索，便是一例。這也是它具有生命力，贏得民衆，廣爲流布的原因之一。

道教也不像佛教那樣，要求以完全地放棄現世的代價，去購買來世進入天國的門券，不像佛教有些教典所宣揚的，現實的世界只是虛幻的空無。道教着重于現世，在他們看來，彼岸和此岸，并没有一道需要飛渡的界河。現實的人，實在的形體，加以修煉，即可飛升爲仙。《廣弘明集》卷九《笑道論》中引《老子序》曰：“道主生，佛主死”；北周道安《二教論》中説：

> 佛法以有生爲空幻，故忘身以濟物；道法以存身爲眞實，故服
> 餌以養生。

都在一定程度上，指出了佛道生死觀的區別。

此外，道教的生死觀和養生方法，還表現出一種強烈的自立性。在道教中，無論是導引養氣，還是煉丹服藥，它并不依求于外界的力量，并不要靠菩薩來普渡衆生。它講求用自己的力量去達到目的。這一點和後來中國式的佛教——“禪宗”，有類似之處。章太炎先生在談到中國人倫理時説過：

> 中國人的倫理，喜自力本領而不好他力本領，故佛教入中國
> 成禪那樣的自力宗，儒教中陽明學那樣的極端自力宗得以流行。
>
> （《太炎文錄·答鐵錚》）

道教的情況，恐怕也是如此。

作者簡介　李慶，1948 年生。復旦大學古籍整理研究所教授。現在日本金澤大學任教。著有《顧千里研究》等，譯有《氣的思想》、《中國小説世界》等多種。

隋唐時期的道教內丹學

李大華

內容提要 本文分析了這個時期道教修心、煉氣兩種內修理論的發展綫索,認為修心即"遣有歸無",煉氣即"無中生有",兩過程的高水平的同一即道教內丹學成熟的標志。提出:(1)"存思"、"存神"和"服氣"、"導引"是修心、煉氣的理論來源。(2)《參同契》為內煉還丹提供了最初構想模型。(3)根據內丹學的理論過程認定,鍾、呂生存年月在唐元和施肩吾之前。(4)修心煉己吸收了佛儒思想,但并非就是佛儒的產物。(5)內丹學合和修心、煉氣,根源在于本土宗教的內在特性,這種合和符合道教的根本宗旨。

自漢末魏伯陽立乾坤鼎爐以來,道教皆以服食金丹大藥作為成仙的根本途徑,服氣、導引、存思、房中等術作為輔助措施與金丹配合能起到養生延年的作用,卻不能度世成仙。這種修仙術至隋唐達到登峰造極的地步。但在極盛的輝煌外表下,也潛伏着嚴重危機,不僅燒煉藥石之資糜費,屢無見效,而且鉛汞之類的藥物以其劇毒性使很多人求仙不成,反而中毒而夭,這不免使信道者對于金丹的有效性產生疑慮。而一些流俗道士則玩弄方技,以致達到殘生害性的程度(如隋朝潘誕即欲以童男童女膽髓合成金丹),極大地敗壞了道教的名聲。為了消除危機,道教理論家們以雜多的形式進行着成仙途徑的探索,其共同點是不約而同地將視綫移向古已有

之內養術上。《羅浮山》記載,隋開皇年間有個叫蘇元朗的道士來居
羅浮,修煉大丹,"自此道徒始知內丹矣"。另據《大正藏》卷四十六
記載,活動于梁陳時期的天台三祖慧思"願得深山寂靜處","籍外
丹力修內丹"。這說明南北朝後期、隋開國前期已經有了內丹的構
想。內丹構想雖然提出來了,但在隋朝及唐初尚且不可能實現外丹
向內丹的轉變,因爲道教的發展還沒有提出這種急迫的要求,而且
內丹理論也未具備轉變的條件,只有到外丹"糜費"而"無效"的弊
端充分暴露出來,而內丹理論也系統成熟時才能實現。因此,隋唐
時期除外丹術之外,人們各師其修煉方術之一端,縱橫多方面地探
討了成仙的可能性。這一時期的內修理論局面較爲混雜,但按基本
類型可分爲修心、行氣兩類。與這些內修觀點相適應,神仙觀念發
生了變化,從成玄英、李榮主張的"歿身本無生滅,應感赴機",到五
代譚峭主張的"形可不生,神可不化",表示了形神合同、肉體不必
俱飛的形神觀念的轉變。在內修理論逐漸完善而傳統的外丹術尚
未退出歷史舞臺之際,道教理論家們也逐漸具備了自我批判的能
力,他們對外丹術展開了不留情面的誹難。從向外部藥物追求到向
內部身心追求,從煉物到煉己,已成爲不可逆轉的趨勢。道教內丹
學就是一種從內修的衆方術中游離出來又涵攝衆方術的修道理
論,它的發展經歷了歸衆方術爲行氣、修心,又經行氣、修心兩端分
殊顯揚的主要理論過程,爾後合而成體的。行氣、修心爲內丹學的
兩大理論支柱,爲後來內丹修性修命的雛形。劉鑑泉先生將道教的
修煉本質概括爲"內修"與"冥通"(內修相當于行氣,冥通相當于修
心),是有根據的。

一

　　修心契真的思想是以道教"存想"、"存神"修煉理論爲思想基

礎的。"'存'謂存我之神,'想'謂想我之身。"① 這種修煉思想在魏
晉南北朝時期已經流行,尤以上清派爲著。上清派早期經典《大洞
真經》即主張"存思五方之氣","存思日月","存思二十四星",這是
以氣、日、月、星等自然之象喻身内象,其實質是專精用思内觀身内
行氣、叩齒、呼吸、咽津等的修煉過程。《黄庭經》認爲人身臟腑各有
司主之神,人有三宫五臟,則有八景神二十四真,人若能存思三部
八景二十四真神,就能三田五臟真氣調柔協和,無災長壽。身内諸
神中,尤崇心神,其曰:"心神丹元字守靈,……六腑五藏神體精,皆
在心内運天經,晝夜存之自長生。"這實際上將心神置于身内衆神
之上。概括起來看,傳統的存思存神有兩個基本觀點:一是認爲無
論以何種方式得道成仙,都要努力使心、神處于一種極度虛靜的狀
態,從而靜以待道;二是認爲内修應以專精不貳之心、神去引導和
調控氣在周身的運轉交濟。因而,存思存神的方法總是與"精氣
神"相關聯而存在和發展的,即在隋唐從中脱胎出來的修心方法也
始終保持着這種内在聯繫。隋唐修心派在論述修心理論時,多不廢
精氣,他們運用道教"三一爲歸"的致思方式,努力會通精、氣、神,
成玄英説:"氣,道也。"②又説:"所謂精者,神氣也。精者靈智之名,
神者不測之用,氣者形神之目。"③ 精、氣是外在名目,神是内在之
用,精氣神之體則是"神氣":"滌蕩六府,除遣五情,神氣虛玄,故能
覽察妙理,内外清夷,而能無疵病者。"④杜光庭在前人基礎上重新
界定"道氣"範疇,明確肯定"道氣"是兼有物質和精神兩重性的二
元實體,天地萬象皆由它化生:"混元以道氣化生,分布形兆,乃爲

---

① 司馬承禎《天隱子》。
② 見强思齊《道德玄德纂疏》"專氣致柔能如嬰兒乎"疏。
③ 同上"搏之不得名曰微"疏。
④ 同上"滌除玄覽能無疵乎"疏。

天地。而道氣在天地之前，天地生道氣之後。"① "人之稟生本乎道氣。"② 既然"精"、"氣"皆歸結爲"神"，而"神"也就是"心"，心與神實爲一體，其動謂之神，其靜謂之心，故曰"動神者心"③。這樣一來，修心理論家們就有根據把精氣神的修煉歸結爲煉神的活動，把煉神的活動了結爲煉心的活動。

　　修心理論的核心是論證心與道之間存在着一種感應關係，如云："修身者，心契于道。"④ 成玄英、李榮皆認爲"道"乃是"妙之理"、"理之境"、"理之體"，這種理——道以虛的本然狀態存在，它溥散于每個人，從而使各自有了自己的"性"，所謂"虛通妙理，衆生之正性。"⑤他們肯定，人們只要按照他們設計的"雙遣之則"，外遣物事，内遣身心，一無所染，"體兹重玄"，就能達于"虛通之理境"，契合于道，亦即"唯道集虛，心懷至道，在物無害者，得成仙，骨自強"⑥。王玄覽認爲道與衆生是一個亦同亦異的關係，其同在衆生稟道生，"衆生中有道"；其異在衆生有生滅，其道無生滅。人們只要守于正心勿失正性，則"能脩而得道"。人們與道相感應之機在于"心"，心具有與道相通的能力，即"以心道爲能"，故此他斷定："恬淡是虛心，思道是本真。"⑦司馬承禎認爲，人常失道，而道不失人，道潛藏在人體中。道在體内的存在要靠心去體驗，"心滿則道無所居"⑧。他把傳統的"存想"又解釋爲"慧解"，而"慧解"即"慧心"的

---

① 杜光庭《道德真經廣聖義·釋御疏序》。
② 杜光庭《道德真經廣聖義》"我好靜而民自正"疏。
③ 吳筠《心目論》。
④ 見强思齊《道德真經玄德纂疏》"善結繩約而不可解"李榮注。
⑤ 《道德經開題義》。
⑥ 同④"强其骨"李榮注。
⑦ 見王太霄《玄珠錄》。
⑧ 《坐忘論》。

活動，"無慧心，即不能解"①。故"心不受外名曰虛心，心不逐外名曰安心，心安而虛則道自來"②。吳筠説："道德之體，神明之心，應感無窮。"③亦是相信心與道有內在的感應關係。杜光庭提出"安靜心王"的修煉方式："若安靜心王，抱守真道，……則身無危殆之禍，命無殂落之期，超登上清，汎然若以谷赴海而無滯着也。"④在他看來，"虛心則道集于懷"，心與道合就能超凡登真，因此，他的結論便是："修道即修心也，修心即修道也。"⑤以上各家，其修心理論的共同點是：(1)都在某種程度上肯定"道"乃是帶有理性意義的精神性實體，它以"虛"的狀態存在，修道的目的就是要體"虛無之道"。(2)心爲五臟之主、氣之神，內修煉己主要是煉心，就是要排除一切內外欲念，使心達于極虛狀態，煉氣只是爲了制伏欲心的一種物質手段。(3)心、道之能夠感應合同，是因爲心、道在精神的意義上是同質的，其契機是"虛"，以虛極之心迎玄虛之道，則"道實于懷，德充于內"⑥。正是在上述意義上，修心家們把修道的過程又理解爲"悟"的認識過程，成玄英、李榮主張"空心惠觀"，"虛心證理"、"心冥至道"，司馬承禎主張"心體以道體爲本"，杜光庭提出了"了悟"、"神鑒"的認知方式，皆相信人在心神不染一塵、極度虛靜的境況下能夠產生一種超常的感通能力，直接契悟道體。從修心理論中可以看得出來，精氣的煉養服從于心神的煉養，煉精氣是爲了設立一個對象，使心神能夠專心存想這個對象，也就是以精氣之動達到心神之靜，以排除外物的干擾，不染一塵，一旦做到這一步，那麼就須連設立的這個對象也排遣掉，以便虛極通道，恰如司馬承禎所説的那

① 《天隱子》。
② 《坐忘論》。
③ 《南統大君內丹九章經》。
④ 《道德真經廣聖義》"虛其心"疏。
⑤ 《道德真經廣聖義》"心無其心"義疏。
⑥ 《道德真經玄德纂疏》"實其腹"李榮注。

樣:"因存想而得也,因存想而忘也。"(《坐忘論》)

　　從存想、存思演變爲修心煉己,這既是道教內養理論發展的必然,卻又是吸收儒佛思想的結果,這乃是道教的開放和兼容特性所決定的.從內容上看,道教主要從佛教天台宗和禪宗那裏吸收了佛性思想。天台宗抱定由禪生慧的觀念,認爲一切大智慧皆在禪定中得。這正好適應道教主張的經勤勞修煉而後慧悟得道的思想。禪宗不用心,不作意,"自識本心,自見本性"① 的修煉思想則迎合了道教修己煉心過程中排遣物欲的需要,以及心體、道體相感應的思想。道教與儒學同爲本土文化,向來互補發展,隋唐道教修心論從儒學那裏攝取的最主要內容是"存心養性論"(《孟子·盡心》:"存其心,養其性。"),儒家盡心知性知天的天人感應思想符合道教超越形神、感通道體的修持需要。以道教的觀點看,"從道受生謂之性",性又稱爲神,所謂"神通性慧"(孫思邈語)。這裏的"性"本來指自然之性,"性不可離于元氣",②但由于修心家們接受了儒家自性本善的觀點,皆賦予其"性"以仁義禮智等意義,使道教的內修理論帶上了濃厚的倫理色彩。但是,決不可以説道教的修心理論只是對儒佛的簡單抄襲,除了上面所述與存想、存神的關係之外,我們還可以發現,這種修心理論與老莊道家思想完全合拍。例如,修心家們確有某種類似佛教的心本體思想,成玄英説:"萬境唯在一心。"(《道德真經玄德纂疏》"百姓之難治"疏)王玄覽説:"心之與境,常以心爲主。"(《玄珠錄》)杜光庭説:"心與天通,萬物自化于下。"(《道德真經廣聖義》"虛其心"疏)然而這是建立在心物關係之上的,一談到心道關係,他們就會毫不遲疑地説:心體以道體爲本。從修煉過程來説,第一階段在處理心神與內外紛繁雜陳事物的關係時,要努力排除干擾,仿佛"我思故我在",物以心爲體;第二階段在

---

① 《壇經》第十六節。
② 《雲笈七籤·元氣論》。

處理心神與道的關係時，就要彼我兩忘，泯化自然，一念歸道，了無所照。這恰同莊子因其所大而大之，因其所小而小之的相對主義思想以及心齋、坐忘泯化自然的内修理論一樣，而司馬承禎本身就把他的修心理論稱爲心齋、坐忘論的。至于説了悟、神鑒的認知方式，在本質上乃同于老子的"靜觀"、"玄覽"論的。因此説，修心理論是對老莊道家思想的復歸，卻是在廣泛吸收儒佛思想，求得了發展的更高程度的復歸。

由于修心實質上是"虚心遣其實，無心除其有"①，故此，從總體上看，修心契真的過程就是一個"遣有歸無"的修持過程。

二

煉氣還丹的理論是以《周易參同契》以及傳統的服氣、導引等作爲思想基礎的。被譽爲"萬古丹經王"的《參同契》燒煉金丹的運思模式不僅適用于外丹煉造，也適用于内丹修煉。所謂外丹、内丹，原先無此分別，只是在六朝以後、隋唐時期適應于内煉的需要，人們才把采之于自然界各種藥石的燒煉稱爲外丹煉造，而把采之于人體内各種能量的修煉稱爲内丹修煉。内丹煉氣理論從《參同契》中借鑒的東西主要是：托物象類的運思方式、陰陽協調的升降圖式、以及含性内養的構想。

内養行氣在我國源遠流長，戰國時已有《卻穀含氣篇》、《行氣玉佩銘》問世，西漢時已有《西漢導引圖》等專門著作，道家學派、神仙家、方仙道皆有豐富的煉氣内養、固形頤神的思想。道教以長生成仙爲修煉目的，從立教始就海納當時流行的各種行氣方術。《太平經》有愛氣、尊神、重精的思想，《老子想爾注》主張"深藏其氣，固守其精"(《守道章》)，并聯綮房中等術提出結精、煉氣、養神、守戒

---

① 施肩吾《西山群仙會真記·養心》。

等修持法門。葛洪力主服金丹大藥成仙,但同時注重辟穀、服氣、導引、行氣、存思、守一等氣功的實踐。隋唐以前,對行氣理論貢獻最大的要數上清派,魏華存、楊羲、許穆傳述的《黄庭經》結合中醫學提供了一個包括各種穴位在内的人體結構圖,還提出了意導、調息、咽津、藏精等一套行氣方式。陶弘景的《養生延命錄》全面系統地總結了前人内養經驗,還撰有三十六式的“導引養生圖”,其式“如鴻鵠徘徊,鴛鴦戢羽之類,各繪像于其上”①。總而言之,隋唐以前的内養方術可謂雜而多,但失之述而有體,行而一貫,而且這些方術在當時只被看作服丹成仙的補充,或民間免除疾病、强身健體的一般性的氣功,尚未形成結氣成丹的系統思想,因而在深度上不能適應道教徒經年修持的需要。但這些多端之術卻是隋唐系統化的行氣理論所由以出發的理論前提。

煉氣還丹的理論認爲,人之生憑藉精氣,精氣結形而有神明。此精氣乃從道所受的元精元氣,當其未結成胎或尚限于元氣時,是無損虧之全;當其結成胎而日長時,其元精元氣就逐漸耗散了,如《靈寶畢法》云:“天道之道一得之。唯人也,受形于父母,形中生形,去道愈遠,自胎完全足之後,六欲七情耗散元陽,走失真炁。”通過内養修持,使先天之精氣神凝結不散,結成聖胎,化爲純陽之物,反于太初,同于大道,乃是道教内丹行氣理論的根本觀點,道教的各種各樣煉氣論都服從于這一思想。

模仿外丹燒煉,内丹煉氣派認爲内養亦是煉造金丹,并根據這種煉造的需要,形成自己的一套爐鼎、藥物、陽火、陰符、玉液、金液、還丹等的學説。關于爐鼎,他們認爲,即指人體,其形同于外丹爐鼎。關于藥物,他們强調了與自然界中鉛汞等外物的區别,陶植《還丹術三篇》云:“凡言水銀可以爲金丹者,委人也;言朱砂可以駐年者,不知道也。”他們把内煉藥物稱爲“真鉛汞”。由于各家自有一

---

① 晁公武《郡齋讀書志》。

套行持的方法，對内煉"藥物"的理解也不盡相同，如《鍾呂傳道集》所説：此鉛汞之理，"若以内事言之，古今議論各殊，取其玄妙之説。"如崔希範認爲先天之氣爲真鉛，後天之氣爲真汞；鍾離權、呂巖認爲心液正中之氣爲汞，腎氣正中之水爲鉛，鉛又稱"虎"，汞又稱"龍"，如此等等。所謂陽火，指陽氣上升。所謂陰符，指陰水下降。所謂玉液，指腎氣上升交于心氣，二氣合而過重樓(咽喉)，爲玉液之津，又名"瓊漿"。所謂金液，指腎氣合心氣，降而熏蒸于肺，爲肺液。所謂還丹，指精氣運行的形式、範圍與周期。還丹分爲多種：有大還丹、小還丹；有七返九轉還丹；有金液、玉液還丹；有下丹還上丹；有上丹還中丹；有中丹還下丹；有陽還陰丹、陰還陽丹，等等。"名號不同，以時候差別而下手處各異也。"① 此外，也把煉養成的内金丹叫做還丹。煉氣派還從外丹術中借用了許多名稱，如河車、姹女、刀圭、黄芽等，以表示内丹修煉與外丹燒煉是一致的。

關于行氣的方式、過程，各家所述皆有異趣，張果以主張專精用心體察真氣在體内的流轉見長②，陶植、羊參微以主張真陽真陽互涵，鉛汞性情合親、龍虎互逐見長③，彭曉以注重煉氣之"數"與"候"見長④，吳筠以主張氣運存形、形神一貫見長⑤，崔希範的《入藥鏡》統領各類行氣之綱，只是語焉不詳，唯鍾離權、呂巖一派涵蓋各家所長，綱目俱備，提供了一個可窺見隋唐煉氣全貌的理論系統，《鍾呂傳道集》分門別類地叙述了真仙、大道、天地、日月、四時、五行、水火、龍虎、丹藥、鉛汞、抽添、河車、還丹、煉形、朝元、内觀、魔難、證驗等行氣煉丹十八事，《靈寶畢法》則翔實叙述了煉氣還丹

① 《鍾呂傳道集·論還丹》。
② 參見《張果先生服氣法》。
③ 參見羊參微《元陽子金液集》、陶植《還丹術三篇》。
④ 參見彭曉《内象還丹金鑰匙》。
⑤ 參見吳筠《内象還丹九鼎丹經》。

的全過程。鍾呂將入聖超凡的修煉方法稱爲"三乘之法",實即依據天仙、地仙、鬼仙的神仙等級區分設立行氣煉功的序次。茲對"三乘之法"作以分析:

小乘功法成就人仙。其法有四門:(一)"匹配陰陽"。以心比天,以腎比地,天陽地陰,以陽地陰,心氣爲陽,腎水爲陰。修持當多吸天地之正氣以入,少呼自己之元氣以出,使外內之氣配合,積氣生液,液多而生氣,氣液相生,陰陽匹配。(二)"聚散水火"。以日比年,以一日氣之聚散比一年節氣的春夏秋冬。日出合艮卦,其氣微,當披衣靜坐,絕念忘情,微作導引,以養元氣;日入合乾卦,其氣散,當入室靜坐,咽氣搐外腎,心氣、腎氣、外腎氣三相合而爲一,以聚元氣。無液聚氣生液,有液則煉液生氣——聚火;早朝咽津摩面,手足遞相伸屈——散火(又名小煉形)。(三)"交媾龍虎"。以子午之時比冬夏之節,子時合坎卦,腎水中氣生,午時合離卦,心氣中液生。腎水生氣則氣中有真水,陽中藏陰;心氣生液則液中有真氣,乃陰中藏陽。經"黃婆"(脾中真液)的媒介作用,引起心腎相交,從而水火既濟,龍(真氣)虎(真水)交媾。若抽添合宜,火候無差,三百日養就真胎成大藥("黃芽"),此乃"煉質焚身,朝元超脫之本也"。(四)"燒煉丹藥"。離卦龍虎交媾爲"采藥",乾卦"勒陽關"(脊腹)進火爲"燒煉"。進火則有"火候",火候加至小周天數爲"小周天",加至大周天數爲"火候周天"。當絕迹幽居,心存內觀,內境不出,外境不入,亦即用心體察氣在體內的升降流轉,不可暫離于道。

中乘功法成就地仙。其法分爲三門:(一)"肘后飛金晶",又曰"抽鉛",使腎中氣生肝氣。須年中擇月(冬至之節),月中擇日(甲子之日),日中擇時(子時),此三時合坎卦,自坎卦始,行持至艮卦,腎氣交肝氣,至巽卦修止。此過程在小乘功法基礎上進行,即經過采藥(下田返中田),燒藥進火(中田返下田),而後肘後飛金晶入腦(下田返上田),亦即使純陽之真氣撞過三關,進入泥丸。故又稱爲"三元用法",或"後升"。(二)"玉液還丹"。腎液上升于心,與心氣相合而過重樓，成玉池之津。咽之，自中田而入下田，是爲還丹，又稱"前咽"。若自中田而入四肢爲煉形，又稱"驟馬起火，遨遊宇宙"。此功法在前面采補（采藥補泥丸）基礎上進行，即俟藥全胎堅胎圓之後，再行"還丹煉形"。（三）"金液還丹"。前起行玉液煉形，後起行飛金晶入腦，自上復下降而入下田，乃爲金液還丹，又稱"後咽"。還丹之後復起如前，自下而上，遍滿四體，稱金液煉形。

大乘功法成就天仙。其法分爲三門：（一）"朝元煉氣"。木火金水土五行之氣生于土，肝心肺腎脾五臟之氣始于脾，煉五行五臟異氣以歸真元，使陰中之陽、陽中之陽、陰陽中之陽皆"上朝内院，心神通于天宮"。此過程簡稱"五氣朝元"、"三陽聚頂"，實即煉氣以成神。因爲是由衆歸一，故以"定息"爲要，即減心息慮，内外凝寂，不以一物介其意。（二）"内觀交換"。以氣歸心，以心運氣，内觀不外究，觀神不見形，而後氣和神守，形神俱備。（三）"超脱分形"。此法"須是前功節節見驗正當"，擇幽居，一依内觀靜坐，神入氣胎，氣全真性，形神俱妙，遷神入聖。到了這個層次，則可謂玄乎其玄了。鍾呂强調說："凡行此法，古今少有成者。"

内丹煉氣是多種方術的綜合運用，涉及多方面的聯繫，這裏分析一下主要的幾種：（一）與易學的關係。這主要是通過《參同契》的媒介廣泛運用了漢易的卦氣、卦變、爻辰、升降、納甲等學說，他們以四正卦、八卦、以及四時、八節、二十四氣、七十二候、三百六十日、四千三百二十辰等象心腎肝肺脾等方位和煉功中體内陰陽二氣的消長升降、火進符退的"度數"，所謂"既有形名，難逃度數"。茲據《靈寶畢法》行氣法製圖（一）。

（二）與五行的關係。以金木水火土五行、白青黑赤黄五帝象五氣、五臟之對應關係及其氣液的分布，認爲五行生成在土，五氣生成在真一（脾），黄帝爲五帝之主，脾爲五臟之主。五臟五氣有序地交合、無差地運轉體現了五行的相剋相生、流行統一，故有"五行顛倒"說。茲據鍾呂的思想製成圖（二）。

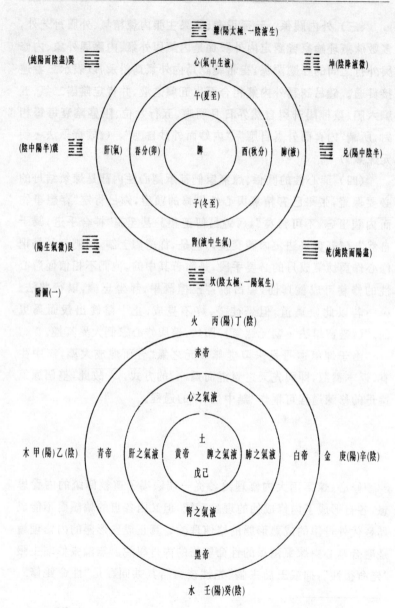

附圖(一)

附圖(二)

（三）外内關係。除孫思邈、張果主張内煉精氣、外服丹芝外，多數煉氣理論家皆認定内外關係是内氣與外氣、内臟與外象、内修與外行之間的呼應關係，崔希範認爲内外氣爲鉛汞，以表示二者連接貫通。鍾呂認爲外内氣相合而生五臟之液，并肯定陰陽二氣、五臟六腑、陰極陽升與自然界日月明晦、五行六位、陽盛陰衰每每相對，所謂"内真而外真自應"，"内妙而外妙自應"。（《靈寶畢法·朝元煉氣》）

（四）與心性的關係。煉氣家們都承認心性内觀是煉氣結丹的必要保證，張果已有精氣與心性俱修的願望，鍾呂肯定"存想事物而内觀坐忘，不可無矣"，（《鍾呂傳道集》）甚至説"神合乎道，歸于自然"。（《靈寶畢法·内觀交換》）但是，從總體上講，他們都只是把修心作爲煉氣成丹的必要手段，是附着其中的。他們不相信僅憑心性的修養可成就真仙，鍾呂説："三禮既畢，靜坐忘機，以行此法。……若以此便爲道，但恐徒勞，終不見成，止于陰魄出殼而爲鬼仙。"（《靈寶畢法·朝元煉氣》）顯然，這與修心家們大異其趣。

由于煉氣還丹是采取虛無真元之氣"合而煉成大藥，無中生有，返本還源，即與先天之氣混而爲一"的方式，① 故此，整個煉氣還丹的修煉過程可稱作"無中生有"的過程。

四

修心、煉氣兩大内修理論各從一端顯揚了道教傳統的内養思想，各自形成了内修成仙的理論系統，但又因各自的偏頗而不能成爲替代外丹學的成熟形態的修煉理論。真正成熟形態的内修理論是融合修心與煉氣兩派的性命雙修的内丹學説。無論張伯端主張"先命後性"，抑或王喆主張"先性後命"，其共同點是"性命雙修"。

---

① 《入藥鏡》"先天氣，後天氣"李攀龍注。

這在李道純的《性命論》中有過清楚的表述："性者,先天至神一靈之謂也。命者,先天至精一氣之謂也。性之造化繫于心,命之造化繫于身。……是知身心兩字,精神之舍也,精神乃性命之本也。性無命不立,命無性不存,其名雖二,其理一也。"顯然,性根源于神,命根源于精氣,精氣神一致乃是内丹學的理論核心。這種修心與煉氣、修性與修命、精氣與神的統一,是唐末五代開始,北宋《悟真篇》完成的。

　　唐元和時人施肩吾"煉養形氣,補毓精神"①,在其撰寫的《西山群仙會真記》中,氣與心、性與命并修是其主旨。對心氣關係,他説："心爲君父,炁爲臣子,……心氣一注,無氣不從。"一方面突出"以氣度合天度,以日用參年用",另一方面又强調"先聖之行道,存乎一心也"。對性命關係,他説："從道受生謂之性,自一禀形謂之命。"一方面講,"所以任物謂之心,心有所憶謂之意,意有所思謂之志,事無不周謂之智,智周萬物謂之慮,動而榮身謂之魂,靜以鎮身謂之魄"。另一方面講,"流行骨肉謂之血,保形養氣謂之精,氣清而快謂之榮,氣濁而遲謂之術,總括百骸謂之身,衆象備見謂之形,塊然有閡謂之質,形貌可則謂之體,小大有分謂之軀"。這實質上是在承認性、命區别的前提下又努力在"道"的基礎上會通心氣、性命。在修煉方法上,他提出"煉形化氣"、"煉氣成神"、"煉神合道"的漸次,其基本過程爲:由煉氣始,由神人道終。煉氣與煉神一致不貳,所謂"重重道氣法成神,玉闕金堂逐日新"②。《西山群仙會真記》爲施肩吾集洪州西山修道衆賢之作,蓋雲集西山的修道者當中,有主張煉氣的,有主張修心的,這種滲和交雜的局面爲會通修心、煉氣兩大内修派别提供了絶好的機會。施肩吾本人則既有傳緒鍾吕煉氣結丹思想的宗脈,又受天台司馬承禎修心思想的影響,因而具備

---

① 晁公武《郡齋讀書志》。
② 施肩吾《西山靜中吟》,見《全唐詩》。

了叩其兩端,撅其所長以成體的理論修養。張伯端在完成性命雙修內丹學説的過程中,有一個突出的思想是:不可將煉氣與修心、煉命與修性分作兩截。性命的具體内容就是精氣神,"神氣精者,與天地同其根,與萬物同其體"。(《金丹四百字序》)爲此,他譏笑那種離開心而認精氣爲鉛汞的做法是"認他物爲己物,呼别姓爲親兒。"(《悟真篇原序》)他也反對"獨修金丹"的修煉法,説:"此恐學道之人不通性理,獨修金丹。如此,既性命之道未修,則運心不普,物我難齊,又焉能究竟圓通,迥超三界?"(《悟真篇拾遺·禪宗歌頌詩由雜言》)從《悟真篇》所描繪的内修過程來看,性命一致的思想同樣顯明,《提要七條》以"凝神定息"爲始,主張"外靜内澄,一念規中,萬緣放下";中間經過運氣開關、采藥築基、還丹結胎、火符溫養等階段,最後歸于"抱一守一"。前面煉精化氣、煉氣化神皆有爲作之功,至于煉神還虛,乃絶慮忘機之候,此時當虛極靜篤,内外兩忘。整過程始于凝神,終于忘心,中間階段則"凝神定息丹法始終用之"。可見,修心方法貫穿内修丹法的始終。所以,《悟真篇集注例言》解釋到:"《悟真篇》中,言命處多,言性處少,然亦隱括養性在内。"而彭好古解注張伯端"虛心實腹義俱深"也説:"不若煉鉛服食,先實其腹,使金精之氣充溢其身,然後行抱一之功,以虛其心,則性命雙修。"(《悟真篇集注例言二十條》)先實腹是爲了使心"有所含育",并非行氣實腹中無性功。如果説在《西山群仙會真記》中尚有心、氣人爲鑿合的痕迹的話,那麽,在《悟真篇》裏則可説性命、心氣混然一體了。

　　然而,隋唐時期的修心、煉氣兩大内修理論派别雖都未成就完整形態的内丹學,但各自對内丹學理論的完成貢獻是巨大的。没有這兩種派别將道教雜多之術撮合穿綴,融會貫通,那麽道教傳統的那些"術"也難上升到理論的自覺,而始終是一堆不登大雅的方技。同樣,没有這兩種派别對傳統的存想與行氣從兩端盡力弘揚,那麽存想與行氣論也得不到切實的彰顯提高,從而停留在低級的水平

上。就修煉過程來看，"遣有歸無"與"無中生有"的同一也符合道教
的根本宗旨①，但這種同一卻是在隋唐修心與煉氣兩種思想深刻
對立基礎上的高水平的同一。而且總的説來，這兩大派別在隋唐五
代的發展已經具備了内丹學説的主要理論骨骼及其煉養過程。有
人説隋唐五代的内丹學説只是"未加説破"②，我認爲有一定道理，
不過未説破的既不是"内丹"這一名詞③，也不是"火候法度，溫養
指歸"，而是未將性命、心氣關係説破，從而也未將兩方面有效統一
起來。我們知道，宗教在本質上是人類的一種精神創造活動，道教
如果僅限于類似物質過程的行氣，便混同于普通的氣功，不能稱爲
宗教，故此，道教内丹學注定要貫穿心性感通道體的内容，這是道
教作爲宗教與世界上所有別的宗教相一致的方面。反之，如果拘泥
于以心性通道，則與佛教等外來宗教無別，故此，道教内丹學注定
要貫穿行氣煉氣還丹的内容，這是道教作爲本土宗教文化所具有
的特色。

　　中國傳統文化中的道教内丹學就是以上兩個方面的内在一
致。

　　作者簡介　李大華，1956 年生，陝西紫陽人。武漢大學哲學碩
士，武漢水運工程學院社會科學系講師。

---

　　① 道教始終强調最高本體的道是"不無之無"、"不有之有"的。
　　② 繼慧思、蘇元朗之後，又有張果，《元氣論》等屢次使用"内丹"一詞。
　　③ 參見李養正《道教概説》113 頁，中華書局出版。

元後期江南全真道心性論研究

張廣保

內容提要 本文對元後期江南全真道教性命雙修的內丹心性理論做了探討。全真道教在元朝後期傳入江南地區時,與內丹派南宗發生交鋒。在儒、釋、道三教融合的大趨勢下,道教內部的南北二宗也開始求同存異,尋求會通。在這一交流過程中,全真道教大膽地接納了南宗內修的命功概念系統,以彌補本門重性輕命的缺陷,從而在理論上實現了教祖王重陽性命雙修、形神俱妙的內丹理想。本文圍繞這一主線,以心、性、神、虛等概念為核心,詳細梳理了江南全真道教心性理論體系中心與道、性、神及性與命等概念之間的各種複雜關係,指出江南全真道教這套雙修雙證的心性理論在與禪宗、理學心性理論相比較時顯示出獨特的風彩。

元忽必烈南渡統一中國以前,南宋的道教主要是正一教和北宋張紫陽創立的內修南宗。當時全真教在南方并沒有多大的影響。隨著元的政治統一,全真勢力也開始向南擴張。全真的南侵,引發了道教南北二宗的交鋒。在儒、釋、道三教融合的大趨勢下,道教南北二宗自身也開始融合。在這個過程中產生了一批道兼南北、學貫三教的傑出人物。他們中的代表有兩位:一位是李道純,另一位是陳致虛。

李道純,字元素,號清庵,又自號瑩蟾子,都梁(今湖南武岡縣)

人。生平著述有《中和集》、《道德會元》、《全真集玄秘要》、《清庵瑩
蟾子語錄》、《三天易髓》、《太上清靜經注》。陳致虛，字觀吾，號上陽
子，江西廬陵（今吉安）人。生平著述有《金丹大要》、《周易參同契分
章注》、《紫陽真人〈悟真篇〉三注》等。李道純及他領導的教團，以南
宗的內修理論爲基礎，吸收全真道的三教合一的思想，從精神修煉
的角度討論心性問題；而陳致虛則本守全真家風，以北宗理論爲根
據，同時接納了南派的證命工夫，進一步完善了全真派的性命雙修
體系。經過這兩方面的努力，元代後期全真道開始形成從心、性、
神、意、虛、身（統括精、氣）等爲中心的一套概念範疇。這套概念範
疇系列以修證仙道、與虛空同體爲目的，以性命雙修爲途徑，來討
論內修過程中的心、性問題及性命神氣及其關係問題，從而形成了
與理學、禪宗頗爲不同的新道教心性論。這套概念體系奠定了明清
全真道心性論的基本框架，在整個全真道心性論中具有典型意義。
當然，他們討論的幅度并不僅僅限于純粹的心性論，目的也不是爲
建立一套心性理論體系，而是以性命混融爲核心，討論修性養命過
程中的心性問題。李道純在《中和集》中先從總體上概括了這套概
念範疇：

> 全真道人，當行全真之道。所謂全真者，全其本真也。全精、全
> 氣、全神方謂之全真。才有欠缺，便不全也，才有點污，便不真也。
> 全精可以保身，欲全其精，先要身安定。安定則無欲，故精全也。全
> 氣可以養心，欲全其氣，先要心清靜，心清靜則無念，故氣全也。全
> 神可以返虛，欲全其神，先要意誠，意誠則身心合而返虛也，是故
> 精氣神爲三元藥物，身心意爲三元至要。

這段論述，由精、氣神引出心、性、身、念、意、虛諸範疇。自此，
後期全真心性論的主要概念範疇完備大具。并且，概念與概念之間
互相關聯，形成了一個首尾相貫的概念範疇體系。以下，我們以心、
性、神、虛爲核心，以後期全真道派著作爲基點，具體分析這些概念
的內在含意以及它們之間的內在關係。

心

一、妄心與照心

後期全真道主要從精神修煉的角度來討論心的問題。首先,他們吸收了理學道心、人心這種二分一體的思維架構,把心做了兩種區分:一是妄心,或人心、塵心;二是照心,或本心、道心。他們和理學一樣,堅持一心說,認爲妄心和照心,人心和道心并不是兩個相互分離的實體。照心、道心并非獨立存在,而是寓于人心、妄心之中。妄心滅絕,照心自然呈現;人心斷滅,道心也就昭著。不過和理學不同的是,後期全真道認爲人心、道心、塵心和本心、照心的區別并不是天理、人欲之分辨,而是動、靜之不同。《中和集》云:"古云:常滅妄心,不滅照心,一切不動之心皆照心也,一切不止之心皆妄心也。照心即道心也,妄心即人心也。道心惟微,謂微妙難見也,人心惟危,謂危殆而不安也。雖人心亦有道心,緊乎動靜之間爾。"李道純認爲靜定就是道心、照心的存在境界;妄動不止則是人心、妄心的基本特徵。他以靜字界定照心、道心和全真道的終極概念"虛"形成呼應,照心、道心貫通于"虛"體。人心、妄心又名喜怒哀樂之心、貪戀愛欲之心、利名情妄之心、才能好勝之心、聰明見解之心,這些意義上的心有時也用念來替代。這種心和念主要是以現實人的情感爲主要内容。以境界而論,所謂修煉就是以心制念,復返本心。全真道認爲,本心就是心的虛靜澄湛狀態。他們有時也借用佛教的空予以規定。丘處機《磻溪集》則以"五行不到處,萬化總歸時"來形容本心的玄妙境界。

1. 本心即道

澄湛虛寂的本心實際上就是對終極的道從境界上予以規定。後期全真道討論本心問題,大多以道這一概念結合論述,主張本心即道。"心即道兮,道即心,不勞思想別追尋"。(《玄教大公案》)《中和集》中也説："以道觀道，道即心也，以道觀心，心即道也。"這兩段所講的心顯然都是指本心。認爲本心與道在理境上可以相互切入。不過也必須指出，全真道的心即道命題是有其特指的。它所指謂的是心與道在主體境界上相近，并非理學家所指的實體上的融通。本心即道的思想宋儒程頤亦嘗論及。程頤説："心則性也，在天爲命，在人爲性，所主爲心，實一道也。"（《二程集》）又："心與道，渾然一也"。陸九淵也有類似的思想，他以理（天理）做爲道的内在規定，主張心即理。"人皆有是心，心皆具是理，心即理也。"（《陸九淵集》）。又："萬物森然于方寸之間，滿心而發，充塞宇宙，無非此理。"（《陸九淵集》）元後期江南全真道徒大部出入儒、禪二家。李道純對理學、禪宗心性論就素有研究。陳致虛的佛教禪宗理論造詣也很深。因此，從理論上説，全真心即道的主張與理學、禪宗有相承關係。本來從全真内丹修煉的角度來説，本心和道雖然可以貫通，但是二者卻絶對不能同一。因爲道是全真道的實體概念，内丹修煉就是通過煉出内丹而回歸道體。全真道倡性命雙修，只有性命互融、互合，交結一體，才能結成火丹，返歸道體。而單純地明見本心，只是從境界上領悟了道體，對道具有一種體驗上的合一，并没有在實體存在上"是"道，即絶對地與道合一。因此，明見本心在全真道看來不是性功的終極境界。性功定就以後還要輔之于命功才能達到陽神出殼，與道合一。正因爲如此，全真道徒才譏斥禪士，認爲禪士以明悟本心爲最後的了悟是只見陰神不顯陽神，萬劫修煉也難躋達聖位。倘若以本心爲道，那麼，道、禪就無分别，陰神、陽神也無從區分。這是違背全真道性命雙修的基本原則的。全真道徒之所以提出心即道這個命題，一方面是由于受到禪宗、理學心性論的影響，另一方面也是因爲明見本性的確也是性功的基本目標。而性功在整個内丹修煉中又居于主導地位。所以，我們理解全真道這個命題應該從性功修行的角度，也就是從理境上理解本心和道的合一。

　　2. 心與神

　　全真心性論特色之一即在用神解釋心。宋元以前，道教討論精神修煉問題很少使用心性這類概念，一般都用精、氣、神等概念來討論。宋元時期，爲了應付來自禪宗、理學雙方的挑戰，參與心性問題大討論，全真道（另外還有内修南宗）在道教原有的概念基礎上，接納心性概念，以精、氣、神闡釋心、性、命，同時也吸收禪宗、理學的心性，發展出自己一套獨具特色的心性論。這套心性論首先就是以神釋心。具體内容包括以下幾個層面：

　　〈1〉神藏于心，心是神之舍（《中和集》語）。

　　在傳統文化中，心、神兩概念的意義本來就比較接近，只不過因爲各自對偶的概念不同，而建立起兩個不同的名詞。一般來説，神對形言，心對身言。《荀子・天論》云：“形具而神生。”南北朝范縝以質用範疇闡釋形神有言：“形者神之質，神者形之用，是則形稱其質，神言其用。”（《神滅論》）北宋周敦頤《太極圖説》亦以形神合稱：“唯人也得其秀而最靈。形既生矣，神發知矣。”至于心這一概念，在傳統文化中則有二義。有從宇宙論方面而言，有從人身而言。從宇宙論角度論述的心，心是指創生宇宙萬物的最高實體，從人身而言的心主要是做爲人身的主宰器官，具有思維功能。《管子・心術上》云：“心之在體，君之位也。九竅之有職，官之位也。”董仲舒《春秋繁露・通國身》亦云：“身以心爲本。”但在古代典籍中有時也交錯使用形神，心身。如《荀子・解蔽》即有：“心者，形之君也。”以心對形舉。全真道討論的心主要是取後一種意義，以心對身論。但是也具有貫通宇宙論的潛在趨勢，因爲心經過修煉則能顯見真心，再加以命功的鍛煉就能最終復歸道體，與道合一。因此全真道言心實潛在地兼具心之二義。全真道更以心神合言，按照這種使用，心比神大，神居于心中，心是神之宅舍。不過這裏使用的心、神指謂的是對個體具有主宰功能的實體。以心神合言漢儒揚雄亦有先例：“或問神，曰：心。請問之。曰：潛天而天，潛地而地。天地，神明而不測者也。心之潛也，猶將測之。況于人乎？況于事倫乎？”（《法言・問神》）不過揚雄心神合釋和全真道心神結合有很大不同，後文將詳述。

〈2〉虛心養神，心明神化。"虛心養神，心明神化，二土成圭，采而飲之，性圓明也。"（引自《中和集》）李道純在注《道德經》"三十幅共一轂，當其無有車之用"這一段時說："轂虛其中，車所以運行，心虛其中，神所以通變，故虛爲實利，實爲虛用，虛實相通，去來無痴。"（引自《道德會元》）這段中所提到的心、神二個概念中，心相當于人心，神類似于本心，本心的虛明能實現神的靈妙。一般來說，全真主張心神合用。這裏，心是指現實的主體概念；神則指人心虛寂後所顯現的真體，因而被用來當做真體概念。從一人之身來說，心、神合用時神是指人的終極本質，是人之通靈的最深一層，而心則指人的次級本質，指人通靈的潛在可能性。全真道對心神的這種合釋，和上引揚雄的論述頗爲不同。揚雄論心、神二者時，神主要是做爲對心的靈妙不測功能的一個描述詞，不是一個表示實體的概念。因此，從表示實體的角度結合身形是全真道一大創造。

〈3〉萬神總主于心。陳致虛《金丹大要》認爲："心爲一身之君主，萬神爲之聽命，故能虛靈知覺，作主生滅，隨機應境，千變萬化，瞬息千里，夢寐百般。"這裏所用的心與前面的本心又有不同，主要從功能的角度來界定心，指的是現實的人心，強調的是心的知覺作用。從認知角度描述心，在全真道著述中比較少見。因爲全真道論心并不是把心看成是認知主體，而是從內丹修煉角度把心當成復歸道體修煉仙道的主體。因此，全真道根本不可能由心開出認識論。而神這一概念在這裏則指人心的局部功能，是從功能角度進行描述的。在這種意義上也可說心是主神，具有實體意義。

全真道又把神做各種區分。《金丹大要》云："神名最多，不可枚舉，上部八景神，中部八景神，身中九宮真人，又有元首九宮真人，金樓重門十二亭長，身外存一萬八千陽神，身內有一萬八千陰神。"陳致虛認爲人體各部分的神都承擔了各不相同的職能。從他的叙述可以看出有些神的職能已經超出人體功能的範圍,而具有神秘意義。從這個方面說神已有實體化的趨勢。宋儒程頤就曾批駁道教的這種主張:"釋氏與道家說鬼神甚可笑。道家狂妄猶甚,以至說人身上耳目口鼻皆有神。"(《二程集》)

通過上述三層解釋,心與神就自然而然地聯繫起來了。但心神的這種結合,使得另一概念——"性"的位置難以確定。神和性有何內在聯繫呢? 它們之間的微妙區別又如何? 它們在心體中如何共存? 這是下面所要探討的問題。

3. 心、神、性

全真道用神來解釋接納心時,也討論了性的問題。心、性、神三者的意義既互相接近,又有相當細微的差別。從全真道整體範疇系列中看,心、性、神三者基本上是平列的,三者都是雙關概念,既指謂現實存在的主體(座心、識性、陰神),又指謂真實存在的本體(本心、真性、元神)。但後期全真道具體使用這三個概念時,并不條分縷析,區分得十分清楚,而是常常交互使用。這樣就使得三者之間產生了各種複雜的聯繫。首先,我們討論心與性的關係,可以看出,心與性二者有下列幾層關聯:

心自性生。"性在心先,心自性生","心自性生,即知性乃心之未始,若夫欲明本然真性,必先息心"。(引自《玄教大公案》)這裏所講心性關係是從發生學角度來談。從時間上說,先有性,後有心,性在心先,所以要明了本能真性只有從心上下手。心自性生也包含了另一層意思,即性是心的本體,心依賴性體產生,所謂修煉也可以說是消去人心,顯出性體。

性在心中,本心即性。"心虛澄則性本圓明,性圓明則無來無去。"(引自《中和集》)"心潛本性,猶流歸水止"。(引文同上)性雖在心先,但卻是以心為居宅,心體、性體實指同一實體,并不是在人心之外另存在一個性的實體。之所以言心談性,是由于論述的角度不同。談性多從本體的、根源的角度出發,談心則從發用的、現實的角度而言。然而事實上，心體的澄明虛靜狀態也就是性。在本心的虛湛中，心即性，性即心，二而一，一而二。修煉便是息人心、復本心，直至超越來去流止與虛空合一。這才是了性的原本意義。全真道有時也以外修的名詞術語，如砂汞，來比喻心性。如《中和集》中説：“心中之性謂之砂中汞。”可見，砂即指心，汞即指性。汞本來是砂中的提取物，以汞喻性，便是説性是心的精粹。

“性乃心之主”。（引自《中和集》）性爲心主，這裏的心是指人心、欲心、塵心，性是指真性、本性。以真性統治人心是精神修煉的目的。澄心見性，心路斷絶，性天自然瑩潔。

由以上論心性、心神諸説中，我們可以看出，性與神都居處于心中，性在心中，神也以心爲方舍。所謂煉心，既是以神（元神、真神）統制心，又是心潛本性，以真性主宰心。由此可見，性與神都和心有着密切的關係。由這種共同的關係，我們可以推知性、神二者，無論在内涵和外延上都非常接近。從整體上看，心、性、神做爲三個表徵主體與真體的概念，其内在的聯繫的確也很微妙，概括起來可以區分爲下面二層意思：①性與神同繫于心（自《中和集》），性與神都聯繫着心。因此，心才是修煉的主體，性（真性）與神（元神）都是經過修煉以後才存在的實體。性與神都是對心的虛明湛然狀態的兩種側重不同的描述。假若無心，那麽，性與神便無着落。②虛其心則神與性合（語出《中和集》）。以心爲根基，通過制心而煉神，心定則神全，神一旦完足無缺，那麽真性自然瑩潔。由全神到了性，實際上是同一步工夫。後期全真道的另一個傑出代表牧常晁在《玄宗直指萬法同歸》中概述了心、性、神三者的關係：“或問：性、神、心三者同異？答云：性者，寂然不動之真空也，神乃真空之中妙有靈通者。性之神所以感而通者也。心者，性之樞，神之機也，樞機靜則性神安，動則性神搖，雖曰二用不離一體，性不自靈，神靈之也，性不自通，神通之也。安其性，存其神，心也，萬物莫不由心焉。”在這段論述中，神與性雖是同類概念，但它們所强調的重點不同：神强調主體的靈通的一面,性强調主體的靜寂未發的一面,而心則是聯絡性與神的中介。全真道之所以要使用性、神這兩個概念,是因爲神是傳統道教慣用的與性同類的概念,性則是因經過唐宋禪宗的倡導而新崛起的本體概念。全真道繼承傳統道教的修煉理論,又與禪宗及理學對話,所以就用神來規定性。我們由此也可看出全真道融合禪宗及理學的痕迹。由以上兩點論述,本心、本性、元神都大體類似,只是描述重點稍有不同。所以,才一體而立三名。

4. 心與情、意

什麼是情?全真道在這個問題上基本繼承了傳統文化的説法:"喜怒哀樂愛惡欲,情也,因意而有。"(引自《中和集》)在晚期全真道著述中,意、情常常聯用。情和意有密切的關係。情是因爲意感外物而產生的,有七情之分,而意則就總體而言,無具體分類。全真道有時也以天干地支、四方五行這一解釋系統來解釋其範疇體系。在這種解釋系統中,意在天干地支中,屬于戊己,配中土,色尚黄,又名胎意。胎意謂之黄婆。"四象五行,意爲之主宰。意無偶自是一家。"(引自《中和集》)意有時也做"真意"講,在此種情況下,真意具有本心的含意。意和情和心都有着密切的聯繫。籠統地説,意、情俱指人心,是人心的代名詞。真意,胎意則指本心,真心是表示真體的概念。具體説來則是心發意、意發情,三者相互相生;心是意的根源,意是情的根源。有時全真派也把意忽略不講,只講心、情。如此,心又是情的根源。"思慮念意根心也,因事物而有。"(引自《中和集》)所以,修煉既是澄心定意,又是情泯于心。意澄定則真心現,情泯滅即本心顯。另外,意與神也有緊密聯繫,"欲全其神,先要意誠,意誠則身心合",又"煉神之要在于意,意不動則二物交并,三元混一,而聖胎成矣。"(《引自《中和集》)以上兩處使用的意,都是煉神的主宰。真意、誠意是通向元神的必由之路。

5. 身與心

全真道主張身心相合,性命雙修。所以,在討論心的問題時必然要涉及到身。《中和集》説："全真至極處無出身心兩字,離了身心便是外道。"又"或問:如何是丹成?曰:身心合一,神氣混融,情性成片,謂之丹成,喻爲聖胎。"所謂修煉,就是身心不動,身不動則氣定,心不動則神凝氣結。從身心方面看,修道也就是身心合一,合之又合,直至身心純一無二。到這境界丹道也就完全了。"如何是烹煉?曰:身心欲合未合之際,若有一毫相撓,便以剛決之心敵心,爲武煉也。身心既合,精氣既交之後,以柔和之心守之,爲文烹也。此理無他,只是降伏身心,便是烹鉛煉汞也。"(引自《中和集》)全真道也用天地、魂魄、乾坤、馬牛、陰陽、鉛汞、坎離、男女、烏兔等來比喻身心,借以進一步闡明内修的理論。"所以天魂地魄,乾馬坤牛,陽鉛陰汞,坎男離女,日烏月兔,無出身心兩字也。"(引文同上)身包括精與氣,之所以拈出身字,主要出于煉精、煉氣的需要。"煉精之要在乎身,身不動則虎嘯風生,玄龜潛伏,而之精凝矣。"(引文同上)身心并不是指幻身肉心也。這兩概念有所特指,身并不是指人的有形軀殼,而是微妙難見的元精元炁,即所謂歷劫以來清修身,無中之妙有。心即先天先地的元神,本有中真無。討論身心的終極目的,無非是要解決修煉的問題。修煉身心方法在于虛靜。"收拾身心之要在乎虛靜,虛其心則神與性合。靜其身則精與情寂。意大定,則三元混一,此所謂三花聚,五氣朝,聖胎凝。"(引文同上)

性

一、真性與識性

性也有"本來真性"、"本然慧性"、"本然真性"和"血氣稟賦之性"、"習染俗氣之性"、"識性"等兩種區分。因爲全真教討論性并不是爲了理論和道德的目的,所以關于後者并沒有深人的研究。而"本來真性"等因爲直接關涉到精神修煉問題,所以討論得較爲充分。《中和集》中有兩條對性的直接論述:"夫性者,先天至神,一靈之謂也。"又:"人之極也,中天地而立命,稟虛靈而成性。"這裏對性的兩條定義式的描述,都是用"先天至神"、"虛靈"來界定性。在《中和集》的另一處,李道純又引用了全真教主王重陽的一句格言式訓導:"神是性兮,炁是命。"説明性的本質即是神。所謂"神"、"先天至神"、"虛靈"都是表明性與神的相互溝通,性體即通神體,都是至虛之妙,靈通無方。性既是虛靈玄妙之體,所以有時被直接稱爲"大丹"、"金丹"。聖師云:"本來真性號金丹,四假爲爐煉作團,是知大丹者,真性之謂也。"(引自《全真集玄秘要》)又:"金者堅也,丹者,圓也,釋氏喻之爲圓覺,儒家喻之爲太極,初非別物,只是本來一靈而已。本來真性,永劫不壞,如金之堅,如丹之圓,愈煉愈明。"(引自《中和集》)真性雖然就是大丹,但一般人的真性卻混雜在血氣稟賦之中,受習染俗氣的沾污,所以必須加以錘打鍛煉。煉其識性顯本性。只有了達真性,才能無來無去,與虛空合一。性體雖通神體、虛體而且神妙無方,但僅僅明心見性并不能使性體與虛空合二爲一,必須使性與命合,性命兼達,才能形神俱妙,與虛空同體。否則,"只修祖性不修丹,萬劫陰靈難入聖。"(《玄教大公案》)

二、性與命

王重陽説:"神是性兮,氣是命。"李道純在《中和集》進一步論述到:"命者,先天至精,一氣之謂也。"由此可見,命即是指先天精與先天氣。後期全真道有時也提及命運的"命",但不多見。命這一概念在後期全真著述中主要含意是精氣。精氣合二言之謂身。全真道强調性命雙修。性命歸一、形神俱妙是全真道的一貫主旨,也是全真道區別于禪宗的一個顯著特點。"煉丹之要是性命兩字,離了性命便是旁門,各執一邊謂之偏枯。"(《中和集》)可見性和命之間有着不可分割的聯繫。《中和集》云:"形無命不立,命無性不存,其名雖二,其理一也。"又:"性無命不處,命無性無本,性命一圓融,自然隱乎此。"性與命之間的關係若用現代科學語言表示就是:性好比是軟件,命似硬件。命是性載體,性是命的奧秘,性中貯存着命的全部密碼。當然,這種區分只是在開始修煉時才能成立,到修煉結束,性命混融後,性即是命,命即是性。"蓋道之精微,莫如性命,性命之修煉,莫如歸一。"(《金丹大要》)後期全真道有時也用"有"、"無"來闡釋性、命之間的關係。性被稱爲真無,命則被稱爲妙有,性命合一即真無、妙有融合爲一。"本然慧性真無也,真空慧命妙有也,真無妙有融于未始,乃太極未肇,父母未生,一真實相,是謂玉虛妙體,清靜道身,無始之始也。"(《玄教大公案》)

修煉仙道有兩條途徑,這兩條途徑是相對不同天賦的人而言。一是上根大器,這種人在修煉時可直接了性而自然了命;另一種是根器淺薄的一般人,必須先了命後了性。前者是生而知之,後者學而知之。"學道之人夙有根器,一直了性,自然了命也,此生而知之也。根器淺薄者,不能一直了性,自教而入,從有至無,自粗達妙,所以先了命而後了性也,此學而知之也。"(《中和集》)由了性而了命實際上是頓悟,由了命而了性則是漸證。頓悟在全真道的修煉中通常只是一種假設,他們注重的是了命與了性的雙重證悟。由了性而了命,由了命而進一步了性,了性與了命之間交互推進,直至達到性命雙全,混融一體的境地。我們在全真道論述修煉的每一步工夫中都可以看出,了性實際上貫穿于精神修煉的始終。了性實際上就是制心。只有制服塵心,欲心才能顯見本心聖體。

三、性與情

換一個角度來説,性命混合也是以金合木,以情合性。全真道以四方五行合配性情魂魄意。按照這種合配規則,情即配以金、配以西方,以數稱則爲四,"西四,金也,我之情也"(《中和集》)。而性照這種配法則屬木,謂東方,以數算則是一。"故木喻魂喻性。"(《玄教大公案》)在全真修煉理論性情常對舉。《中和集》説,"性情謂之夫婦",所以修煉也就是滅情復性。又比喻爲金木并,"或問:如何是金木并?曰:情來歸性謂之交并,情屬金,性屬木。"(《中和集》)情歸性又名空情見性,空情見性則能照見本來,復歸本根。"性寂情泯

(冥),照見本來,抱本還虛,歸根復命,謂之丹成也。"(《中和集》)全真道有時也以龍虎比喻性情,配之于《周易》的震、兑二卦,統以人心的魂魄二物。"震爲龍爲魂,兑爲虎爲魄,總而言之性情也。"(《全真集玄秘要》)在這個意義上,性情又與身心發生聯緊。《中和集》以心統魂神,以身統魄精,魂魄二物分別寓于心身之中。總之,性情、身心都是後期全真道論述修煉問題時所使用的不同名詞概念。修道證仙,既可以名之爲性情相并,又可名之爲身心相舍。兩對範疇在具體論述過程中往往互相溝通。後期全真道借用外丹的龍虎二詞闡釋內丹修煉中的陰陽兩種要素。"龍乃陽中之陰,主生,故興雲致雨,潤澤萬方,而其中之陰能殺者也;虎乃陰中之陽,主殺,故呼風哮叫,常有殺心,而其中之陽能生者也。"(《金丹大要》)必須注意的是,這裏所説的陰陽,與傳統道教指謂的陰陽二氣的實體概念有所區别。陰陽各指人體心腎中兩種不同的物質要素,陳致虛認爲人體陰陽二物的顯現、交合直接和心的存在狀態密切相關。"蓋念慮絶則陰消,幻緣空則陽長,故陰盡陽純,則金丹藥熟。"(《金丹大要》)

神

一、元神與思慮神

神在全真教的精神修煉體系中是與心、性同列的一個概念。與心、性這兩個概念相比,神在晚期全真道著作中使用的頻率更高,討論得也更詳細。在整個範疇體系中,神處于醒目地位。而且神和性、心、虛都相互貫通,形成了一個貫通的系列,而神顯然是這個系列的軸心。晚期全真道使用神這概念在不同語言環境下具有不同的意義。首先,神具有實體上的意義。神指神體,這種神體是不生、不滅的永恒存在,是宇宙萬物變化的根基。"物之大者,終有邊際,惟神之大周流無方,化成天地,無有加焉,由其妙有難語,故字之曰

神。"(《全真秘要》)《中和集》云:"不生不死,神之常也。"又贊語:
"大哉!神也,其變之本也。"這兩個地方所説的神顯然是意指實體
意義。在此意義上使用的神,和另一個實體概念虚相互貫通。"神
本至虚,道本至無。"(《中和集》)所謂修煉不外乎是煉神還虚,使神
體、虚體合二爲一。"或問:何謂七返?曰:七乃火之成數。返者,返
本之義,只是煉神還虚而已。"(《中和集》)從實體意義上講的神是
全真道神的主要意義。另外,神有時也與形對擧,在這種意義上,神
就是指心的各種功能。神雖依形而立,是形的功能,但是,在形神的
關係上,全真道認爲神爲主、爲母,形必須聽命于神。"神乃身之母,
神藏于身,喻爲母隱子胎。"(《中和集》)另外,從修煉的角度分析,
神還有種種不同的區分,諸如先天之神、思慮神、元神、識神、陽神
等。

　　先天神又名元神,是與思慮神、識神相對的一個概念。先天神
從修煉的角度命名,是精神修煉的實體。思慮神則是日常應用之
神。先天神、思慮神是本心、欲心、真性、識性的另外一種表達法。
"今以先天地之神而言,其神號無位真人,佛云紇里陀耶佛……成
仙、成佛,必要此神方得。此神之功,能驅用四心神、四智神、八識
神,又能使之變化。"(《金丹大要》)先天神又稱"無位真人"、"西來
真面目",同時也與五行相配,稱爲"真金"。"或問:何爲真金?曰:
金乃元神也,歷劫不壞,愈煉愈明,故曰真金。"(《中和集》)按照這
種説法,真性(本性)、元神即是同一個實體,説真性、説元神只不過
是叙述時所側重的方面不同罷了。元神、思慮神并非兩個獨立的實
體,二者實是一而二,二而一。"元神凝則思慮之神泰定"。(《中和
集》)所謂修煉,從神的角度看,便是用先天之神統制思慮之神,然
後先天神與先天氣混融一體,然后陽神出殼,最後還歸虚無。

　　二、元神與炁(精)

　　神與炁是道教傳統修煉理論中一對比較重要的概念,同樣也
是全真道範疇體系中的一對中心概念。全真道討論元神、先天神,

不僅僅局限于煉神、制神,而是要神炁相融合,最終神、炁相交,結出虛無靈妙之聖胎。"先以神入乎其炁,後炁來包乎其神,神炁相結,而意則寂然不動,所謂胎矣。"(《金丹大要》)神、炁也就是性、命,有時也叫形、神。與神一樣,炁也有各種不同的區分,有先天炁,後天氣,陰陽氣,又有與精合稱的精氣等等。後天之氣與先天氣有本質區別,後天之氣生于穀,由胃而生。"今以後天地之氣爲言,此氣生于穀,得穀而生氣"(《金丹大要》),這種後天地之氣并不是全真道討論的重點,因爲這種氣與精神修煉沒有什么本質聯繫;而先天之炁則直接與精神修煉有關。先天之炁是修煉的真種子,先天之炁與先天精有關,寶精則能益炁。"人惟保精則氣裕,氣裕則精盈,精與炁相養,炁聚則精盈,精盈則炁盛。"(《金丹大要》)精,按照全真道修煉理論也有先天、後天之分。後天之精屬于陰,寶惜這種精并不能長生、超生,只能健身益壽;而先天精則直接與元炁相滋養。先天精屬陽,是煉精化炁的真種子。"須此先天地之精屬陽,聖人修煉爲丹者,此也;其後天地之精屬陰,人若寶之,惟能健身益壽而矣。"(《金丹大要》)所謂修煉,其終極目的雖然是元神出殼,與虛相合,但要達到煉神還虛這個階段還需煉精化炁、煉炁化神兩步工夫,通常也叫三關。"或問:何爲三關?曰:三元之機關也。煉精化炁爲初矣,煉炁化神爲中矣,煉形還虛爲上也。"(《中和集》)元精雖與陰精相對,其實也不是另有一個實體。元精至純就是元炁,元炁至清即是元神,依其清純、混濁似有三體。其實到至極處是一體三名。之所以分別爲三者,只是由于工夫鍛煉的深淺。"所謂三品者,乃元神、元炁、元精,不有不空,無聲無臭,恍惚窈冥,元無定體,三者本一,一體三名。"(《玄教大公案》)元精經過鍛煉便化成元炁,先天炁。先天炁又名祖炁,其最大特點是虛無真一,沒有形質,屬于陽性。"祖炁者,乃先天虛無真一之元炁,非呼吸之炁。"(《中和集》)先天之炁根源于虛體,"惟先天真一之氣,可煉金丹,乃是虛無中來。"·(《金丹大要》)先天之炁雖源于虛無,但卻很微弱,故有一點真陽之稱，必須加以溫養、沐浴、培植、壯大，然而才能靈妙而復歸于虛。另外，按照四方、五行的配合系列，金屬水，配北方，數爲一。"北一，水也。我之金也。"(《中和集》)精與身(形)也有着密切的關係。"精乃身之主。身者，情之繫，精與情同繫乎身。"(引文同上)身心、性命、精、氣、神不過是從三個不同側重點，用三套不同語言叙述同一件事情。總之，元神、元炁、元精的本質都是虛體。所謂修煉不過是三者相合，使其更純粹、旺盛而已。元精、元炁、元神在本質上雖是一而三、三而一，但真要實現現實的三位一體，還須經過嚴格的鍛煉。《全真直指》一書用形神二元相合的程度簡妙地表達了修煉過程。此過程共分七步：

第一，形神相顧，人道初真。　●　○

第二，形神相伴，名曰得真。　●○

第三，形神相入，名曰守真。　◖

第四，形神相抱，名曰全真。　◉

第五，形神俱妙，與道合真。　●

第六，形神相舍，名曰證真。　○

第七，普渡後學，以真覺真。　🐚

以上七步工夫以形總攝精與氣，以形神的合一程度來衡量證道的深淺。最後以虛空同體、普渡群生做爲修煉的終極。

虛

虛在全真道心、性、神、意、身、命、精、炁這一整套概念體系中起了歸結作用。它既是整個系列終極的最高概念，同時也貫通于每一個概念。用儒家的術語來説，它是一個太極。做爲太極，它既是一個終極概念。但同時，又貫穿于每一個概念。心、性、神、意、身、命、精、炁又各有一太極。虛是概念體系始點與終點的統一，也是本體、工夫的統一。

一、虛體

虛首先是創生宇宙萬物的實體。天地萬物賴之以開闢、化生。道即是虛，虛即是道。道是虛名，虛是實體。《中和集》中有："是知虛者，大道之體，天地之始，動靜自此出，陰陽由此立，萬物自此生，是故虛者，天下之大本也。"虛存在于太極、陰陽、萬物之先，宇宙萬物依賴虛而有生機。虛也稱太虛。"問：太極未判，其形若鷄子，鷄子是甚麼？曰：太虛也。"(《中和集》)由此可見，虛、太虛也是宇宙尚未開闢、太極尚未分判之前的存在狀態。太虛不僅在時間上先于宇宙萬物，同時是宇宙萬物的本真狀態。虛有時也與靜合稱爲虛靜，全真道認爲虛靜是天地的本來形象。"虛者，天之象也；靜者，地之象也。自强不息，天之虛也。厚德載物，地之靜也。天地之道惟虛與靜。"(引文同上)所謂精神修煉，就其終極意義來說，就是煉去人僞、物僞，復歸虛之本真。所以也說歸根復命，還其初。"所以脫胎之後，正要腳踏實地，直待與虛空同體，方爲了當。"後期全真道主張以太虛同體，認爲虛體是證道的終極歸宿。但李道純更進一步認爲所謂虛體雖然是至靜至淨，然而仍然有迹可循，終極了證應該打破虛空，連虛體也一并拋棄。"三五混一，一返虛，返虛之後虛亦無，無無既無湛然寂，西天鬍子没髭鬚。"(《中和集》)後期全真道主張做兩步功夫：一是凝神入空寂，了證虛空。二是融神出空寂，連虛空也一同拋棄。"湛然常寂者，凝神入空寂也；寂無所寂者，融神出空寂也。"(《中和集》)通過這樣一出一入，人就如天馬行空，無挂無礙，從而獲得最大限度的自由和解脫。如此境界則不可言說，不可思議。

二、虛與空

虛在全真道的著述中經常與空聯用，合稱虛空。所謂虛空，即是以空來解釋虛。虛的意義很微妙，用日常語言很難解釋清楚。虛并不等于無，也不是什麼都沒有，一片死寂，而是一種無具體形象的滯礙，純之又純，精之又精的存在狀態。這種存在形式用三維空間表達存在的概念:有或無,存在或非存在都無法包容。因爲虛既不是存在,也不是存在的失落——非存在。虛根本就超越存在與非存在之外,與二者了無關涉。因此用語言無法根本說清虛是什麼,甚至說它是虛也是强名,因爲它壓根不是"是什麼"的問題。虛既是如如不動,又是了了常知,常清常靜,又是至覺至靈。這種貌似神秘的實體只有通過精神修煉才能把握。而在語言表述上,只有借助于類似矛盾的辨證表述即雙破雙立,雙遮雙詮。這也是全真道借用空來解釋虛的根本原因。因爲除了佛教的空以外,在傳統文化中再難找到一個類似的概念來詮表。神、性、心(本心,本性,元神)有點接近于虛,但都有牽纏的痕迹。談心説性,都只是合虛之莖蹄,濟渡之津梁,不能執着心性。了悟虛體即是仙、聖、真。"虛之又虛,靜之又靜,身心兩忘,氣融神定,一片玉虛,天心光瑩,復未生前,誰凡誰聖,非真非仙,非心非性,本無可言,亦非可證,寂然誠誠,中中密印。"(《玄教大公案》)全真道經常用空來解釋虛,但虛并不完全等于空。虛與空二者儘管很接近,但二者之間仍有很微妙的差別。空體通過心悟性覺即可達到。而對全真道來説,這種證悟只是一種類似"生而知之"的假設,并無任何現實意義,何況單純的明心見性只是出陰神。陰神是空,但不是虛。陰神只有虛的境界,但没有虛的神機,缺乏活潑的機能。而虛則具有空之靜,又有神之不測之機。"到這裏纖芥幽微惡皆先照。至于如如不動,了了常知,至覺至靈,常清常靜,真常之道至是盡矣。"(《太上清靜經注》)《中和集》中也有:"虛者無所不容,靜則無所不察,虛則能受物,靜則能應事,虛靜久久則靈明。"全真道有時也用"道"來包容虛,以虛之體括道之名。"故夫道也,非形非相,不色不空,物物全彰,人人本具,乃天地未始之大象,父母未生之至靈,不屬思求,非從言會,蓋道無定體,心妙無方。"(《玄教大公案》)

　　虛既是本體也是工夫,因此虛貫通于精神修煉的每一個環節,同時也是溝通整個範疇體系的中介概念。做爲工夫,從煉精化炁,煉氣化神到煉神還虛的初、中、上三關,其歸結點都是虛。從修煉的起始點元精看其本質即是虛,是至靜至虛中的一點真陽。元炁的本質也是虛,元神更是與虛接近。從本體和工夫的雙重意義上,虛與心也相互貫通。"聖人之心虛明空廓,清靜圓輝,如懸寶鏡,物來則照,物去則空,無有色相好醜,心澄澈,萬里昭然,豈不簡妙。"(《玄教大公案》)可見,修心的工夫即是空心息情,無心無意,而心的原始境界就是虛明空廓。由此看來,全真道主張本心即通虛體。本心既然如此,真性自然也無差別。真性貫通虛體,我們在前文引述《中和集》對性的定義時,已有説明。李道純認爲人是稟虛靈以成性,真性的本然狀態即是虛靈之體,因此真性貫通虛體是很顯然的事。《中和集》又載有神本至虛的説法,認爲神在終極根源上源自于虛,全神又可以返虛,重新與虛空合一。由此可見虛既是心性概念系列最高的、終極的概念,又是心性、神炁等概念的本質。在虛這一概念中,後期全真心性論得到最充分、最徹底的展開。

作者簡介 張廣保,1964 年生,江西撫州人。1992 年獲北京大學哲學博士學位,現在中國社會科學院歷史研究所思想史研究室工作。主要著作有:《道・自然・文化》、《先秦氣功簡史》,博士論文題爲《金元全真道及其內丹心性論研究》。

太原龍山全真道石窟初探

李養正

内容提要　我國輝煌精美之藝術石窟雖多,但具道教内容的則較少,而獨具全真道内容的則更少,太原龍山的全真道石窟則可謂我國獨一無二的稀罕之寶。此窟規模不大,刻鑿于元代,歷代地方志偶有簡介,素少有人作全面考察,故學術界知之者甚少。我在1980年秋登上龍山,對此窟作了考察,當時寫了一篇考察記,迄未公開發表。近日檢閱舊篋,復見原底稿。我以為此稀罕、珍貴石窟之詳情,不可以不公告于世界之研究道教學者以及從事石窟藝術的研究者。借《道家文化研究》之一角,將此稿獻之讀者。此文内容,主要介紹有關此石窟之史料及現存實際狀況、内容説明、修建時間考證、宋披雲真人修建石窟之意義等。

在太原西南約四十里,有龍山道教石窟。位于靜居觀溝上之龍山峰頂,古昊天觀之東側。石窟鑿修在一龐大峭岩上,前有敞坪數畝,後倚蔚然峻峰,更有蒼松古柏,陰鬱挺秀于東西,把石窟襯托得十分優美別致。石窟共八洞,皆刻有道教神仙像。規模雖不大,但以道教石窟甚少,且雕藝精湛,故頗珍貴。它最早開鑿于何時,無史料可考,只知道全真道士宋披雲在宋理宗端平元年訪龍山古昊天觀故址時，發現這裏已有兩石洞，皆刻道像①。爾後，宋披雲與其門人秦志安、李志全增修五洞；迄明正德年間，內官暢英又修一洞。對這一石窟，在山西地方志及宋披雲等人傳記中雖有所記載，但均文字簡略，記述不詳；近百年來，雖有外人陸續發表日本侵華戰爭前所攝之照片，但既不錄銘文題記，而且解釋錯誤甚多；加之刻像屢遭盜竊破壞，致使刻像大多無頭，今人難以鑒賞原貌及認識其真實內容。作者于今年深秋尋訪了這一石窟，現將曾閱覽的主要資料及目睹石窟現狀，略為記述，并陳淺識，供研究者及游覽者參考。

一、龍山石窟今昔

史料記載：

《終南山祖庭仙真內傳·披雲真人》：“癸巳，大丞相胡天祿時行臺河東，請主醮事。甲午游太原西山，得古昊天觀故址，有二石洞，皆道像，僅存壁間，有宋童二字。師修葺三年，殿閣崢嶸，金碧丹艭，如龜頭突出，一洞天也。”

《嘉靖太原縣志·寺觀·昊天觀》：“在縣西一十里龍山絕頂，元元貞元年，道士宋德方建觀。東石崖列，鑿石室八龕，有道者姓宋號披雲子所鑿。一曰虛皇，內刻石像十一尊；二曰三清龕，內刻三清像三尊；三曰臥如龕，內刻臥像一尊，傳為披雲子臥化之所；四曰玄真龕，內刻石像三尊；五曰三天大法師龕，內刻石像三尊；六曰七真龕，內刻石像七尊；第七第八二龕，俱名辯道龕。玉皇大殿五間，正德初年內官暢英重修。”

《雍正太原縣志·人物·披雲子》：“宋之真仙也，隱居昊天觀，鑿石洞七窟，為修煉所，有石刻像，自作贊今存。”

《道光太原縣志·懸甕山記》：“其東北蔚然而秀者為靜居觀，

---

① 見《終南山祖庭仙真內傳·披雲真人》。

觀踞卧虎山上，層厓巑岏，古柏陰翳，仙人披雲子鑿石室爲修丹之所，後仙去，洞壁遺偈尚存。"

其他如《山西通志》、《古今圖書集成·神異典》等，記載均與《太原縣志》相同。

上述記載，有些地方説法不一，相互矛盾，記時記事也有錯誤，不過總算記録了這一石窟的簡略歷史與面貌。

近百年來，日本方面對龍山石窟較爲注意，在 1920 年（日本大正九年）便已偷攝了該石窟的照片，以後還曾多次拍攝。在 1938 年（日本昭和十三年）出版的《東洋文化史大系·宋元時代》中，發表了虚皇龕、七真龕、披雲子龕及石窟全景的照片；其中除劉長生、郝廣寧刻像無頭外，其他均完好。在 1978 年，日本出版的《中國文化史蹟》第一册中，發表了該石窟全部刻像的照片，最晚爲 1925 年攝（日本大正十四年）；其中除宋披雲刻像照片無頭外，其餘與《東洋文化史大系》發表的刻像相同。這就是説，在日本侵華戰爭之前，該窟已失劉長生、郝廣寧、宋披雲刻像之頭。

日本人當年偷攝石窟，只注意了刻像與天井圖案，未拍攝洞中銘文題記，在《東洋文化史大系》、《中國文化史迹》中均無該窟銘文題記照片。在《東洋文化史大系》中，有對宋元道教的研究性文章，題曰"道教"，其中有一書談到龍山石窟之開鑿、八龕之内容以及宋披雲等的簡略歷史。《中國文化史迹》中，只在每幅照片下作了簡單説明。

上面所介紹的，是日本侵華戰爭前中外所録有關龍山石窟的主要資料。從這些資料看，石窟到本世紀三十年代仍然是基本完整。

日本侵華戰爭爆發後，祖國的錦綉河山遭到日本侵略軍的殘暴踐踏，祖國的寶貴文物也受到肆意掠奪和摧殘，龍山道教石窟雖位于深山，也未能幸免。據山西文史館、太原市文物管理委員會調查，太原淪陷後，日僞山西文教廳顧問林木三郎與太原市正大商行經理及僧淨亮相勾結,大量盜竊天龍山佛教石窟和龍山道教石窟之石刻藝術品,先行拍照,後用棉被封住洞口,深夜將刻像頭部鑿下或者將整個刻像分段鑿下,陸續盜走,致使石窟遭受浩劫,損壞破殘嚴重。在"文化大革命"中,因石窟地處偏僻深山,更賴太原市文管會大力保護,免遭再次摧殘,至今得以保存下來。今年十月間,作者目睹石窟經過十年動亂依然存在,感到十分欣慰;同時見到刻像大部分已無頭,有的刻像被盜竊者整個鑿走,只留下鑿痕,感到憤慨,對祖國文物之損失,深感惋惜。

現將石窟現狀,記述于後:

第一、虛皇龕:天井刻團龍圖案。中主座虛皇像,已無頭;左側列侍者十,其中僅第七、八有頭;右側列侍者十,其中第二、四、六、八、九、十有頭。洞內有銘文,每行四字:

> 唐吳尊師　玄綱論曰　□地不能　□有有天　□□□極
> □□不能　□□運太　□□真精　□□自然　□□惟明　呈
> 　□□九清　□□玄化　□□萬靈　□以之動　□以之寧
> □默無爲　□方用成　□洞之前　□虛靡測　□□澄正　自此
> 而植　神真獨化　□□□□　□□□□　咸有所戝　丹臺瑤林
> 　以游以息　雲漿霞饌　以飲以食　其動非心
> 　　其翔非翼　聽不以耳　聞乎無窮　視不以目　察乎無極
> 此皆無祖　無宗不始　不終舍和　蘊慈愍俗　哀蒙謹錄　此語
> 庸示　區中　自甲午春　至乙未冬　三洞功畢　東萊披雲　泐
> 石

第二、三清龕:天井刻團龍圖案。中爲元始天尊、靈寶天尊、道德天尊座像,僅道德天尊刻像完整,餘兩尊已無頭。左側真人三、侍者四,僅一真人、一侍者尚完整。右側真人三、侍者三,兩真人、**兩侍者尚完整。洞內有銘文兩篇:**

> (一)□披雲胐鑿石室尊□　□披雲之老仙　戰龍山之□
> 鑿千尋碧玉之岛　幻數洞黃金之像　玄臺共漢月爭高　傑閣與
> 晨霞相抗　幸百靈之拱衛　亘萬刼而無量者也　丙申歲七月初

九日門人舜澤秦志安述

（二）歲在丙申五月丙辰朔　總真玉室莊嚴慶成　謹作祝文

大道窈冥　孰詰其形　至人體奧　立象盡情　爰穴盤石　煥

以金碧　萬神來思　載歡載懌　祭酒披宣　祈　　　□恩

積延　當今天子

億萬斯年　波及臣佐　嵩呼慶賀　風雨若時　生靈安妥

門人李志全述

第三、臥如龕：中爲臥像，道裝，東首，枕左手，右手撫右胯，刻像完整。左側立一侍者，尚完整；右側立一侍者，已損壞無頭。

第四、三天法師龕：中主座真人一。左側座真人一，立侍者四；右側座真人一，立侍者三。此龕刻像較完整，僅左側一侍者無頭。

第五、三皇龕：此石室內無刻像，"三皇"及陪祀均爲泥塑像。中座爲"三皇"，伏羲、神農塑像尚完整，黃帝像已損壞無頭。左右側陪祀各五，大部殘損。石壁上有墨字題記：

三　皇聖□

李志□施銀弌錢弌□

李志純施銀壹□

李□梆□

高守上施銀壹錢弌

康熙五十九年七月吉日

畫匠　陶□榮

崔　普

第六、玄真龕：中座真人一，左右側各立"侍者"一。此龕較小。刻像均完整。

第七、披雲子龕（又名辯道龕）：天井刻鳳凰圖案。中座宋披雲，左右側各立一道人。這三尊刻像均無頭。龕內左邊壁上刻一門，有一道人持書側身進洞，刻形尚完整。龕內壁上銘文較多，主要爲四篇：

　　（一）披雲自贊　這個形骸許大　已是一場災禍　被誰節外生枝　強要幻成那箇

　　更分假像真容　便是兩重罪過　只因眼病生華　畢竟有個甚広　自戊戌自己亥功畢

　　（二）門人李志全稽首作頌　師□□□　□□□□　□山□□　吾師□□　英英□□

　　（三）披雲仙翁　玄門中龍　德之如何　太華之峰　節如之何　徂來之松　九齡悟道　徧禮琳宮　千里求師　密契真風

　　闡玄化于陰山之外　續瓊章于火刼之中　鍊譚馬三陽之鏡　鑄丘劉八極之鐘

　　玉樹重芳于海上　金蓮復秀于山東　直待養成千歲鶴　一聲鐵笛紫雲中　門人舜澤秦志安焚香　敬讚　鐫石□劉志安

　　（四）……昊天觀星斗垂　□□□□□紫雲高□□　玄帝□□□□保護道人菴　喬松□□三山鶴□□晴　看百丈嵐翠壁□崖□隱　□□□秘訣□誰參　嘉靖癸丑春三月二日　道士陳道玄刻

　　第八、玄門列祖龕（又名七真龕）：石室洞口上橫額刻"玄門列祖洞"，左右各立門將一，門像刻像已全部被鑿下盜走，僅壁上留有鑿痕。洞內，天井刻龍、洞口內壁刻鶴。中間真人坐像三；左側真人坐像二，侍者立像一；右側真人坐像二，侍者立像一。此龕破壞最嚴重，刻像已全部無頭。壁上銘文兩篇：

　　（一）三載洞府功畢　銘曰　道泰時昌　洞宮載緝　偉有神仙　徙石壁出　丙申應鐘　祖堂功畢　扆哉披雲　有光先德

　　（二）祖堂贊　石室鐫玉　祖室繪金　功超往古　德冠來今　□與功遂　年隨德□　□爾後□　無忘□□

龍山道教石窟八龕現狀，就是這樣。

二、龍山石窟內容說明

中外有關龍山石窟的資料，對各龕內容均缺乏詳細解釋，間或有簡短説明,也多有不夠確切的地方,舊聞糾疑,現在談一點個人的理解。

第一洞,虛皇龕:中座像爲虛皇。虛皇爲道教神名。道教宮觀中奉祀的最高天神是三清,即元始天尊、靈寶天尊、道德天尊。虛皇即元始天尊。《道藏·洞真部·本文類》中,有《太上虛皇天尊四十九章經》,在誡律類有《虛皇天真初真十戒文》。《雲笈七籤·道教本始部》:"亦號最上至真正一真人,亦號無上虛皇元始天尊。"《雲笈七籤·三洞經部》:"大洞真經云:高上虛皇道君而下三十九道君各著經一章,故曰三十九章經,乃大洞之首也。"接着在第一章中有"高上虛皇君曰:元氣生于九天之上,名曰辟非,辟非之烟下入人之身而爲明梁之氣……"等釋語。《雲笈七籤·存思》中有"讀高上虛皇君道經,當思太微小童干景精。"《雲笈七籤·三天君列紀》有"又遇始元童子丰車小童受虛皇帝籙仙忌真戒"等語。南梁陶弘景《洞玄靈寶真靈位業圖》:"玉清三元宮　上第一中位　上合虛皇道君應號元始天尊。"在其左位尚有"東明高上虛皇道君、西華高上虛皇道君、南朱高上虛皇道君、北玄高上虛皇道君";右位尚有"三元四極上元虛皇元靈君、三元晨中黃景虛皇元臺君、太上虛皇道君"。在三清龕之上的虛皇龕,只能是奉祀元始天尊的。另據《白雲觀志》,金世宗大定七年(公元 1167)修復北京"十方大天長觀",其第一殿便是"虛皇醮壇",奉祀元始天尊。天長觀後改稱長春宮,是丘長春住持的地方,主持修建龍山石窟的宋披雲,是丘長春的弟子,他便是從長春宮去山西傳播全真道的。再者,金元道教特別尊崇三清中之元始天尊,所以宋披雲鑿石窟,按長春宮規制,第一爲虛皇龕。虛皇左右爲虛皇之下的諸道君。

第二、三清龕:中座像爲三清,即玉清元始天尊、上清靈寶天尊、太清道德天尊,亦即三個最高仙境中的三位天神,統稱三清。《靈寶經》中説:"一氣分爲玄元始,三氣而理三寶,三寶皆三氣之尊神,號生三氣。"所謂三寶,即天寶君、靈寶君、神寶君,亦即三清。道教認爲形成世界，歷經了三個階段，一曰"洪元"，這時天地虛空未分，清濁未判，玄虛寂廖，治洪元的神即元始天尊；二曰："混元"，《開天經》中説："洪元既判，而有混元"，這時宇宙也仍然是未分天地，治混元的神即靈寶天尊；三曰"太初"，始分別天地，清濁剖判，化生萬物，治太初的神即太上老君。在三清龕内，左右各有三真人座像，這六真人像無考，但不外是三清之下的道君、仙真。

第三、臥如龕：中爲一道者臥像。一説爲老子臥像（[日]《中國文化史迹》），一説爲宋披雲臥化像（《太原縣志》）。我認爲不確切。道教宮觀奉祀的老子，都是端莊肅穆的坐像，從未見臥像，亦未聞有老子臥像之説；再者，老子像皓髮長鬚，而此臥像僅隱約有微鬚（經數百年剝蝕不清晰，無長鬚是肯定的），足見并非老子刻像。在第七龕中有宋披雲座像，現雖損壞無頭，但日本《中國文化史迹》中有宋披雲座像完整照片，面龐圓而豐滿，有清鬚，宋披雲在《自贊》中説這是"假像真容"，將座像與臥像相對照，面貌近似。所以我認爲此龕是宋披雲臥像，但并非"臥化"之像。其理由，一、道教追求長生久視，對去世者只稱"羽化"、"仙游"、"蟬蛻"、"尸解"，少見"臥化"之説；二、此龕係宋披雲主持修鑿，當時他在世，怎麼能説"臥化"呢？我認爲，説這是披雲子臥如像較確切，而且《山西通志》便説這是臥如龕。何謂"臥如"？尹志平（邱長春弟子）弟子范守元著《性命圭旨》，論述了全真道龍門派修持的方法，其中談到了"臥禪"，尹志平靜室中有聯云："覺悟時切不可妄想則心便虛明，紛擾中亦只如處常則事自順遂"；李志常有《滿江紅》詞云："好睡家風，別有個睡眠三昧，但睡裏心誠，睡中澄意，睡法既能知旨趣，便于睡裏調神氣，這睡功消息睡安禪，少人會。""臥如"即臥如處常之意。臥用五龍盤體之法，訣曰："東首而寢，側身而臥，如龍之蟠，如犬之曲，一手曲肱枕頭，一手直摩臍腹，一隻腳伸，一隻腳縮，未睡心先睡，目致虛極守靜篤，神氣自然歸根，呼吸自然含育，不調息而息自調，不伏氣而氣自伏，依此而行，七祖有福。"龕内臥像姿式，完全與法訣相符。全真道清修者相信這是"入長生之路"，認爲久久純熟，便"元炁自聚，真精自凝，胎嬰自栖，三尸自滅，九蟲自出"，"其身自覺安而輕，其心自覺虛而靈，其氣自覺和而清，其神自覺囧而明，若此便入長生路，休問道之成不成。"宋披雲是全真龍門派著名十八宗師之一，是繼邱長春之後宣揚全真道最得力的一個，他照自己的面貌修鑿臥如像，既是宣揚臥禪，也是宣揚自己的修持。或問，臥像是否是呂洞賓或陳希夷或王重陽？我認爲，全真道雖尊崇呂洞賓爲祖師，道觀中也偶見有"呂祖"臥像，但此臥像面貌不似道觀傳統之"呂祖"塑像。陳希夷是宋初著名道士，傳説他以臥法修持，全真道亦較推崇，但宋披雲、秦志安等修鑿五龕，主要是宣揚金元時的全真道，所以臥像不是陳希夷。王重陽是全真道開創祖卧，但王重陽係"美鬚髯"，此臥像無長鬚，故也不是王重陽。《嘉靖太原縣志》卷二中説：宋披雲"宋之真仙也，隱居昊天觀，鑿石洞七龕，爲修煉之所"；當地人相傳，也説是宋披雲臥像。所以説這是宋披雲自刻修持像，是較確切的。

第四、三天法師龕：三天法師即張道陵。《仙鑑·張天師》中稱張道陵爲"漢天師正一真人扶教輔元大法師"；陶弘景《登真隱訣》卷下："正一真人三天法師張諱告南岳夫人口訣"；《真靈位業圖》中第四、左位有"正一真人三天法師張諱道陵"；《雲笈七籤》卷六："漢末有天師張道陵，精思西山，太上親降，漢安元年授以三天正法，命爲天師，又授正一科術要道法文，其年七月七日又授正一盟威妙經三業六通訣，重爲三天法師正一真人"；唐玄宗《御製道德真經疏》前《道德真經疏外傳》："想爾二卷，三天法師張道陵所注。"三天法師龕中主要刻像爲三尊座像，中位爲三天法師張道陵。那麼左位、右位是誰？是否張道陵弟子、《真靈位業圖》中所謂的"三天都護"王長、趙昇？我認爲不是。道書中雖説王長、趙昇得"真人九鼎之要"，"功行滿備"，"飛昇成仙"，但刻座像陪祀，仍欠地位不夠。我認爲左右座像是嗣師張衡與系師張魯。張陵、張衡、張魯祖孫三人，道教稱爲"三師"。他們是道教徒所尊崇的創教者和早期道教的領袖人物。

第五、三皇龕：因中座三尊塑像爲神農、伏羲、黄帝，故人們稱爲"三皇龕"。實際上此龕應名"藥王龕"才較確切。道教有藥王廟，主要奉祀伏羲、神農、黄帝。傳說伏羲嘗草砭，以製民疾；神農嘗草木而正名，藥正三百六十有五，爰著本草；黄帝咨于岐伯、雷公而作《内經》。三皇創醫藥，故人稱藥王。左右兩邊以秦漢以來十大名醫陪祀。此龕塑像完全符合上述規制。《帝京景物略》卷三中記載十大名醫是：三皇時之岐伯、雷公，秦之扁鵲，漢之淳于意、張仲景，魏之華陀，晉之王叔和、皇甫謐、葛洪，唐之李景和。道教藥王廟中之十大神醫是：一、神醫華真君，即華陀（見《後漢書》）；二、先醫和真人，名和，秦人（見《左傳》昭公元年）；三、先醫緩真人，名緩，秦人（見《左傳》成公十年）；四、先醫太倉公淳于真人，即淳于意（見《史記》）；五、先醫岐伯天師（見《黄帝内經》）；六、藥聖雷公真人①；七、先醫扁鵲秦真人（見《史記》）；八、先醫張仲景（見《漢書》）；九、先醫葛洪（見《晉書》）；十、藥王孫思邈（見《唐書》）。"三皇龕"中所祀十大神醫，可能便是上述十位。

第六、玄真龕：刻像三尊。主座爲玄真子，即唐張志和。他字子同，婺州金華人，自稱"烟波釣徒"，著《玄真子》，亦以自號。他又著《太易》十五卷。《新唐書·張志和傳》中説："李德裕稱張志和'隱而有名，顯而無事，不窮不達，巖光之比'。"《仙鑒》卷三十六中有傳，描述了一些他的神異事迹，説他飛升成仙。《雲笈七籤》卷一百十三亦有傳。《道藏輯要》危集中有《玄真子》。龕内玄真子刻像左右有二像，是否是童子"神"與"易"？《玄真子·碧虛》虛構有"紅霞子"尋覓"造化"之神的故事。紅霞子在玄原之野迷途，遇到童子"神"與"易""浴乎玄川而遨"，于是問津而找到了"造化"之神。

----

① 《仙鑒·軒轅皇帝》中説："雷公述炮炙，方定藥性之善惡。"

　　第七、披雲子龕，亦稱"辯道龕"；中座刻像爲披雲子宋德方。披
雲子像左右兩邊各有一立像，我認爲不是一般侍者，而是宋披雲門
人秦志安與李志全。"辯道"即宋披雲在爲其門人講道。宋披雲、秦
志安、李志全是龍山石窟的主要修建者，是金元時著名全真龍門派
道士。關于宋披雲生平事跡，後文將扼要介紹。秦志安，字彥容，號
通真子，陵川人，宋披雲弟子，是宋披雲刊刻《玄都寶藏》、修鑿龍山
石窟的得力助手，早宋披雲三年卒。他編有《金蓮正宗記》，著《林泉
集》二十卷①。李志全，字鼎臣，號純成子，邱長春曾"授以道妙暨諱
名"，但在石窟銘文中，李志全皆自稱爲宋披雲門人，他曾協助宋披
雲修建龍山石窟及刊刻《玄都寶藏》，殁于元中統二年，後卒于宋披
雲十四年。他著有《酣泉集》三十卷，編有《修真文苑》二十卷②。披
雲子龕純粹是他們三人爲自己立像留世。

　　第八、玄門列祖龕，亦稱七真龕；《甘水仙源錄》卷二有徐琰
撰《郝宗師道行碑》，碑中說："重陽唱之，馬譚劉丘王郝六子和之，
天下之道流祖之，是謂七真。"據王粹《七真讚》，也說七真是王重陽
及馬譚劉丘王郝，沒有孫不二。但後來全真道創五祖說，五祖即王
玄輔、鍾離權、呂喦、劉海蟾、王重陽，因王重陽列爲五祖之一，于是
乃增孫不二爲七真。那麼石窟中的七真刻像究竟是哪七位呢？我
認爲是：馬鈺（號丹陽）、譚處端（號長真）、劉處玄（號長生）、邱處機
（號長春）、王處一（號玉陽）、郝大通（號廣寧）、孫不二（號清靜散
人）。依據有二：（一）《金蓮正宗記》倡五祖七真之說，該書編者亦即
修鑿此洞的秦志安，他刻石立像不會違背他自己所倡導之說；（二）
日本《東洋文化史大系》、《中國文化史迹》中所載道教石窟七真刻
像照片，最後一位爲女像。這七位都是王重陽弟子，而且以後又都
各創道派，即邱處機傳全真龍門派；馬鈺傳全真遇仙派；譚處端傳

_____

① 《甘水仙源錄·通真子奉公道行碑銘》。
② 《甘水仙源錄·純成子李君墓志銘》。

全真南無派；王處一傳全真崳山派；劉處玄傳全真隨山派；郝大通
傳全真華山派；孫不二傳全真清靜派。他們都成爲各自道派的祖
師，因此石室門額題謂"玄門列祖洞"。

　　根據上述八龕刻像內容，我認爲龕名應爲：一、虛皇龕；二、三
清龕；三、披雲子臥如龕；四、三天法師龕；五、藥王龕；六、玄真子
龕；七、披雲子辯道龕；八、玄門北七真龕。這樣較爲確切。

三、龍山石窟修建時間考證

　　龍山石窟修建時間問題，說法較多：一、《山西通志》、《圖書集
成·道觀部》中都說，修建于元元貞年（元成宗鐵穆耳，1295 至
1297），爲宋披雲所鑿；二、《嘉靖太原縣志》中說，元元貞元年宋披
雲修龍山昊天觀，并鑿石室八龕；三、《雍正太原縣志》中說，宋披雲
只修鑿了七龕；四、《祖庭內傳·披雲真人》中說，宋披雲于宋理宗
端平元年（1234）開始增鑿石室，在此之前，這裏早已有兩個石洞，
這就是說宋披雲只是繼續修鑿了六龕，至于前兩龕修于何時，沒有
提到；五、解放後，太原文物管理部門在石窟旁立了一塊碑，也介紹
石窟修建于 1295 年。我認爲，《祖庭內傳·披雲真人》記載較確切，
其它諸說皆有差誤。宋披雲生于金世宗大定二十三年（1183），歿于
元定宗二年（1247），"春秋六十有五"，怎麼會死後四十八年，到
1295 年又復活來修石窟呢？顯然"元元貞年間"、"元元貞元年"等
說法錯誤。根據石室內的銘文，在第一洞中宋披雲泐石"自甲午春
至乙未冬三洞功畢"；第八洞中銘文"丙申應鐘，祖堂功畢"；第七洞
中《披雲自贊》文後刻記"自戊戌至己亥功畢"。這就是說，自 1234
年到 1235 年宋披雲主持修了三個洞；1236 年修成了"玄門列祖
洞"；1238 到 1239 年修成了"披雲子辯道龕"。這證明宋披雲、秦志
安、李志全修鑿石窟是在 1234 年至 1239 年。但這也還不是龍山石
窟的初鑿時間，因爲宋披雲來此之前，這裏早已有了兩洞。那麼，究

竟始鑿于何時？

　　要探討這個問題，必須先弄清最早鑿的是哪兩洞？因所有史料都沒有明確告訴我們是哪兩洞，我們便只能從石室中尋找依據，來加以研討。石室中銘文證明，虚皇龕、三清龕、披雲子辯道龕、玄門北七真龕是元代宋披雲、秦志安等修；《山西地方志》（山西文史館劉永德編）述藥王龕爲明正德初年內官暢英所刻；披雲子臥如龕內雖無銘文記時，但虚皇龕內鐫銘有"三洞功畢"，臥如龕、三清龕、虚皇龕係在一面巨岩上三層叠起，況且披雲子辯道龕有銘文説明修建于 1238 至 1239 年，玄門北七真有銘文説明修建于 1236 年，宋披雲等共修五龕，顯見"三洞功畢"指的是虚皇龕、三清龕、臥如龕，也就是説臥如龕也不是最早的石洞。這樣數來，最早的兩個石洞就是三天法師龕和玄真子龕了。

　　日本《東洋文化史大系》中認爲三天法師龕與玄真龕乃宋披雲殁後所刻。我認爲這是缺乏依據的斷論。我的看法與此相反，認爲三天法師龕與玄真龕乃是在宋披雲等增鑿石室之前就已存在的兩個石室，不可能是宋披雲殁後所鑿。理由：一、宋披雲在世時未修鑿這兩洞，他殁後，尚存者爲其門人李志全，未見李志全繼續修鑿石室的記載；宋披雲等殁後，除明正德年間暢英又刻"三皇洞"外，未見有他人曾修鑿石室的記載。這説明這兩洞是只可能在宋披雲鑿洞之前就存在，説是宋披雲殁後所刻，無根據。二、道教分衍宗派，始自金元，以前并無全真道，那時道教稱"天師道"，均崇奉三天法師張道陵及嗣師張衡、系師張魯，道士鑿石窟爲三天法師刻像，這是理所當然的；但在金元時期全真道興起後，全真道士鑿窟刻像就不會這樣了，他們所崇奉的是三清、五祖，并不是三天法師張道陵，就連一般全真道觀內奉祀張天師的也不多。這也説明"三天法師龕"是金元之前的作品。三、玄真子張志和所著《玄真子》雖爲全真道所注意，但并非習誦經典，只是道書，玄真子也并非全真道所奉祀的祖師，全真道士不會不刻呂洞賓或王重陽而來刻玄真子。這説明玄真子龕只可能是金元之前所修鑿。四、《祖庭内傳・披雲真人》中說，宋披雲遊龍山時，在昊天觀故址（石窟附近）便已見兩洞，壁間有"宋童"二字。我認爲，宋披雲正因受"宋童"二字啓發，才在這裏"修葺三年"。在龍山石窟附近有古童子寺，相傳有人在龍山岩頂上見到兩位童子，認爲是仙人，于是修建了童子寺。《嘉靖太原縣志》："在縣西十里龍山上，北齊天保七年，弘禮禪師起建爲栖道之所。時有二童子見于山，又有大石儼若世尊儀容，即鐫爲像，遂名童子寺。"足見龍山有二仙童的傳說，在北齊（550——577）時便已有了。我們再看唐肅宗時人張志和所著《玄真子・碧虛》，他虛構了仙人紅霞子尋覓"造化"之神的故事，說紅霞子遍訪宇宙，終于在"玄原"之野、"玄川"之濱遇到了仙童"神"與"易"，由于仙童的指引，找到了"造化"之神。我認爲，紅霞子是張志和的托名，"玄原"即寓指太原，"玄川"即寓指晉水，《西晉志》地道記及十三州志并言晉水出自龍山。張志和是一位相信神仙而又到處尋訪仙迹的隱逸之士，號"烟波釣徒"，他可能到了龍山，見這裏群峰拱立，蒼翠橫空，嘉樹陰鬱，泉源芳潔，峻岩中多"仙靈窟宅"，奇峰下多斷碑古刹，下瞰平原，萬頃如綉，汾流環繞，村落歷歷，是一個十分優美而又幽深的境地，《雍正重修太原縣志・懸甕山記》中形容這裏是"極造化氤氳之妙"。加之這裏又有仙童的傳說及大石佛，既欣賞、留戀這樣的境地，而又受到神話的啓示，便寫了《玄真子・碧虛》。以後，他或者是他的弟子，在這裏修鑿了玄真子洞，表示信奉。《祖庭内傳・披雲真人》中所說宋披雲在石洞中見到的"宋童"二字，我以爲只可能是在玄真洞中（因數百年剝蝕，現在已不見鐫字痕迹）。五、據山西文史館地方志學者劉永德及太原文物管理委員會王天麻等同志從雕刻藝術品格方面考證，也認爲"三天法師龕"、"玄真龕"是中唐或宋初所刻，是龍山石窟最早的兩個洞。我認爲他們的考證是正確的。

在石窟西側約百步，有古昊天觀，宋披雲遊龍山得其故址後，曾加修繕、再興昊天觀，足見在元代以前，這裏已有昊天觀。唐玄宗時徐堅撰《初學記》卷二十三道釋部·觀第四引《道學傳》：“女道士王道憐入龍山自造觀宇，名玄曜觀。”說明在唐玄宗時龍山已有道觀。《舊唐書》高宗本紀記載，于顯慶五年(660)曾“至并州。……甲午，祠舊宅，以武士彠、殷開山、劉政會配食。”《法苑珠林》卷十四記載，在顯慶末年(五年)曾到龍山童子寺看大石佛。可見唐高宗仍不忘并州是唐室之發祥地，同時也到龍山巡禮了佛寺。唐高宗永徽六年(655)，曾在長安立昊天觀(見《唐文萃》卷717)。所以我認爲可能在唐高宗巡禮龍山之後，在龍山之頂修建了昊天觀。今存昊天觀靈官殿後有一古松，扎根于岩隙，聳拔于山頂，不經一兩千年成長，不可能有現在這般高大。這些雖非直接記述石窟歷史的資料，但間接也可以啓發我們推想龍山石窟始鑿于唐代的可能性。因昊天觀與石窟在史料記載中自來是一個整體、兩個部分，主持修鑿石窟的道士，便住持于昊天觀，宋披雲等便是一例。

綜上所述，我認爲龍山石窟開始修鑿是在中唐時期或稍晚。

其它各龕，虛皇龕、三清龕、披雲子卧如龕修建于1234至1235年；玄門北七真龕修建于1236年；披雲子辯道龕修建于1238至1239年；藥王龕修建于1506年。

四、宋披雲修建石窟的意義

龍山道教石窟的主要修建者是宋披雲。他是繼邱長春之後弘揚全真道最得力、辦事最多的著名全真龍門派道士。《祖庭內傳·披雲真人》中說，宋披雲名德方，字廣道，“披雲子”是丘長春授的號，萊州掖城人，生于金大定癸卯(二十三年)八月一日。他曾師事劉長生、王玉陽，後事邱長春于栖霞。元太祖十五年(1220)，隨丘長春往八魯灣見成吉斯汗，是十八侍行者之一。往復三載，還燕住長春宮(今白雲觀)。丘長春在他十八位弟子中最看重宋披雲，曾對長春宮的道衆說：“已後扶宗翊教，汝等皆不可及。”邱長春私謂宋德方説："汝緣在西南。"宋披雲語及道經泯滅，宜爲恢復之事，丘長春説："兹事體甚大，我則不暇兼，冥冥中自有主之者，他日爾當任之。"癸巳年（1233）宋披雲應大丞相胡天祿之請，去河東主持醮事。甲午年（1234）游太原西山，得古昊觀故址，又見到了兩石洞，在這裏修葺三年，"殿閣崢嶸，金碧丹艧，如龜頭突出，一洞天也"。丁酉年（1237）開始與門人通真子秦志安等謀籌重新刊刻《道藏》，到甲辰年（1244）完成《玄都寶藏》，這時是宋理宗淳佑四年、元馬真皇后稱制第三年。在前一年，他曾到永樂鎮拜謁純陽祠，與潘德冲共同籌劃修復永樂鎮純陽洞。甲辰年（1244）到終南山祖庭，即陝西劉蔣村重陽萬壽宮。丁未年（1247），亦即元定宗二年歿于萬壽宮，春秋六十有五。次年冬，門人遷葬于永樂鎮純陽宮。元元統三年（1335）所立"披雲子祠堂碑"中説宋披雲歿于元憲宗二年（1252），後二年遷葬永樂純陽宮。元至元七年追贈"玄通弘教披雲真人"。

宋披雲一生爲道教主要作事三項：一、主持增修龍山石窟五個洞；二、主持刊刻《玄都寶藏》，凡七千八百餘卷；三、協助修復了永樂純陽宮和重陽萬壽宮。他主要的目的，就在于繼承邱長春"扶宗翊教"。他修石窟是爲全真道刻石立像并作自我宣揚；他主持刊刻《玄都寶藏》，一則因爲金代道士孫明道所刊《大金玄都寶藏》已亡佚，二則是借此將全真道之道書刊入《道藏》，以承道教統緒；修永樂宮、萬壽宮是修復全真祖庭，因全真道崇奉呂洞濱、王重陽爲祖師。

元好問《遺山集》三五《紫微觀記》中説："貞元正隆以來，又有全真家之教，咸陽人王仲孚倡之，譚馬丘劉諸人和之，本于淵靜之説，而無黃冠襃襘之妄；參以禪定之習，而無頭陁紼律之苦。畊田鑿井，從身以自養，推有余以及之人，視世間授授者差爲省便然。故惰窳之人，翕然從之，南際淮，北至朔漠，西向秦，東向海，山林城市，廬舍相望，什百爲偶，甲乙授受，牢不可破。上之人亦皆懼其有張角斗米之變，著令以止絶之，當時將相大臣，有爲主張者，故已絶而復存，稍微而更熾，五七十年以來，蓋不可復動矣。貞祐喪亂之後，蕩然無紀綱文章，蚩蚩之民，靡所趣向，爲之敎者獨是家而已。"宋披雲生時正是全真道旺盛時期，《遺山集》卷三五《修武淸眞觀記》中說："丘往赴龍庭之後……從是而後，黃冠之人，十分天下之二，聲焰隆盛，鼓動海岳，雖凶暴鷔悍，甚愚無聞知之徒，皆與之俱化。"這是對當時情況的評述。宋披雲竭力宣揚全真道，是繼邱長春之後全真道內的一大宗師，元代全真道的旺盛，是同他有密切關係的。當然全真道的廣爲流行，主要是由于當時社會動亂、民族矛盾激烈造成的。王重陽立敎之初，意在不仕金朝，消極遯世，表示對異族統治的不滿，當時戰爭連年，人民既苦于戰禍，又怨憤異族統治，而全真敎旨既主張儒、釋、道三敎合一，又主張沏飲穀食，耐辛忍垢，逃避社會紛援，這便吸引有民族感情的人欲利用宗敎爲聯絡手段，秘密結社，又吸引有消極避世、屈從忍受思想的人投入這個宗敎組織，因此信者甚衆。但全真道以邱長春爲領袖後，已逐漸發生變化，虞集《道園學古錄・非非子幽室志》中說："爲其學者，常推一人爲主，自朝廷命之，勢位甚尊重，而遡其立敎之初意，同不同未可知也。"陳垣《南宋初河北新道敎考》中說："道園生較晚，目睹全真末流之貴盛，而疑其與立敎之初意不同，洵稱卓識！"宋披雲就是繼邱長春之後使全真道歸附道敎緒統，并在政治上依附統治者，從而使全真道發生變化的著名全真道士之一。

宋披雲主持刊刻的《玄都寶藏》，在元世祖至元十八年被焚毀，距刊成僅三十七年，但宋披雲主持修鑿的道敎石窟，歷時近七百五十年，屢經浩劫，部分尚能留存至今，可以說是劫餘幸存的道敎文物，它對我們研究金元時期的道敎歷史以及當時社會的宗敎活動情況，是頗有價值的。爰爲是文，以存資料，并陳淺識，供研究者參考。

1980 年 11 月于北京白雲觀

作者簡介　李養正,1925 年生,湖北公安人,《中國道教》雜志主編,中國道教學院副院長、研究員。

墨子與《老子》思想上的聯繫

——《老子》早出說新證

陳鼓應

先秦諸子幾乎没有不受老子思想影響的。諸子之學和老學的關係都可以從先秦典籍中找到其發展的綫索。如關于孔子與老子的關係,在司馬遷的《史記》中就有多次記載。老子思想的影響在《論語》裏也有明顯的反映,最明確的莫過於《論語》中"無爲而治"的觀念和《論語·憲問》中談到"報怨以德"的觀點時明確引用了《老子》六十三章的文字。然而,孔子之後的墨子和老子思想的聯繫,綫索并不很明晰,迄今爲止學界也很少有人對這個問題進行討論。在戰國思想史上,墨家是一個尖銳批評儒家親親倫理政治的獨立學派,雖然《淮南子·要略》曾提到"墨子學儒者之業,受孔子之術",然而事實上,他的師承淵源并不是很清楚的。《墨子·貴義》曾記載墨子"關中(局中)載書甚多",可見他是一位博覽群書的游士——代表著"農與工肆"這一階層的人。所以他熟讀孔儒之書,這是無疑的,但除了熟讀儒書,墨子也研究過老子的著作。

二十年前,我曾在臺灣大學哲學系開過《墨子》選讀的課,當時也没有留意到墨子和老子的關係。通常當我們提到老子與墨子關係的問題時,經常是引用《太平御覽》三百二十二卷兵部五十三勝所引的一句話:"墨子曰:墨子爲守,使公輸盤服,而不肯以兵知,善持勝者,以强爲弱。故老子曰:‘道冲而用之,有弗盈也’。”來説明墨子讀過《老子》(但是,《太平御覽》所引的話有可能出自《淮南子·道應訓》)。最近我重讀《墨子》,才發現在著作中有許多與《老子》有内在聯繫的地方,老墨之間有許多思想上的共通之處,特别是發現《墨子》一書上有多處引用了《老子》的文句和思想觀念,它們主要集中在《墨子》的《親士》、《修身》和《法儀》等篇中,這幾個篇章可能是墨子的早期作品。下面把這幾個篇章中引用《老子》原文或與《老子》思想相通的地方一一列舉如下:

1.《墨子·親士》篇中“長生保國”句似援用《老子》語詞。

此篇講君主要能夠接納不同政見的人(如“弗弗之臣”、“諤諤之士”),才可以長生保國。“長生”是老子很喜歡談的,可見于《老子》第七章、第九章、第五十九章。

2.《親士》篇中説:“故曰:‘太盛難守也’。”這句話很明顯是引申自《老子》。

張純一先生説,此“即《老子》,持而盈之不如其已,揣而梲之不可長保’之義”(《墨子集解》),此説甚是。“太盛難守也”語句出自《老子》第九章,《親士》篇用“故曰”,也明確標明是引自《老子》。

3.《親士》篇説:“是故江河不惡小谷之滿己也,故能大。”這是源于《老子》第三十四章“以其終不自爲大,故能成其大”與第六十六章“江海之所以能爲百谷王者,以其善下之,故能爲百谷王”。

4.《親士》篇:“若乃千人之長也,其直如矢,……不足以覆萬物。”這與《老子》第四十五章“大直若屈”相通。

張純一先生《墨子集解》説:“老子曰:‘大直若屈’,今直如矢,不能隨物而直,非大直也。曹箋:‘過于直則不能容’,……此墨家貴兼貴大取,治尚無爲,無異道家者也。”

5.《修身》篇:“事無終始,無務多業,舉物而闇,無務博聞。”此句也與《老子》思想相合。

張純一先生《墨子集解》説:“老子曰:‘少則得,多則惑,天下難事必作于易,天下大事必作于細.'"這裏張純一係引用《老子》二十三章和六十三章文字作解。此外,此處"事無終始"與《老子》六十四章"慎終如始"相通,"無務博聞"乃《老子》八十一章"知者不博,博者不知"之意。

6.《修身》篇:"功成名遂。"此即《老子》第九章的文句。

7.《修身》篇,"多力而伐功,雖勞必不圖","多力而不伐功"。此句本于《老子》第二十三章"不自伐,故有功"及二十四章"自伐者無功"。

8.《修身》篇:"慧者心辯而不繁說。"此和《老子》"不言"之旨相通。

《老子》第二章說:"聖人處無爲之事,行不言之教。"第五章說:"多言數窮,不如守中。"《修身》篇這裏提出要人"不繁說",同時也合于《老子》二十三章"希言自然"之意。

9.《法儀》篇:"莫若法天,天之行廣而無私,其施厚而不德。"此處"法天"思想亦出于《老子》。

這裏《法儀》認爲,父母、師長、君主三者都不足以爲法,因爲"天爲之爲君者眾,而仁者寡,……"這在兩千多年前的古代中國是極進步的思想,和孔孟之尊君隆君正成顯明對比。墨子認爲君父不足以爲法,而主張法天,認爲天行廣而無私,施厚而不德,這正合老子之意,施厚不德正是《老子》三十八章中"上德不德"的意思。

10.《辭過》篇:"儉節則昌。"此乃《老子》第六十七章"儉故能廣"之變文。

以上逐條所引出自墨子《親士》諸篇。張純一先生說:"《親士》諸篇,無子墨子言曰者,翟自著也。"(《墨子集解》)王煥鑣《墨子校釋》也說:"本篇(指《親士》)雖有個別字句是後學增竄,但基本上是墨子原作。墨家重'兼','兼王'、'兼士'是墨家用語,即此可證。"《墨子》整本書屬于學派著作,排在前面的《親士》諸篇,是墨家早期作品,也即墨子本人所作;從《尚賢》到《非命》諸篇文中都用"子墨子曰"，可見是其弟子記載墨子的言論；《耕柱》後諸篇則很明顯是墨子弟子門人的作品。既然《親士》諸篇屬墨家早期作品當無問題，那麼，墨子無疑是看過并引用過《老子》。

老子生于春秋末，墨子生于戰國初。春秋戰國之交，正值禮崩樂壞之際，老墨對周代禮治文化的弊端，都有共同或相通的看法。如《淮南子·要略》說墨子"背周道而用夏政"。現在有學者撰文用大量的資料論證老子與夏文化的淵源關係（見王博：《老子與夏族文化》，《哲學研究》1989年第1期），墨子對于夏代文化的追溯、崇敬，他對周制的强烈批判態度及托古改制，與老子都有許多相聯之處。正如張純一《墨子集解》所說："墨書所以入《道藏》也，蓋墨與道之相類者，不一而足。"又說："非樂、非命、非儒皆墨家尚勞賤之要綱，墨無差等，平上下之序，皆務復歸于樸，與道家一致也。"老墨兩家在尚儉、務實、主樸、節用、反禮各個方面的思想確實是頗爲一致的，下面對此問題略作申論。

周代禮制，弊端叢生，除孔孟曲意維護之外，先秦諸子多持批判態度，老墨尤其突出。《老子》第五章說"天地不仁"，"聖人不仁"，這裏的"仁"就是指偏愛、偏私的意思。儒家所謂"親親之謂仁"，這個"親親"就是在政治上維護着貴族的血緣之親，老子反對的實際上就是貴族的血緣之親。墨子對于"親親"政治的反對尤其具體而明顯，他一再主張"不黨父兄"，一再抨擊"骨肉之親，無故富貴"（《尚賢》）。

當時各國的統治者搜括民財，奢侈靡華，對此老墨兩家的觀點也是相同的。老子一再批評統治者，"服文綵，帶利劍，財富有餘"，并且指出："民之饑，以其上食稅之多，是以饑。"墨子也嚴厲地指責"今天下爲政者，其所以寡人之道多，其使民勞，其籍斂厚，民財不足，凍餓死者。……"（《節用》）嚴厲譴責統治者"靡民之財"（《節葬》）。

老墨基本上是反對侵略戰爭的。老子說："以道佐人主者，不以兵强天下。”(三十章)又説:“夫兵者,不祥之器。”(三十一章)墨子的《非攻》與老子反對戰爭的立場也是一致的。

　　墨子的《天志》與老義也可互通。墨子所説的“天之意”與老子“天之道”相通,都是借天來表達自己的哲學觀點,其中講到天的“兼”的思想,這一點尤其相同。

　　墨家是思想史上獨特的一個學派,作爲古代社會主義者的色彩特別明顯。墨家處處與儒家相對,卻又與老子在反周代禮制、非樂、非儒等各方面有許多相同相通的地方。老墨思想的相同相通之處,以及他們思想的連續性是值得我們研究的一個課題。尤其是我們看到《墨子》書上有直接引用《老子》文句之處,這也爲《老子》早出説增加了一個有力的論據。

《文子》非僞書考

李定生

内容提要　《文子》一書,前人多疑其僞。然 1973 年河北定縣 40 號漢墓出土竹簡中有《文子》殘簡,其中與今本《文子》相同者有六章。本文據此及其他古代文獻,認為《文子》是西漢已有的先秦古籍,先于《淮南子》;《文子》的形成有一個過程,其中雖經後人篡改潤益,但并非僞書,可以作為研究文子思想的主要資料。

　　《文子》這本書,過去一向被認爲是僞書,在中國哲學史上,也没有文子這個哲學家。1973 年,河北定縣 40 號漢墓出土的竹簡中,有《文子》的殘簡,其中與今本《文子》相同的文字有六章,不見今本《文子》的還有一些,或係《文子》佚文。這就使《文子》得以部分地恢復其本來面目,對研究《文子》的真僞具有重要的價值。

　　劉向《七略》有《文子》九篇,《漢書·藝文志》道家著錄仍之。梁阮孝緒《七錄》作十卷,《隋書·經籍志》、《舊唐書·經籍志》和《新唐書·藝文志》道家均有文子十二卷,與今本相同。北魏李暹作《文子》注,唐代徐靈府注《文子》上進,詔封通玄真人,號曰《通玄真經》,《文選》李善注中也引《文子》,這説明自漢經隋至唐,確有《文子》這本書存在。

　　由于班固在錄《文子》時自注説:“老子弟子,與孔子并時,而稱周平王問,似依托者也。”唐代柳宗元也曾作《辯文子》説:“文子書十二篇,其傳曰:老子弟子。其辭有若可取,其旨意皆本老子,然考其書,蓋駁書也。其書渾而類者少,竊取他書以合之者多。"他懷疑"不知人之增益之歟? 或者衆爲聚斂以成其書歟?"我們知道,"駁書"不是"僞書",衆爲聚斂而成的書,也不等于是僞書,如《呂氏春秋》、《淮南子》等就是。然自宋以來,很多學者如黄震、陶方琦、梁啓超等誤解班固之言,遂懷疑《文子》爲僞書。

認爲《文子》是僞書或不全僞的,其主要理由不外三點:一,依班固自注文子是老子的學生,與孔子同時代人,而稱周平王問,孔子後于周平王幾百年,哪有與孔子同時的人能和周平王問答? 二,《文子》和《淮南子》很多辭句相同,究竟誰抄襲誰的?由于第一點理由,從而認爲是《文子》抄襲《淮南子》。三,《文子》内容龐雜,不像道家的《文子》,因而也認爲是抄襲《淮南子》。

在過去辨《文子》的真僞中,認爲《文子》不是僞書的爲數不多,唯孫星衍認爲《漢書・藝文志》班固注言,"蓋謂文子生不與周平王同時,而書中稱之,乃托爲問答,非謂其書由後人僞托。"他根據《文子》中稱"平王"而無"周"字,認爲是"班固誤讀此書"。提出爲什么這個"平王"不是楚平王呢? 并論證説:"文子師老子,亦或游乎楚,平王同時,無足怪者。"對于《文子》和《淮南子》是誰抄誰的,他認爲"淮南王受詔著書,成于食時,多引文子,增損其詞,謬誤登出",他列舉《文子》與《淮南子》比較,指出《淮南子》在抄引《文子》時,誤讀字句、增改其字等,"若此之屬,不能悉數,則知文子勝于淮南"。(《問字堂集・文子序》)今漢墓《文子》殘簡出,則僞托剿竊之説,不攻自破。

先秦古書見于《漢書・藝文志》的,如《黄帝四經》、《六韜》、《文子》之類,過去都認爲是後世僞作,七十年代挖掘的西漢墓中所出古籍,證明很多是西漢初已有的古籍。1973年底,湖南長沙馬王堆三號漢墓出土的《老子》乙本卷前古佚書,據唐蘭先生研究考證是《漢書・藝文志》著録的先秦古籍《黄帝四經》。他從《老子》乙本卷

前古佚書與其他古籍引文對照，指出 好多戰國中晚期的著作如
《申子》、《慎子》、《管子》、《鶡冠子》、《韓非子》以及《國語·越語》
等，對這本書都有引用，其中《文子》與《黃帝四經》比照相同的就有
二十餘處。唐先生說："《文子》中有很多內容爲《淮南子》所無，也應
當是先秦古籍之一。"（〈馬王堆出土《老子》乙本卷前古佚書的研
究〉見《考古學報》1975 年第 1 期）

　　據定縣漢墓出土的竹簡，《文子》是漢初已有的先秦古籍無疑。

　　1973 年河北定縣 40 號漢墓出土的竹簡中，有多種古籍。其中
《論語》是先秦古籍。由于它是儒家的重要經典，歷來爲人們所重
視，變動也較少。但用簡文和傳本《論語》比較，"仍然有不少差異"，
而在文字上"不同的地方就更多"。可人們不會懷疑《論語》是僞書。
其中有《儒家者言》，"絕大部份內容，散見于先秦和兩漢時期的一
些著作中，特別在《說苑》和《孔子家語》之內，但它比這些書保存了
更多的較爲古老的原始資料"（見《文物》1981 年第 8 期《定縣 40
號漢墓出土竹簡簡介》）。過去人們也懷疑《說苑》是否是先秦的原
始資料。《儒家者言》的發現，不但證明《說苑》是保存了先秦時期的
原始面目，增強了《說苑》的史料價值，而且說明先秦古籍中有這麼
一本書，現在稱之爲《儒家者言》。一般說來，隨葬的古籍是死者生
前所喜愛和尊貴的東西。《文子》和《論語》、《儒家者言》等同時隨
葬，不大可能《論語》、《儒家者言》是先秦古籍，而《文子》是抄襲《淮
南子》的僞作。再則，漢武帝建元初淮南王入朝"獻所作內篇（按即
《淮南子》），新出，上愛秘之"。（《漢書·淮南王傳》）漢武帝"愛秘
之"的《淮南子》，在當時也不大可能流傳。即使在漢武帝死後流傳
了，但在當時的條件下，流傳是否這樣快。退一步說，即使《淮南
子》流傳了，中山王是否會將一個因謀反罪而死的淮南王的《淮南
子》，作爲尊貴的東西抄下來和《論語》等隨葬。西漢末年，光祿大夫
劉向校定群書時，還只稱《淮南》，不敢稱"子"。到東漢末年，高誘注
《淮南子》時，"睹時人少爲淮南者，懼遂凌遲"，他還只是"朝鋪事畢

之間"爲之注釋(《淮南子叙》)。作爲皇子爲王的中山王裔,把謀反皇上而罪死的淮南王的書抄下來隨葬,這在當時是不可能的。因此,無妨這樣説,既然中山王用《文子》作爲隨葬品,想必西漢時已有先秦古籍《文子》在流傳,那末,淮南王也可能見《文子》,《淮南子》抄襲《文子》是完全可能的。

從簡文《文子》與今本相同的章節來看,"凡簡文中的文子,今本都改成了老子,并從答問的先生,變成了提問的學生。平王被取消,新添了一個老子"。如《文子·道德》第五章:"文子問聖智。老子曰:聞而知之聖也;見而知之智也。……"簡文則爲:"平王曰:何謂聖智?文子曰:聞而知……。"又如第九章:"文子問曰:王道有幾?老子曰:一而已矣。文子曰:古有以道王者,有以兵王者,何其一也?……"而簡文則爲:"平王曰:王者幾道乎?文子曰:王者一道而已。平王曰:古者有以道王者……。"(以上見《定縣40號漢墓出土竹簡簡介》)兩相比較,明顯地看出有這樣三個問題:第一,簡文的情況,完全與《漢書·藝文志》所説相同;第二,《文子》是一本西漢已有的先秦古籍;第三,《文子》先于《淮南子》,今本雖經後人篡改,但不是僞書。胡應麟所謂《文子》中"有漢後字面,而篇數屢增,則或李暹輩潤益于散亂之後",似有可能。

《文子》是先秦古籍,在戰國末年,法家集大成者韓非就已看到。《文子·道原》曰:"已雕已琢,還復于樸。"《韓非子·外儲説左上》稱:書曰:"既雕既琢,還歸其樸。"《韓非子·內儲説上》説:"賞譽薄而漫者下不用,賞譽厚而信者下輕死。其説在文子,稱若獸鹿。""齊王問于文子曰:治國何如?對曰:夫賞罰之爲道,利器也,君固握之,不可以示人。若如臣者,猶獸鹿也,唯薦草而就。"韓非明白地説其説在《文子》,并稱齊王和文子問答如何治國,則韓非見到《文子》無疑。今本《文子》雖無"獸鹿"之説,但思想一致。如《文子·上義》説:"法定之後,中繩者賞,缺繩者誅,雖尊貴者不輕其賞,卑賤者不重其刑。犯法者雖賢必誅,中度者雖不肖無罪,是故公道行而私欲塞也。"只要"至賞不費，至刑不濫"，就可以做到"賞一人而天下趨之，罰一人而天下畏之"。這是"因民之所喜"，"因民之所憎"。在《文子》看來，猶獸鹿唯薦草而就一樣，人臣歸厚賞，能輕死而效命，"白刃交接，矢石若雨，而士爭先者，賞信而罰明也"。《文子》之言，分見于《淮南子》的《主術》、《氾論》、《兵略》。如加以對照，則可見《淮南子》抄襲《文子》而增益事例，潤色其辭而失其義者。

　　前已提及，宋人以來懷疑《文子》是偽書的，主要依據班固之言。孫星衍認爲，《文子》書中稱"周平王問"乃是托偽問答，非謂其書由後人偽托。然而，《漢書·藝文志》班固自注明白，這又如何解釋呢？我們認爲有三種可能：一、若班固所見《文子》是"稱周平王問"，那麼，西漢流傳的《文子》不止一個版本。從今本《文子》來看，雖經後人潤益篡改，但還保留了一章，"平王問文子曰：吾聞子得道于老聃"。這也只稱平王，而不稱周平王。再從定縣漢墓《文子》簡文來看，都是平王和文子問答，也不見"周"字。因此，根據簡文和今本《文子》，說班固所見是另一種版本，這只是一種設想，并不能成立。二、班固注言，或經後人增益，而成周平王問。但這也無根據。三、根據今本《文子》，證之以簡文，則孫星衍所說"班固誤讀此書"的可能性最大。即把"平王"誤認爲就是"周平王"。

　　由于誤解班固之言，認爲《文子》是偽書的，又因《文子》和《淮南子》中很多辭句相同，于是說《文子》抄襲《淮南子》。我們認爲，《文子》是先于《淮南子》的先秦古籍，是《淮南子》抄襲《文子》。在《淮南子》之前，已有人引《文子》或《文子》之言。

　　西漢吳王郎中枚乘書諫吳王劉濞説，揚湯止沸，不如絕薪止火，"不絕之于彼，而救之于此，譬猶抱薪而救火也"。枚乘之言，見于《文子·上禮》："故揚湯止沸，沸乃益甚，知其本者，去火而已。"《文子·精誠》："不治其本而救之于末，無以異于鑿渠而止水，抱薪而救火。"此言見引于《淮南子·精神訓》和《主術訓》："不直之于本，而事之于末，譬猶揚堁而弭塵，抱薪以救火也。"《文選》枚乘《上

書諫吳王》李善注引《文子》同《精誠》。諫書又說，"禍生有胎"，如果
"絕其胎，禍何自來？"他舉例說："失銖銖而稱之，至石必差，寸寸而
度之，至丈必過。石稱丈量，徑而寡失。"（《漢書·枚乘傳》）枚乘之
言，見于《文子·上仁》："寸而度之，至丈必差，銖而解之，至石必
過。石稱丈量，徑而寡失。大較易爲智，曲辯難爲慧。故無益于治，
有益于亂者，聖人不爲也；無益于用，有益于費者，智者不行也。"
《文選》枚乘《上書諫吳王》李善注引《文子》，除"解"字爲"稱"字，及
加虛詞"也"字外，均同《文子·上仁》。文子之言見引于《淮南子·
泰族訓》，除在"徑而寡失"後增"簡絲數米，煩而不察"外，又改"治"
"亂"爲"治""煩"爲"無益于治，而有益于煩者"。治亂對文。可見
《淮南子》抄襲之誤。

　　《文子·道德》中，平王和文子問答"王者幾道"？今本篡改爲文
子和老子問答。其中講到用兵有五："有義兵，有應兵，有忿兵，有貪
兵，有驕兵。誅暴救弱謂之義，敵來加己，不得已而用之謂之應，爭
小故不勝其心謂之忿，利人土地，欲人財貨謂之貪，恃其國家之大，
矜其人民之衆，欲見賢于敵國者謂之驕。義兵王，應兵勝，忿兵敗，
貪兵死，驕兵滅。此天道也。"1973 年長沙馬王堆漢墓出土的帛書
《老子》乙本卷前古佚書中，《十大經·本伐》也說："世兵道三：有爲
利者，有爲義者，有行忿者。"并解釋說，所謂爲義者，伐亂禁暴，起
賢廢不肖，所謂義也。義者，衆之所死也。（《馬王堆漢墓帛書（壹）》）
《十大經》是先秦古籍，爲《黃帝四經》之一。春秋戰國時，諸侯稱霸
兼并，戰爭頻繁，如何王天下，講究兵道是很自然的。《十大經》和
《文子》與《墨子》不同，不是籠統地"非攻"，而講"義兵""忿兵"，認
爲義兵伐亂誅暴，是符合道的。所以衆之所死，義兵者王。而忿兵
非道，所以忿兵敗。可見《文子》和《十大經》一樣，同是先秦古籍。
《文子》的五兵之說，不見《淮南子》，但見于《漢書·魏相傳》。西漢
宣帝元康（公元前 65—62 年）中，魏相上書諫稱："臣聞之，救亂誅
暴，謂之義兵，兵義者王；敵加於己，不得已而起者，謂之應兵，兵應

者勝；爭恨小故，不忍憤怒者，謂之忿兵，兵忿者敗；利人土地貨寶者，謂之貪兵，兵貪者破；恃國家之大，矜民人之眾，欲見威於敵者，謂之驕兵，兵驕者滅；此五者，非但人事，乃天道也。"所言五兵，明顯地看出是抄引《文子》的。在魏相諫書的後面，又引"軍旅之後，必有凶年"。唐顏師古注説："此引老子道經之言"。但仔細考察，就會發現顏師古注誤。因其所本《老子》是經後人增益過的。魏相所引，并非《老子》，而是本《文子》。

檢今傳王弼《老子》注本上篇（即《道經》）第三十章有："師之所處，荆棘生焉，大軍之後，必有凶年。"王弼注説："言師凶害之物也，無有所濟，必有所傷，賊害人民，殘荒田畝，故曰荆棘生焉。"王弼只注前兩句，不及後兩句。是知《老子》本無"大軍之後，必有凶年"兩句。這樣説是否有根據呢？我們認爲，除王弼注就是根據外，《老子》景龍、敦煌與道藏龍興碑等本，也無此兩句是其證。1973年馬王堆漢墓出土的帛書《老子》甲、乙兩本，都没有這兩句，就更是確證。所以説顏師古注誤，是説他所本《老子》是經過後人增益的。在唐代這兩句話已篡入《老子》正文。陸德明《老子道經音義》出"凶年"曰："天應惡氣，災害五穀，盡傷人也。"《春秋公羊傳》定公五年徐彦疏："老子曰，大兵之後，必有凶年。"所以顏師古注也説，"此引老子《道經》之言"。那末，魏相所引何由？應該説和"五兵"一樣，同是引自《文子》。在《文子·微明》中有："起師十萬，日費千金，師旅之後，必有凶年。故兵者不祥之器，非君子之器也。"如果顏師古原其本，則應注爲"此引《文子》之言"，或爲"此引《文子》老子之言"。因爲在後人篡改過的《文子》中，文子之言都成了"老子曰"。

《文子》中的"五兵"之言和"軍旅之後，必有凶年"雖不見引于《淮南子》，但不能説明《淮南子》不是抄襲《文子》。相反，倒可以證明。《漢書·嚴助傳》記載，西漢武帝建元六年，閩越復興兵擊南越，武帝準備興兵，淮南王劉安上諫書，其中説，"臣聞軍旅之後，必有凶年，……此老子所謂師之所處，荆棘生之者也。"這裏，顏師古對老子所謂也有注說："老子道經之言也。師旅行，必殺傷士衆，侵暴田畝，故致荒殘而生荊棘也。"由此可以看出這樣三個問題：第一，顏師古指出是《老子》道經之言，其注則本王弼。而他在《魏相傳》注中，只是根據經後人增益過的《老子》，指出"此引老子道經之言"，而沒有加以解釋，這不是偶然的。因爲西漢時《老子》并無"軍旅之後，必有凶年"。《漢書》所記也甚明。而且無王弼注可循。這不但說明顏師古注沒有原本，而且說明魏相所引是本于《文子》。第二，淮南王劉安明確指出，師之所處，荊棘生之者也，是老子的話，他沒有說軍旅之後，必有凶年也是老子的話。因爲他知道這兩句不是老子之言，而稱"臣聞"，當有所見。查其見聞，出于《文子》。第三，淮南王劉安稱"臣聞"，後說"此老子所謂"，則《文子》和《老子》一樣，都是在《淮南子》前已有的先秦古籍。他上諫書與獻《淮南子》，時間相隔無幾，既能在諫書中引《文子》的話，爲什麼不能在《淮南子》中抄襲《文子》呢？而且《淮南子》本來就是非循一迹一路，守一偶之指，而是廣羅諸家之說，加以發揮，則其取《文子》宜也。因此，《淮南子》和《文子》很多辭句相同，恰正好說明是《淮南子》抄襲《文子》。

　　唐蘭先生在《馬王堆出土〈老子〉乙本卷前古佚書的研究》後說："《文子》與《淮南子》很多辭句是相同的。究竟誰抄誰，舊無定說。今以篇名襲黃帝之言來看，（按：《道原》爲《黃帝四經》之一，《文子》有《道原》篇，《淮南子》有《原道》篇。）《文子》當在前。《文子·道原》說：'虛無者道之舍也，平易者道之素也。'本是摹仿此書（按：《黃帝四經》）《道原》篇裏的話，《淮南子》卻把它放在《俶真訓》去了。又略有改寫，放入《詮言訓》，這更是《淮南子》抄襲《文子》的鐵證。"

　　從《文子》和《淮南子》同引《老子》看，《文子》接近古本。

　　《文子·道原》引老子之言說，"故道可道，非常道也；名可名，非常名也。……多聞數窮，不如守中。"《淮南子》語在《道應》篇。除無虛詞"也"外。下文作"多言數窮，不如守中"。與世傳王弼注本相

同。而帛書《老子》甲乙兩本都作："多聞數窮,不若守于中。"可見
《文子》所引同帛書本,古于《淮南子》所引。老子以水喻道,《文子》
直喻水爲道。《道原》説:"天下莫柔弱于水。水爲道也,……故曰:
天下之至柔,馳騁天下之至堅,無有入于無間。"所引老子之言,與
帛書《老子》相同。《淮南子·原道》引作:"天下之物,莫柔弱于水,
……故老聃之言曰:天下至柔,馳騁天下之至堅,出于無有,入于無
間。"可見《淮南子》抄襲篡改之誤。又如《文子·精誠》引老子之言
説,"故不出于户,以知天下,不窺于牖,以知天道。其出彌遠,其知
彌少。此言精誠發于内,神氣動于天也"。所引與帛書《老子》及《韓
非子·喻老》和《呂氏春秋·君守》所引相同。《文子》的這段話見于
《淮南子·道應》,但改"知天道"爲"見天道",這種文飾不符合老子
本義。也許有人會説,王弼《老子》注傳本,不是也作"見天道"嗎?但
細讀王注就可以知道,王弼《老子》注本的"見天道",或爲後人據
《淮南子》而改。因爲王弼注説:"故不出户窺牖而可知也。"可見原
爲"知天下","知天道"甚明。因此,從《文子》和《淮南子》同引《老
子》之言,《文子》比《淮南子》更接近古本來看,《文子》先于《淮南
子》,只能是後者抄襲前者。

說《淮南子》抄《文子》,還可以從其誤抄篡改而失其義可證。

王念孫《讀書雜志》指出,《文子·上禮》:"外束其形,内愁其
德。"《淮南子·精神》誤抄"愁"爲"總",則失其義。"愁"與"揫"同,
《説文》揫,束也。外束其形,内揫其德,其義相一。又《文子·下
德》:"神明藏于無形、精氣反于真。"《淮南子·本經》誤抄"精氣"爲
"精神",則失其義。精神與神明意義重複,當爲精氣反于身。故高
誘注曰:"真,身也。"孫星衍《問字堂集·文子序》指出,《文子·道
原》:"攝汝知,正汝度,神將來舍,德將爲汝容,道將爲汝居。"而《淮
南子·道應》誤作:"攝女知,正女度,神將來舍,德將來附若美而道
將爲女居。"這裏"舍""居",皆容受之意,《淮南子》誤讀"容"爲"容
色",而作"若美",這就失其本義。《文子·道德》:"君數易法,國數

易君，人以其位達其好憎，下之任愯，不可勝理，故君失一其亂甚于無君也。”其本義是說人君應守道德，不妄以好惡，如以好惡，賞罰不當，下吏就愯而刑罰濫，故不可勝理。而《淮南子·詮言》誤讀“任愯”爲“徑徊”，就與原義不同了。又《文子·符言》：“妄爲要中，功成不足以塞責，事敗足以滅身。”而《淮南子·詮言》增“不”字，作“事敗不足以敝身”，其義正相反。

除前人已指出《淮南子》抄引《文子》失其義者外，還有很多篡改而自相矛盾的。如《文子·符言》：“聖人不勝其心，衆人不勝其欲。”《淮南子·詮言》誤改爲：“聖人勝心，衆人勝欲。”文子本來是說欲與性不可兩立，聖人內便于性，外合于義，損欲從性，心爲之制，衆人不勝其欲，所以是小人。《淮南子》說“衆人勝欲”，那末，衆人勝于聖人，就沒有君子小人之別了。又如《文子·自然》：“王道者，處無爲之事，行不言之教，……言無文章，行無儀表，進退應時，動靜循理。”這本來是道家的思想，而《淮南子·主術》改作：“人主之術，處無爲之事，而行不言之教，……言爲文章，行爲儀表于天下，進退應時，動靜循理。”這不僅不符合道家思想，而且“言爲文章，行爲儀表于天下”，與“處無爲之事，而行不言之教”相矛盾，因此，從《淮南子》誤抄和篡改而失其本義 和自相矛盾中，可以證明是抄《文子》。

此外，說《淮南子》抄襲《文子》，還可以從其抄襲脫漏，由注家補出來證明。《文子·上仁》說：“故善建者不拔，言建之無形也。唯神化者，物莫能勝。中欲不出謂之扃，外邪不入謂之閉。中扃外閉，何事不節，外閉中扃，何事不成。”而《淮南子·主術》作：“故善建者不拔。夫火熱而水滅之，金剛而火銷之，木强而斧伐之，水流而土遏之。唯造化者，物莫能勝也。故中欲不出謂之扃，外邪不入謂之塞。中扃外閉，何事之不節，外閉中扃，何事之不成。”兩相對照，可以看出《淮南子》抄襲時，有脫 ，有益，也有改。其中，在“善建者不拔”下，脫“言建之無形也”一句，然而高誘注出“言建之無形也”。這分明是高誘看到《淮南子》脱這一句,而以注的形式補出。如果説《文子》抄《淮南子》,那末,還應説是抄東漢末年高誘的注。然而這是不能成立的。因爲不但韓非見《文子》,而且西漢也有人包括劉安引《文子》之言,在高誘之前的王充也稱道文子,高誘以注補《淮南子》所脱,是很自然的。《淮南子》改"外邪不入謂之閉"的"閉"爲"塞",其義則失。這一點,清人莊逵吉校刊時也已指出:"按《吕覽》作外欲不入謂之閉,據下中扃外閉云云則此句疑當如《吕覽》。"也就是説,應當作"閉",不應作"塞"。《吕氏春秋·君守》與《文子》均作"閉",這進一步説明,《文子》之言與先秦著作思想一致。

陶方琦曾以今本《文子》内容比較龐雜,認爲不是《漢書·藝文志》列爲道家的《文子》,而説"《文子》非古書"。他并説《文子》雖冠以"老子曰",中間有"故曰",實引《淮南子》作爲老子的話,把《淮南子》作爲戰國時人問答的,也作爲老子的話,因此認爲《文子》是抄《淮南子》。(見《漢孳室文鈔》)錢熙祚《文子校勘記》云,《文子》出《淮南子》者十之九。但他又不得不承認這樣一個事實:間有《淮南子》誤而《文子》不誤者。姚振宗肯定錢氏之校勘,認爲《文子》是剽竊。漢墓《文子》殘簡出,則《文子》抄襲、剽竊《淮南子》之説,不攻而自破。從簡文證明,今本《文子》經後人篡改,凡文子都改成了老子。因此,"老子曰"實爲"文子曰",説《文子》引《淮南子》語作爲老子語的説法就錯了。《淮南子》引《文子》的話而不冠"文子曰"。其引戰國時人問答的話,也正是文子的話。這就不足爲怪,而且是合情合理。那末,説《文子》十之九取《淮南子》的説法也錯了,正好説明《文子》十之九被《淮南子》抄襲了。如果説《文子》内容較雜與道家《文子》不同,而定"《文子》非古書",就更没有道理。我們知道,道家《莊子》和《老子》不同,所以《莊子》之爲《莊子》,否則就不是《莊子》了。如果《文子》和《老子》或《莊子》相同,那末它也不成其爲《文子》了。不能以道家《老子》排斥仁義禮法,而《文子》講仁義禮法,就認爲不是道家《文子》。《文子》之爲《文子》,自有它的特色。須知春秋戰國時的百家爭鳴，本來就存在着相互吸收的問題，何況文子還問學于儒墨呢！《文子》內容龐雜，這正是哲學史要研究的課題。

綜上所説，《文子》是西漢時已有的先秦古籍，它先于《淮南子》。《文子》的形成，有一個過程，雖經後人篡改潤益，但不是僞書，可以作爲研究文子思想的主要資料。

作者簡介　李定生，1930 年生，江蘇金壇人。1961 年畢業于復旦大學哲學系。現爲復旦大學哲學系、社會學系教授。

顏鈞《論三教》附記

黄宣民

論三教 （明）顏　鈞

大抵三教，至人原宗，俱在口傳心受。心受之後，各隨自己志尚大小，精神巧力，年慣積造之三到何如。如曰聖學，則有御天造命、事天立命、畏天俟命三級程造也。能此等而上之，皆可神道設教，生天地人物而位育也。如曰佛教，則有上中下乘，最上乘之階為四區也，亦存乎各志靈員自造自巧自等而上之者也。如曰仙教，則有天仙、人仙、地仙、神仙四項之品第也。此中入門升級作用，卻有毫厘千里，使群學之士不可易易超越者也。要之，神天而種不常出，世縱有最上乘者并出而有為于世，亦未聞上古為誰為幾也，總不若尼父之傳，有大學、中庸、易經之門階閫奧，有默識、知及、仁守、莊泊、動禮、成樂之學，教止至，至止乎心性、天命、仁道、神化之固有家第者也，此為坦平之直道，易知易從，時習日新者也。故曰：果能此道，愚明柔強。況云必乎"一日克復，天下歸仁"，"七日來復，利有攸往"，豈欺我哉！天下有混二氏者，盍反觀內省，自心自知，孰虛孰實，可親可棄哉！

仁者，人也，知為先；義者，宜也，禮為先；禮者，節也，和為

先；樂者，籥也，樂為先；信者，貞也，幹為先。是故貞固足以幹
事，樂樂不入而不自得；理宜足達四國，明哲能保身。世君子達
此五德，自馴致乎聖，御乎神，神乎覆載持幬配宇宙，樂乎手之
舞之足之蹈之，不知天年精神有終窮乎？無終窮乎？

　　人為天地心。心帝造化，仁是仁，惟生，是生明哲。哲有曲
致之工，明麗費隱之盡，故曰自明其明，自哲其哲。脫化化工為
聖神，神妙萬物而為生，生妙萬古無止息。人生可易易，從心為
斯仁哉！

　　宇宙生人，原無三教多技之分別，亦非聖神初判為三教為
多技也。只緣聖神沒後，豪傑自擅，各揭其所知所能為趨向，是
故天性肫肫，無為有就，就從自擅人豪以為有，各隨所好知能
以立教，教立精到各成道，是分三教頂乾坤，是以各教立宗旨
分別，又流技習。習乎儒也，讀書作文獲名利；習乎仙也，符籙
法界迷世俗；習乎佛也，念經咀符惑愚民，似此交尚，以為各得
受用，且沿襲百家技術，以遂衣食計也。誰知大道正學中天下
而立，立己立人，達己達人，易天下同仁哉！嗚呼，習遠麋深，不
可挽也。鐸農叨承父師引端作養，經歷操煅，五十四年，從心精
神，幸如少壯，遂緒三教多技之紛華，直造御天申命之至止，喜
筆八十年歲，樂學完功，慶賞獨乘，泯而聲臭，後有作者，須竭
神聰。

　　（原載《顏山農先生遺集》卷二，清咸豐六年江西永新顏氏
家刻。顏鈞十二代裔孫學恕先生藏本。）

【附記】

　　《論三教》一文，明顏鈞作。顏鈞（1504—1596）字子和，號山農，
江西吉安永新人，是明中葉泰州學派的重要傳人，也是一位頗有傳
奇色彩的平民思想家。他被稱為"江湖大俠"，又被稱為"知兵法"的
"異人"。嘉隆之際，因講學繫獄南京，拷掠幾死。經羅汝芳營救出

獄,流戍福建,後因俞大猷聘爲軍前參謀,得免戍歸,時年已近古稀。《論三教》一文,係顏鈞八十歲時作。顏鈞號稱爲"布衣理學",實則他没有正統理學家那樣一副鐵板面孔。他推崇孔孟儒學,但不重理學道統,也不排斥"異端",對于佛、道及其他不同于儒家的思想學説,頗有兼容并包的學風。從《論三教》一文中,便能看到他的這一特色。在顏鈞的思想中,有其宗教神秘主義色彩的一面,但在《論三教》一文中,作者對于儒釋道三教的起源與分别,卻突出地表現出歷史主義和現實主義的清醒觀點。顏鈞雖然讀書不多,"辭氣不文",以至于"三四讀不可句"(羅汝芳語),但在平民學者中,他是一位很有頭腦的思想家。關于顏鈞的生平、著作和思想,請參見拙文《顏鈞及其"大成仁道"》(《中國哲學》第十六輯,岳麓書社,1993年,長沙)。近年發現的《顏山農先生遺集》,是一個稀見的珍本,有極高的史料價值,該書即將由中國社會科學出版社出版。

劉鶚手記考釋

高　正

内容提要　本文是對寫在《老子》天頭上的劉鶚手記的考釋。内容反映了劉鶚的老師、新泰州學派代表人物之一李晴峰的觀點。從這份材料可以看出，新泰州學派儒、釋、道三教雜糅，而受道家文化的影響尤其深刻。

一九八三年，我在江蘇省泰州市圖書館發現一部《老子道德經》，其中有劉鶚手迹。這部《老子道德經》分上下篇，題“晉王弼注”，有“華亭張氏原本”字樣。經考覈，乃清光緒初年浙江書局輯刊之《二十二子》叢書零種。書前白紙載劉鶚手迹十一行，正文天頭空白處有墨筆手迹二十六處，總計近一千五百字。

劉鶚師事李光炘（字晴峰，號平山；因講學于江都宜陵龍川草堂，人稱“龍川夫子”，亦稱“李龍川”）。李光炘乃清末新泰州學派（又稱太谷學派、泰州教、大成教、崆峒教）鼻祖周谷（字星恒，一字太谷，自號崆峒子）的著名弟子。劉鶚記下了晴峰夫子平日口授的兩段話，作爲其所錄晴峰夫子《詳注道德經》要義之序，故其序末署名稱“門小子鐵雲劉鶚敬錄”。書中天頭上的墨筆手迹，即是劉鶚所引錄的晴峰夫子《詳注道德經》中的若干要義。天頭有一處（六章）在引錄了晴峰夫子著述要義之後，又以“昔者聞諸夫子也曰”開頭，引錄了一段夫子平日口授的話作爲補充。劉鶚引師説以爲序，又引師説作補充,看來是遵循"述而不作"原則的。

　　劉鶚手記所錄李晴峰《詳注道德經》要義的内容,反映了清末新泰州學派思想儒、釋、道三教雜糅的特點。李晴峰著有《群玉山房詩抄》,其弟子記錄其教言成《觀海山房追隨錄》,今均有抄本流傳。而李晴峰的《詳注道德經》,今則未見其傳世。這份引錄《詳注道德經》要義的劉鶚手迹,對於研究清末新泰州學派的思想,以及其對劉鶚思想的影響,都將是極寶貴的材料。

　　兹將劉鶚手記全文加以標點,并作簡要考釋,有關的《老子道德經》原文,亦錄出以便對照參閲。

【手記】

《道德經》序

　　昔者聞諸夫子曰:"老氏知禮,彭氏知樂。老氏知禮,吸背而爲禮也。孔子曰;'禮云禮云,玉帛云乎哉?'禮始於太一,故曰'抱一';'一'始於'妙','一'始於'竅','妙竅'莫大乎觀一。得其'常','謂之玄';'不知常,妄作,凶'。故曰'知其雄,守其雌',故曰'載營魄'。其'妙竅'也,'妙竅'之謂陰陽;'妙'謂之艮,'竅'謂之兑。'天得一',謂之乾;'地得一',謂之坤;'谷得一',謂之'中',謂之'谷神'。又曰:'多言數窮,不如守中。'老氏之謹于禮也,蓋如此。"

　　昔夫子嘗謂予曰:"《道德經》之爲文也,簡而粹。偶者雜之,曷正之?中不敏,未能盡老氏之奥;敢述所聞,以宣其意。子曰:'老氏得耳誠,謂之道。'夫道,固宰於老氏者也。中懼夫道之或墜也,故於此敢僭言焉。"

　　敬將晴峰夫子《詳注道德經》之義意爰識之,并爲之序。光緒丙申天中後三日,門小子鐵雲劉鶚敬錄(鈐"鐵雲"朱文長方印)。

【考釋】

　　"夫子",指李晴峰。"吸背",屈背躬身;"吸",疑借作"翕",斂縮,與《孟子·滕文公下》、《史記·吴王濞列傳》中"脅肩"之"脅"略同。“中不敏”、“中惟夫道之或墜也”之“中”字，乃晴峰夫子自稱。據泰州新華書店蕭齊先生跋文，有李晴峰又名李健中之説。夏敬觀《窈窕釋迦室隨筆》云：“大成教鼻祖周太谷者，……于是游江淮間授學，故又名‘崆峒教’。弟子皆以‘中’字爲派，其高者三人。薛執中受誅于京師；張積中被僇于山東；李健中者獨高壽。今大成教派獨李健中之徒爲盛，又謂之‘平三教’，故世稱‘李平三’。”今按，李晴峰號曰“平山”，作“平三”者，蓋因江淮方言中“山”、“三”同音，諧音而誤。而李晴峰即李健中之説，看來是可信的，此劉鶚手記可算又添了一條佐證。“子曰：‘老氏得耳誠，謂之道。’”句中“子”，指周太谷。“耳誠”，周太谷《周氏遺書》卷三錄“少華注‘耳誠’”曰：“昔者聞諸古語云：‘老氏得耳誠，謂之道；彭氏得目誠，謂之德；孔氏兼之，謂之學。學之義甚矣夫！’”蓋“耳誠”指所聞，“目誠”指所見。“爰識”，指轉記、引錄；《説文解字》：“爰，引也。”“光緒丙申天中後三日”，即公元一八九六年六月十八日，農曆五月初八。時年劉鶚三十九歲。“天中”是端午節的古稱。

【原文】

一　章

道，可道，非常道；名，可名，非常名。無，名天地之始；有，名萬物之母。故常無，欲以觀其妙；常有，欲以觀其徼。此兩者，同出而異名，同謂之元；元之又元，衆妙之門。

【手記】

“玄”，道也。玄又玄，盡之矣。“此兩者，同出而異名”，非兩不同也。故曰“玄同”。“妙”、“竅”，盡之矣。觀其用也，言“有”、“無”。故其“有”而離則“無”耶？曰“衆妙之門”，“竅”之用可以成乎“妙”也。

【考釋】

原文“玄”避諱均作“元”，手記中不避諱，直書本字。手記中以“竅”易“徼”，與宋黃茂材《老子解》同，馬叙倫《老子校詁》之説亦與之相合。

【原文】

四　章

道冲，而用之或不盈。淵兮，似萬物之宗。挫其銳，解其紛，和其光，同其塵。湛兮，似或存。吾不知誰之子，象帝之先。

【手記】

"挫其銳"而神乃歸，"解其紛"而氣始聚。"用或不盈"，盈斯缺矣。曰"和其光"，光不二則和也。曰"同其塵"，塵不雜則同也。曰"若存"，似存非存也。

【考釋】

手記中"用或不盈"、"若存"二處與王弼本原文不合。前者未知何據，疑乃筆誤，後者同河上公本。

【原文】

五　章

天地不仁，以萬物爲芻狗；聖人不仁，以百姓爲芻狗。天地之間，其猶橐籥乎！虛而不屈，動而愈出。多言數窮，不如守中。

【手記】

"數窮"者，不知倚數，即"數窮"也。窮則失中矣。"橐籥"者，數之不窮者也。曰"不屈"、"愈出"，其原泉混混之幾乎？

【考釋】

手記中"倚數"蓋指"一"，即作爲本體意義的"道"。"倚"者，獨也。

【原文】

六　章

谷神不死，是謂元牝。元牝之門，是謂天地根。綿綿若存，用之不勤。

【手記】

“谷神不死”，寂也。不死曰常，神曰明，谷曰通。“玄牝”，寂也。實極而虛，譬曰牝，象曰門。

昔者聞諸夫子也，曰：“‘能近取譬，可謂仁之方也已’，二十篇之秘旨也。‘若以色見我，以音聲求我，是人行邪道，不得能見如來’，《金剛經》之秘旨也。‘谷神不死，是謂玄牝，玄牝之門，是謂天地根’，《道德經》之秘旨也。”

【考釋】

“昔者聞諸夫子也”以下，乃劉鶚引錄晴峰夫子平日言論以作爲補充。“二十篇”指《論語》，爲儒家經典；《金剛經》爲佛教經典；《道德經》爲道教經典。三教雜糅，是新泰州學派思想的特點。

【原文】

八　章

上善若水。水善利萬物而不爭，處衆人之所惡，故幾于道。居善地，心善淵，與善仁，言善信，正善治，事善能，動善時。夫唯不爭，故無尤。

【手記】

水善利物水之性，盈利後進故不爭。

【原文】

十　章

載營魄抱一，能無離乎？專氣致柔，能嬰兒乎？滌除元覽，能無疵乎？愛民治國，能無知乎？天門開闔，能無雌乎？明白四達，能無爲乎？生之、畜之，生而不有，爲而不恃，長而不宰，是謂元德。

【手記】

魄出于兌，鍊于離，沈于幽陰，載而起之，會于營。營，魂也。魄栖于衛，魂寓于營，魂魄合故一。“嬰兒”，一也。“滌除玄覽”，一也。

國譬身,民譬四支,治以無爲,會于一矣。"天門",神之所出入也。龍伏于山,雷伏于澤也。地戸閉,天門通。"無雌"者,至陽也。"明白四達",光被四表也。"能無知乎",知則漏矣。繼之者,善生之也;成之者,性畜之也。"不有"、"不恃",無爲而成也。"長而不宰",存則神,遇則化。

【考釋】

手記云"治以無爲",可知李晴峰《詳注道德經》之底本作"愛民治國,能無爲乎";手記"明白四達"下有"能無知乎",可知李注之底本作"明白四達,能無知乎"。由此推測,李注底本則應屬河上公本系統,但也許其于文字有所校改。

【原文】

十 二 章

五色令人目盲,五音令人耳聾,五味令人口爽,馳騁畋獵令人心發狂,難得之貨令人行妨。是以聖人爲腹不爲目,故去彼取此。

【手記】

腹者,德之根;目者,道之華。

【原文】

十 四 章

視之不見名曰"夷",聽之不聞名曰"希",搏之不得名曰"微"。此三者不可致詰,故混而爲一。其上不皦,其下不昧,繩繩不可名,復歸于無物。是謂無狀之狀,無物之象,是謂惚恍。迎之不見其首,隨之不見其後。執古之道,以御今之有。能知古始,是謂道紀。

【手記】

曰"希"、曰"夷",蓋"視"、"聽"而後知也;曰"微",蓋"搏之"而後知也。"不得"、"不見"、"不聞",其庶幾乎!

"執古"、"御今",其道"繩繩",是謂"無狀之狀"、"無象之象"。

"知古始"者,誰與? 是謂游心于虛,歸有于無。

【考釋】

原文中"無物之象",手記中作"無象之象",與宋林希逸本同。

【原文】

十 五 章

古之善爲士者,微妙元通,深不可識。夫唯不可識,故强爲之容:豫焉若冬涉川,猶兮若畏四鄰,儼兮其若容,渙兮若冰之將釋,敦兮其若樸,曠兮其若谷,混兮其若濁。敦能濁以靜之徐清? 孰能安以久,動之徐生? 保此道者不欲盈,故能蔽不新成。

【手記】

"强爲之容","無象之象"也。"靜之徐清","徐"而後"清","徐"而後"生"也。"保此道者不欲盈",其在《書》曰:"滿招損,謙受益,時乃天道。"斯之謂與?

【考釋】

"《書》曰"所引,見僞古文《尚書·大禹謨》。

【原文】

十 六 章

致虛極,守靜篤;萬物竝作,吾以觀復。夫物芸芸,各復歸其根。歸根曰靜,是謂復命;復命曰常,知常曰明。不知常,妄作,凶。知常容,容乃公,公乃王,王乃天,天乃道,道乃久,没身不殆。

【手記】

"命"不"復",奚以至"命"也? 君子之事天也,觀其復而已。"萬物并作",剝乎"命"也;復之,幾見于是矣。曰"常",須臾之不離也;曰"明",明德之自明也。强名之曰"道",是以可久。

【考釋】

手記中"剝乎'命'"之"剝",《廣雅·釋詁》三:"剝,離也。"《易·

象上傳》“不利有攸往”鄭注：“萬物零落故謂之剝也。”
【原文】

二　十　章

　　絕學無憂。唯之與阿，相去幾何？善之與惡，相去若何？人之所畏，不可不畏，荒兮其未央哉！衆人熙熙，如享太牢，如春登臺；我獨泊兮其未兆，如嬰兒之未孩，儽儽兮若無所歸。衆人皆有餘，而我獨若遺。我愚人之心也哉，沌沌兮。俗人昭昭，我獨昏昏；俗人察察，我獨悶悶。澹兮其若海，飂兮若無止。衆人皆有以，而我獨頑似鄙。我獨異於人，而貴食母。

【手記】

　　“絕學”者，絕而能學，故曰“絕學”。“唯”，絕之音也；“阿”，繼之聲也。絕與繼在幾希之間乎！“善”，生之本也；“惡”，殺之端也。生與殺在進退之間乎！貴求食於母，象“嬰兒之未孩”也，故曰“若昏”，故曰“悶悶”。

【考釋】

　　原文中“昏昏”，手記中作“若昏”，與河上公本文字同。馬王堆乙本作“若閔”。看來李注所據底本有古本依據，與今日通行本文字略異。而手記中解釋“絕學”，蓋屬牽強附會。

【原文】

二十一章

　　孔德之容，惟道是從。道之爲物，惟恍惟惚；惚兮恍兮，其中有象；恍兮惚兮，其中有物。窈兮冥兮，其中有精；其精甚真，其中有信。自古及今，其名不去，以閱衆甫。吾何以知衆甫之狀哉？以此。

【手記】

　　“以此”，《大學》之學也。“惚兮恍”、“恍兮惚”、“窈兮冥”，《中庸》之學也。“信”也者，“精”之至也。子曰：“人而無信，不知其可也。”“其中”，“允執其中”之謂也。

【考釋】

手記中“人而無信”語，見《論語・爲政》；“允執其中”，見《論語・堯曰》。

【原文】

二 十 二 章

曲則全，枉則直，窪則盈，敝則新，少則得，多則惑。是以聖人抱一爲天下式。不自見，故明；不自是，故彰；不自伐，故有功；不自矜，故長。夫唯不爭，故天下莫能與之爭。古之所謂“曲則全”者，豈虛言哉！誠全而歸之。

【手記】

“曲”，致曲之旨也；“全”，一也；“全而歸”，其歸于“誠”也。

【原文】

二 十 三 章

希言自然。故飄風不終朝，驟雨不終日。孰爲此者？天地。天地尚不能久，而況于人乎！故從事于道者，道者同于道，德者同于德，失者同于失。同于道者，道亦樂得之；同于德者，德亦樂得之；同于失者，失亦樂得之。信不足焉，有不信焉。

【手記】

“信不足”，“多言”敗之也。“多言數窮”，“希言自然”。

【考釋】

宋彭耜《道德真經集注》卷六引王安石《老子注》曰：“多言數窮，故希言則自然。”（見容肇祖輯《王安石老子注輯本》頁二七，中華書局，1979年版）手記中有與王安石觀點相合之處。

【原文】

二 十 五 章

有物混成，先天地生。寂兮寥兮，獨立不改，周行而不殆，可以爲天下母。吾不知其名，字之曰道，强爲之名曰大。大曰逝，逝曰遠，遠曰反。故道大、天大、地大、王亦大。域中有四大，而王居其一焉。人法地，地法天，天法道，道法自然。

【手記】

"有物混成，先天地生"，君子寶之，外此不可以語乎道。

【原文】

二 十 八 章

知其雄，守其雌，爲天下溪。爲天下溪，常德不離，復歸于嬰兒。知其白，守其黑，爲天下式。爲天下式，常德不忒，復歸于無極。知其榮，守其辱，爲天下谷。爲天下谷，常德乃足，復歸于樸。樸散則爲器，聖人用之，則爲官長。故大制不割。

【手記】

"雄"與"雌"，言其體也；"白"與"黑"，言其象也；"辱"與"榮"，言其死生也。《語》曰："山梁雌雉，時哉！時哉！""知其雄，守其雌"，"守雌"之謂"玄"哉！

【考釋】

手記中"《語》曰"所引，見《論語・鄉黨》。

【原文】

三 十 一 章

夫佳兵者不祥之器，物或惡之，故有道者不處。君子居則貴左，用兵則貴右。兵者不祥之器，不得已而用之。恬淡爲上，勝而不美，而美之者是樂殺人。夫樂殺人者，則不可以得志于天下矣。吉事尚左，凶事尚右。偏將軍居左，上將軍居右，言以喪禮處之。殺人之衆，以哀悲泣之，戰勝以喪禮處之。

【手記】

《禮》曰："大明生于東，月生于西。此陰陽之分，夫婦之位也。"日月，左右之門也。《孟子》曰："取之左右逢其原。""偏將軍處左，上將軍處右。"右者，祐也。《易》曰："自天祐之，吉無不利。"《詩》曰："保佑命之，自天申之。"

【考釋】

"大明"二句見《禮記·禮器》。"取之"句見《孟子·離婁下》。原文中"偏將軍居左，上將軍居右"，手記中二"居"字均作"處"，與《正統道藏》本唐傅奕《道德經古本篇》同。"自天"句見《易·大有》。"保佑命之，自天申之"亦見于《禮記·中庸》，《詩·大雅·假樂》原文"佑"作"右"。

【原文】

三 十 二 章

道常無名。樸雖小，天下莫能臣也。侯王若能守之，萬物將自賓。天地相合以降甘露，人莫之令而自均。始制有名。名亦既有，夫亦將知止。知止可以不殆。譬道之在天下，猶川谷之于江海。

【手記】

佛之言曰"甘露淨法"，其法一味"解脱"、"涅槃"。《禮》曰："天降膏露，地出醴泉。"君子味之，所以知止。"富潤屋，德潤身"。澤之爲利大矣哉！

【考釋】

"解脱"、"涅槃"之旨見佛教經典《解脱道論》與《清淨道論》。"天降"句見《禮記·禮運》。"富潤屋"句見《禮記·大學》。

【原文】

三 十 四 章

大道氾兮，其可左右。萬物恃之而生而不辭，功成不名有。衣養萬物而不爲主，常無欲，可名於小；萬物歸焉而不爲主，可名爲大。以其終不自爲大，故能成其大。

【手記】

"左之右之，君子宜之；右之左之，君子有之"。"參差荇菜，左右流之"。"參差荇菜，左右采之"。

【考釋】

《詩·小雅·裳裳者華》："左之左之，君子宜之；右之右之，君子有之。"手記作"左之右之"、"右之左之"，未知所據，恐係偶誤。後兩句見《詩·國風·關雎》。

【原文】

三 十 五 章

執大象，天下往。往而不害，安平太。樂與餌，過客止。道之出口，淡乎其無味。視之不足見，聽之不足聞，用之不足既。

【手記】

人莫不飲食也，鮮能知味也。過者弗知，不及者亦弗知也。味無味，知其味。

【原文】

三 十 八 章

上德不德，是以有德；下德不失德，是以無德。上德無爲而無以爲，下德爲之而有以爲。上仁爲之而無以爲，上義爲之而有以爲。上禮爲之而莫之應，則攘臂而扔之。故失道而後德，失德而後仁，失仁而後義，失義而後禮。夫禮者，忠信之薄，而亂之首。前識者，道之華而愚之始。是以大丈夫處其厚不居其薄，處其實不居其華，故去彼取此。

【手記】

　　禮譬動，吉凶悔吝生乎動，故薄。復禮則處乎其厚矣。復禮者，克而復也。禮譬火，義譬金，火克金而義集。義譬金，仁譬木，金克木而仁安。老氏知禮，蓋慎乎禮者也，復則無爲矣。

【考釋】

　　《易·繫辭下》曰：“吉凶悔吝者，生乎動者也。”手記中運用《易·繫辭》和五行相克之説來解釋《老子》。

【原文】

四 十 一 章

　　上士聞道，勤而行之；中士聞道，若存若亡；下士聞道，大笑之。不笑不足以爲道。故建言有之：明道若昧，進道若退，夷道若纇；上德若谷，大白若辱，廣德若不足；建德若偷，質真若渝，大方無隅；大器晚成，大音希聲，大象無形。道隱無名，夫唯道，善貸且成。

【手記】

　　“上士”譬命，“中士”譬性，“下士”譬身。命之行，天行也，其行也勤；性之德，隱而見，微而顯，其若存而若亡也；身之修，艮以止，兑以説也。子曰“不亦説乎”，説之極，故爲矣。

【原文】

四 十 七 章

　　不出户，知天下，不闚牖，見天道。其出彌遠，其知彌少。是以聖人不行而知，不見而名，不爲而成。

【手記】

　　戒慎不睹，恐懼不聞，無視無聽，抱神以靜，知彌少哉！

【原文】

五十二章

天下有始，以爲天下母。既得其母，以知其子；既知其子，復守其母，没身不殆。塞其兑，閉其門，終身不勤，開其兑，濟其事，終身不救。見小曰明，守柔曰强。用其光，復歸其明，無遺身殃，是爲習常。

【手記】

"用其光，復歸其明"，"知其子，復守其母"。光者，子也；明者，母也，合日月日明。

兑不塞，門弗閉也；兑不決，兑弗塞也。艮以止之，兑以説之。"塞其兑"，其止而説之義乎！

【原文】

五十四章

善建者不拔，善抱者不脱，子孫以祭祀不輟。修之于身，其德乃真；修之于家，其德乃餘；修之于鄉，其德乃長；修之于國，其德乃豐；修之于天下，其德乃普。故以身觀身，以家觀家，以鄉觀鄉，以國觀國，以天下觀天下。吾何以知天下然哉？以此。

【手記】

《大學》之治國齊家，亦此意也。《大學》曰"明"，《道德》曰"觀"。

【考釋】

《禮記·大學》曰："大學之道，在明明德。"又曰："古之欲明明德于天下者，先治其國；欲治其國者，先齊其家；欲齊其家者，先修其身；欲修其身者，先正其心。"手記中以儒家經典與《老子》作比較。

【原文】

七 十 三 章

勇于敢則殺，勇于不敢則活。此兩者，或利或害。天之所惡，孰知其故？是以聖人猶難之。天之道，不爭而善勝，不言而善應，不召而自來，繟然而善謀。天網恢恢，疏而不失。

【手記】

"天之所惡，孰知其故？"夫惟不知，是以知之，聖人順而已矣。惟知天可以事天，惟順天可以達天。"天綱恢恢，疏而不失"，老氏之善言天也；天之高，其職卑哉！

【考釋】

原文中"天網"，手記中"網"作"綱"，此字諸本無異文，應屬筆誤。

作者簡介 高正，1954 年生，江蘇省泰州市人。中國社會科學院哲學研究所助理研究員。